Sándor Márai
Wandlungen einer Ehe

## Zu diesem Buch

»Für den Abend des Galadiners wählte ich eine reinseidene weiße Robe, legte die Blaufuchs-Stola um, steckte mir das Veilchensträußchen mit dem lila Band in den Ausschnitt – dem gleichen Band, wie ich es kürzlich in der Brieftasche meines Mannes gefunden hatte. Ich war so schön an jenem Abend, daß selbst er, mein Mann, es bemerkte, als er zufällig meinen Blick im Spiegel streifte. Lázár, der Schriftsteller, geleitete mich in den festlich erleuchteten Wintergarten und sprach mich auf meine außergewöhnliche Ausstrahlung an: Sind Sie verliebt? Ja, antwortete ich. In meinen Mann. Und ich habe mir vorgenommen, ihn heute abend zurückzuerobern.« Am Vorabend des Zweiten Weltkrieges stellen sich drei Menschen unterschiedlicher gesellschaftlicher Herkunft – ein Herr, eine Dame, ein Dienstmädchen – dieselben Fragen nach der Existenz echter Gefühle, nach emotionaler Nähe und kultureller Verwurzelung.

*Sándor Márai,* 1900 in Kaschau (Košice, heute Slowakei) geboren, lebte und studierte in verschiedenen europäischen Ländern, ehe er 1928 als Journalist nach Budapest zurückkehrte. Er verließ Ungarn 1948 aus politischen Gründen und ging 1952 in die USA, wo er bis zu seinem Freitod 1989 lebte. Mit der Neuausgabe des Romans »Die Glut« (1999) wurde Márai als einer der großen Schriftsteller des 20. Jahrhunderts erkannt. Zuletzt erschienen auf deutsch »Das Wunder des San Gennaro« und »Die Nacht vor der Scheidung«.

# Sándor Márai
# Wandlungen einer Ehe

Roman

Aus dem Ungarischen von
Christina Viragh

Piper München Zürich

Von Sándor Márai liegen in der Serie Piper vor:
Bekenntnisse eines Bürgers (3081)
Tagebücher 1984–1989 (3183)
Land, Land (3184)
Die Glut (3313)
Der Wind kommt vom Westen (3406)
Das Vermächtnis der Eszter (3511)
Himmel und Erde (3714)
Die jungen Rebellen (3898)
Ein Hund mit Charakter (4009)
Die Gräfin von Parma (4040)
Wandlungen einer Ehe (4167)
Das Wunder des San Gennaro (Piper Original 7044)

Über Sándor Márai:
Ernő Zeltner: Sándor Márai. Ein Leben in Bildern

Ungekürzte Taschenbuchausgabe
Juli 2004
© Nachlaß Sándor Márai,
Vörösváry-Weller Publishing, Toronto
Titel der ungarischen Originalausgabe:
»Csutora«, Budapest 1931
© der deutschsprachigen Ausgabe:
2003 Piper Verlag GmbH, München
Umschlag / Bildredaktion: Büro Hamburg
Isabel Bünermann, Friederike Franz,
Charlotte Wippermann, Katharina Oesten
Fotos Umschlagvorderseite: Franz Hubmann, Wien (oben) und
David Seidner (»Amira Casar«, 1985, Detail; Chromogenic print,
© International Center of Photography; unten)
Satz: Uwe Steffen, München
Druck und Bindung: Clausen & Bosse, Leck
Printed in Germany    ISBN 3-492-24167-0

www.piper.de

# WANDLUNGEN EINER EHE

Alles Liebe zum Geburtstag,
liebe Anja!
Dieses Buch habe ich gerade
auf Formentera gelesen.
Und weil es mir gefallen
hat, sollst Du es auch
bekommen. Dabei wünsche
ich Dir und Anstin nicht
nur eine Großartige Ehe :),
sondern alles, was Ihr Euch
von Herzen wünscht.

Dickes Geburtstagsbussi,
Judith

*Editorische Notiz*

Die Originalausgabe des ersten und des zweiten Teils des vorliegenden Romans erschien 1941 unter dem Titel »Az igazi« bei Révai in Budapest, auf deutsch 1948 unter dem Titel »Der Richtige« im Scholle Verlag, Wien. Der dritte Teil wurde vom Autor noch in Budapest konzipiert, aber erst im italienischen Exil 1948 fertiggestellt. Er erschien erstmals 1980 unter dem Titel »Judit ... é az utóhang« im Griff Verlag, München, in ungarischer Sprache. Auf deutsch war er – ohne den »Nachklang (Utóhang)« des Autors – zusammen mit dem ersten und dem zweiten Teil bereits 1949 unter dem Titel »Wandlungen der Ehe« im J. P. Toth Verlag in Hamburg veröffentlicht worden.

# ERSTER TEIL

Du, schau dir mal den Mann dort an. Nein, warte, jetzt nicht, dreh dich zu mir und laß uns plaudern. Ich möchte nicht, daß er herschaut und mich sieht, ich möchte nicht, daß er mich grüßt. Jetzt kannst du dich wieder umdrehen... Der Kleine, Untersetzte im Pelzmantel mit dem Marderkragen? Aber nein. Der dort, der Große, Bleiche im schwarzen Mantel, der jetzt mit dem mageren blonden Konditoreifräulein redet. Jetzt kauft er kandierte Orangenschalen. Komisch, mir hat er nie kandierte Orangenschalen mitgebracht.

Was mit mir los ist?... Nichts. Warte, ich muß mir die Nase putzen.

Ist er weg? Sag's mir, wenn er weg ist.

Jetzt zahlt er?... Was hat er für eine Brieftasche? Schau gut hin, ich selbst mag nicht hinsehen. Ist es eine aus braunem Krokodilleder?... Ja? Siehst du, das freut mich.

Warum? Einfach so. Na ja, die Brieftasche habe ich ihm geschenkt, zum vierzigsten Geburtstag. Das war vor zehn Jahren. Ob ich ihn geliebt habe?... Da fragst du etwas Schwieriges. Ja, ich glaube, ich habe ihn geliebt. Ist er jetzt weg?...

Gut, daß er gegangen ist. Warte, ich will mir die Nase pudern. Sieht man, daß ich geweint habe?... Blöd, aber so ist man eben. Noch immer bekomme ich Herzklopfen, wenn ich ihn sehe. Ob ich sagen kann, wer das war? Natürlich, Liebes, es ist kein Geheimnis. Das war einmal mein Mann.

Du, laß uns Pistazieneis bestellen. Ich verstehe nicht, warum man sagt, im Winter könne man kein Eis essen. Ich komme am liebsten im Winter in diese Konditorei, um Eis zu essen. Manchmal denke ich, man kann alles, ganz einfach, weil es möglich ist, es braucht gar nicht gut oder sinnvoll zu sein. Aber seit ich allein lebe, komme ich im Winter überhaupt gern hierher, zwischen fünf und sieben. Ich mag diesen roten Salon mit dem Mobiliar aus dem letzten Jahrhundert, die alten Konditoreifräuleins, die Spiegelfenster und das Großstädtische des Platzes davor, die Leute, die ein und aus gehen. Etwas Warmes ist in alldem, ein Hauch von Jahrhundertwende. Und hier gibt es den besten Tee, hast du es gemerkt? ...

Ich weiß, heute gehen die Frauen nicht mehr in die Konditorei, sondern ins *Espresso*, wo alles rasch abgewikkelt wird und man sich nicht bequem hinsetzen kann, der Kaffee kostet vierzig Fillér, und zu Mittag ißt man einen Salat, das ist die neue Welt. Ich hingegen gehöre noch zur alten Welt, ich brauche noch diese feine Konditorei mit ihrem Mobiliar, ihren Seidentapeten und ihren alten Gräfinnen und Erzherzoginnen und Spiegelschränken. Ich sitze nicht täglich hier, wie du dir wohl denken kannst, aber im Winter schaue ich ab und zu herein, es ist ein angenehmer Ort. Früher haben wir uns oft hier getroffen, mein Mann und ich, zur Teezeit, nach sechs, wenn er aus dem Büro kam.

Ja, auch jetzt ist er aus dem Büro gekommen. Zwanzig nach sechs, das ist seine Zeit. Noch heute kenne ich jeden seiner Schritte so genau, als lebte ich sein Leben. Um fünf vor sechs klingelt er nach dem Diener, sein Mantel und Hut werden abgebürstet, man hilft ihm hinein, dann macht er sich auf den Weg, läßt den Wagen vorausfahren und folgt zu Fuß, um frische Luft zu schöpfen. Er hat zuwenig Bewegung, deshalb ist er so blaß. Vielleicht auch aus anderen Gründen, was weiß ich. Ich weiß es nicht, weil ich ihn nie sehe, nie mit ihm rede, seit drei Jahren nicht mehr. Ich mag die zartbitteren Scheidungen nicht, bei denen die Ehehälften Arm in Arm aus dem Gericht kommen, im berühmten Stadtwäldchen-Restaurant gemeinsam zu Mittag essen, aufmerksam und liebevoll miteinander, als wäre nichts geschehen, bis dann nach erfolgter Scheidung und erfolgtem Mittagessen jeder seinen Weg geht. Ich bin eine Frau von anderen Sitten und anderem Temperament. Ich glaube nicht daran, daß Mann und Frau nach der Scheidung gute Freunde bleiben können. Eine Ehe ist eine Ehe, und eine Scheidung ist eine Scheidung. So sehe ich das.

Und du, was meinst du? Allerdings warst du ja nie verheiratet.

Siehst du, ich glaube nicht, daß etwas, das die Menschen erfinden und dann jahrtausendelang bedenkenlos wiederholen, eine reine Formalität ist. Für mich ist die Ehe wirklich etwas Heiliges. Und die Scheidung halte ich für ein Sakrileg. So bin ich erzogen worden. Aber ich glaube das auch aus anderen Gründen, nicht nur, weil mich meine Erziehung und meine Religion dazu zwingen. Ich glaube es, weil ich eine Frau bin und die Scheidung für mich ebensowenig eine leere Formalität ist wie die Zeremonie auf dem Standesamt und in der Kirche, die Körper und Seelen endgültig bindet. Und genauso werden bei der Scheidung die Schicksale endgültig getrennt und auseinandergerissen. Als wir uns scheiden ließen, bildete ich mir keinen Augenblick ein, mein Mann und ich könnten »Freunde« bleiben. Er war natürlich nach wie vor höflich und aufmerksam und auch großzügig, so wie es Sitte und Brauch verlangen. Ich hingegen war weder höflich noch großzügig, sogar den Flügel habe ich mitgenommen, ja, so richtig rachelüstern; am liebsten hätte ich die ganze Wohnung eingepackt, samt Vorhängen und allem. Im Augenblick der Scheidung bin ich zu seiner Feindin geworden, und das bleibe ich auch, solange ich lebe. Mich braucht er nicht zu einem freundschaftlichen Abendessen ins Stadtwäldchen einzuladen, ich bin nicht gewillt, die reizende Frau zu spielen, die zu ihrem Exmann in die Wohnung geht, um nach dem Rechten zu sehen, weil der Diener die Wäsche stiehlt. Meinetwegen mag man ihm alles stehlen, und wenn ich eines Tages höre, er sei krank, dann gehe ich trotzdem nicht hin. Warum?... Weil wir geschieden sind, versteh's doch. Damit kann man sich nicht abfinden.

Wart mal, das will ich doch zurücknehmen, das mit der Krankheit. Ich möchte nicht, daß er krank wird. Da würde ich ihn doch besuchen, im Sanatorium. Was lachst du?... Lachst du mich aus? Du meinst, ich hoffe, er würde krank, und ich könnte ihn besuchen? Na klar hoffe ich das. Solange ich lebe, werde ich hoffen. Aber sehr krank soll er doch nicht werden. Wie bleich er war, hast du gesehen?... Seit ein paar Jahren ist er immer so bleich.

Ich erzähle dir alles. Hast du Zeit? Ich habe sehr viel Zeit, leider.


Da kommt schon das Eis. Weißt du, es war so, daß ich nach dem Internat in einem Büro arbeitete. Da schrieben wir uns noch, oder? Du bist zwar gleich nach Amerika gegangen, aber eine Zeitlang schrieben wir uns doch noch, drei, vier Jahre lang, glaube ich. Ich erinnere mich, daß zwischen uns eine ungesunde, dumme Backfischliebe war, von der ich jetzt nachträglich nicht sehr viel halte. Offenbar kann man nicht ohne Liebe leben. Damals liebte ich also dich. Außerdem wart ihr reich, wir hingegen waren der Mittelstand, drei Zimmer, Küche, Eingang vom Hinterhaus her. Ich blickte zu dir auf... und unter jungen Leuten ist eine solche Bewunderung schon eine Art Gefühlsbeziehung. Auch ich hatte ein Fräulein, aber bei uns bekam sie das Badewasser second hand, sie mußte nach mir baden. Solche Einzelheiten sind sehr wichtig. Zwischen Armut und Reichtum gibt es erschreckend viele Schattierungen. Und innerhalb der Armut, was meinst du, wie viele Schattierungen es nach unten gibt?... Du bist reich, du kannst nicht wissen, was für ein riesiger Unterschied zwischen monatlich vierhundert und monatlich sechshundert besteht. Zwischen monatlich zweitausend und zehntausend ist der Unterschied nicht so groß. Ich weiß, wovon ich rede. Bei uns zu Hause gab es monatlich achthundert. Mein Mann hatte monatlich sechstausendfünfhundert. Daran mußte man sich gewöhnen.

Bei ihnen zu Hause war alles ein bißchen anders als bei uns. Wir wohnten in einer Mietwohnung, sie in einer Mietvilla. Wir hatten einen Balkon mit Geranien, sie einen kleinen Garten mit zwei Blumenbeeten und einem alten Nußbaum. Wir hatten einen gewöhnlichen Eisschrank, für den wir im Sommer Eisblöcke kauften, während es bei meinen Schwiegereltern einen kleinen elektrischen Kühlschrank gab, der auch hübsche regelmäßige Eiswürfel herstellte. Wir hatten ein Mädchen für alles, sie ein Ehepaar, Diener und Köchin. Wir hatten drei Zimmer, sie vier, das Entree eingerechnet eigentlich fünf. Sie hatten eben ein Entree, mit hellen Chiffonbezügen an den Türen, wir hatten bloß einen Flur, in dem auch der Eisschrank stand, ein dunkler Pester Flur mit Bürstenablage und altmodischem

Garderobenständer. Bei uns gab es ein Dreiröhrenradio, und dieser Apparat, den Vater auf Raten gekauft hatte, »fing« Sendungen, wie es ihm gerade gefiel; sie hingegen hatten ein schrankartiges Möbel, Radio und Grammophon zugleich, das die Schallplatten automatisch abspielte und wechselte und mit dem man sogar Japan hören konnte. Ich war nach dem Prinzip erzogen, daß man sich durchs Leben schlagen muß. Er war nach dem Prinzip erzogen, daß man vor allem leben muß, fein, gesittet, geregelt, weil das am wichtigsten ist. Das sind riesige Unterschiede. Aber damals wußte ich das noch nicht.

Zu Beginn unserer Ehe sagte mein Mann eines Tages beim Frühstück: »Diese malvenfarbenen Bezüge im Eßzimmer sind ein bißchen ermüdend. Sie sind so laut wie fortwährendes Geschrei. Schau dich doch in der Stadt um, meine Liebe, und such auf den Herbst neue Bezüge.«

Zwölf Stühle, die man mit einem weniger »ermüdenden« Stoff neu beziehen sollte. Ich blickte ihn verwirrt an und dachte, er mache Spaß. Aber keineswegs, er las die Zeitung und blickte ernst vor sich hin. Es war klar, daß er sich überlegt hatte, was er sagte, und daß ihn die Malvenfarbe tatsächlich irritierte. Ich will ja auch nicht leugnen, daß sie ein bißchen gewöhnlich war. Meine Mutter hatte sie ausgesucht, es waren ganz neue Bezüge. Nachdem er aus dem Haus gegangen war, mußte ich weinen. Ganz begriffsstutzig war ich ja nicht, ich wußte genau, was er hatte sagen wollen… Etwas, das man direkt und unverblümt nicht sagen konnte, nämlich daß zwischen seinem und meinem Geschmack ein Unterschied bestand, daß ich aus einer anderen Welt kam, auch wenn ich alles konnte, alles gelernt hatte und so wie er zum Mittelstand gehörte. Bloß war um mich herum alles eine Nuance anders, einen

Hauch anders gefärbt, als ihm lieb und vertraut war. Der Bürgerliche ist für solche Schattierungen viel empfänglicher als der Aristokrat. Der Bürgerliche muß sich bis zu seinem Lebensende bestätigen. Der Aristokrat hat sich schon bestätigt, als er zur Welt gekommen ist. Der Bürgerliche ist gezwungen, sich fortwährend etwas zuzulegen oder zu bewahren. Mein Mann gehörte nicht mehr zu der Generation, die sich Dinge zulegt, und zur zweiten, der bewahrenden Generation gehörte er eigentlich auch nicht mehr. Davon hat er einmal gesprochen. Er las ein deutsches Buch, und er sagte, in diesem Buch habe er die Antwort auf die große Frage des Lebens gefunden.

Ich mag solche »großen Fragen« nicht – mir scheint, um einen Menschen herum gibt es immer Tausende von kleinen Fragen, und nur das Ganze, als ein Gesamt, ist wichtig –, und ich fragte ein bißchen spöttisch: »Meinst du im Ernst, daß du dich schon völlig kennst?«

»Aber sicher«, sagte er. Und er blickte mich durch seine Brille so offenherzig an, daß ich meine Frage bereute.

»Ich bin ein Künstler, bloß habe ich kein Objekt. Das kommt bei Bürgerlichen häufig vor. Es ist das Ende einer Familie.«

Dann sprach er nie mehr davon.

Ich verstand ihn damals nicht. Er schrieb nicht, er malte nicht, er machte keine Musik. Er verachtete Dilettanten. Aber er las viel, »systematisch« – so sagte er –, ein bißchen zu systematisch für meinen Geschmack. Ich las mit Leidenschaft, nach Lust und Laune. Er las, als erfülle er eine heilige Pflicht. Hatte er einmal ein Buch angefangen, so hörte er nicht auf, bis er damit fertig war, auch wenn es ihn ärgerte oder langweilte. Das Lesen war für ihn sakrosankt, er verehrte das gedruckte Wort wie die Priester ihre heiligen Texte. Und genauso hielt er es mit der Malerei, mit dieser Gesinnung ging er ins Museum, ins Theater, ins Konzert. Zu alldem hatte er eine echte Affinität. Er hatte zu allem Seelischen eine Affinität. Meine Affinität galt nur ihm.

Bloß hatte er kein »Objekt«. Er leitete die Fabrik, reiste viel, beschäftigte auch Künstler und bezahlte sie besonders gut. Doch er achtete sehr darauf, seinen Geschmack, der viel feiner war als der Geschmack der meisten seiner Angestellten und Berater, niemandem aufzuzwingen. Er versah jeden seiner Sätze mit einem Schalldämpfer, stets schien er sich zartfühlend und höflich für etwas zu entschuldigen, scheinbar ratlos und hilfebedürftig. Daneben konnte er bei wichtigen Entscheidungen, in geschäftlichen Angelegenheiten, auch starrköpfig sein.

Weißt du, was er war? Eine ganz seltene Erscheinung. Ein Mann.

Aber nicht in der Art des theatralischen Amoroso. Nicht so, wie man von einem Boxchampion sagt, er sei männlich. Seine Seele war männlich, nachdenklich und konsequent, unruhig, suchend und mißtrauisch. Auch das wußte ich damals noch nicht. Man findet so etwas nur mit großer Mühe heraus.

Im Internat haben wir so etwas nicht gelernt, du und ich, was?…

Vielleicht sollte ich damit beginnen, daß er mir eines Tages seinen Freund vorstellte, Lázár, den Schriftsteller. Kennst du ihn?… Hast du seine Bücher gelesen?… Ich habe sie alle gelesen. Habe sie geradezu durchwühlt, als steckte in seinen Büchern ein Geheimnis, das auch das Geheimnis meines Lebens war. Doch am Ende habe ich keine Antwort gefunden. Für solche Geheimnisse gibt es keine

Antwort. Nur das Leben antwortet, manchmal auf völlig überraschende Art. Zuvor hatte ich von diesem Schriftsteller keine einzige Zeile gelesen. Sein Name war mir zwar ein Begriff, aber ich wußte nicht, daß mein Mann ihn persönlich kannte, daß sie Freunde waren. Eines Abends kam ich nach Hause, und da waren mein Mann und der Schriftsteller. Und etwas ganz Seltsames fing an. Es war der Augenblick, im dritten Jahr unserer Ehe, als mir zum erstenmal bewußt wurde, daß ich meinen Mann nicht kannte. Ich lebte mit einem Menschen zusammen und kannte ihn nicht. Hatte manchmal gedacht, alles von ihm zu wissen, und dann stellte sich heraus, daß ich von seinen wirklichen Freuden, Vorlieben und Sehnsüchten keine Ahnung hatte. Weißt du, was die beiden an jenem Abend machten? ...

Sie spielten.

Aber auf eine so seltsame, beunruhigende Art!

Sie spielten nicht etwa Rommé, keineswegs. Meinem Mann waren mechanische Vergnügungen wie das Kartenspiel sowieso zuwider. Vielmehr spielten sie ein so groteskes und ein bißchen unheimliches Spiel, daß ich anfangs kein Wort verstand und beklommen ihre Reden anhörte, als wäre ich unter Verrückte geraten. In der Gesellschaft dieses Menschen war mein Mann ganz verändert.

Ich kam also im dritten Jahr unserer Ehe eines Abends nach Hause und fand im Wohnzimmer meinen Mann und einen fremden Herrn vor, der freundlich zu mir trat, auf meinen Mann deutete und sagte: »Grüß Gott, Ilonka. Du bist mir nicht böse, daß ich Péter mitgebracht habe, nicht wahr? ...«

Und er zeigte auf meinen Mann, der aufstand und mich verlegen ansah. Ich dachte, die sind verrückt geworden. Aber sie kümmerten sich nicht groß um mich.

Der Fremde sagte noch, während er meinem Mann auf die Schulter klopfte: »Wir sind uns auf der Arénastraße begegnet. Stell dir vor, er wollte gar nicht stehenbleiben, der Trottel, er hat bloß gegrüßt und ist weitergegangen. Das habe ich natürlich nicht zulassen können. Ich habe zu ihm gesagt: ›Péter, alter Esel, du bist doch nicht etwa verstimmt?‹ Dann habe ich ihn am Arm gepackt und mitgebracht. Na, Kinder«, sagte er und breitete die Arme aus, »umarmt euch. Ich gestatte sogar ein Küßchen.«

Du kannst dir denken, wie ich mich gefühlt habe. Mit Hut, Handschuhen und Tasche stand ich mitten im Zimmer wie ein benommenes Schaf und starrte die beiden an. Meine erste Regung war, zum Telephon zu laufen und den Hausarzt oder die Ambulanz zu rufen. Oder die Polizei.

Doch da trat mein Mann zu mir, küßte mir verlegen die Hand und sagte mit gesenktem Kopf: »Es sei alles vergessen und vergeben, Ilonka. Ich freue mich, daß ihr zwei glücklich seid.«

Dann setzten wir uns zum Abendessen an den Tisch. Der Schriftsteller saß an Péters Platz und gab Anweisungen, als wäre er der Hausherr. Mich duzte er. Das Dienstmädchen dachte natürlich auch, wir hätten den Verstand verloren, und ließ vor Schreck die Salatschüssel fallen. An dem Abend erklärten sie mir das Spiel nicht. Weil es gerade der Witz war, daß ich nichts begriff. So hatten sie es ausgemacht, als sie auf mich warteten, und sie spielten perfekt, wie zwei professionelle Schauspieler. Das Spiel ging so, daß ich mich schon vor vielen Jahren von Péter hatte scheiden lassen und diesen Schriftsteller, den Freund meines Mannes, geheiratet hatte. Péter war beleidigt auf und davon und hatte uns alles zurückgelassen, die Wohnung, samt Möbeln und allem. Jetzt war also der Schriftsteller mein Mann, und er hatte Péter auf der Straße angetroffen, ihn am Arm genommen und gesagt: »Jetzt sei doch nicht so, was geschehen ist, ist geschehen, komm zu uns zum Abendessen, auch Ilonka möchte dich gern wiedersehen.« Und so ist Péter mitgekommen. Und jetzt sind wir alle drei in der Wohnung beisammen, in der ich früher mit Péter gelebt habe, und wir sitzen freundschaftlich beim Abendessen, der Schriftsteller ist mein Mann, er schläft in Péters Bett, er hat in meinem Leben Péters Platz eingenommen... Verstehst du? Das spielten sie wie die Verrückten.

Das Spiel hatte aber auch seine Feinheiten.

Péter spielte, er sei gehemmt, weil ihn die Erinnerungen quälten. Der Schriftsteller spielte, er sei übertrieben locker, weil die Situation im Grunde auch ihn befangen machte und weil er Péter gegenüber Schuldgefühle hatte. Deshalb wäre er so laut und jovial. Ich spielte... nein, ich spielte gar nichts, ich saß bloß zwischen den beiden und starrte sie abwechselnd an, während sie, zwei erwachsene, intelligente Menschen, diesen Blödsinn von sich gaben. Am Ende verstand ich natürlich die Schattierungen des Spiels und machte bei diesem seltsamen Gesellschaftsvergnügen mit. Ich verstand aber auch noch etwas anderes.

Ich verstand, daß mein Mann, von dem ich gedacht hatte, er sei ganz mein, mit Haut und Haar, wie man sagt, mit allen Geheimnissen seiner Seele, daß dieser Mann überhaupt nicht mein war, sondern ein Fremder, der durchaus Geheimnisse hatte. Es war, als hätte ich etwas über ihn erfahren, zum Beispiel daß er im Gefängnis gewesen war oder daß er sich krankhaften Leidenschaften hingab, etwas, das überhaupt nicht zu dem Bild paßte, das ich mir in den vorangegangenen Jahren im Herzen von ihm gemacht hatte. Ich verstand, daß mein Mann nur in einer bestimmten Hinsicht mein Vertrauter war, sonst aber ein so rätselhafter, fremder Mensch wie dieser Schriftsteller, den er auf der Straße aufgegabelt und mitgebracht hatte, um dann ein bißchen gegen mich und über meinen Kopf hinweg mit ihm ein aberwitziges, unverständliches Spiel zu spielen. Ich verstand, daß mein Mann noch eine andere Welt hatte, nicht nur die, in der ich mit ihm lebte.

Und ich verstand, daß dieser Mensch, dieser Schriftsteller, Macht über die Seele meines Mannes besaß.

Sag mir, was ist Macht? ... Es wird so viel darüber geschrieben und geredet. Was ist politische Macht, woran liegt es, daß ein Mensch seinen Willen auf Millionen zu übertragen vermag? Und worin besteht unsere Macht, unsere weibliche Stärke? In der Liebe, sagst du. Mag sein. Ich habe hin und wieder meine Zweifel. Nein, ich leugne die Liebe nicht, gar nicht. Sie ist die größte Kraft auf Erden. Und doch habe ich manchmal das Gefühl, daß die Männer, die uns lieben, weil sie nicht anders können, die ganze Sache auch ein bißchen verachten. In jedem richtigen Mann ist eine Zurückhaltung, als würde er einen Bereich seines Wesens, seiner Seele vor der geliebten Frau verschließen, als würde er sagen: »Bis hierher, Liebes, und nicht weiter. Hier, im siebten Zimmer, will ich allein sein.« Die dummen Frauen regen sich darüber auf. Die klugen sind traurig, dann werden sie neugierig, und dann finden sie sich damit ab.

Und was ist die Macht, die Macht eines Menschen über die Seele eines andern? Was für eine Macht hatte dieser unglückliche, unruhige, intelligente, furchterregende und doch auch unvollkommene, verletzte Mann, dieser Schriftsteller, über die Seele meines Mannes?

Denn diese Macht besaß er, eines Tages erfuhr ich das, eine unheilvolle, unbedingte Macht. Viel später einmal sagte mein Mann, der Freund sei in seinem Leben der »Augenzeuge«. Er versuchte mir das zu erklären. Er sagte, im Leben eines jeden Menschen gebe es einen Augenzeugen, den man von Jugend auf kenne, und dieser andere sei stärker, und man setze alles daran, um das Schlechte, das in einem ist, vor diesem ungnädigen Richter geheimzuhalten. Der Augenzeuge glaubt einem nicht. Er weiß etwas, das andere nicht wissen. Man wird zum Minister ernannt, man bekommt den Nobelpreis, doch der Augenzeuge lächelt nur. Glaubst du das auch? …

Und er sagte auch noch, man mache im Leben alles ein wenig mit Blick auf diesen Augenzeugen, er sei es, den man überzeugen, dem man etwas beweisen wolle. Die Karriere, die großen Anstrengungen des Lebens unternehme man vor allem seinetwegen. Kennst du die heikle Situation, wenn der junge Ehemann seiner Frau »den« Freund vorstellt, den großen Kumpel, und wie er dann aufgeregt die Wirkung beobachtet, ob die Frau dem Freund gefällt, ob er die Wahl billigt? … Der Freund gibt sich natürlich wichtigtuerisch zuvorkommend, aber insgeheim ist er immer eifersüchtig, denn in jedem Fall ist er es, der von der Frau aus einer Gefühlsbeziehung verdrängt wird, er, der Freund. So irgendwie sahen sie mich an jenem Abend. Nur war ihnen das auch weitgehend klar, denn die beiden wußten etliches, von dem ich damals noch keine Ahnung hatte.

Immerhin hörte ich an dem Abend aus ihren Gesprächen heraus, daß diese beiden Komplizen, mein Mann und der Schriftsteller, über die Beziehungen zwischen Frauen und Männern, über die Beziehungen zwischen den Menschen etwas wußten, wovon mein Mann nie mit mir sprach. Als ob ich es nicht wert wäre, in alles eingeweiht zu werden.

Sowie der seltsame Gast nach Mitternacht gegangen war, stellte ich mich vor meinen Mann hin und fragte ganz offen: »Du verachtest mich ein wenig, nicht wahr?«

Er sah mich durch den Rauch seiner Zigarette müde zwinkernd an, als habe er an einem Zechgelage teilgenommen und müßte sich jetzt in Katerstimmung meine Vorwürfe anhören. Tatsächlich hatte dieser Abend, da mein Mann zum erstenmal den Schriftsteller mitgebracht und mit ihm dieses komische Spiel gespielt hatte, einen übleren Nachgeschmack als eine durchzechte Nacht. Wir waren beide müde und auf eine irgendwie bittere Art bedrückt.

»Nein«, sagte er ernst. »Ich verachte dich nicht, überhaupt nicht. Wie kommst du darauf? Du hast Verstand und starke Instinkte«, sagte er mit Nachdruck.

Mir war das nicht geheuer. Wir saßen uns am abgeräumten Tisch gegenüber – statt nach dem Essen in den Salon hinüberzuwechseln, hatten wir den ganzen Abend am Tisch gesessen, zwischen Haufen von Zigarettenstummeln und leeren Flaschen, denn der Gast war ein »Tischsitzer« –, und ich sagte mißtrauisch: »Ich habe Verstand und Instinkte, ja. Aber wie denkst du über meinen Charakter und meine Seele?«

Ich spürte, daß diese Frage ein bißchen pathetisch klang. Mein Mann schaute mich aufmerksam an. Aber er antwortete nicht.

Als ob er sagen wollte: »Das ist mein Geheimnis. Begnüge dich damit, daß ich deinen Verstand und deine Instinkte anerkenne.«

So irgendwie fing es an. An diesen Abend dachte ich noch lange.

Der Schriftsteller kam selten zu uns. Auch mit meinem Mann traf er sich nicht oft. Aber wenn sie sich doch einmal begegnet waren, merkte ich es, so wie die eifersüchtigen Frauen an ihren Männern sofort den Duft eines flüchtigen Abenteuers ausmachen, den Parfumdunst spüren, der von einer weiblichen Berührung auf der Haut des Mannes zurückgeblieben ist. Selbstverständlich war ich auf den Schriftsteller eifersüchtig, und anfänglich lag ich meinem Mann in den Ohren, er solle ihn doch wieder einmal zum Essen mitbringen.

Aber er wollte nicht und war verlegen. »Er geht nicht unter die Leute«, sagte er und blickte an mir vorbei. »Er ist ein Sonderling. Ein Schriftsteller. Er arbeitet.«

Ich merkte aber, daß sie sich doch manchmal trafen. Ich sah sie zufällig von der Straße her in einem Kaffeehaus, und da spürte ich zum erstenmal einen krankhaften, wilden Schmerz, als verletzte mich jemand mit einem spitzen Gegenstand, mit einem Messer oder einer Nadel. Sie sahen mich nicht, denn sie saßen in einer Nische des Kaffeehauses, mein Mann sagte etwas, und sie lachten beide. Sein Gesicht war wieder so fremd, so anders als zu Hause, anders, als ich es kannte. Ich ging rasch weiter und spürte, daß ich blaß geworden war. Mir war ganz seltsam zumute.

»Bist du verrückt«, dachte ich, »was willst du? ... Dieser Mann ist sein Freund, ein berühmter Schriftsteller, ein merkwürdiger, intelligenter Mensch. Es ist nichts dabei, daß sie sich gelegentlich treffen. Was willst du von ihnen?... Warum klopft dein Herz?... Hast du Angst, daß sie dich nicht als dritte mitspielen lassen, bei einem ihrer bizarren Spiele?... Hast du Angst, daß sie dich für zuwenig intelligent oder gebildet halten? Bist wohl eifersüchtig?«

Darüber mußte ich lachen. Aber das wilde Herzklopfen hörte nicht auf. Mein Herz raste wie damals, als ich den Kleinen erwartete und ins Sanatorium mußte. Ich lief weiter, so rasch ich konnte, mit dem Gefühl, daß sie mich betrogen, von etwas ausschlossen. Mein Verstand sah zwar alles ein und fand es in Ordnung. Mein Mann wollte nicht, daß ich diesen seltsamen Fremden traf, den nur er kannte, weil sie gemeinsam jung gewesen waren. Auch sonst war er ja nicht besonders mitteilsam. Und doch hatte ich das Gefühl, ein bißchen hereingelegt zu werden. An dem Abend kam mein Mann zu gewohnter Zeit nach Hause, und ich hatte immer noch Herzklopfen.

»Wo warst du?« fragte ich, als er mir die Hand küßte.

»Wo ich war?« Er blickte in die Luft. »Nirgends. Ich bin gleich nach Hause gekommen.«

»Du lügst«, sagte ich.

Er sah mich lange an. Dann sagte er gleichgültig, fast schon gelangweilt: »Stimmt. Das habe ich vergessen. Ich habe unterwegs Lázár getroffen. Wir sind in ein Kaffeehaus gegangen. Ja, das habe ich vergessen. Hast du uns dort gesehen?«

Seine Stimme klang ehrlich, ruhig und erstaunt. Ich schämte mich.

»Verzeih mir«, sagte ich. »Es ist ein ungutes Gefühl, nichts von diesem Menschen zu wissen. Ich glaube, er ist nicht wirklich dein Freund. Der meine auch nicht,

nicht unser Freund. Laß ihn, geh ihm aus dem Weg«, bat ich.

Mein Mann sah mich neugierig an: »Aber nein«, sagte er und rieb an seiner Brille herum, so sorgfältig wie immer, »Lázár braucht man nicht aus dem Weg zu gehen. Der drängt sich nicht auf.«

Und er erwähnte diesen Menschen nicht mehr.

Jetzt wollte ich aber alles wissen, was Lázár betraf. Ich las seine Bücher, ein paar fand ich in der Bibliothek meines Mannes, mit seltsamen handschriftlichen Widmungen versehen. Was an ihnen seltsam war?... Sie waren so... wie soll ich sagen... so ehrfurchtslos... nein, das ist nicht das richtige Wort... sie waren so merkwürdig höhnisch. Als ob der Autor den Adressaten der Widmung verachtete, aber auch seine eigenen Bücher und sich selbst, weil er diese Bücher schrieb. Da war etwas Herabsetzendes, Bitteres und Trauriges in diesen Widmungen. Etwas wie: »Ja, ja, ich kann nicht anders, aber ich identifiziere mich nicht damit.« Für mich waren bis dahin die Schriftsteller eine Art weltliche Priester. Und in seinen Büchern redete dieser Mann so ernst zur Welt!... Ich verstand nicht alles, was er schrieb. Es war, als würde er mich, die Leserin, nicht für wert befinden, alles zu erfahren... Übrigens war das etwas, worüber sowohl unter den Kritikern als auch unter den Lesern viel gesprochen wurde. Wie alle berühmten Leute wurde auch dieser Schriftsteller von vielen abgelehnt. Er selbst äußerte sich nie über seine Bücher oder über die Literatur. Hingegen wollte er alles wissen. Eines Abends kam er zu uns, und ich mußte ihm erklären, wie man Hasenpfeffer macht... Hast du schon so etwas gehört?... Ja, Hasenpfeffer. Ich mußte ihm alles sagen, und dann mußte auch noch die Köchin hereingerufen werden. Danach redete er, und zwar sehr interessant, von Giraffen. Er redete von allem möglichen, denn er wußte viel; bloß von der Literatur sprach er nie.

Die spinnen alle ein wenig, sagst du?... So etwas dachte ich auch. Doch dann bin ich zur Überzeugung gelangt, daß die Sache, wie alles im Leben, nicht so einfach ist. Sie spinnen nicht, sondern sie sind unglaublich prüde.

Und dann kam Lázár nicht mehr. Wir lasen nur noch seine Bücher und Artikel. Manchmal wurde er mit Politikern und berühmten Frauen in Zusammenhang gebracht, aber das war alles ziemlich vage. Die Politiker schworen, daß der große Mann ihrer Partei angehöre, die Frauen rühmten sich, das seltene wilde Tier an die Kette gelegt zu haben. Doch am Ende verkroch sich das wilde Tier in seine Höhle. Es vergingen Jahre, ohne daß wir ihn sahen. Was er in dieser Zeit tat?... Ich weiß es nicht. Er lebte. Las. Schrieb. Vielleicht zauberte er auch. Darüber will ich dann noch etwas sagen.

Es vergingen fünf Jahre. Ich habe acht Jahre mit meinem Mann zusammengelebt. Der Kleine wurde im dritten Jahr geboren. Ein Junge, ja. Ich habe dir seine Photographie geschickt. Ein wunderschönes Kind, ich weiß. Dann habe ich nicht mehr geschrieben, weder dir noch sonst jemandem, ich lebte nur noch für das Kind. Es gab niemanden mehr für mich, weder in der Nähe noch in der Ferne. Man darf nicht so sehr lieben, niemanden darf man so sehr lieben, nicht einmal das eigene Kind. Jede Liebe ist wild gewordener Egoismus. Ja nun, als das Kind geboren wurde, brach unser Briefwechsel ab. Du warst meine einzige Freundin, aber auch dich brauchte ich nicht mehr. Die zwei Jahre mit dem Kind waren das Glück auf Erden, eine Art ekstatischer Ruhe und Besorgtheit. Ich wußte, daß das Kind nicht lange leben würde. Woher ich das wußte?... So etwas weiß man einfach. Wir spüren alles, unser ganzes Schicksal. Ich wußte, daß ein solches Glück, so viel Schönheit und Liebe, wie dieser kleine Junge in sich vereinte, mir nicht zukamen. Ich wußte, daß er sterben würde. Schilt mich nicht, verdamm mich nicht. Ich weiß es besser. Doch jene zwei Jahre waren das Glück. Er starb an Scharlach. Drei Wochen nach seinem zweiten Geburtstag, im Herbst.

Sag, warum sterben kleine Kinder? Hast du je darüber nachgedacht? Ich nämlich schon, viel und oft. Aber Gott antwortet nicht auf solche Fragen.

Ich habe im Leben nichts zu tun, also denke ich darüber nach. Ja, auch jetzt noch. Solange ich lebe. Diesen Schmerz überwindet man nie. Der Tod eines Kindes, das ist der einzige echte Schmerz. Jeder andere Schmerz ist nur eine Annäherung. Du kennst das nicht, ich weiß. Und siehst du, ich weiß gar nicht, ob ich dich dafür beneiden oder bemitleiden soll... Ich glaube, ich bemitleide dich.

Vielleicht wäre alles anders gekommen, wenn nicht im dritten Jahr das Kind geboren wäre. Und vielleicht wäre es auch anders gekommen, wenn es am Leben geblieben wäre. Vielleicht... Denn das Kind ist zwar das größte Wunder, der einzige Sinn des Lebens, aber machen wir uns nichts vor, und so will ich dir auch gleich sagen, daß ich nicht glaube, ein Kind könne lösen, was es zwischen zwei Menschen an versteckten Spannungen und unerledigten Verwicklungen gibt. Aber lassen wir das. Eines Tages wurde also das Kind geboren, es lebte zwei Jahre, dann ist es gestorben. Mein Mann und ich blieben noch zwei Jahre zusammen, dann haben wir uns scheiden lassen.

Heute bin ich sicher, daß wir uns im dritten Jahr getrennt hätten, wenn nicht das Kind dazwischengekommen wäre. Wieso? ... Weil ich da schon wußte, daß ich mit meinem Mann nicht leben kann. Es ist etwas vom Schmerzlichsten, wenn man jemanden liebt und nicht mit ihm leben kann.

Warum? ... Er hat es einmal gesagt, als ich unbedingt von ihm wissen wollte, was zwischen uns nicht richtig sei. Er sagte: »Du verlangst von mir, daß ich auf meine Menschenwürde verzichte. Das kann ich nicht. Lieber sterbe ich.«

Ich verstand ihn gleich, und ich sagte: »Stirb nicht. Besser, du lebst und bleibst ein Fremder.«

Denn wenn er etwas sagte, tat er es auch, so war er. Vielleicht tat er es nicht sofort, sondern er sagte etwas und führte es nach Jahren aus. Andere reden einfach so daher, von Plänen und Möglichkeiten, nach dem Abendessen, beiläufig, um es dann gleich wieder zu vergessen. Mein Mann hingegen war konsequent. Er schien an seine Worte gebunden, und was er einmal gesagt hatte, ließ er nicht mehr los. Wenn er sagte: »Lieber sterbe ich«, so mußte ich wissen, daß dieser Mensch tatsächlich eher sterben würde, als sich mir zu ergeben. Das war sein Charakter und sein Schicksal ... Zuweilen ließ er im Gespräch ein paar Worte fallen, urteilte über einen Menschen, erwähnte einen Plan, und dann vergingen Jahre, in denen er nicht davon redete, bis ich eines Tages merkte, daß der Mensch, den er verurteilt hatte, aus unserem Leben verschwunden war, daß der Plan, den er nebenbei erwähnt hatte, Wirklichkeit geworden war. Im dritten Jahr wußte ich bereits, daß wir große Probleme miteinander hatten. Mein Mann war zwar höflich, zärtlich, und er liebte mich auch. Er betrog mich nicht, er hatte keine anderen Frauen. Und doch... du, schau jetzt nicht her, ich glaube, ich werde rot... Und doch fühlte ich mich in den ersten drei und den letzten zwei Jahren unserer Ehe nicht so wie seine Frau, sondern... na ja. Sicher, er liebte mich. Aber gleichzeitig duldete er mich auch einfach nur, in seiner Wohnung, in seinem Leben. Es war etwas von freundlicher Nachsicht an ihm, als müsse er sich damit abfinden, daß auch ich dort lebte, im dritten Zimmer. Weil das eben die Ordnung der Dinge war. Er sprach gern und aufmerksam mit mir, nahm die Brille ab, hörte mich an, gab mir Ratschläge, machte zuweilen auch einen Spaß, oder wir gingen ins Theater, und ich sah, wie er mit verschränkten Armen und zurückgelegtem Kopf ein bißchen spöttisch, ein bißchen skeptisch den Leuten zuhörte. Denn auch den anderen Menschen ergab er sich nicht ganz. Er hörte sie ernst und verantwortungsbewußt an und gab dann eine Antwort, aber in seiner Stimme war ein leicht mitleidiger Ton, ein Wissen darum, daß in den menschlichen Angelegenheiten auch immer ein Anteil an Unbeholfenheit, Leidenschaft, Lüge und Verdrängung ist, so daß man nicht alles für wahr zu halten braucht, auch dann nicht, wenn jemand in gutem Glauben redet. Das durfte er den Leuten natürlich nicht sagen, und deshalb betrachtete er sie mit wohlwollender Überheblichkeit, mit Ernst und Skepsis, wobei er zwischendurch lächelnd den Kopf schüttelte, als wollte er sagen: »Bitte, fahren Sie ruhig fort. Ich weiß, was ich weiß.«

Du hast mich vorhin gefragt, ob ich ihn geliebt habe. Ich habe an seiner Seite viel gelitten. Aber ich bin sicher, daß ich ihn geliebt habe, und ich weiß auch, warum... Weil er traurig und einsam war und ihm niemand helfen konnte, nicht einmal ich. Doch wieviel Zeit mußte vergehen, wieviel Leiden, bis ich das begriff! Lange glaubte ich, er verachte mich, er schaue auf mich herab. Doch in dieser Haltung war noch etwas anderes. Dieser Mensch war im Alter von vierzig Jahren so einsam wie ein Einsiedler in der Wüste. Wir lebten in der Großstadt, auf großem Fuß, hatten viele Bekannte, einen weiten Gesellschaftskreis. Und waren einsam dabei.

Nur einmal im Leben, während eines Augenblicks, habe ich ihn von einer anderen Seite gesehen. Ich meine den Moment, als das Kind geboren war und dieser bleiche, traurige, einsame Mann ins Zimmer gelassen wurde. Er trat verlegen ein, als befürchtete er eine allzu menschliche, irgendwie peinliche Szene. Er blieb vor der Wiege stehen, beugte sich unsicher vor, wie es seine Gewohnheit war, die Arme auf dem Rücken verschränkt, äußerst behutsam. Ich war sehr müde, aber ich beobachtete ihn genau. Er beugte sich über die Wiege, und da erhellte sich für einen Augenblick das bleiche Gesicht, wie von innen erleuchtet. Aber er sagte nichts, sondern blickte lange und reglos auf das Kind, vielleicht zwanzig Minuten lang. Dann trat er zu mir, legte mir die Hand auf die Stirn und blieb wortlos so stehen. Er schaute mich nicht an, sondern starrte zum Fenster hinaus. Der Kleine war an einem nebligen Oktobermorgen zur Welt gekommen. Eine Zeitlang stand mein Mann noch an meinem Bett und strich mir mit heißer Hand über die Stirn. Dann begann er mit dem Arzt zu reden, als wäre die Sache nunmehr erledigt, so daß man zu anderem übergehen konnte.

Aber jetzt weiß ich, daß er in dem Augenblick, vielleicht das erste und das letzte Mal in seinem Leben, glücklich war. Vielleicht war er sogar bereit, etwas von dem Geheimnis preiszugeben, das er Menschenwürde nannte. Solange das Kind lebte, redete er anders mit mir, vertraulicher. Ich spürte zwar, daß ich immer noch nicht ganz zu ihm gehörte, daß dieser Mann mit sich rang, daß er einen inneren Widerstand, das merkwürdige Geflecht aus Hochmut, Angst, Kränkung und Mißtrauen zu überwinden suchte, weil es ihn hinderte, so zu sein wie andere Menschen. Um des Kindes willen wäre er bereit gewesen, sich mit der Welt zu versöhnen... Bis zu einem gewissen Grad. Für eine gewisse Zeit. Solange das Kind lebte, beobachtete ich mit wilder Hoffnung, wie dieser Mann mit seinem Charakter kämpfte. Wie ein Dompteur mit einem wilden Tier. Dieser wortkarge, stolze, traurige Mann bemühte sich, vertrauensvoll, bescheiden und demütig zu sein. Zum Beispiel brachte er Geschenke heim, kleine Geschenke. Es war zum Weinen. Denn er hatte eigentlich Hemmungen, Kleinigkeiten zu schenken. An Weihnachten und zum Geburtstag bekam ich von ihm immer etwas Edles, Kostspieliges, eine schöne Reise, einen Pelz, ein neues Auto, Juwelen... Nie aber war es so, wie ich es gern gehabt hätte, daß er einfach für zwanzig Fillér gebratene Kastanien mitbrachte. Verstehst du?... Oder Kandiszucker, oder was weiß ich. Jetzt aber war es so. Er war sehr großzügig, es mußte der beste Arzt, das schönste Kinderzimmer her, und auch diesen Ring habe ich damals von ihm bekommen... Ja, er ist wertvoll... Aber es kam auch vor, daß er mit verlegenem Lächeln ein feingehäkeltes Kinderjäckchen und ein Mützchen aus dem Seidenpapier wickelte. Er legte die Sachen auf den Kinderzimmertisch, lächelte schuldbewußt und ging rasch hinaus.

Wie gesagt, in solchen Augenblicken hätte ich weinen mögen. Vor Freude, voller Hoffnung. Und noch aus einem anderen Gefühl: aus Angst. Daß er es nicht schaffen würde, daß er den Kampf mit sich selbst nicht gewinnen könnte, daß wir es alle nicht schaffen würden, er nicht, das Kind nicht und ich auch nicht... etwas stimmte nicht. Aber was?... Ich betete, ging in die Kirche. Gott, hilf uns! sagte ich. Aber Gott weiß, daß nur wir selbst uns helfen können.

Das war sein ganz eigener Kampf, solange das Kind lebte.

Siehst du, jetzt bist du auch schon beunruhigt. Du fragst, was mit uns los war, was das für ein Mann war... Schwierige Frage, Liebes. Ich habe mir acht Jahre lang den Kopf darüber zerbrochen. Und auch seit wir geschieden sind, denke ich darüber nach. Manchmal meine ich die Antwort zu kennen. Doch jede Theorie ist verdächtig. Ich kann dir nur die Symptome schildern.

Du fragst, ob er mich geliebt habe... Ja, schon. Aber im Grunde glaube ich, daß er nur seinen Vater und sein Kind geliebt hat.

Zu seinem Vater war er zuvorkommend und ehrerbietig. Er besuchte ihn jede Woche. Meine Schwiegermutter aß einmal wöchentlich bei uns zu Mittag. Schwiegermutter, übles Wort! Diese Frau, die Mutter meines Mannes, war eins der vornehmsten Wesen, denen ich je begegnet bin. Als mein Schwiegervater starb und diese reiche, stolze Frau in der großen Wohnung allein blieb, da fürchtete ich, sie würde uns zur Belastung werden. Man ist voller Vorurteile. Denn diese Frau war rücksichtsvoll und hatte Takt. Sie zog in eine kleine Wohnung und fiel niemandem zur Last, sie erledigte den Kleinkram des Alltags allein, umsichtig und klug. Sie verlangte weder Mitleid noch Beistand. Selbstverständlich wußte sie etwas von ihrem Sohn, was ich nicht wissen konnte. Nur die Mütter kennen die Wahrheit. Sie wußte, daß ihr Sohn zärtlich, respektvoll und aufmerksam war, bloß... Liebte er sie nicht? Schrecklicher Gedanke. Aber lassen wir ihn doch zu, denn an der Seite meines Mannes habe ich gelernt – wir beide hatten es von Lázár –, daß die ungeschminkte Wahrheit eine reinigende, schöpferische Kraft hat. Zwischen Mutter und Sohn gab es nie Streit, nie eine Meinungsverschiedenheit. »Liebe Mutter«, sagte der eine, »Lieber Sohn«, antwortete die andere. Handkuß und Höflichkeitsrituale, aber kein vertrauliches Wort. Sie waren nie lange allein im selben Zimmer; einer von beiden stand immer auf und ging unter einem Vorwand hinaus, oder sie riefen jemanden zu sich herein. Sie hatten Angst, miteinander allein zu bleiben, als hätten sie dann sofort etwas besprechen müssen, und das wäre schiefgegangen, sehr schief, das Geheimnis, von dem sie beide nicht sprechen durften, wäre aufgedeckt worden. So ein Gefühl war das. Ob es wirklich so war?... Ja, so war es.

Ich hätte sie gern miteinander ausgesöhnt. Aber sie hatten ja gar keinen Streit! Manchmal tastete ich mich ganz vorsichtig, so wie man eine Wunde berührt, an diese Beziehung heran. Doch bei der ersten Berührung begannen sie erschrocken von etwas anderem zu reden. Was hätte ich auch sagen können?... Es gab nichts Handfestes, an dem Vorwürfe oder Klagen festzumachen gewesen wären. Hätte ich sagen können, daß Mutter und Sohn einander irgendwie schlecht behandelten? Nein, denn beide »erfüllten ihre Pflicht«. Das war ihr Alibi. Namenstage, Geburtstage, Weihnachten, all die größeren und kleineren Familienfeste wurden pflichtschuldigst gefeiert. Mütterchen bekam ein Geschenk, und Mütterchen brachte ein Geschenk mit. Mein Mann küßte ihr die Hand, und sie küßte ihn auf die Stirn. Mütterchen nahm am Familientisch den Ehrenplatz ein, und alle redeten respektvoll zu ihr, über die Angelegenheiten der Familie oder der Welt, und nie wurde diskutiert, sondern man hörte sich an, wie Mütterchen ihre Meinung leise, gemessen und höflich vorbrachte, und redete dann von anderem. Immer von anderem, leider... Ach, diese Familienfestessen! Diese Gesprächspausen! Dieses Über-anderes-Reden, dieses höfliche Verstummen. Ich konnte ihnen nicht sagen, konnte es zwischen Suppe und Fleisch, zwischen Geburtstag und Weihnachten, zwischen Jugend und Alter nicht sagen, daß sie immer von anderem redeten. Ich konnte nichts sagen, denn mein Mann redete auch mit mir »von anderem«, sein Schweigen und Verstummen machten auch mich leiden, so wie meine Schwiegermutter, und manchmal dachte ich schon, wir seien beide schuld daran, sie und ich, weil wir zu unverständig waren, weil wir das Geheimnis seiner Seele nicht erforscht und die Aufgabe nicht gelöst hatten, die einzige wahre Aufgabe des Lebens. Wir verstanden uns nicht auf diesen Mann. Sie hatte ihm das Leben geschenkt, ich hatte ihm ein Kind geschenkt... was kann eine Frau noch geben?... Du meinst, mehr nicht. Ich weiß es nicht. Eines Tages begann ich zu zweifeln. Ich will dir das jetzt erzählen, da wir uns getroffen haben und ich ihn gesehen habe, und ich spüre, wie sich das Ganze wieder in mir staut, so daß ich es jemandem erzählen muß, ich denke ja sowieso an nichts anderes. Also, ich erzähle es jetzt. Ermüdet es dich nicht? Hast du noch eine halbe Stunde Zeit? Vielleicht schaffe ich es.

Es war wohl so, daß er uns beide achtete und wahrscheinlich auch liebte. Aber weder seine Mutter noch ich verstanden uns auf ihn. Das war die Niederlage unseres Lebens.

Du sagst, auf die Liebe brauche man sich nicht zu »verstehen«? Da täuschst du dich, meine Beste. Das habe auch ich lange Zeit gesagt, habe es als Anklage in die Welt hinausgeschrien. Liebe ist da oder ist nicht da, worauf müßte man sich »verstehen«? Was ist ein Gefühl wert, hinter dem bewußte Absicht steckt? ... Du, wenn man älter wird, erfährt man, daß sich die Dinge anders verhalten, daß man sich auf das alles »verstehen« muß. Daß man alles erlernen muß, selbst die Liebe. Ja, auch wenn du den Kopf schüttelst und lächelst. Wir sind Menschen, und alles geschieht durch unseren Verstand. Auch unsere Gefühle und Regungen werden uns erst über den Verstand erträglich und unerträglich. Einfach zu lieben genügt nicht.

Aber wir wollen nicht streiten. Ich weiß, was ich weiß. Ich habe dafür einen hohen Preis gezahlt. Welchen Preis? ... Das Leben, Liebes, das ganze Leben. Daß ich jetzt mit dir hier sitze, in dieser Konditorei im roten Salon, und daß mein Mann für jemand anderen kandierte Orangenschalen kauft. Überrascht mich gar nicht, daß er jetzt kandierte Orangenschalen mitbringt. Sie hatte in allem einen gewöhnlichen Geschmack.

Wer? ... Na ja, die andere Frau. Ich mag ihren Namen nicht aussprechen. Die er dann geheiratet hat. Hast du nicht gewußt, daß er wieder geheiratet hat? ... Ich dachte, die Nachricht sei bis zu dir, bis nach Boston gedrungen. Siehst du, so naiv ist man. Denkt, die eigenen Angelegenheiten seien weltbewegende Ereignisse. Als das alles passierte, die Scheidung, die Heirat meines Mannes, geschahen gerade große Dinge in der Welt, Länder wurden auseinandergeschnitten, es wurde zum Krieg gerüstet, und eines Tages brach der Krieg dann aus... Nicht überraschend, denn wie auch Lázár gesagt hatte: etwas, worauf sich die Menschen mit aller Kraft, mit Ausdauer, Voraussicht und Umsicht vorbereiten – auf einen Krieg etwa –, tritt schließlich auch ein. Mich aber hätte es nicht erstaunt, wenn in jenen Monaten die Zeitungen auf der ersten Seite in großen Lettern von meinem Privatkrieg berichtet hätten, von meinen Schlachten, Rückschlägen, kleinen Siegen und überhaupt von der Kampffront, wie es damals mein Leben war... Doch das ist eine andere Geschichte. Bei der Geburt unseres Kindes waren wir noch weit davon entfernt.

Vielleicht könnte ich es so ausdrücken, daß mein Mann in den zwei Jahren, in denen das Kind lebte, mit mir und mit der Welt Frieden schloß. Noch keinen echten Frieden, eher eine Art Waffenstillstand, fürs erste. Er wartete und beobachtete. Und bemühte sich, in seiner Seele Ordnung zu schaffen. Denn die Seele dieses Menschen war rein. Ich habe dir schon gesagt, daß er ein Mann war. Aber er war auch noch etwas anderes: ein Herr. Natürlich nicht so ein Kasinotyp, der sich duelliert oder sich selbst erschießt, weil er seine Spielschulden nicht bezahlen kann. Karten spielte er gar nicht. Einmal sagte er, ein wirklicher Herr rühre keine Karten an, denn ehrliches Geld sei nur das, was man mit eigener Arbeit verdient habe. In diesem Sinn war er ein Herr. Also höflich und geduldig mit den Schwächeren. Streng und standesbewußt gegenüber den Gleichgestellten. Das war für ihn überhaupt die höchste Stufe, die ein Mensch erreichen kann; die gesellschaftlich höherstehenden Ränge erkannte er nicht an. Nur die Künstler ehrte er. Er sagte, Künstler seien die Kinder Gottes, die sich das schwerste Los ausgesucht hätten. Sonst aber ließ er keinen höheren Stand gelten.

Und da er ein Herr war, bemühte er sich nach der Geburt des Kindes, die erschreckende, bedrückende Fremdheit in seiner Seele aufzulösen und sich mir und dem Kind zu nähern, auf rührende Art. Wie wenn ein Tiger beschließt, von morgen an Vegetarier zu werden und in die Heilsarmee einzutreten. Ach Gott, wie schwer es ist, zu leben und Mensch zu sein! ...

Nun, wir lebten zwei Jahre so. Nicht wirklich gut, nicht glücklich. Aber ruhig. Die beiden Jahre müssen ihn enorme Kraft gekostet haben. Es braucht eine übermenschliche Kraft, gegen die eigene Natur zu leben. Er versuchte zähneknirschend, glücklich zu sein. Versuchte verkrampft, sich zu lockern, leicht, sorglos und vertrauensvoll zu werden. Der Arme! ... Vielleicht hätte er nicht so sehr gelitten, wenn ich ihn losgelassen und all meine Sehnsucht, meine Liebesbedürftigkeit auf das Kind gelenkt hätte. Doch inzwischen war auch mit mir etwas geschehen, das ich damals nicht verstand. Ich liebte mein Kind nur durch meinen Mann. Mag sein, daß mich Gott exakt dafür bestraft hat. Warum schaust du mich mit so großen Augen an? ... Glaubst du mir nicht? ... Oder bist du erschrocken? Ja, Liebes, meine Geschichte ist eben nicht sehr erbaulich. Ich war entzückt von dem Kind, lebte nur für das Kind, hatte in den zwei Jahren das Gefühl, mein Leben habe Sinn und Zweck. Und doch liebte ich es meines Mannes wegen, ich liebte es für ihn, verstehst du? Ich wollte, daß ihn das Kind an mich binde, auch innerlich voll und ganz. Es ist wohl grauenhaft, das auszusprechen, aber heute weiß ich, daß das Kind, um das ich ewig trauern werde, nur ein Werkzeug war, ein Mittel, um meinen Mann zur Liebe zu zwingen. Hätte ich das damals beichten wollen, ich hätte bis tief in die Nacht im Beichtstuhl bleiben können und doch keine Worte dafür gefunden. Er aber wußte es auch, ohne daß es gesagt wurde, und insgeheim, ganz innen, wußte auch ich es, selbst wenn mir die passenden Worte fehlten, denn damals konnte ich die Phänomene des Lebens noch nicht benennen... Die richtigen Worte kommen später, und man bezahlt sie grausam teuer. Damals waren die Worte noch bei Lázár. Eines Tages überreichte er sie mir, mit einer lockeren Geste, als würde er kurz einen Apparat bedienen oder ein Geheimfach öffnen. Damals aber hätten wir unsere Situation nicht zu besprechen gewußt. Um uns herum war alles in bester Ordnung. Das Baby wurde morgens vom Kindermädchen hereingebracht, hellblau und rosarot gekleidet. Mein Mann sprach zum Kind und zu mir, setzte sich dann in seinen Wagen und fuhr in die Fabrik. Abends aßen wir in der Stadt, oder wir hatten Gäste, die unser Glück feierten, das schöne Zuhause, die junge Mutter, das wunderschöne Kind, die sorglose Atmosphäre. Was mögen sie gedacht haben, wenn sie nach Hause gingen?... Ich glaube, ich weiß es. Die Dummen beneideten uns. Die Klugen und Sensiblen atmeten auf, wenn sie aus dem Tor unseres Hauses traten, und dachten: »Endlich allein...« Bei uns gab es die erlesenste Küche, seltene ausländische Weine, gedämpfte, gepflegte Unterhaltung. Bloß fehlte in alldem etwas, und die Gäste waren froh, wieder draußen zu sein. Auch meine Schwiegermutter traf jeweils mit feiner Verstörtheit ein und ging mit einer so seltsamen Hast wieder nach Hause. Das alles spürten wir, ohne es zu wissen. Oder mein Mann wußte es, er vielleicht schon... Aber es blieb ihm nichts anderes übrig, er mußte die Zähne zusammenbeißen und unerschütterlich glücklich sein.

Ich ließ ihn innerlich nicht los, keinen Augenblick. Ich hielt ihn durch das Kind fest, erpreßte ihn wortlos mit meinem emotionalen Anspruch. Ob es zwischen den Menschen solche Kräfte gibt? ... Nur solche gibt es. Jeder meiner Augenblicke gehörte dem Kind, aber nur, weil ich wußte: Solange das Kind da ist, so lange ist auch er da und gehört ganz mir. Gott verzeiht so etwas nicht. Man darf nicht lieben und eine Absicht damit verfolgen. Man darf nicht krampfhaft und ausgeklügelt lieben. Du sagst, nur so könne man lieben? ... Nun ja, ich jedenfalls habe so geliebt.

Wir lebten über dem Leben des Kindes, und wir kämpften miteinander. Lächelnd und höflich, leidenschaftlich und wortlos. Eines Tages geschah etwas. Ich wurde auf einmal müde, war an Händen und Füßen wie gelähmt. Denn auch ich verbrauchte in diesen Jahren mehr Kraft, als ich hatte, nicht nur er.

Ich war müde, so wie man es beim Nahen einer Krankheit ist. Es war Frühherbst, vor vielen Jahren. Ein lauer, süßlicher Herbst. Das Kind war schon zwei vorüber, und es begann so interessant zu werden, so rührend eigenständig, eine Persönlichkeit... Eines Abends saßen wir im Garten. Das Kind war schon zu Bett gebracht worden.

Mein Mann sagte: »Willst du für sechs Wochen verreisen, nach Meran?«

Zwei Jahre zuvor hatte ich ihn gebeten, im Frühherbst mit mir nach Meran zu fahren. Ich bin abergläubisch, und ein bißchen Quacksalberei ist mir ebenfalls nicht fremd, ich glaubte also an jene Traubenkuren. Damals hatte er nicht gehen wollen und meine Bitte unter einem Vorwand abgewiesen. Ich wußte schon, daß er nicht gern mit mir reiste, weil er eine zu große Vertraulichkeit fürchtete, all die Tage, an denen zwei Menschen in der Fremde, im Hotelzimmer, nur füreinander leben. Zu Hause war die Wohnung zwischen uns, die Arbeit, die Gesellschaft, der Gang des Alltags. Aber jetzt wollte er zahlen, so gut er konnte.

Wir fuhren nach Meran. Für die Zeit zog – genau so, wie es sich gehört – meine Schwiegermutter in unsere Wohnung. Um auf den Kleinen aufzupassen.

Es war eine merkwürdige Reise. Hochzeitsreise, Abschied, Sichkennenlernen, Spießrutenlaufen, alles, was du willst. Er tat, was er konnte, um sich mir zu öffnen. Und eines muß ich sagen, Liebes, die Gesellschaft dieses Mannes war nie langweilig. Ich litt viel, starb fast daran, war von seiner Gegenwart manchmal wie vernichtet, wurde dann wieder neu geboren, aber langweilig war es für mich keinen Augenblick. Das nur nebenbei gesagt. Also, eben: Eines Tages fuhren wir nach Meran.

Ein goldener Herbst, das große, rauschende Leben, die glanzvolle Welt. Wir fuhren mit dem Wagen. Die Bäume waren voller gelber Früchte, die Luft war dunstig und duftend wie in einem Garten, wenn die Pflanzen zu welken beginnen. Die Menschen waren reich und sorglos, sie summten, brummten und schwammen wie dicke Wespen durch die warme, schwere Luft. Amerikaner und libellenhafte Französinnen und vorsichtige Engländer sonnten sich hier in der nach Apfelsaft riechenden Wärme. Damals war die Welt noch nicht mit Brettern vernagelt, noch stand alles in hellstem Licht, das Leben, Europa. Doch in dem Ganzen war auch eine wilde Hast, eine Gier. Die Menschen kennen ihr Schicksal. Wir wohnten im besten

Hotel, gingen zum Pferderennen, in die Konzerte. Wir hatten zwei Zimmer nebeneinander, mit Aussicht auf die Berge ...

Was lauerte hinter diesen sechs Wochen? Welche Erwartungen? Welche Hoffnungen? Um uns herum war es sehr still. Mein Mann hatte Bücher mitgebracht, er hatte das absolute literarische Gehör, konnte die falschen Töne von den richtigen unterscheiden wie Lázár oder wie ein großer Musiker. Wir saßen in der Abenddämmerung auf dem Balkon, ich las ihm französische Gedichte vor oder englische Romane oder gewichtige deutsche Prosa, Goethe etwa oder ein paar Szenen aus dem *Florian Geyer* von Gerhart Hauptmann. Dieses Stück hatte er sehr gern. Er hatte es in Berlin auf der Bühne gesehen und sich seither immer daran erinnert. Auch Büchners *Danton* und den *Hamlet* und *Richard III*. Auch Gedichte von János Arany hörte er gern, das *Őszikék*. Dann kleideten wir uns für den Abend um, gingen in die großen Restaurants zum Essen, tranken süße italienische Weine und aßen Hummer.

Ein bißchen lebten wir wie Neureiche, die alles, was sie bis dahin verpaßt haben, auf einmal nachholen und kosten wollen, Beethoven hören und dazu an Kapaunen knabbern und Champagner trinken. Ein bißchen lebten wir auch wie Leute, die voneinander Abschied nehmen. Es waren die letzten Jahre vor dem Krieg, und sie waren erfüllt von einer unbewußten Abschiedsstimmung. Mein Mann sagte es so, und ich hörte ihm schweigend zu. Ich nahm nicht von Europa Abschied – wir wollen uns ja nichts vormachen und unter Frauen zugeben, daß wir zu solchen Begriffen keine rechte Beziehung haben –, sondern von einem Gefühl, von dem ich mich ganz innen noch immer nicht losreißen konnte, denn mir fehlte die Kraft dazu. Manchmal erstickte ich fast an meiner Hilflosigkeit.

Eines Nachts saßen wir auf dem Balkon unseres Hotelzimmers. Auf dem Tisch eine Glasplatte mit Trauben und großen gelben Äpfeln, denn in Meran war die Zeit der Apfelernte. Die Luft roch so süß nach Früchten, als hätte jemand ein riesiges Einmachglas geöffnet. Unten spielte ein französisches Orchester alte italienische Opernarien. Mein Mann ließ Wein kommen – *Lacrimae Christi* –, dunkelbraun stand er in einer Kristallkaraffe auf dem Tisch. In alldem, auch in der Musik, war etwas Zuckriges, Überreifes, leicht Betäubendes.

Mein Mann spürte es, und er sagte: »Morgen fahren wir nach Hause.«

»Ja«, sagte ich, »fahren wir.«

Auf einmal sagte er mit seiner einsamen, tiefen Stimme, die mich immer anrührte, als wäre sie das düstere Instrument eines primitiven Stammes: »Sag, Ilonka, was soll danach werden?«

Ob ich wußte, wovon er redete? Von unserem Leben. Die Nacht war klar, ich sah zu den Sternen, den herbstlichen Sternen des italienischen Himmels, und mich schauderte es. Ich fühlte, daß der Augenblick gekommen war, in dem keine Kraftanstrengung mehr half, in dem die Wahrheit ans Licht mußte.

Ich bekam kalte Hände und Füße, gleichzeitig schwitzte ich vor Aufregung und hatte nasse Handflächen. Ich sagte: »Ich weiß es nicht, ich weiß es nicht. Ich mag dich nicht verlassen. Ich kann mir das Leben ohne dich nicht vorstellen.«

»Ich weiß, das ist sehr schwer«, sagte er ruhig. »Ich verlange es auch gar nicht von dir. Vielleicht ist die Zeit dafür noch nicht gekommen. Vielleicht kommt sie nie. Doch in unserem Zusammenleben, auch in dieser Reise, ist etwas Demütigendes und Beschämendes. Haben wir nicht den Mut, einander zu sagen, was zwischen uns nicht geht?«

Endlich hatte er es ausgesprochen. Ich schloß die Augen, mir war schwindlig. Ich schwieg, ohne die Augen zu öffnen. Schließlich sagte ich: »Dann sag doch endlich, was zwischen uns nicht geht.«

Er dachte lange nach. Zündete sich eine Zigarette nach der anderen an. Starke englische Zigaretten, mit Opium im Tabak, von deren Rauch es mir immer ein wenig übel wurde. Aber auch dieser Geruch gehörte zu ihm, so wie der Heugeruch in seinem Kleiderschrank, denn man mußte seine Anzüge und seine Wäsche mit einem bitteren englischen Heuduft einsprühen, so hatte er es gern. Wie viele Einzelheiten doch einen Menschen ausmachen!

Endlich sagte er: »Ich habe kein wirkliches Bedürfnis, geliebt zu werden.«

»Das gibt es nicht«, sagte ich zähneklappernd. »Du bist ein Mensch. Auch du bist unbedingt auf Liebe angewiesen.«

»Genau das ist es, was die Frauen nicht glauben, nicht verstehen, nicht wissen können«, sagte er und schien zu den Sternen zu sprechen. »Daß es eine Art von Mann gibt, der keine Liebe braucht. Der auch so leben kann.«

Er sprach ganz unpathetisch, zwar aus großer Entfernung, aber völlig natürlich. Ich wußte, daß er die Wahrheit sagte, wie immer. Oder daß er zumindest glaubte, die Wahrheit zu sagen.

Ich begann zu feilschen: »Du kannst nicht alles von dir wissen. Vielleicht fehlt dir einfach der Mut, ein Gefühl zu ertragen. Man muß bescheidener, demütiger sein«, sagte ich flehend.

Er warf die Zigarette weg. Stand auf. Er war groß – du hast ja gesehen, wie groß er ist –, einen Kopf größer als ich. Jetzt wuchs er über mir in die Höhe, lehnte sich ans Balkongeländer, traurige, lange Gestalt unter den Sternen der fremden Nacht, im Herzen das Geheimnis, das ich so gern gekannt hätte. Er verschränkte die Arme und sagte: »Was ist der Sinn eines Frauenlebens? Ein Gefühl, dem sich die Frau überläßt, mit Haut und Haar. Ich weiß das, aber nur vom Verstand her. Ich kann mich nicht einem Gefühl überlassen.«

»Und das Kind?« fragte ich, jetzt schon angriffslustig.

»Genau darum geht es«, sagte er lebhaft, mit einem unruhigen Zittern in der Stimme. »Um des Kindes willen bin ich bereit, sehr vieles auf mich zu nehmen. Das Kind liebe ich. Und durch das Kind auch dich.«

»Und ich …«, begann ich, verstummte aber.

Ich wagte nicht, ihm zu sagen, daß ich durch das Kind nur ihn liebte.

In jener Nacht redeten wir lange und schwiegen auch viel. Manchmal habe ich das Gefühl, mich an jedes Wort zu erinnern.

Er sagte auch: »Ein Frau versteht das nicht. Ein Mann kann auch von seiner eigenen Seele leben. Alles andere ist Zugabe und Nebenprodukt. Und ein Extrawunder, was das Kind betrifft. Da ist man zu Verhandlungen bereit. Laß uns verhandeln. Laß uns zusammenbleiben, aber liebe mich weniger. Liebe das Kind mehr«, sagte er mit einer merkwürdigen, erstickten Stimme und fast etwas drohend. »Mich solltest du innerlich loslassen. Du weißt, daß ich nichts anderes will, daß ich keine Hintergedanken und heimlichen Pläne habe, wenn ich das sage. Aber ich kann nicht in einer solchen emotionalen Spannung leben. Es gibt Männer, die etwas Weibliches haben und genau das brauchen, daß man sie liebt. Es gibt aber auch andere, und die können Liebe höchstens ertragen. Ich bin so. Alle echten Männer sind prüde, das solltest du wissen.«

»Was willst du«, fragte ich gequält, »was kann ich tun?«

»Eine Art Bündnis mit mir eingehen«, sagte er, »wegen des Kindes. Damit wir zusammenbleiben können. Du weißt doch genau, was ich meine«, sagte er sehr ernst. »Nur du kannst helfen. Nur du kannst diese Bindung lockern. Wenn ich gehen wollte, ginge ich. Aber ich will nicht von dir weggehen, und vom Kind auch nicht. Ich bitte dich um mehr, um etwas Unmögliches vielleicht: daß wir zusammenbleiben, aber nicht so sehr, nicht so unbedingt, nicht so auf Leben und Tod. Denn das ertrage ich nicht. Es tut mir leid, aber ich ertrage es nicht«, sagte er höflich.

Ich fragte etwas Dummes: »Warum hast du mich dann geheiratet?«

Es war beängstigend, was er antwortete: »Als ich dich heiratete, wußte ich schon fast alles über mich selbst. Über dich hingegen wußte ich zuwenig. Ich habe dich geheiratet, weil ich nicht wußte, daß du mich so lieben würdest.«

»Ist es ein Verbrechen?« fragte ich. »Ist es ein so großes Verbrechen, dich sehr zu lieben?«

Er lachte. Er stand im Dunkeln, rauchte und lachte leise. Es war aber ein trauriges Lachen, gar nicht zynisch oder überheblich. »Schlimmer als ein Verbrechen«, sagte er. »Es ist ein Fehler.«

Dann sagte er noch: »Diese Antwort habe nicht ich erfunden. Talleyrand sagte es, als er erfuhr, daß Napoleon den Herzog von Enghien hatte umbringen lassen. Es ist ein Gemeinplatz, wie du wahrscheinlich weißt«, fügte er freundlich hinzu.

Was kümmerten mich Napoleon und der Herzog von Enghien! Ich fühlte und wußte genau, was er sagen wollte. Ich begann wieder zu feilschen: »Aber sieh doch«, sagte ich, »vielleicht ist das alles gar nicht so unerträglich. Irgendwann kommt das Alter. Dann ist es vielleicht gar nicht so schlecht, daß du dich ein bißchen wärmen kannst, wenn alles um dich herum kühler wird.«

»Genau das ist es«, sagte er, »das Alter, genau das lauert auch hinter alldem.«

Er war achtundvierzig Jahre alt, als er das sagte. In dem Herbst war er achtundvierzig geworden. Aber er schien viel jünger. Er ist erst nach unserer Scheidung auf einmal alt geworden.

In jener Nacht sprachen wir aber nicht mehr davon. Auch am folgenden Tag nicht, nie mehr. Zwei Tage darauf reisten wir nach Hause. Als wir ankamen, hatte das Kind schon Fieber. Eine Woche später starb es. Danach sprachen wir überhaupt nie mehr von persönlichen Dingen. Wir lebten einfach nebeneinander und warteten auf etwas. Auf ein Wunder vielleicht. Aber Wunder gibt es nicht.

Einige Wochen nach dem Tod des Kindes kam ich vom Friedhof nach Hause und trat ins Kinderzimmer.

Mein Mann stand dort im Dunkeln. »Was willst du hier?« fragte er grob.

Dann besann er sich und ging rasch hinaus.

»Entschuldige«, sagte er über die Schulter hinweg von der Schwelle.

Dieses Zimmer hatte er eingerichtet. Er hatte jedes Möbelstück ausgesucht und für jedes den genauen Platz bestimmt. Allerdings war er, solange das Kind lebte, selten hereingekommen, und auch dann blieb er verlegen auf der Schwelle stehen, als fürchtete er sich vor der leisen Lächerlichkeit einer sentimentalen Situation. Doch er ließ sich das Kind jeden Tag bringen, in sein Zimmer, und jeden Morgen und Abend mußte man ihm melden, wie der Kleine geschlafen hatte, ob er aß, ob er gesund war. Und dann betrat er das Kinderzimmer nur noch ein einziges Mal, ein paar Wochen nach der Beerdigung. Sonst war das Zimmer abgeschlossen, den Schlüssel hatte ich, und drei Jahre lang, bis zu unserer Scheidung, blieb alles so wie in dem Augenblick, als wir das Kind in die Klinik gebracht hatten. Nur ich ging manchmal hinein, um sauberzumachen und... na ja, ich ging also manchmal hinein, wenn es niemand sah.

In den Wochen nach der Beerdigung war ich halb wahnsinnig. Aber ich schleppte mich mit einer Art Hartnäckigkeit vorwärts, ich wollte nicht zusammenbrechen. Ich wußte, daß er womöglich schlechter dran war als ich, daß er wirklich vor dem Zusammenbrechen war und mich brauchte, auch wenn er es nicht zugab. In diesen Wochen geschah etwas, zwischen mir und ihm, oder zwischen ihm und der Welt... ganz genau kann ich es nicht sagen. Etwas zerbrach in ihm. Das alles geschah natürlich ohne Worte, wie die großen, gefährlichen Dinge eben zu geschehen pflegen. Wenn man redet, weint und schreit, ist alles schon leichter.

Auch bei der Beerdigung war er ganz ruhig und sagte kein Wort. Seine Ruhe griff auf mich über. Wir gingen schweigend und ohne eine Träne hinter dem kleinen golden-weißen Sarg her. Weißt du, daß er danach kein einziges Mal mehr mitkam, das Grab zu besuchen?... Vielleicht ist er allein hingegangen, wer kann es wissen.

Einmal sagte er: »Wenn man weint, ist man schon nicht mehr ehrlich. Da hat man die Sache bereits hinter sich. Ich glaube den Tränen nicht. Schmerz hat weder Tränen noch Worte.«

Was in jenen Wochen in mir vorging?... Jetzt nachträglich würde ich sagen, ich hätte Rache geschworen. Rache? An wem? Am Schicksal? An den Menschen? Törichte Worte. Das Kind war von den besten Ärzten der Stadt behandelt worden, kannst du dir ja denken. Wie man zu sagen pflegt: »Es ist alles Menschenmögliche getan worden.« Das sind so Wörter. Erstens ist gar nicht alles getan worden, was menschenmöglich war. Die Menschen waren mit ganz anderem beschäftigt in den Tagen, als der Kleine im Sterben lag, sie hatten andere Sorgen, als mein Kind zu retten. Das kann ich den Menschen nicht verzeihen, noch heute nicht. Doch ich schwor auch auf andere Art Rache, nicht mit dem Verstand, sondern mit den Gefühlen. In mir loderte die wilde, kalte Flamme einer seltsamen Gleichgültigkeit und Verachtung. Es ist nicht wahr, daß man durch das Leiden geläutert und besser, weiser, verständnisvoller wird. Man wird kalt, abgeklärt und gleichgültig. Wenn man zum erstenmal im Leben wirklich versteht, was Schicksal bedeutet, wird man fast ruhig. Ruhig und so merkwürdig und beängstigend einsam.

Auch in jenen Wochen ging ich, wie immer, zur Beichte. Doch was konnte ich schon beichten? Worin bestand denn meine Sünde? Ich hatte das Gefühl, es gebe kein unschuldigeres Geschöpf auf Erden als mich. Dieses Gefühl habe ich nicht mehr... Sünde ist nicht nur das, was der Katechismus so nennt. Sünde ist nicht nur etwas, das wir tun. Sünde ist auch etwas, das wir tun möchten, wozu uns aber die Kraft fehlt. Als mein Mann – zum ersten- und letztenmal im Leben – mich im Kinderzimmer so seltsam grob anfuhr, da begriff ich, daß ich in seinen Augen sündig war, weil ich das Kind nicht gerettet hatte.

Du schweigst, wie ich sehe, und blickst verlegen vor dich hin. Du meinst, das seien eben die verletzten Gefühle, nur ein Verzweifelter übertreibe so ungerecht. Ich fand die Anklage keinen Augenblick unbegründet. Du sagst, es sei ja »alles getan worden«. Nun, ja, ein Untersuchungsrichter könnte mich nicht verhaften lassen, denn tatsächlich ist alles getan worden, was nach Ansicht der Menschen zu tun war. Acht Tage lang hatte ich am Bett des Kindes gesessen, ich schlief dort, ich pflegte es, und ich kümmerte mich nicht um die Empfindlichkeit der Mediziner, sondern ließ auch andere Ärzte kommen, als der erste und der zweite nicht helfen konnten. Ja, es ist alles getan worden. Aber doch nur, damit mein Mann leben konnte, damit er mir erhalten blieb, damit er mich liebte, und wenn's nicht anders ging, dann eben durch das Kind. Verstehst du?... Ich betete um meinen Mann, wenn ich um das Kind betete. Nur sein Leben war wichtig, auch das Leben des Kindes war nur deswegen wichtig. Sünde, sagst du!... Was ist Sünde? Ja, ich weiß jetzt, was Sünde ist. Man muß einen Menschen ganz lieben und ganz festhalten, von innen, mit aller Kraft. Das ist zusammengebrochen, als das Kind starb. Und ich wußte, daß ich meinen Mann verloren hatte, weil er mir, ohne etwas zu sagen, die Schuld gab. Unsinnig und ungerecht, sagst du... Ich weiß es nicht. Ich mag nicht darüber reden.

In der Zeit nach dem Tod des Kindes war ich völlig erschöpft. Natürlich wurde ich auch gleich krank, Lungenentzündung, dann ging es mir wieder besser, dann hatte ich einen Rückfall. Kränkelte monatelang, lag im Sanatorium, bekam Blumen von meinem Mann, der mich mittags und abends auf dem Heimweg von der Fabrik besuchte. Ich war so schwach, daß mich die Krankenschwester füttern mußte. Und ich wußte, daß mir das alles nichts nützte, daß mir mein Mann nicht verzieh, daß ihn auch meine Krankheit nicht gnädig stimmte. Er war unverändert höflich und zärtlich und so beängstigend korrekt… wenn er gegangen war, mußte ich jedesmal weinen.

Auch meine Schwiegermutter besuchte mich oft. Einmal, zu Anfang des Frühlings, als ich ein wenig zu Kräften gekommen war, saß sie neben meinem Liegestuhl, strickte und schwieg, wie es ihre Gewohnheit war. Dann legte sie das Strickzeug hin, nahm die Brille ab, lächelte mich freundlich an und sagte vertraulich: »Was ist das mit der Rache, Ilonka?«

»Wieso?« fragte ich erschrocken und wurde rot. »Wie meinen Sie das?«

»Als du Fieber hattest, sagtest du immer wieder: ›Rache, Rache.‹ Es gibt keine Rache, mein Liebes. Es gibt nur die Geduld.«

Ich horchte erregt auf. Es war vielleicht das erstemal seit dem Tod des Kindes, daß ich aufmerksam wurde. Dann begann ich zu reden: »Ich halte das nicht aus, Mama. Was habe ich verbrochen? Ich weiß, ich bin nicht unschuldig, aber ich kann nicht verstehen, wo ich mich versündigt habe, wo meine Schuld ist. Gehöre ich nicht zu ihm? Sollen wir uns scheiden lassen? Wenn Sie das für richtiger halten, Mama, dann lasse ich mich von ihm scheiden. Sie wissen doch, daß ich keinen anderen Gedanken, kein anderes Gefühl habe als ihn. Aber wenn ich ihm nicht helfen kann, lasse ich mich lieber scheiden. Bitte, Mama, raten Sie mir.«

Sie blickte mich klug, ernst und traurig an: »Reg dich nicht auf, mein Kleines. Du weißt doch genau, daß man niemandem raten kann. Man muß leben, man muß das Leben ertragen.«

»Leben, leben«, rief ich. »Ich kann nicht bloß so leben wie ein Baum. Leben kann man nur, wenn man weiß, wozu. Ich habe ihn kennengelernt, ich habe mich in ihn verliebt, und da bekam das Leben einen Sinn. Dann ist alles so seltsam geworden... Ich kann nicht einmal sagen, er habe sich verändert. Ich kann nicht sagen, er liebe mich jetzt weniger als im ersten Jahr. Er liebt mich noch, aber er ist mir auch böse.«

Meine Schwiegermutter sagte nichts. Sie schwieg, weil sie zu mißbilligen schien, was ich sagte, und irgendwie doch nicht widersprechen mochte.

»Ist es nicht so?« fragte ich unruhig.

»Ganz so ist es vielleicht nicht«, sagte sie vorsichtig, »ich glaube nicht, daß er dir böse ist. Besser gesagt, ich glaube nicht, daß du es bist, der er böse ist.«

»Wem denn sonst?« fragte ich heftig. »Wer hat ihn gekränkt?«

Jetzt blickte mich die kluge alte Frau sehr ernst an. »Schwierige Frage«, sagte sie, »schwierig, darauf zu antworten.«

Sie legte seufzend die Strickarbeit beiseite. »Hat er dir nie von seiner Jugend erzählt?«

»Doch«, sagte ich. »Manchmal schon. So auf seine Art... Mit dem komischen, nervösen Lachen, als schämte er sich, von etwas Persönlichem zu reden. Er hat von

Menschen, von Freunden erzählt. Aber nie davon, daß ihn jemand gekränkt habe.«

»Nein, natürlich nicht«, sagte meine Schwiegermutter beiläufig, fast gleichgültig. »Das kann man so nicht sagen. Kränken... das Leben kränkt einen auf verschiedenste Weise.«

»Lázár«, sagte ich. »Der Schriftsteller... Kennen Sie ihn, Mama? Das ist vielleicht der einzige, der etwas von ihm weiß.«

»Ja«, sagte meine Schwiegermutter. »Den hat er eine Zeitlang sehr gern gehabt. Lázár weiß etwas von ihm. Aber man kann nicht mit ihm reden. Er ist kein guter Mensch.«

»Genau«, sagte ich, »das Gefühl habe ich auch.«

Jetzt nahm sie das Strickzeug wieder auf. Sie sagte beiläufig und lächelnd: »Beruhige dich, mein Kind. Jetzt tut noch alles sehr weh. Doch dann kommt das Leben und ordnet auf wunderbare Weise all das neu, von dem du jetzt meinst, es sei unerträglich. Du kehrst nach Hause zurück, ihr macht eine Reise, anstelle des Kleinen kommt ein anderes...«

»Das glaube ich nicht«, sagte ich, und die Verzweiflung drückte mir das Herz zusammen. »Ich habe so ein schlimmes Gefühl. Ich glaube, es ist etwas zu Ende. Bitte sagen Sie mir: Ist es so? Ist unsere Ehe eine richtig schlechte Ehe?«

Sie runzelte die Stirn und schaute mich durch ihre Brille mit einem strengen Blick an. Und sagte sachlich: »Ich glaube nicht, daß eure Ehe eine schlechte Ehe ist.«

»Seltsam«, sagte ich bitter. »Ich denke manchmal, es gebe gar keine schlechtere. Sie kennen doch bestimmt bessere Ehen, Mama.«

»Bessere?« fragte sie verwundert und wandte den Kopf ab, als wollte sie in die Weite blicken. »Vielleicht. Ich weiß es nicht. Das wahre Glück redet nicht von sich. Schlechtere Ehen hingegen kenne ich ganz bestimmt. Zum Beispiel…«

Sie verstummte. Als ob sie erschrocken wäre und bereut hätte, davon angefangen zu haben. Doch jetzt ließ ich sie nicht mehr los. Ich richtete mich im Liegestuhl auf, warf die Decke ab und sagte fordernd: »Zum Beispiel?…«

»Nun ja«, sagte sie seufzend und begann wieder zu stricken. »Es ist mir nicht recht, davon zu reden. Aber wenn es dich tröstet, kann ich dir ja erzählen, daß meine Ehe schlechter war, denn ich liebte meinen Mann nicht.«

Sie sagte das ganz ruhig, fast gleichgültig, wie es nur alte Leute vermögen, die schon Abschied nehmen, da sie den wahren Sinn der Wörter erkannt haben und nichts mehr fürchten und auch die menschlichen Konventionen nicht höher schätzen als die Wahrheit.

Ich war verblüfft von dem Geständnis. »Das kann nicht sein«, sagte ich einfältig und verlegen. »Sie haben doch so schön gelebt miteinander.«

»Wir haben nicht schlecht gelebt«, sagte sie trocken und strickte eifrig weiter. »Er hat mich geliebt. Es ist immer so: Der eine liebt mehr als der andere. Aber wer liebt, hat es leichter. Du liebst deinen Mann, und deshalb hast du es leichter, auch wenn du daran leidest. Ich hingegen mußte ein Gefühl ertragen, das mich innerlich überhaupt nicht berührte. Das ist viel schwerer. Ich habe es getan, ein Leben lang, und ich bin noch da, wie du siehst. Mehr gibt es nicht im Leben. Wer etwas anderes will, ist ein wahnwitziger Schwärmer. Das war ich nie. Du hingegen hast es besser, glaube mir. Ich beneide dich fast.«

Sie blickte mich mit seitwärts geneigtem Kopf an: »Aber glaub nicht, daß ich gelitten habe. Ich habe gelebt, so wie alle anderen. Ich habe dir einfach geantwortet, weil du so fiebrig und unruhig bist. Jetzt weißt du es also. Du fragst, ob eure Ehe die schlechteste sei. Ich glaube nicht. Es ist eben eine Ehe«, sagte sie ruhig und streng, und es klang wie ein Urteil.

»Also meinen Sie, wir sollen zusammenbleiben?« fragte ich angstvoll.

»Natürlich«, sagte sie. »Was stellst du dir denn vor? ... Was ist die Ehe? Eine Stimmung? Ein Einfall? ... Sie ist ein Sakrament und das Gesetz des Lebens. Daran gibt es überhaupt nichts zu rütteln«, sagte sie ein bißchen gereizt.

Wir schwiegen lange. Ich beobachtete ihre knochigen Hände, ihre geschickten, schnellen Finger, das Muster, das sie strickte, ihr blasses, ruhiges, von weißem Haar umrahmtes Gesicht mit den glatten Zügen. Ich sah keine Spuren des Leidens. Wenn sie gelitten hat, dachte ich, so hat sie die schwerste menschliche Aufgabe bewältigt, sie ist nicht zusammengebrochen, sondern hat dieses schwierigste aller Examen ehrenvoll bestanden. Mehr kann ein Mensch vielleicht gar nicht erreichen. Daran gemessen hat alles andere, Sehnsucht, Verlangen, keine Bedeutung. So dachte ich weise. Aber in Wirklichkeit wußte ich, daß ich mich damit nicht abfinden konnte. Und sagte dann auch: »Ich will sein Unbehagen nicht. Wenn er mit mir nicht glücklich sein kann, soll er gehen und sich die andere suchen.«

»Wen?« fragte meine Schwiegermutter und prüfte sehr genau die Maschen der Strickarbeit, als gäbe es nichts Wichtigeres.

»Die Richtige«, sagte ich roh.

»Du weißt von ihr?« fragte meine Schwiegermutter leise und ohne mich anzublicken.

Siehst du, jetzt war ich wieder in Verlegenheit. Diesen beiden Menschen gegenüber, Mutter und Sohn, kam ich mir immer minderjährig vor, wie jemand, den man noch nicht in die Geheimnisse des Lebens einweiht.

»Von wem?« fragte ich begierig. »Von wem müßte ich wissen?«

»Na, eben von ihr«, sagte meine Schwiegermutter verunsichert. »Du hast es doch vorhin gesagt ... Von der Richtigen.«

»Also gibt es die? Sie lebt irgendwo?« fragte ich sehr laut.

Meine Schwiegermutter beugte sich tief über das Strickzeug. Und sagte leise: »Irgendwo leben die Richtigen immer.«

Dann verstummte sie. Und ich hörte von alldem kein Wort mehr. Sie war wie ihr Sohn, auch an ihr war etwas Schicksalhaftes.

Doch vor Schreck war ich ein paar Tage nach diesem Gespräch wieder gesund. Im ersten Augenblick hatte ich meine Schwiegermutter gar nicht recht verstanden. Sie hatte ja so allgemein und symbolisch gesprochen, daß sich ein ernsthafter Verdacht nicht aufdrängte. Klar, die Richtigen leben immer irgendwo. Aber was ist mit mir? Wer bin ich dann? so fragte ich mich, als ich zur Besinnung kam. Wer ist die Richtige, wenn nicht ich? Wo lebt sie? Wie sieht sie aus? Ist sie jünger? Blond? ... Was weiß sie? Plötzlich hatte ich furchtbare Angst.

Ich begann herumzuhasten, wurde rasch gesund, ging nach Hause, ließ mir Kleider machen, rannte zum Friseur, zum Tennis, zum Schwimmen. Zu Hause hatte ich alles in

Ordnung vorgefunden – na ja, in der Art von Ordnung, als ob jemand ausgezogen wäre. Oder etwas, weißt du ... das relative Glück, in dem ich während der vorangegangenen Jahre gelebt hatte und auch gelitten, gezittert, weil mir der Zustand unerträglich schien, und jetzt, da er vergangen war, jetzt wußte ich auf einmal, daß es das Beste gewesen war, was mir das Leben hatte bieten können. Alles in der Wohnung stand an seinem Platz, bloß war jedes Zimmer leer, wie nach dem Besuch des Pfändungsbeamten, der alle wertvolleren Stücke – sachte und taktvoll zwar – mitgenommen hatte. Eine Wohnung lebt ja nicht durch die Einrichtung, sondern durch das Gefühl, das die Bewohner erfüllt.

Mein Mann war in dieser Zeit schon so weit von mir entfernt, als wäre er ins Ausland verreist. Ich hätte mich nicht gewundert, wenn eines Tages aus dem Nebenzimmer ein Brief von ihm gekommen wäre.

Früher hatte er ganz vorsichtig, mehr oder weniger versuchsweise, mit mir über die Fabrik und über seine Pläne gesprochen und dann wie ein Examinator mit seitwärts geneigtem Kopf auf die Antwort gewartet. Jetzt sprach er nicht mehr von seinen Plänen; er schien überhaupt keine Pläne mehr zu haben. Auch Lázár wurde nicht mehr eingeladen, es verging eine lange Zeit, ohne daß wir ihn sahen; wir lasen nur seine Bücher und Artikel.

Eines Tages – ich erinnere mich genau, es war ein Aprilmorgen, der 14. April, ein Sonntag – saß ich auf der Veranda, vor mir der zaghaft frühlingshafte Garten mit Löwenzahn und Beeten mit gelben Blumen. Ich las ein Buch und hatte das Gefühl, mit mir passiere etwas. Bitte, lach mich ruhig aus. Ich will mich nicht als Jeanne d'Arc aufspielen. Ich hatte keine Erleuchtung. Aber eine

Stimme, stark und deutlich, sagte zu mir, so könne man in der Tat nicht weitermachen, nichts habe mehr einen Sinn, der Zustand sei demütigend, grausam, unmenschlich. Ich müsse etwas verändern, ein Wunder tun. Es gibt solche schwindelerregenden Augenblicke im Leben, wenn man alles klarer sieht, wenn man seine eigene Kraft, seine Möglichkeiten spürt und erkennt, wozu man bisher zu feige gewesen war, oder zu schwach. Das sind die Momente, in denen sich das Leben ändert. So etwas kommt ohne Ankündigung, wie der Tod oder die Bekehrung.

Ich hatte am ganzen Körper Gänsehaut, mir war kalt.

Ich betrachtete den Garten, und meine Augen füllten sich mit Tränen.

Was ich fühlte?... Daß ich für mein Schicksal verantwortlich war. Daß alles von mir abhing. Man kann nicht darauf warten, daß einem die gebratenen Tauben in den Mund fliegen, weder im eigenen Leben noch in den menschlichen Beziehungen. Zwischen mir und meinem Mann war etwas nicht in Ordnung. Ich verstand mich nicht auf ihn. Er war nicht mein, wollte nicht ganz der Meine sein. Aber in seinem Leben gab es keine andere Frau... ich war schön, jung, und ich liebte ihn. Auch ich hatte Macht, nicht nur Lázár, der Wahrsager. Und diese Macht wollte ich einsetzen.

Ich fühlte eine ungeheure Kraft in mir, eine Kraft, mit der man töten oder Welten bauen kann. Vielleicht spüren nur die Männer diese Kraft ganz bewußt, in den entscheidenden Momenten ihres Lebens. Während wir Frauen davor zurückschrecken und unsicher werden.

Aber ich wollte nicht zurückweichen. An dem Tag, Sonntag, dem 14. April, einige Monate nach dem Tod des Kindes, entschloß ich mich zur einzigen selbstbewußten

Unternehmung meines Lebens. Jawohl. Du brauchst mich nicht mit so großen Augen anzuschauen. Hör zu. Dir erzähle ich es.

Ich beschloß, meinen Mann zu erobern.

Warum lachst du nicht? … Es ist gar nicht zum Lachen, was? Ich hatte auch nicht das Gefühl.

Aber zuerst war ich von der Größe der Aufgabe überwältigt. Mir stockte der Atem, so sehr beeindruckt war ich. Denn ich fühlte auch, daß diese Aufgabe der Sinn meines Lebens war und daß ich nicht mehr zurück konnte, es nicht mehr der Zeit oder dem Zufall überlassen durfte, daß vielleicht etwas geschah, während ich in resignierter Erwartung vor mich hin lebte. Jetzt wußte ich, daß nicht nur ich die Aufgabe gewählt hatte, sondern die Aufgabe auch mich. Wir hielten einander fest, auf Leben und Tod, und würden uns nicht mehr loslassen, bis etwas Entscheidendes geschehen war. Entweder kam dieser Mann zu mir zurück, von innen her und vollständig, ohne Hemmungen und Vorbehalte, oder ich ging von ihm weg. Entweder hatte er ein Geheimnis, das ich nicht kannte, und dann würde ich es ausgraben, mit allen zehn Fingern, wenn es sein mußte, aus dem Boden herauskratzen wie der Hund den vergrabenen Knochen, wie der wahnsinnig gewordene Liebhaber die Leiche der verstorbenen Geliebten. Oder ich würde scheitern und mich zurückziehen. Denn so ging es nicht weiter. Wie gesagt, ich beschloß, meinen Mann zu erobern.

Das klingt ganz einfach. Aber als Frau weißt du ja, daß es eine der schwierigsten Aufgaben der Welt ist. Vielleicht die schwierigste, wenn ich es recht bedenke.

Wenn ein Mann beschließt, etwas auszuführen, und steht auch eine ganze Welt zwischen ihm und seinem

Plan, seinem Willen, seiner Absicht... ja genau, so eine Situation war das irgendwie, so ein Seelenzustand. Unsere Welt ist der Mensch, den wir lieben. Als Napoleon, von dem ich übrigens auch heute nicht viel mehr weiß, als daß er für kurze Zeit der Herr der Welt war und den Herzog von Enghien umbringen ließ – was schlimmer als ein Verbrechen war, es war ein Fehler, habe ich das schon gesagt? –, also, als Napoleon beschloß, Europa zu erobern, da nahm er keine schwierigere Aufgabe auf sich als ich an jenem windigen Aprilsonntag.

Vielleicht empfindet ein Forscher etwas Derartiges, wenn er beschließt, sich nach Afrika aufzumachen oder zum Nordpol, ungeachtet der wilden Tiere oder des Klimas, um etwas zu entdecken, zu erfahren, was vor ihm noch niemand erfahren, noch kein Forscher entdeckt hat... Ja, irgendwie ist es auch so, wenn eine Frau beschließt, das Geheimnis eines Mannes zu ergründen. Und wenn sie durch die Hölle hindurchmuß, das Geheimnis will sie ihm entreißen. Dafür also hatte ich mich entschieden.

Oder die Absicht hatte für mich entschieden... so genau kann man das nicht wissen. Man handelt in solchen Momenten unter Zwang. So machen sich Schlafwandler, Wünschelrutengänger und die Besessenen des Dorfes auf, während ihnen alle in respektvollem Aberglauben ausweichen, sowohl das Volk als auch die Behörden, denn in ihrem Blick ist etwas, mit dem nicht zu spaßen ist, auf ihrer Stirn ist ein Zeichen, ihre Aufgabe ist so gradlinig wie gefährlich, und jetzt ruhen sie nicht mehr, bis sie damit zu Ende sind. In einer solchen Stimmung, mit einer solchen Entschlossenheit erwartete ich meinen Mann an jenem Tag. Mit einem solchen Gefühl begrüßte ich ihn, als er von seinem Sonntagsspaziergang nach Hause kam.

Er war mit dem Hund im Hűvösvölgy gewesen, mit dem semmelfarbenen Vizsla, seinem Liebling, den er auf jeden Spaziergang mitnahm. Sie traten durch das Gartentor, und ich stand auf der Veranda, reglos und mit verschränkten Armen. Es war Frühling, große Helligkeit, der Wind fuhr durch die Bäume und zerrte an meinem Haar. Ich werde den Augenblick nie vergessen: die kalte Helle ringsum, über der Gegend, über dem Garten und auch in mir drin, wie in einer Besessenen.

Sie blieben stehen, Herr und Hund, beide unwillkürlich aufmerksam, so wie man vor Naturerscheinungen instinktiv und verteidigungsbereit stehenbleibt, um gespannt hinzublicken. »Kommt nur«, dachte ich ruhig. »Kommt alle, ihr fremden Frauen, Freunde, Kindheitserinnerungen, Familienmitglieder und die ganze feindliche Menschenwelt, kommt nur. Ich werde euch diesen Mann wegnehmen.« In dieser Stimmung setzten wir uns zum Mittagessen.

Nach dem Essen hatte ich Kopfschmerzen. Ich legte mich hin und blieb bis zum Abend in meinem verdunkelten Zimmer.

Ich kann nicht schreiben wie Lázár, und deshalb vermag ich dir nicht zu erzählen, was an dem Nachmittag in mir vorging, was für Gedanken mich bestürmten... Ich sah einfach die Aufgabe vor mir und wußte, daß ich nicht schwach werden durfte, daß ich erledigen mußte, was ich auf mich genommen hatte. Und ich wußte auch, daß es niemanden gab, der mir helfen konnte, und daß ich keine Ahnung hatte, wie das Ganze anzufangen war... verstehst du? Es gab Augenblicke, in denen ich mir lächerlich vorkam, da ich eine so schwere Aufgabe übernommen hatte.

Wie soll ich anfangen? So fragte ich mich hundertmal, tausendmal. Ich konnte ja nicht gut an die Zeitschriften schreiben und unter dem Kennwort »*Enttäuschte Frau*« um Rat und Wegleitung bitten. Man kennt ja diese Leserbriefe mitsamt den Antworten, wie sie zwischen den redaktionellen Meldungen stehen und die enttäuschte Frau ermutigen, nicht zu verzagen, ihr Mann sei wahrscheinlich überarbeitet, sie solle sich mehr dem Haushalt widmen und nachts die oder jene Creme und Puder auftragen, dann werde ihre Haut jugendlich frisch, und ihr Mann werde sich wieder in sie verlieben. Nun ja. So einfach war die Sache nicht. Mir nützten keine Cremes und kein Puder. Außerdem war mein Haushalt in bestem Zustand, alles so, wie es sich gehört. Und schön war ich damals auch noch, vielleicht nie so schön wie in jenem Jahr. Du Gans, dachte ich. Du bist eine Gans, daß du an so etwas denkst. Es ging um anderes.

An Wahrsagerinnen konnte ich mich auch nicht wenden, konnte keine Briefe an berühmte Schriftsteller schreiben, durfte ebensowenig mit Freundinnen und Familienmitgliedern diese ewige, abgedroschene und für mich dennoch schicksalhafte Frage erörtern, wie ein Mann zu erobern sei... Bis zum Abend waren meine Kopfschmerzen zu einer regelrechten Migräne geworden. Doch ich sagte meinem Mann nichts davon, nahm zwei Pulver, und wir gingen ins Theater und dann zum Abendessen.

Am nächsten Tag, am Montag, dem 15. April – du siehst, wie genau ich mich an diese Tage erinnere, so genau erinnert man sich sonst nur an eine lebensgefährliche Situation –, stand ich in aller Frühe auf und ging in die kleine Kirche, in der ich vielleicht zehn Jahre zuvor das letztemal gewesen war. Sonst ging ich immer in die Kirche des Krisztina-Stadtviertels, dort hatten wir auch geheiratet. Auch Graf István Széchényi hatte hier seiner Crescencia Seiler die ewige Treue geschworen. Falls du es nicht wissen solltest, so kann ich dir berichten, daß diese Ehe auch nicht besonders gut herausgekommen ist. Heißt es. Aber es wird so viel erzählt, ich glaube solches Zeug nicht mehr.

Die Kirche, im Tabán-Viertel, war an diesem Morgen ganz leer. Ich sagte dem Küster, ich wolle beichten. Dann wartete ich eine Weile, allein in einer Bank, in der dämmerigen Kirche. Nach einer Weile erschien ein mir unbekannter weißhaariger Priester mit ernstem Gesicht, setzte sich in den Beichtstuhl und winkte mich heran. Diesem fremden Priester, den ich danach nie wieder gesehen habe, erzählte ich alles.

Auf eine Art, wie man nur einmal im Leben zu beichten vermag. Alles, was mich, das Kind und meinen Mann betraf. Ich erzählte ihm, daß ich meinen Mann zurückgewinnen wolle und nicht wisse, wie. Ich bäte um Gottes Hilfe. Ich erzählte ihm, daß ich eine Frau von reinem Lebenswandel sei, daß ich nicht im Traum an anderes dachte, sondern nur an die Liebe meines Mannes. Ich sagte, ich wisse nicht, wo der Fehler sei, in mir oder in ihm... Kurz und gut, ich erzählte ihm alles. Nicht so wie jetzt dir. Jetzt kann ich nicht mehr alles sagen, es wäre mir auch peinlich... Doch an jenem Morgen in der dämmerigen Kirche sagte ich dem unbekannten alten Priester alles.

Es ging lange. Der Priester hörte zu.

Warst du schon einmal in Florenz?... Kennst du die Skulptur von Michelangelo, weißt du, die wunderbare Vierergruppe im Dom... warte, wie heißt sie doch? Ach ja, *Pietà*. In einer der Figuren hat er sich selbst abgebildet, sie hat das Gesicht des greisen Michelangelo. Ich war mit meinem Mann dort, er hat mir die Statue gezeigt. Und gesagt, das sei das Menschengesicht, in dem weder Groll noch Sehnsucht sei, alles sei aus diesem Gesicht weggebrannt, es wisse alles und wolle nichts, nicht strafen, nicht verzeihen, nichts, rein gar nichts. So sollte man sein, sagte mein Mann vor der Statue. Das sei die endgültige menschliche Vollkommenheit, diese heilige Gleichgültigkeit, dieses vollständige Alleinsein, diese Taubheit gegenüber Schmerz und Freude. Das hat er gesagt. Als ich während des Beichtens mit Tränen in den Augen hin und wieder zum Priester aufblickte, sah ich, daß sein Gesicht beängstigend an jene *Pietà*-Figur erinnerte.

Er saß mit halbgeschlossenen Augen und über der Brust verschränkten Armen da. Er sah mich nicht an, hatte den Kopf ein bißchen abgewandt und schwieg auf eine so seltsame, blicklose Weise, als hörte er gar nicht zu. Oder als habe er das alles schon sehr oft gehört. Als wisse er, daß alles, was ich sagte, unnötig und hoffnungslos war. Auf diese Weise hörte er mich an. Und hörte doch gut zu, mit seinem merkwürdigen, in sich selbst ruhenden Wesen. Und sein Gesicht, ja… Sein Gesicht war wie das eines Menschen, der alles wußte, alles, was die anderen von Leid und Elend erzählen mochten, und der darüber hinaus noch etwas wußte, das man nicht sagen kann.

Nachdem ich verstummt war, schwieg auch er lange Zeit. Dann sagte er: »Man muß glauben, meine Tochter.«

»Ich glaube, Hochwürden«, sagte ich mechanisch.

»Nein«, sagte er, und das ruhige Gesicht, dieses scheintote Gesicht, lebte auf, die wäßrigen alten Augen blitzten. »Man muß auf eine andere Art glauben. Zerbrechen Sie sich nicht den Kopf über solche Schachzüge. Es genügt zu glauben«, murmelte er.

Er mußte schon sehr alt sein, das Reden schien ihn zu ermüden.

Ich dachte, er könne oder wolle nichts mehr sagen, und so wartete ich schweigend auf die Buße und die Absolution. Ich hatte das Gefühl, wir hätten einander nichts mehr zu sagen. Doch nach einer langen Zeit, in der er mit geschlossenen Augen dagesessen hatte und vielleicht eingenickt war, begann er plötzlich, lebhaft zu reden.

Ich hörte ihm zu und staunte immer mehr. So hatte noch nie jemand zu mir gesprochen, schon gar nicht im Beichtstuhl. Er redete ganz schlicht, im Konversationston, als säßen wir irgendwo in einer Gesellschaft. Er redete einfach, ohne salbungsvollen Ton, seufzte manchmal klagend, nach Art der alten Leute, sehr nett. Er sprach so natürlich, als wäre die ganze Welt Gottes Kirche, als wäre alles Menschliche Gottes Teil, so daß wir vor Gott nicht feierlich zu tun, die Augen zu verdrehen und uns auf die Brust zu klopfen brauchten, da es genügte, wahr zu reden, solange es die ganze Wahrheit war und ohne Hintergedanken geschah... Auf die Art sprach er.

Sprach?... Wie gesagt, er plauderte eher, unvoreingenommen und halblaut. Seine Stimme hatte einen leicht slawischen Beiklang. Diesen Akzent hatte ich zuletzt als Kind in Zemplén gehört.

»Liebe Tochter«, sagte er. »Ich möchte Ihnen helfen. Einmal ist eine Frau zu mir gekommen, die liebte einen Mann so, daß sie ihn umgebracht hat. Nicht mit einem Messer, auch nicht mit Gift, sondern damit, daß sie ihn nicht losließ, sie wollte ihn ganz, sie wollte ihn der Welt wegnehmen. Sie haben lange gekämpft. Eines Tages konnte der Mann nicht mehr, und er ist gestorben. Die Frau wußte das. Der Mann war gegangen, weil er nicht mehr kämpfen mochte. Wissen Sie, liebe Tochter, zwischen den Menschen gibt es vielerlei Kräfte, die Menschen bringen einander auf die verschiedensten Weisen um. Es genügt nicht zu lieben. Liebe kann auch großer Egoismus sein. Man muß demütig lieben, im Glauben. Das ganze Leben hat nur einen Sinn, wenn Glaube darin ist. Gott hat den Menschen die Liebe gegeben, damit sie einander und die Welt ertragen. Aber wer ohne Demut liebt, bürdet dem anderen eine große Last auf. Verstehen Sie, meine Tochter?« fragte er so freundlich wie ein alter Lehrer, der einem kleinen Kind das ABC beibringt.

»Ich glaube schon«, sagte ich ein bißchen erschrocken.

»Sie werden es eines Tages verstehen, aber Sie werden auch viel leiden. Solche leidenschaftlichen Seelen sind stolz und leiden viel. Sie sagen, Sie wollen das Herz Ihres Mannes erobern. Sie sagen auch, Ihr Mann sei ein wirklicher Mann, nicht irgendein Schürzenjäger, sondern ein ernster, reiner Mensch mit einem Geheimnis. Was mag das für ein Geheimnis sein? ... Genau deswegen quälen Sie sich, liebe Tochter, das ist es, was Sie wissen wollen. Aber wissen Sie denn nicht, daß Gott den Menschen seine eigene Seele gegeben hat? Eine Seele, die so viele Geheimnisse hat wie das Universum. Warum wollen Sie wissen, was Gott in einer Seele verborgen hat? Vielleicht ist das der Sinn Ihres Lebens, ist das Ihre Berufung, daß Sie diesen Zustand ertragen. Vielleicht würden Sie Ihren Mann verletzen, ihn vielleicht zugrunde richten, wenn Sie seine Seele aufmachen, wenn Sie ihn zu einem Leben und zu Gefühlen zwingen, gegen die er sich wehrt. Man darf nicht gewaltsam lieben. Die Frau, von der ich erzählt habe, war schön und jung wie Sie, und sie beging jegliche Torheit, um die Liebe ihres Mannes zu erobern.

Sie bändelte mit anderen Männern an, um ihren Mann eifersüchtig zu machen, sie lebte wie im Wahn, putzte sich heraus, gab für auffällige Wiener Mode ein Vermögen aus, so wie es unglückliche Frauen tun, wenn in ihrer Seele kein Glaube mehr ist und ihr inneres Gleichgewicht zerfällt. Dann rannte sie in der Welt herum, in Vergnügungslokale, zu Abendeinladungen, überallhin, wo Lichter brannten und Menschen sich drängten, die vor der Leere ihres Lebens, der Eitelkeit und den Leidenschaften auf der Flucht waren und das Vergessen suchten. Wie hoffnungslos das ist«, sagte er eher zu sich selbst, »es gibt kein Vergessen.«

So sprach er. Jetzt war ich sehr aufmerksam. Aber er schien mich nicht zu beachten. Er brummelte vor sich hin, vorwurfsvoll, nach Art der alten Leute. Er schien mit der ganzen Welt zu hadern.

Dann sagte er noch: »Nein, das Vergessen gibt es nicht. Gott läßt nicht zu, daß wir die Frage, mit der uns das Leben aufruft, in Leidenschaften ersticken. In Ihnen ist ein Fieber, liebe Tochter. Das Fieber der Eitelkeit und der Selbstsucht. Mag sein, daß Ihr Mann Ihnen gegenüber nicht so fühlt, wie Sie das gern hätten, mag sein, daß er einfach eine stolze oder einsame Seele ist, die ihre Gefühle nicht zu zeigen vermag, es vielleicht nicht wagt, weil sie einmal verletzt worden ist. Es leben viele solcherart verletzte Menschen auf der Welt. Ich kann Ihren Mann nicht lossprechen, meine liebe Tochter, denn auch er kennt die Demut nicht. Zwei so stolze Menschen leiden bestimmt viel aneinander. In Ihnen steckt jetzt aber eine Gier, die fast sündhaft ist. Sie wollen einem Menschen die Seele entreißen. Das wollen die Verliebten immer. Aber es ist eine Sünde.«

»Ich habe nicht gewußt, daß es eine Sünde ist«, sagte ich, und wie ich dort kniete, überkamen mich kalte Schauer.

»Es ist immer eine Sünde, wenn wir uns nicht mit dem begnügen, was uns die Welt von sich aus gibt, oder mit dem, was ein Mensch uns freiwillig bietet, es ist immer eine Sünde, wenn wir mit gieriger Hand nach dem Geheimnis eines anderen Menschen greifen. Warum können Sie nicht bescheidener leben? Mit weniger emotionalen Ansprüchen? Die Liebe, die wahre Liebe, ist geduldig, meine Tochter. Die Liebe ist unendlich und kann warten. Ihr Ansinnen ist ein unmögliches, unmenschliches Unterfangen. Sie wollen Ihren Mann erobern... Nachdem doch Gott Ihre irdischen Angelegenheiten bereits geordnet hat. Begreifen Sie das nicht?«

»Ich leide viel, Hochwürden«, sagte ich und war den Tränen nahe.

»Dann leiden Sie eben«, sagte er stumpf und beinahe gleichgültig.

»Warum haben Sie vor dem Leiden Angst?« fragte er kurz darauf. »Es ist eine Flamme, die aus Ihnen die Selbstsucht und die Eitelkeit herausbrennt. Wer ist schon glücklich?... Und mit welchem Recht wollen Sie glücklich sein? Sind Sie denn so sicher, daß Ihre Sehnsucht und Ihre Liebe selbstlos sind, daß Sie das Glück verdienen? Wenn es so wäre, würden Sie jetzt nicht hier knien, sondern Sie wären dort, wohin das Leben Sie gestellt hat, Sie würden Ihrer Arbeit nachkommen und die Befehle des Lebens abwarten«, sagte er streng und sah mir in die Augen.

Es war das erstemal, daß er mich anblickte. Mit blitzenden kleinen Augen. Dann wandte er sich gleich wieder ab und machte die Augen wieder zu.

Nach langem Schweigen sagte er: »Sie sagen, Ihr Mann verzeihe Ihnen den Tod des kleinen Kindes nicht?«

»So empfinde ich es.«

»Ja«, sagte er nachdenklich. »Kann sein.«

Es war offensichtlich, daß ihn die Annahme nicht überraschte, da er ja zwischen den Menschen alles für möglich hielt.

Dann fragte er, als wäre es etwas Nebensächliches: »Und Sie, haben Sie sich dessen noch nie angeklagt?«

Er sagte »ängeklägt«, ein bißchen mit slowakischem Einschlag, und irgendwie tröstete mich in dem Augenblick dieser Akzent.

»Wie könnte ich darauf antworten, Hochwürden? Wer vermag auf solche Fragen zu antworten?«

»Denn sehen Sie«, sagte er so unvermittelt und freundlich, daß ich ihm am liebsten die Hand geküßt hätte. Er sprach ganz eifrig und einfach, wie es nur die alten Priester auf dem Land können. »Ich kann nicht wissen, was in Ihrer Seele vorgeht, solange Sie es nicht sagen, denn was Sie mir gebeichtet haben, liebe Tochter, sind nur Absichten und Pläne. Doch der Herr flüstert mir zu, daß das gar nicht die Wahrheit ist. Die Stimme flüstert mir zu, daß Sie voller Selbstanklage sind, wegen des Kindes oder wegen anderer Dinge. Aber vielleicht täusche ich mich«, sagte er, wie um sich zu entschuldigen, und verstummte plötzlich, als bereute er das Gesagte.

»Aber es ist recht«, sagte er später leise und verschämt, »es ist recht, wenn Sie an Selbstanklage leiden. Dann werden Sie vielleicht doch noch gesund.«

»Was soll ich tun?« fragte ich.

»Beten«, sagte er einfach. »Und arbeiten. So gebietet es der Glaube. Das ist alles, was ich weiß. Bereuen Sie Ihre

Sünden?« fragte er mechanisch, als hätte er das Thema gewechselt.

»Ich bereue sie«, sagte ich genauso mechanisch.

»Fünf Vaterunser und fünf Ave-Maria«, sagte er. »Ego te absolvo…«

Und er begann zu beten. Von mir wollte er nichts mehr hören.

Zwei Wochen danach fand ich in der Brieftasche meines Mannes das violette Band.

Ob du's glaubst oder nicht, ich wühlte nie in den Mappen und Taschen meines Mannes. Ich stahl ihm auch nie etwas, so unglaublich das klingt. Er gab mir alles, worum ich ihn bat, wozu hätte ich stehlen sollen? Ich weiß, viele Frauen bestehlen ihren Mann, aus Zwang, aus Mutwillen. Die Frauen tun überhaupt viel aus Mutwillen. »Wer bin ich denn«, sagen sie und tun auch Dinge, zu denen sie nicht die geringste Lust haben. Bei mir ist es nicht so. Ich will mich nicht rühmen, es ist einfach eine Tatsache.

An jenem Morgen schaute ich auch nur deshalb in seine Brieftasche, weil er angerufen hatte, er habe sie zu Hause vergessen, und er schicke den Bürodiener, sie zu holen. Das ist noch kein Grund, sagst du. Aber in seiner Stimme war etwas Fremdes, Gehetztes, beinahe Aufgeregtes. Eine unruhige Stimme. Man hörte ihr an, daß dieser kleine Lapsus für ihn eine besondere Bedeutung hatte. So etwas nimmt man weniger mit dem Ohr als mit dem Herzen wahr.

Das war die Brieftasche aus Krokodilleder, die du vorhin gesehen hast. Ich hatte sie ihm geschenkt, habe ich das schon gesagt?… Und er benutzte sie auch getreulich. Denn ich muß dir etwas sagen: In seiner Seele war dieser Mann die Treue selbst. Ich meine, er konnte nicht untreu sein, auch wenn er gewollt hätte. Sogar den Gegenständen war er treu. Er mußte alles behalten, aufbewahren. Das war das Bürgerliche an ihm, eine edle Bürgerlichkeit. Und nicht nur Gegenstände bewahrte er auf, sondern alles, was im Leben lieb und wert und sinnvoll ist, alles, weißt du... die schönen Bräuche, die Lebensformen, die Möbel, die christliche Moral, die Brücken, die Welt, so wie die Menschen sie mit gewaltiger Kraftanstrengung, mit Einfallsreichtum und Leiden aufgebaut hatten, die einen mit Hilfe großer Ideen, die anderen mit Schwielen an den Händen... Das alles lag ihm gleicherweise am Herzen, es war die Welt, die er liebte und erhalten wollte. Sie, die Männer, nennen das Kultur. Wir Frauen sollten vielleicht nicht so großartige Wörter gebrauchen, es genügt zu schweigen, wenn sie in lateinischen Begriffen zu uns reden. Wir kennen das Wesentliche. Sie kennen die Begriffe. Das ist oft nicht dasselbe.

Also, die Brieftasche aus Krokodilleder. Auch die hat er aufbewahrt. Weil sie schön war, edles Material, und weil er sie von mir bekommen hatte. Als die Naht aufzugehen begann, ließ er sie reparieren. Er war pedantisch, ja. Einmal hat er lachend gesagt, er sei der wahre Abenteurer, denn auch das Abenteuer sei nur ausführbar, wenn darum herum Ordnung herrsche, kreative Sorgfalt... Du staunst? Ja, auch ich habe oft gestaunt, wenn er so etwas sagte. Es ist sehr schwer mit einem Mann, Liebes, denn er hat eine Seele.

Möchtest du eine Zigarette?... Ich muß mir eine anzünden, ich bin aufgeregt. Jetzt, da mir das violette Band eingefallen ist, spüre ich wieder diese Erregung.

Wie gesagt, an dem Tag war etwas in seiner Stimme. Er rief sonst nicht wegen solcher Kleinigkeiten an. Ich sagte, ich würde sie am Mittag in die Fabrik bringen, wenn ihm das recht sei. Aber er dankte und wies das Angebot zurück. Ich solle die Brieftasche in einen Umschlag stecken, und er würde gleich den Bürodiener vorbeischicken.

Da habe ich mir eben die Brieftasche angeschaut, jedes Fach durchsucht. Ich tat so etwas zum erstenmal. Ich schaute sie mir gründlich an, kannst du dir ja denken.

Im äußeren Fach war Geld, dann der Mitgliedsausweis der Handelskammer, acht Briefmarken zu zehn Fillér und fünf zu zwanzig Fillér, der Führerschein und ein mit Photo versehener Ausweis für die Margareteninsel. Das Photo war etwa zehn Jahre zuvor entstanden, kurz nach dem Haareschneiden, wenn die Männer so lächerlich jung aussehen, so, als seien sie gerade durch das Abitur gefallen. Dann ein paar Visitenkarten, nur mit seinem Namen, ohne Wappen oder Titel. Darauf legte er Wert. Er gestattete es auch nicht, daß ich seine Wäsche oder das Silber mit der Adelskrone versehen ließ. Er verachtete solche Dinge nicht, verbarg sie aber sorglich vor der Welt. Er sagte, ein Mensch habe nur eine einzige Art von Rang, nämlich seinen Charakter. Er redete manchmal so stolz daher.

In den äußeren Fächern der Brieftasche fand ich also nichts Ungewöhnliches. Es herrschte Ordnung, so wie in seinem Leben, in seinen Schubladen, Schränken und Aufzeichnungen. Ordnung um ihn herum, Ordnung in seiner Brieftasche. Vielleicht war nur gerade in seiner Seele nicht alles so ordentlich und harmonisch, weißt du... Anscheinend verbirgt man mit der äußeren Ordnung, daß innen etwas unordentlich ist. Doch für solche weisen Überlegungen hatte ich keine Zeit. Ich wühlte in der Brieftasche wie ein Maulwurf in der lockeren Erde.

Im inneren Fach fand ich eine Photographie des Kindes. Auf dem Bild war der Kleine acht Stunden alt. Er hatte dichte Haare, und er wog drei Kilo achthundert Gramm, und er hatte die kleinen Fäuste erhoben und schlief... Da hat man ihn photographiert. Wie lange tut das noch weh, sag? Solange man lebt?... Ja, wahrscheinlich schon.

Dieses Photo fand ich im inneren Fach. Und das violette Band.

Ich nahm es in die Hand, betastete es, und natürlich roch ich daran.

Es roch nach nichts. Es war ein altes Band, dunkelviolett. Höchstens roch es nach Krokodilleder. Vier Zentimeter lang – ich habe es gemessen – und einen Zentimeter breit. Sorgfältig mit der Schere abgeschnitten.

Ich mußte mich vor Schreck hinsetzen.

So saß ich da, mit dem violetten Band in der Hand, immer noch fest entschlossen, meinen Mann zu erobern, so wie Napoleon England erobern wollte. Ich war so verstört, als hätte ich in den Mittagsblättern gelesen, mein Mann sei in der Gegend von Rákosszentmihály von den Gendarmen festgenommen worden, da sich herausgestellt habe, daß er ein Raubmörder war. Oder wie sich die Frau des Unholds von Düsseldorf gefühlt haben muß, als sie eines Abends erfuhr, ihr Mann, dieser wackere Familienvater und pünktliche Steuerzahler, sei verhaftet worden, weil er jedesmal, wenn er ein Bier trinken ging, unterwegs jemandem den Bauch aufschlitzte. Ungefähr so fühlte ich mich, als ich das violette Band entdeckte und in der Hand hielt.

Ich sehe, du denkst, ich sei eine hysterische Gans. Nein, Liebes, ich bin eine Frau, also gleichzeitig Indianerin und Meisterdetektivin, Heilige und Spionin, alles miteinander, wenn es um den Mann geht, den ich liebe. Ich schäme mich nicht dafür. Gott hat mich so geschaffen. Das ist meine Aufgabe auf Erden. Mir schien, das Zimmer drehe sich mit mir, und dafür gab es mehr als nur einen guten Grund.

Erstens hatte ich nie ein solches Band gehabt. Eine Frau weiß so etwas. An keinem meiner Kleider, an keinem meiner Hüte hatte ich je so ein Band getragen. Ich mochte solche ernsten Trauerfarben nicht. Es war also ganz sicher und braucht nicht weiter erörtert zu werden, daß das nicht mein Band war, daß mein Mann es nicht von einem meiner Kleider oder Hüte abgeschnitten hatte, um es liebevoll aufzubewahren. Leider nicht.

Und zweitens war ich bestürzt, weil das Band nicht nur zu mir nicht paßte, sondern auch zu meinem Mann nicht. Ich meine, ein Gegenstand, ein Stück Stoff, das ein Mensch wie mein Mann derart in Ehren hält, daß er es jahrelang in seiner Brieftasche aufbewahrt und aufgeregt aus dem Büro telephoniert – denn er hatte wegen des Bandes angerufen, das brauche ich dir wohl nicht zu erklären, wozu hätte er denn vormittags in der Fabrik so dringend Geld, Visitenkarten oder Mitgliedsausweise gebraucht –, also dieser Gegenstand war mehr als nur ein Andenken oder eine Devotionalie. Deshalb war ich so verstört.

Mein Mann hatte also eine Erinnerung, die wichtiger war als ich. Das war die Bedeutung des violetten Bandes.

Es konnte aber auch etwas anderes bedeuten. Das Band war nicht verblaßt, sondern bloß alt geworden, auf die seltsame Art, wie Gegenstände von Toten alt werden. Weißt du, so wie die Hüte oder die Taschentücher der Toten sehr rasch altern, sozusagen im selben Augenblick, da ihr Besitzer stirbt. Irgendwie verändert sich ihre Farbe, so wie das Grün eines abgerissenen Blattes gleich seine Lebendigkeit verliert... Offenbar fließt in jedem Menschen so etwas wie ein elektrischer Strom, der auch durch die Dinge hindurchgeht, die zu ihm gehören.

In diesem violetten Band war kaum mehr Leben. Als ob es vor sehr langer Zeit getragen worden wäre. Vielleicht war die Person, die es getragen hatte, längst tot... jedenfalls für meinen Mann. Hoffte ich. Ich betrachtete das Band, roch daran, rieb es zwischen den Fingern, versuchte es auszuhorchen. Doch es gab sein Geheimnis nicht preis. Schwieg verstockt, mit dem dumpfen Trotz der Gegenstände.

Und redete in seiner Stummheit doch. Schadenfreudig und überheblich. Das Band war wie die böse violette Zunge eines Kobolds, der sie mir ausstreckte, um mich auszulachen und zu verhöhnen. So redete die Koboldszunge: »Siehst du, irgendwo hinter der schönen, geordneten Fassade war ich. Ich war und bin. Ich bin die Unterwelt, das Geheimnis, die Wahrheit.« Ob ich das verstand?... Ich wurde furchtbar aufgeregt und enttäuscht und betroffen und gleichzeitig auch so neugierig und wütend, daß ich am liebsten auf die Straße hinuntergerannt wäre, um die Frau zu suchen, die das Band einst getragen hatte, im Haar oder am Mieder... Ich wurde rot vor Eifersucht und innerem Aufruhr. Du siehst, auch jetzt ist mein Gesicht feuerrot und heiß. Weil mir das violette Band eingefallen ist. Warte, gib mir etwas Puder, ich will mich ein bißchen zurechtmachen.

So, danke, jetzt geht's besser. Also, dann ist der Bürodiener gekommen, und ich hatte alles wieder schön ordentlich in die Brieftasche zurückgesteckt, die Visitenkarten, die Ausweise, das Geld und das violette Band, das meinem

Mann so wichtig war. Dann stand ich da, mit meinem großen Entschluß und meinen brennenden Gefühlen, und ich verstand das Leben nicht mehr.

Besser gesagt: etwas verstand ich doch.

Dieser Mensch war weder ein sentimentaler Student noch ein erbärmlicher alternder Lüstling. Er war ein Mann, und seine Handlungen hatten Sinn und Zweck. Er versteckte nicht grundlos das violette Band einer Frau in seiner Brieftasche – so viel begriff ich, und zwar voll und ganz, so wie man seine eigenen Geheimnisse kennt.

Wenn er also jahrelang einen sentimentalen Fetzen mit sich herumtrug, dann hatte das einen sehr ernsten Grund. Dann mußte die Person, der das Stoffstück gehört hatte, für ihn wichtiger sein als alle anderen Menschen.

Wichtiger als ich, so viel war sicher. Meine Photographie trug er zum Beispiel nicht in seiner Brieftasche. Jetzt willst du sagen – ich sehe es an deiner Nasenspitze, auch wenn du schweigst –, daß er keine Photographie brauchte, weil er mich auch sonst sah, Tag und Nacht. Aber das reicht nicht. Er soll mich auch sehen wollen, wenn ich nicht bei ihm bin. Und wenn er in seine Brieftasche greift, soll er mein Bild dort suchen und nicht fremde violette Bänder. Nicht wahr?... Na siehst du. Das könnte man doch erwarten.

Ich brannte, so wie ein friedliches Einfamilienhaus, das mit einem achtlos weggeworfenen Streichholz angezündet wurde. Denn was hinter der Fassade unseres Lebens auch gewesen sein mag, das Ganze war doch immerhin eine feste Struktur, ein Gebäude, mit Räumen und Dachstock... In diesen Dachstock war das Streichholz gefallen, das violette Band.

Am jenem Mittag kam mein Mann nicht nach Hause. Am Abend waren wir eingeladen. Ich zog mich besonders sorgfältig an, wollte schön sein, auf Biegen und Brechen. Ich wählte eine Abendrobe aus weißer Seide, die wie ein Schwur war. Feierlich, würdig. Am Nachmittag saß ich zwei volle Stunden beim Friseur. Und gegen Abend ließ ich es mir nicht nehmen, noch in die Innenstadt zu fahren, in ein Modegeschäft, wo ich ein kleines violettes Gebinde kaufte, eine Art künstlichen Veilchenstrauß, so ein dummes kleines Ding, wie man es in jenem Jahr gern trug. Man steckte es in allerlei Varianten an die Kleider. Diesen kleinen Strauß, dessen Bänder genau die Farbe hatten wie das Band in der Brieftasche meines Mannes, steckte ich an den Ausschnitt des weißen Kleids. Und dann machte ich mich so sorgfältig zurecht wie eine Schauspielerin für die Galavorstellung. Als mein Mann nach Hause kam, stand ich schon in der Pelzstola da. Er zog sich hastig um, denn er war spät dran. Dieses eine Mal mußte ich auf ihn warten.

Im Wagen saßen wir schweigend nebeneinander. Ich sah, daß er müde war und an anderes dachte. Mein Herz klopfte, aber gleichzeitig war auch eine schreckliche, ernste Ruhe in mir, und ich wußte, daß dieser Abend über mein Leben entscheiden würde. Ich saß höflich neben ihm, mit meinem phantastisch hergerichteten Haar, meiner Blaufuchsstola, meinem weißen Seidenkleid, duftend und tödlich ruhig, den violetten Strauß am Ausschnitt. Das Haus, in dem wir erwartet wurden, war hochherrschaftlich, vor dem Portal stand ein Türhüter, in der Eingangshalle wurden wir von livrierten Dienern empfangen. Während mein Mann seinen Mantel auszog und ihn dem Diener reichte, erblickte er mich in einem Spiegel, und er lächelte.

An dem Abend war ich so schön, daß sogar er es bemerkte.

Er richtete vor dem Spiegel seine weiße Krawatte, mit einer zerstreuten, hastigen, etwas befangenen Geste, als störte ihn der Diener, der mit ernstem Ausdruck wartete; jedenfalls tat er es auf die Art, wie Männer, die nicht viel auf ihre Kleidung geben, dieses ewig verrutschende Frackzubehör zu richten pflegen. Er lächelte mir im Spiegel zu, sehr freundlich und höflich, als wollte er sagen: »Ja, ich weiß, du bist sehr schön. Vielleicht die Schönste. Nur hilft das leider nichts. Es geht um anderes.«

Aber er sagte nichts. Und ich zerbrach mir den Kopf, ob ich wohl schöner war als die andere, deren Band er aufbewahrte. Dann betraten wir den großen Saal, wo die Gäste schon versammelt waren, Berühmtheiten, Politiker, einige der ersten Männer des Landes, schöne Frauen, und alle sprachen miteinander, als wären sie verwandt, als wüßte jeder genau, worauf der andere mit seinen Andeutungen anspielte, als wären alle eingeweiht – in was? ... Nun, in jenes feine, verdorbene und erregende, ungute und überhebliche, hoffnungslose, kalte Komplizentum, wie es die andere Welt, das Gesellschaftsleben, darstellt. Der Saal war groß, mit Säulen aus rotem Marmor. Zwischen den Gästen gingen Lakaien in Kniehosen und weißen Strümpfen herum und boten auf Kristalltabletts den Cocktail an, ein giftbuntes starkes Gemisch. Ich nippte nur daran, denn ich vertrage keinen starken Alkohol, mir beginnt sich gleich der Kopf zu drehen. Aber an dem Abend brauchte ich sowieso kein Rauschmittel. Ich spürte eine grundlose, lächerliche und kindische Spannung, als hätte mich das Schicksal für eine schwere Aufgabe ausersehen, als würden an dem Abend alle mich, nur mich beobachten, all die schönen und interessanten Frauen, die berühmten, mächtigen, klugen Männer... Ich kicherte, ich war zu allen sehr freundlich, so wie zu früherer Zeit die Erzherzoginnen in gepuderter Perücke, die ihren Cercle hielten. Und tatsächlich war an dem Abend von mir die Rede... ein so starkes Lebensgefühl strahlt unwiderstehlich auf die anderen aus und läßt niemanden gleichgültig. Auf einmal sah ich mich, wie ich dort zwischen den Marmorsäulen stand, Frauen und Männer um mich herum, und ich war der Mittelpunkt der Gesellschaft, man machte mir Komplimente, und alles, was ich sagte, hatte Erfolg. Eine unheimliche Sicherheit ging an dem Abend von mir aus. Ich hatte Erfolg, ja... Was ist Erfolg? Ein Willensakt offenbar, ein wahnwitziger Willensakt, der alle und alles bannt. Und der ganze Aufwand nur, weil ich wissen wollte, ob es eine Person gab, die an einem Kleid oder einem Hut ein violettes Band getragen hatte und meinem Mann vielleicht wichtiger war als ich...

Ich trank also keine Cocktails an dem Abend. Später, beim Abendessen, trank ich ein halbes Glas Champagner. Und doch benahm ich mich, als wäre ich beschwipst... aber auf eine so seltsame Art, weißt du, so nüchtern, so kalt beschwipst.

Wir warteten auf das Essen, und im Saal bildeten sich Gruppen wie auf einer Bühne. Mein Mann stand in der Tür zur Bibliothek und plauderte mit einem Pianisten. Hin und wieder spürte ich seinen Blick auf mir, ich wußte, daß er besorgt zu mir herüberblinzelte, daß er meinen Erfolg nicht verstand, diesen unerwarteten Erfolg, der ihn zwar freute, aber auch beunruhigte. Er blickte verwirrt herüber, und ich war stolz auf diese Verwirrung. Jetzt war ich meiner Sache sicher, ich wußte, daß dies mein Abend war.

Das sind die merkwürdigsten Augenblicke im Leben. Die Welt tut sich plötzlich auf, alle Augen ruhen auf dir. Ich wäre nicht überrascht gewesen, wenn ich Verehrer gefunden hätte. Weißt du, die Welt, jene andere, mondäne Welt, ist ganz und gar nicht mein Zuhause. Mein Mann hatte mich dort eingeführt, und ich litt stets an Lampenfieber und trat so vorsichtig auf wie auf dem Drehparkett im Vergnügungspark… Ich hatte dauernd Angst, auszurutschen und umzufallen. Es vergingen Jahre, und ich war in Gesellschaft noch immer zu höflich und zu aufmerksam oder zu gewollt natürlich… kurz, ich war verschreckt oder frostig oder direkt, bloß nicht so, wie ich wirklich bin. Jedenfalls völlig verkrampft. An dem Abend hingegen hatte sich der Krampf aufgelöst. Ich sah alles wie durch einen Nebel, die Lichter, die Gesichter der Menschen. Ich hätte mich nicht gewundert, wenn man mir von Zeit zu Zeit applaudiert hätte.

Dann begann ich zu spüren, daß mich jemand fixierte. Ich drehte mich langsam um und suchte den Menschen, der diese elektrischen Strahlen fast wie eine Berührung nach mir aussandte. Es war Lázár, er stand neben einer Säule und sprach mit der Dame des Hauses, ließ mich aber nicht aus den Augen. Wir hatten uns lange nicht mehr gesehen.

Als die Diener die großen Spiegeltüren öffneten und wir wie im Theater in den mit Kirchenkerzen beleuchteten halbdunklen Speisesaal einzogen, trat er zu mir. »Was ist mit Ihnen?« fragte er fast ehrfürchtig und mit erstickter Stimme.

»Wieso?« fragte ich ein bißchen heiser und benommen von meinem Erfolg.

»Etwas geht mit Ihnen vor«, sagte er. »Ich schäme mich

jetzt, daß wir Sie an jenem Abend mit dem billigen Ulk empfangen haben. Wissen Sie noch?«

»Ja«, sagte ich. »Sie brauchen sich nicht zu schämen. Große Männer spielen gern.«

»Sind Sie in jemanden verliebt?« fragte er ruhig und ernst, und er blickte mir direkt zwischen den Augen auf die Stirn.

»Ja«, sagte ich genauso ruhig und entschlossen. »In meinen Mann.«

Wir standen an der Schwelle zum Speisesaal. Er schaute mich von Kopf bis Fuß an. Und sagte leise und mit tiefem Mitgefühl: »Ach je.«

Dann reichte er mir den Arm und führte mich zu meinem Platz.

Bei Tisch war er einer meiner Nachbarn. Der andere war ein alter Graf, der wohl keine Ahnung hatte, wer ich war, und der mir während des Essens mit vorsintflutlichen Komplimenten den Hof machte. Links von Lázár saß die Frau eines berühmten Diplomaten, die nur Französisch sprach. Auch die Küche war französisch in diesem Haus.

Zwischen den französischen Wendungen des Gesprächs und den Gängen drehte sich Lázár einmal zu mir und sagte ganz leise, damit es niemand verstand, und so natürlich und unvermittelt, als wäre es die Fortsetzung einer schon die ganze Zeit dauernden Diskussion: »Und was haben Sie beschlossen?«

Ich beschäftigte mich gerade mit dem Geflügel und dem Kompott. Über den Teller gebeugt, Gabel und Messer in der Hand, antwortete ich lächelnd, als machte ich heiter und harmlos Konversation: »Ich habe beschlossen, ihn zu erobern und zu mir zurückzuholen.«

»Das ist unmöglich«, sagte er. »Er ist nie von Ihnen weggegangen. Deshalb ist es unmöglich. Man kann jemanden zurückbringen, der untreu gewesen ist. Wer aber nie wirklich und endgültig angekommen ist ... Nein, unmöglich.«

»Warum hat er mich dann geheiratet?« fragte ich.

»Weil er sonst zugrunde gegangen wäre.«

»Woran?«

»An einem Gefühl, das stärker war als er. Und seiner nicht würdig.«

»An dem Gefühl«, sagte ich ruhig und so, daß es niemand hören konnte, »das er für die Frau mit dem violetten Band empfand?«

»Sie wissen davon?« fragte er und schaute rasch und nervös auf.

»Ich weiß nur so viel, wie ich wissen muß«, sagte ich ehrlich.

»Wer hat Ihnen davon erzählt? Péter? ...«

»Nein«, sagte ich. »Aber von dem, den man liebt, weiß man alles.«

»Das stimmt«, sagte er ernst.

»Und Sie«, fragte ich und staunte, daß meine Stimme nicht zitterte. »Kennen Sie die Frau mit dem violetten Band?«

»Ich?« murmelte er und neigte seinen kahlen Kopf verdrossen über den Teller. »Ja, ich kenne sie.«

»Sehen Sie sie hin und wieder?«

»Selten. Fast nie.« Er starrte vor sich hin. »Ich habe sie schon sehr lange nicht mehr gesehen.«

Er begann mit seinen knochigen Fingern nervös auf das Tischtuch zu trommeln. Die Diplomatengattin fragte etwas auf französisch, und ich mußte mich mit dem alten Grafen abgeben, der aus unerfindlichen Gründen eine chinesische Parabel zu erzählen begann, für die ich in dem Moment nicht sehr empfänglich war.

Dann wurden Obst und Champagner gereicht. Nachdem ich den ersten Schluck der blaßrosa Flüssigkeit getrunken und der Graf mit viel Mühe und Not die Windungen der chinesischen Parabel hinter sich gebracht hatte, wandte sich Lázár wieder an mich: »Warum tragen Sie heute abend dieses violette Ding?«

»Es ist Ihnen aufgefallen?« fragte ich, während ich die Beeren von einer Traube zupfte.

»Gleich als Sie hereinkamen.«

»Was meinen Sie, ist es auch Péter aufgefallen?«

»Geben Sie acht«, sagte er ernst. »Es ist sehr gefährlich, was Sie da machen.«

Wir schauten gleichzeitig zu Péter, wie zwei Verschwörer. In dem großen Saal, im flackernden Kerzenlicht, in den gedämpften Worten, im Inhalt und noch mehr in der Stimmung unseres Gesprächs war etwas Unheimliches. Ich saß hoch aufgerichtet und reglos, blickte starr vor mich hin und lächelte, als unterhielten mich meine Nachbarn mit köstlichen Scherzen und interessanten Geschichten. Na ja, interessant war es schon, was ich da hörte, keine Frage. Ich habe weder zuvor noch danach in meinem Leben je etwas gehört, das mich mehr interessiert hätte als Lázárs Worte an dem Abend.

Als wir uns von der Tafel erhoben, kam Péter zu uns: »Du hast während des Essens viel gelacht«, sagte er. »Du bist aber blaß. Willst du nicht in den Garten hinaus?«

»Nein«, sagte ich. »Mir fehlt nichts. Die Beleuchtung ist schuld.«

»Kommen Sie«, sagte Lázár, »gehen wir in den Wintergarten. »Auch dort können wir eine Tasse Kaffee trinken.«

»Nehmt mich mit«, sagte Péter scherzend und unruhig. »Ich lache auch gern.«

»Nein«, sagte ich.

Und auch Lázár sagte: »Nein. Heute spielen wir anders. Wir spielen zu zweit, und du bist draußen. Geh zu deinen Gräfinnen.«

In dem Augenblick bemerkte mein Mann das violette Gebinde. Er blinzelte kurzsichtig, wie es seine Gewohnheit war, und beugte sich unwillkürlich zu mir, um genauer zu sehen. Aber Lázár nahm mich am Arm und führte mich weg.

Von der Schwelle des Wintergartens blickte ich zurück. Mein Mann stand noch in der Tür des Speisesaals, in dem Gedränge, wie es nach Tisch entsteht, und starrte uns kurzsichtig nach. Es waren so viel Trauer, Ratlosigkeit, ja, Verzweiflung in seinem Gesicht, daß ich stehenbleiben mußte. Ich dachte, mir breche das Herz. Vielleicht habe ich ihn nie so sehr geliebt wie in diesem Augenblick.

Und dann saßen Lázár und ich im Wintergarten... hast du noch nicht genug von meiner Geschichte? Sag es, wenn sie dir verleidet ist. Aber ich will dich nicht mehr lange damit behelligen. Weißt du, an jenem Abend geschah alles so rasch wie im Traum.

Im Wintergarten herrschte eine dunstige, duftende, schwüle Hitze wie im Tropenwald. Wir saßen unter einer Palme und sahen durch die offene Tür die glanzvoll erleuchteten Räume... Irgendwo weit weg, in einer Ecke des dritten Raums, spielte ein Orchester leise und gefühlvoll, und die Gäste tanzten. In einem anderen Zimmer spielte man Karten. Ein großer Abend, prunkvoll und seelenlos wie alles in jenem Haus.

Lázár rauchte schweigend und beobachtete die Tanzenden. Ich hatte ihn lange nicht mehr gesehen, und jetzt war er so merkwürdig fremd… Ich spürte um ihn herum eine Einsamkeit, als lebte dieser Mensch am Nordpol. Einsamkeit und Ruhe, traurige Ruhe. Mir wurde klar, daß dieser Mann nichts mehr wollte, weder das Glück noch den Erfolg, ja, vielleicht wollte er nicht einmal mehr schreiben, sondern nur noch die Welt kennen und verstehen, nur die Wahrheit… Er war kahlköpfig und hatte immer etwas Höflich-Gelangweiltes an sich. Er war aber auch wie ein buddhistischer Mönch, der die Welt betrachtet, mit schräg stehenden Augen, unergründlich.

Nachdem wir den Kaffee getrunken hatten, sagte er: »Fürchten Sie die Aufrichtigkeit?«

»Ich fürchte nichts«, sagte ich.

»Hören Sie her«, sagte er entschlossen und hart. »Niemand hat ein Recht, sich ins Leben anderer zu mischen. Auch ich nicht. Aber Péter ist mein Freund. Nicht nur im billigen Sinn des Wortes, wie man es achtlos anwendet. Mir stehen nur sehr wenige Menschen nahe. Dieser Mensch, Ihr Mann, bewahrt für mich das Geheimnis und den Zauber unserer Jugend. Und jetzt will ich Ihnen etwas sagen. Es klingt ein bißchen dramatisch.«

Ich saß starr und weiß wie die Marmorstatue der guten Fürstin eines Kleinstaats. »Sagen Sie's«, bat ich.

»Um es ordinär zu sagen: Hände weg!«

»Ziemlich ordinär, in der Tat«, sagte ich. »Aber ich verstehe es nicht. Hände weg wovon?«

»Von Péter, vom violetten Band und von der, die es getragen hat. Verstehen Sie jetzt? Ich sage es wie im

Film. Hände weg ... Sie wissen nicht, woran Sie rühren. Es begann schon zu verheilen, das, woran Sie jetzt rühren wollen, es ist schon geronnen, eine feine Haut liegt schon darüber. Seit fünf Jahren beobachte ich Ihrer beider Leben, beobachte diesen Heilungsprozeß. Sie wollen jetzt an diese Wunde rühren. Aber ich warne Sie, wenn Sie sie aufreißen, wenn Sie mit dem Fingernagel daran kratzen, beginnt sie wieder zu bluten ... Es könnte etwas in ihm verbluten. Oder jemand.«

»So gefährlich ist es?« fragte ich und blickte auf die Tanzenden.

»Ich glaube schon«, sagte er bedächtig und vorsichtig. »Es ist gefährlich.«

»Dann muß man es tun«, sagte ich.

In meiner Stimme war etwas, ein heiserer Klang, ein Zittern.

Er griff nach meiner Hand. »Ertragen Sie es«, sagte er flehend und mit großer Wärme.

»Nein«, sagte ich. »Ich ertrage es nicht. Seit fünf Jahren werde ich betrogen. Mein Los ist schlechter als das Los der Frauen, deren Männer Schürzenjäger sind. Seit fünf Jahren schlage ich mich mit jemandem herum, der kein Gesicht hat und doch in unserer Wohnung lebt wie ein Gespenst. Davon habe ich jetzt genug. Ich kann nicht gegen Gefühle kämpfen. Lieber soll meine Gegnerin aus Fleisch und Blut bestehen, statt ein Wahnbild zu sein ... Sie haben einmal gesagt, die Wirklichkeit sei immer einfacher.«

»Ja«, sagte er begütigend, »und unendlich gefährlich.«

»Dann soll sie eben gefährlich sein«, sagte ich. »Was kann mir Schlimmeres passieren als die Tatsache, daß ich mit jemandem lebe, der mir nicht gehört? Der ein Geheimnis hütet und mich benutzt, um eine Erinnerung und ein Gefühl loszuwerden, und das auch nur, weil diese Erinnerung und dieses Gefühl und diese Sehnsucht seiner nicht würdig sind... Sie haben das vorhin so gesagt, oder? Dann soll er zu dieser unwürdigen Sehnsucht stehen. Soll er sich zu ihr herablassen, seinen Rang und seine Würde aufgeben.«

»Das ist unmöglich«, sagte er heiser und aufgeregt. »Er geht daran zugrunde.«

»Wir gehen auch so daran zugrunde«, sagte ich ruhig. »Schon das Kind ist daran zugrunde gegangen. Jetzt bin ich wie eine Schlafwandlerin. Ich gehe sicheren Schrittes auf etwas zu, an der Grenze zwischen Leben und Tod. Stören Sie mich nicht, rufen Sie nicht, sonst falle ich hinunter... Wenn Sie können, helfen Sie mir. Ich habe einen Mann geheiratet, weil ich ihn liebe. Ich dachte, er liebe mich auch. Seit fünf Jahren lebe ich mit einem Menschen, der mir sein Herz nicht ganz schenkt. Ich habe alles getan, damit er zu mir kommt. Ich habe mich bemüht, ihn zu verstehen. Habe mich mit unmöglichen Erklärungen zu beruhigen versucht. Er ist ein Mann, habe ich mir gesagt, und also stolz. Und: Er ist ein Bürger, und also einsam. Aber das sind alles Lügen. Dann habe ich versucht, ihn mit dem stärksten menschlichen Band, mit dem Kind, an mich zu binden. Das ist nicht gelungen. Warum nicht? Wissen Sie es? Das Schicksal? Oder noch etwas anderes?... Sie sind der Schriftsteller, der Weise, der Komplize, der Augenzeuge von Péters Leben. Warum schweigen Sie jetzt? Manchmal denke ich, Sie seien an allem beteiligt, was geschehen ist. Sie haben Macht über Péters Seele.«

»Ich hatte sie nur«, sagte er. »Ich habe diese Macht teilen müssen. Teilen auch Sie. So kommen vielleicht alle davon«, sagte er entmutigt und verwirrt.

Ich hatte diesen einsamen, selbstsicheren Mann noch nie so unschlüssig gesehen. Der buddhistische Mönch war jetzt ein ganz gewöhnlicher Mensch, der sich am liebsten davongemacht hätte, um nicht auf peinliche und gefährliche Fragen antworten zu müssen. Ich ließ ihn aber nicht mehr los.

»Sie wissen am besten, daß man in der Liebe nicht teilen kann«, sagte ich.

»Das ist ein Gemeinplatz«, sagte er verstimmt und zündete sich eine Zigarette an. »Man kann alles. Gerade in der Liebe kann man alles.«

»Was bleibt mir vom Leben, wenn ich teile?« fragte ich so leidenschaftlich, daß ich über meine eigene Stimme erschrak. »Eine Wohnung? Eine gesellschaftliche Stellung? Jemand, mit dem ich zu Mittag und zu Abend esse, der mir hin und wieder ein bißchen Zärtlichkeit schenkt, so wie man einem quengeligen, von Kopfschmerzen geplagten Kranken mit einem Löffel Wasser ein Delmagon eingibt? ... Was meinen Sie, gibt es eine demütigendere, unmenschlichere Situation als so ein Halbleben? Ich brauche einen Menschen, und zwar ganz!« sagte ich laut.

So deklamierte ich, verzweifelt, aber auch theatralisch. Die Leidenschaft hat immer etwas Theatralisches.

Jemand ging durch den Wintergarten, ein Offizier ... Er blieb stehen, blickte erschrocken zurück, ging dann rasch und kopfschüttelnd weiter.

Ich schämte mich und fuhr leise flehend fort: »Einen Menschen, den ich mit niemandem teilen will. Ist das so unmöglich?«

»Nein«, sagte er und musterte die Palme. »Bloß ist es sehr gefährlich.«

»Und dieses Leben, das Leben, das wir führen, ist das nicht auch gefährlich? Was meinen Sie? Es ist lebensgefährlich«, sagte ich entschlossen, und jetzt, da ich das Wort ausgesprochen hatte, wurde ich bleich, denn ich fühlte, daß es stimmte.

»Das ist eine Eigenheit des Lebens«, sagte er kühl und höflich, als wäre er wieder in seinem Element, aus der brodelnden Welt der Leidenschaften zurück in der kühleren, gemäßigteren Zone der Gedanken und der genauen Formulierungen, wo er die vertrauten, passenden Wörter wiederfand. »Das ist seine Eigenheit, daß es lebensgefährlich ist. Doch man kann mit der Gefahr auf verschiedene Weise umgehen: Gewisse Leute leben so, als schlenderten sie mit dem Spazierstock in der Hand über eine Ebene. Und andere leben so, als machten sie dauernd Kopfsprünge in den Atlantik. Man muß die Gefahren überleben«, sagte er ernst. »Das ist die schwierigste Aufgabe und manchmal das größte Heldentum.«

Ein kleiner Springbrunnen plätscherte im Wintergarten; wir horchten auf den lauen, lebendigen Ton und hörten gleichzeitig den wilden Rhythmus der modischen, mondänen Musik.

»Und ich weiß nicht einmal«, sagte ich nach einer Weile, »mit wem oder womit ich teilen muß. Mit einer Person? Oder mit einer Erinnerung?«

»Das ist gleichgültig«, sagte er schulterzuckend. »Die Person ist eher eine Erinnerung als ein lebender Mensch. Sie will nichts. Bloß …«

»Bloß gibt es sie«, sagte ich.

»Ja«, sagte er.

Ich stand auf. »Dann muß man eben Schluß machen«, sagte ich, während ich meine Handschuhe suchte.

»Mit ihr? Mit der Person?« fragte er und erhob sich unwillig.

»Mit der Person, mit der Erinnerung, mit diesem Leben«, sagte ich. »Können Sie mich zu dieser Frau führen?«

»Nein, das tue ich nicht«, sagte er. Wir machten uns langsam auf den Weg, in Richtung der Tanzenden.

»Dann finde ich sie eben selbst«, sagte ich entschlossen. »In dieser Stadt leben Millionen von Menschen und im ganzen Land noch viele Millionen mehr. Ich habe nichts in der Hand als diesen violetten Fetzen. Ich habe ihre Photographie nie gesehen und kenne ihren Namen nicht. Und doch weiß ich so sicher wie der Rutengänger, der auf der endlosen Ebene das Wasser in der Erde spürt, oder wie der Metallsucher, der auf seinem Spaziergang plötzlich stockt, weil er merkt, daß da im Boden Erze sind... so sicher weiß ich, daß ich sie finden werde, diesen Jemand, diese Erinnerung oder diese Person aus Fleisch und Blut, die nicht zuläßt, daß ich glücklich bin. Glauben Sie mir nicht?«

Er zuckte mit den Achseln und schaute mich lange an, forschend und traurig. »Vielleicht«, sagte er. »Im allgemeinen traue ich den Menschen alles zu, wenn sie ihren Instinkten freien Lauf lassen. Alles Schlechte und alles Wunderbare... Ich glaube durchaus, daß Sie unter Millionen von Menschen die Person finden werden, die dann wie ein Kurzwellensender dem andern auf Ihren Ruf antworten wird. Dabei ist nichts Mystisches. Es ist der Kontakt starker Gefühle... Aber dann? Was ist dann?«

»Dann?« fragte ich unsicher. »Dann ist die Situation klarer. Ich muß sie sehen, sie prüfen... Und wenn sie es wirklich ist...«

»Sie? Wer?« fragte er ungeduldig.

»Na eben: sie«, erwiderte ich genauso ungeduldig. »Die andere, die Gegnerin… Wenn sie es wirklich ist, derentwegen ich nicht glücklich sein kann, wenn sie der Grund ist, daß mein Mann nicht ganz zu mir gehört, weil er an eine Sehnsucht, eine Erinnerung, eine sentimentale Illusion gebunden ist… nun, dann überlasse ich die beiden eben ihrem Schicksal.«

»Auch wenn das für Péter fatal ist?«

»Soll er es ertragen«, sagte ich zornig, »wenn das seine Fatalität ist.«

Wir standen jetzt in der Tür zum großen Saal. Er sagte noch: »Er hat alles getan, um es zu ertragen. Sie wissen nicht, mit welcher Anstrengung dieser Mensch in den letzten Jahren gelebt hat. Mit der Kraft, die er aufgewendet hat, um die Erinnerung zu verdrängen, könnte man Berge versetzen. Ich glaube das zu wissen. Zuweilen habe ich ihn bewundert. Er hat das Schwerste versucht, das ein Mensch im Leben versuchen kann. Wissen Sie, was er getan hat? Er hat mit dem Verstand ein Gefühl abtöten wollen. So wie wenn jemand mit Hilfe von Wörtern und Prinzipien ein Stück Dynamit überredet, nicht zu explodieren.«

»Nein«, sagte ich verwirrt. »Das ist unmöglich.«

»Fast unmöglich«, sagte er ruhig und ernst. »Und dieser Mensch hat es trotzdem versucht. Warum?… Um seine Seele zu retten. Um seine Selbstachtung zu retten, ohne die ein Mann nicht leben kann. Und er hat es auch für Sie getan, und dann auch noch, mit all seiner verbleibenden Kraft, für das Kind… Denn er liebt auch Sie, ich hoffe, Sie wissen das.«

»Ja«, sagte ich. »Sonst würde ich nicht so sehr um ihn kämpfen. Aber er liebt mich nicht ganz, nicht bedingungslos. Zwischen uns steht jemand. Entweder ich verjage diesen Jemand, oder ich selbst gehe. Ist sie denn tatsächlich so stark, so angsteinflößend, die Frau mit dem violetten Band?«

»Wenn Sie sie finden«, sagte er und blickte mit müde zwinkernden Augen in die Ferne, »werden Sie staunen. Sie werden staunen, wieviel einfacher die Wirklichkeit ist, als Sie meinen, wieviel banaler, gewöhnlicher, und gleichzeitig wie bizarr und gefährlich.«

»Und Sie wollen ihren Namen um keinen Preis verraten?«

Er schwieg. Man merkte ihm an, daß er unruhig und unschlüssig war. »Gehen Sie gern zu Ihrer Schwiegermutter?« fragte er plötzlich.

»Zu meiner Schwiegermutter?« Ich war verblüfft. »Ja, natürlich. Aber was hat das mit alldem zu tun?«

»Péter ist jedenfalls auch bei seiner Mutter zu Hause«, sagte er verlegen. »Wenn man etwas finden will, sollte man zunächst im Haus nach Spuren suchen... Das Leben arrangiert die Dinge manchmal genauso lässig wie in einem Kriminalroman... Sie wissen doch, die Polizei sucht fieberhaft auf allen Seiten nach Tatspuren, stochert mit Hutnadeln in den Ritzen der Wand herum, während der gesuchte Brief die ganze Zeit vor ihrer Nase auf dem Schreibtisch liegt. Aber das merkt niemand.«

»Soll ich Péters Mutter nach der Frau mit dem violetten Band fragen?« Ich war immer ratloser.

»Ich kann nur sagen«, antwortete er vorsichtig und ohne mich anzublicken, »daß Sie sich, bevor Sie in die Welt hinausziehen, um Péters Geheimnis zu ergründen, zuerst in Péters anderem Zuhause, in der Wohnung seiner Mutter, umsehen sollten. Bestimmt finden Sie dort irgend etwas, das Ihnen die Richtung weist. Das Elternhaus ist immer auch ein wenig der Tatort. Dort ist alles beisammen, was einen Menschen betrifft.«

»Danke«, sagte ich. »Morgen früh will ich zu meiner Schwiegermutter gehen und mich dort umsehen… Bloß weiß ich noch nicht, was ich dort suchen soll.«

»Sie haben es so gewollt«, sagte er, wie um die Verantwortung von sich zu weisen.

Die Musik wurde lauter, und wir traten in den Saal, zwischen die Tänzer. Männer sprachen mich an, und nach einer Weile nahm mich mein Mann am Arm und führte mich hinaus. Wir fuhren geradewegs nach Hause. Das war am 30. April, im fünften Jahr unserer Ehe.

In jener Nacht schlief ich sehr tief. Als wäre ein starker Strom durch mich hindurchgeflossen, der einen Kurzschluß verursacht hatte, so daß es in der Seele dunkel geworden war. Als ich erwachte und in den Garten hinausging – es war ein lauer Frühlingsmorgen mit einem an den Scirocco gemahnenden warmen Wind, und seit einigen Tagen wurde der Frühstückstisch draußen gedeckt –, war mein Mann schon fort. Ich frühstückte allein, trank in kleinen Schlucken den ungezuckerten, bitteren Tee und mochte nichts essen.

Auf dem Tisch lagen Zeitungen. Ich las zerstreut eine in großen Lettern gedruckte Schlagzeile. An dem Tag war ein kleiner Staat von der Weltkarte verschwunden. Ich versuchte mir vorzustellen, was die Leute in dem fremden Land empfanden, nachdem sie in der Morgenfrühe erfahren hatten, daß ihr Leben, ihre Lebensformen, alles, woran sie geglaubt und worauf sie geschworen hatten, von einem Tag auf den andern verschwunden war, daß es nicht mehr galt und daß jetzt etwas ganz anderes begann – vielleicht etwas Besseres, vielleicht etwas Schlechteres, aber jedenfalls etwas so wirklich und endgültig anderes, als wäre das Land, ihre Heimat, im Meer versunken, so daß sie von nun an unter veränderten Lebensbedingungen existieren mußten, unter Wasser. Daran dachte ich. Und auch daran, was ich nun eigentlich wollte. Was für einen Befehl hatte ich erhalten, was für eine Botschaft des Himmels? Was hatte der anhaltende Aufruhr in meinem Herzen für einen Sinn? Was war mein Kummer, mein Gekränktsein, mein Leid, gemessen am Elend der Millionen von Menschen, die beim Erwachen feststellen mußten, daß sie das Wertvollste im Leben verloren hatten, die Heimat, die selbstverständliche, anschmiegsame Vertrautheit, die familiäre Hausordnung. Und doch blätterte ich zerstreut in den Zeitungen, ich konnte mich nicht mit ganzer Seele auf die weltbewegenden Nachrichten konzentrieren. Ich fragte mich, ob ich in einer solchen Welt das Recht hatte, so verkrampft, so besessen die Frage zu verfolgen, was aus mir würde. Was bedeutete es angesichts des Leides von Millionen, daß mein Mann mir nicht voll und ganz gehörte? Was zählte das Geheimnis meines Mannes, was zählte mein persönliches Unbehagen, verglichen mit dem Geheimnis der Welt?... Das sind aber Pseudofragen, weißt du... Eine Frau hat kein Weltgefühl. Dann dachte ich, daß der alte Beichtvater vielleicht recht gehabt hatte. Vielleicht war es wirklich so, daß ich zuwenig tief, zuwenig demütig glaubte... Vielleicht war etwas Hochmütiges in meinem wahnwitzigen Unterfangen, etwas, das eines Menschen, eines Christen, einer Frau unwürdig war in dieser Detektivaufgabe, die ich mir gestellt hatte, um aus dem Dickicht des Lebens das Geheimnis meines Mannes, die Frau mit dem violetten Band, hervorzuzerren.

Vielleicht…, viele solcher »Vielleicht« lärmten in meinem Kopf.

Ich saß im Garten, der Tee war kalt geworden, die Sonne schien. Die Vögel zwitscherten aufgeregt. Mir fiel auch ein, daß Lázár den Frühling nicht mochte, daß er gesagt hatte, das Sprießen und Dampfen dieser Jahreszeit vermehre die Magensäure und bringe Verstand und Gefühle aus dem Gleichgewicht… Und dann kam mir auf einmal alles in den Sinn, was wir ein paar Stunden zuvor geredet hatten, nachts, in dem hochmütigen kalten Haus, bei Musik, am Springbrunnen im stickigen Dschungelduft des Wintergartens. Jetzt fiel es mir wieder ein, und es kam mir so vor, als hätte ich es irgendwo gelesen.

Kennst du das Gefühl, wenn man in der tragischsten Situation des Lebens auf einmal jenseits des Schmerzes und der Verzweiflung steht und seltsam nüchtern und gleichgültig wird, ja, beinahe fröhlich? Zum Beispiel wenn einem beim Begräbnis des geliebten Menschen plötzlich einfällt, daß man zu Hause aus Versehen die Kühlschranktür offengelassen hat und der Hund sich über das Fleisch hermachen könnte, das für den Leichenschmaus bereitliegt. Und während am Grab noch gesungen wird, beginnt man flüsternd und vollkommen ruhig in Sachen Kühlschrank aktiv zu werden… Denn auch das ist in uns, zwischen so unendlich weit voneinander entfernten Ufern leben wir.

Ich saß in der Sonne und erinnerte mich gelassen und kühl an alles Geschehene, als dächte ich über das traurige Los eines anderen Menschen nach. Jedes Wort, das Lázár gesprochen hatte, kam mir wieder in den Sinn, aber keins elektrisierte mich mehr. Die Spannung des Vortags war erloschen. Überhaupt kam es mir so vor, als wäre nicht ich es gewesen, die im Wintergarten mit dem Schriftsteller zusammengesessen hatte. Das violette Band erschien mir jetzt wie ein Stück Gesellschaftsklatsch. Schließlich konnten andere das, was den Sinn und das Schicksal meines Lebens darstellte, beim Tee oder beim Abendessen auch so abhandeln: »Kennt ihr die XYs? ... Ja, den Fabrikanten und seine Frau. Sie wohnen auf dem Rózsadomb. Keine gute Ehe. Die Frau hat erfahren, daß der Mann eine andere liebt. Stellt euch vor, sie hat in seiner Brieftasche ein violettes Band gefunden, und da ist alles an den Tag gekommen. Ja, sie sind in der Scheidung.« Auch so kann man über das reden, was mit mir, mit uns geschehen ist. Wie oft hatte ich in Gesellschaft solches gehört, mit halbem Ohr, ohne recht achtzugeben. Konnte es sein, daß auch wir zu einem Stück Gesellschaftsklatsch wurden, ich, mein Mann und die Frau mit dem violetten Band?

Ich schloß die Augen, lehnte mich in der Sonne zurück, und wie eine Dorfschamanin versuchte ich, das Gesicht der Frau mit dem violetten Band herbeizubeschwören.

Denn irgendwo gab es dieses Gesicht, in der Nachbarstraße oder im Weltall. Was wußte ich von ihr? Was kann man von einem Menschen wissen? Fünf Jahre hatte ich schon mit meinem Mann gelebt und gedacht, ihn durch und durch zu kennen, jede seiner Gewohnheiten, jede seiner Handbewegungen, wenn er vor dem Essen die Hände wusch, eilig und ohne in den Spiegel zu blicken, wenn er sich mit dem Kamm durchs Haar fuhr, wenn er verärgert und zerstreut lächelte und nicht sagte, was ihm in den Sinn gekommen war. Und noch vieles mehr, alles, die unheimliche und gewöhnliche, die rührende und deprimierende, die großartige und langweilige Vertrautheit mit dem Körper und der Seele eines Menschen. Das alles meinte ich zu kennen. Und eines Tages werde ich gewahr, daß ich nichts von ihm weiß. Ja, weniger weiß als Lázár, dieser fremde, enttäuschte und bittere Mensch, der Macht hat über die Seele meines Mannes. Was für eine Macht? Eine menschliche. Eine andere als meine weibliche. Stärker. Ich konnte mir das nicht erklären, sondern fühlte es nur, wenn ich die beiden zusammen sah. Doch dieser Mensch hatte am Vorabend auch gesagt, daß er diese Macht mit jener anderen Frau teilen mußte. Und ich konnte nicht anders, auch wenn in der Welt großartige und erschreckende Dinge geschahen, auch wenn es egoistisch war, auch wenn ich mir sagen mußte, daß mir der wahre Glaube und die echte Demut fehlten, auch wenn meine Sorgen, gemessen am Leid der Welt, am Schicksal von Nationen und Völkern, lächerlich waren, auch dann konnte ich nicht anders, als mich in dieser Stadt auf den Weg machen, kleinlich und selbstsüchtig, blind und besessen, um jene zu suchen, die mich persönlich anging, mit der ich etwas auszutragen hatte. Ich mußte sie sehen, ihre Stimme hören, in ihre Augen blicken, ihre Haut, ihre Stirn, ihre Hände betrachten. Lázár hatte gesagt – und wie ich mit geschlossenen Augen in der Sonne saß, hörte ich seine Stimme wieder, und ich spürte, daß mich die Stimmung des Abends, die Musik, das Schwindelerregende und Unwirkliche des Gesprächs jetzt wieder durchströmten –, daß diese Wirklichkeit gefährlich war, aber gleichzeitig auch viel alltäglicher und gewöhnlicher, als ich mir das vorstellte. Was mochte das für eine »gewöhnliche« Wirklichkeit sein? Was hatte er damit sagen wollen?

Immerhin hatte er den Weg gewiesen, den ich nehmen mußte, hatte gesagt, wo ich suchen sollte. Ich beschloß, noch am Vormittag zu meiner Schwiegermutter zu gehen und ohne Umschweife mit ihr zu reden.

Es wurde mir heiß. Wieder hatte ich das Gefühl, in einen schwülen Luftstrom getreten zu sein.

Ich versuchte, diese seelische Hitze mit sachlichen Überlegungen abzukühlen. Denn mir schoß das Blut wieder so heiß in den Kopf wie in dem Augenblick, da ich – vor sehr langer Zeit, am Vortag um die gleiche Stunde – das innere Fach in der Brieftasche meines Mannes geöffnet hatte. Lázár hatte gesagt, ich solle nichts anrühren, sondern warten... Konnte es sein, daß ich Gespenster sah? Vielleicht hatte das Corpus delicti, das violette Band, doch keine so große Bedeutung. Oder vielleicht hatte Lázár wieder gespielt, eins seiner seltsamen, unverständlichen Spiele? Konnte es sein, daß für diesen Menschen das ganze Leben ein schreckliches, bizarres Spiel war, Material zu einem Experiment, mit dem er intuitiv umging, so wie ein Chemiker mit gefährlichen Säuren und Flüssigkeiten, und daß er es darauf ankommen ließ, daß das Ganze eines Tages in die Luft flog? In seinem Blick, in diesem ungnädig sachlichen, gleichgültigen und doch auch überaus neugierigen Blick war ein kalter Strahl gewesen, als er mir gesagt hatte, ich solle in die Wohnung meiner Schwiegermutter gehen und am »Tatort« nach Péters Geheimnis forschen. Und doch wußte ich, daß er am Abend zuvor wahr geredet und nicht gespielt hatte. Ich wußte, daß ich in echter Gefahr schwebte... Siehst du, es gibt solche Tage, da man nicht gern aus der Wohnung geht. Wenn der Himmel, die Sterne, die ganze Umgebung zu einem reden, wenn alles sich auf einen selbst bezieht.

Nein, das violette Band und was dahintersteckte, ob in der Wohnung meiner Schweigermutter oder anderswo, das war Wirklichkeit.

Dann kam die Köchin in den Garten, reichte mir das Haushaltsbuch, wir rechneten ab und besprachen das Mittag- und das Abendessen.

Damals verdiente mein Mann sehr gut und gab mir das Geld unbesehen. Ich hatte ein Scheckbuch und konnte frei darüber verfügen. Natürlich achtete ich gerade jetzt sehr darauf, nur das Nötigste zu kaufen. Bloß ist dieses »Nötigste« ein so dehnbarer Begriff. Ich mußte mir eingestehen, daß für mich das »Nötigste« nunmehr Dinge waren, die mir ein paar Jahre vorher als unerreichbarer Luxus erschienen wären. Das teuerste Delikatessengeschäft der Innenstadt lieferte uns Fisch und Geflügel, was wir telephonisch bestellten. Auf den Markt ging ich schon seit Jahren nicht mehr, weder allein noch mit der Köchin. Ich wußte nicht genau, was das erste Frühlingsgemüse kostete, sondern verlangte einfach vom Personal, daß alles vom Besten sei. Mein Realitätssinn war in diesen Jahren durcheinandergeraten. Und während ich das Haushaltsbuch in den Händen hielt, in das die Köchin, die diebische Elster, natürlich hineinschrieb, was ihr gerade paßte, dachte ich zum erstenmal seit langer Zeit, daß alles, was mich jetzt bedrückte und erschütterte, vielleicht nur wegen der teuflischen Zaubermacht des Geldes für mich so wichtig geworden war. Ich dachte, vielleicht würde ich mich weniger um meinen Mann und mich und das violette Band kümmern, wenn ich arm wäre. Armut und Krankheit werten auf wundersame Art die Gefühle und die seelischen Verwicklungen um. Aber ich war eben nicht arm und auch nicht krank, nicht im hausärztlichen Sinn des Wortes.

Und so sagte ich zur Köchin: »Zum Abendessen bitte kaltes Huhn mit Mayonnaise. Aber nur aus dem Brustfleisch. Und dazu Kopfsalat.«

Und ich ging ins Haus, um mich anzuziehen und dann auf den Weg zu machen, in die Welt hinaus, auf die Suche nach der Frau mit dem violetten Band. Das war damals meine Aufgabe im Leben. Nicht daß ich sie mir ausgesucht hätte; ich gehorchte einem Befehl.

Ich ging auf der Straße, die Sonne schien, und ich hatte natürlich keine Ahnung, wohin ich unterwegs war und wen ich suchte. Ich mußte zu meiner Schwiegermutter, das war klar. Aber darüber hinaus zweifelte ich nicht daran, daß ich sie, die ich suchte, finden würde. Bloß wußte ich nicht, daß Lázár mit einem einzigen, nämlich mit seinem letzten Wort schon alles in die Wege geleitet hatte und daß ich mit dem ersten Griff dieses Geheimnis aus dem Wirrwarr des Lebens herauslösen würde.

Und doch staunte ich nicht, als ich es entdeckte. »Entdeckte«, was heißt das schon... Auch ich war in jenen Tagen nur ein Instrument und eine Darstellerin des sich vollziehenden Schicksals. Wenn ich zurückdenke, schwindelt es mir, und ich fühle tiefe Demut, denn es herrschte damals eine wundersame Ordnung, jede Einzelheit ergab sich rasch und exakt aus der vorangegangenen, alles paßte haargenau zueinander. Als ob jemand Regie geführt hätte, Schlag auf Schlag, unverständlich und doch beruhigend. Ja, in jenen Tagen lernte ich, wirklich zu glauben. Du weißt doch, wie die Kleinmütigen im Sturm auf dem Meer. Da erkannte ich, daß hinter dem Durcheinander der Welt eine innere Ordnung herrscht, eine vernünftige und wunderbare Ordnung wie in der Musik. Die Situation, die für uns drei das Schicksal bedeutete, war auf einmal reif geworden. Und alles, was darin enthalten war, stülpte sich auf einmal nach außen, zeigte sich wie die üppige Schönheit einer Pflanze mit giftiger Frucht. Ich brauchte nur zuzusehen.

Zwar meinte ich, die Handelnde zu sein. Ich stieg in einen Bus und fuhr, so wie es Lázár geraten hatte, zur Wohnung meiner Schwiegermutter.

Ich stellte mir vor, es sei bloß für einen kleinen Augenschein, einen unverfänglichen Besuch. Ich würde mich im Dunstkreis dieses reinen Lebens ein bißchen erholen, ein bißchen zu mir kommen aus dem schwülen Gefühlsgedränge, zu dem mein Leben geworden war, und vielleicht würde ich erzählen, was ich erfahren hatte, würde ein paar Tränen vergießen, würde um Zuspruch und Ermunterung bitten. Falls sie etwas von Péters Vergangenheit wußte, würde sie es schon sagen. Dachte ich. Ich saß im Bus, und die Wohnung meiner Schwiegermutter kam mir vor wie ein Höhenkurort, zu dem ich von einem dampfenden Sumpfland aufstieg. In dieser Stimmung klingelte ich an der Wohnungstür.

Meine Schwiegermutter wohnte in der Innenstadt, im zweiten Stock eines hundertjährigen Mietshauses. Sogar das Treppenhaus roch nach Lavendelwasser wie ein Wäscheschrank. Als ich geklingelt hatte und auf den Aufzug wartete, rührte mich dieser Duft an, und ich empfand ein unsägliches Heimweh nach einem kühleren, reineren, leidenschaftsloseren Leben. Mir kamen die Tränen, während ich nach oben fuhr. Ich hatte noch immer nicht begriffen, daß die Kraft, die das alles angeordnet hatte, auch in diesem Augenblick über mich verfügte.

Die Haushälterin machte auf. »Wie schade«, sagte sie, als sie mich erblickte. »Die gnädige Frau ist nicht zu Hause.«

Sie griff plötzlich mit einer eingeübten Bewegung nach meiner Hand und küßte sie.

»Lassen Sie doch«, sagte ich, aber es war schon zu spät. »Lassen Sie nur, Juditchen. Dann warte ich eben.«

Ich schaute lächelnd in das offene, ruhige, stolze Gesicht. Diese Frau, Judit, die Haushälterin meiner Schwiegermutter, diente seit sechzehn Jahren im Haus. Sie war ein Bauernmädchen aus Transdanubien, und sie hatte noch im alten Haushalt meiner Schwiegermutter den Dienst aufgenommen, als Mädchen für alles. Sie war ganz jung ins Haus gekommen, ungefähr mit fünfzehn. Als mein Schwiegervater gestorben war und die große Wohnung aufgegeben wurde, zog das Mädchen mit meiner Schwiegermutter in die Wohnung in der Innenstadt. Und Judit, die inzwischen eine alte Jungfer geworden war – sie war schon über dreißig –, wurde zur Haushälterin befördert.

Wir standen im halbdunklen Flur. Judit machte Licht. In diesem Augenblick begann ich zu zittern. Meine Beine zitterten, mein Kopf wurde blutleer, aber ich hielt mich aufrecht. Die Haushälterin trug an jenem Morgen ein ausgeschnittenes buntes Kattundirndl, ein einfaches Arbeitskleid. Dazu ein Kopftuch, denn sie war noch beim Reinemachen. Und um den bäurisch festen weißen Hals hatte sie ein violettes Band, an dem ein Amulett hing, ein billiges kleines Medaillon, wie man es auf dem Jahrmarkt kauft.

Ich streckte die Hand aus und riß ihr, ohne zu zögern oder zu überlegen, das Band samt Anhänger vom Hals. Das Medaillon fiel zu Boden und ging auf. Weißt du, was das Seltsamste war? Judit griff nicht danach. Sie stand aufrecht und verschränkte langsam, ruhig und sich noch höher aufrichtend die Arme über der Brust. In dieser Haltung sah sie von oben reglos zu, wie ich mich bückte, das Medaillon aufhob und die beiden eingeklebten Photographien erkannte. Beide zeigten meinen Mann. Die eine Aufnahme war alt, sechzehn Jahre zuvor entstanden. Mein Mann war damals zweiunddreißig, Judit vielleicht fünfzehn. Die andere stammte aus dem Vorjahr; er hatte sie angeblich für seine Mutter zu Weihnachten machen lassen.

Wir standen lange, ohne uns zu rühren.

»Bitte«, sagte sie schließlich fast mit Grandezza, »wir wollen nicht hier stehenbleiben. Treten Sie doch bei mir ein.«

Sie machte die Tür zu ihrem Zimmer auf und wies mir mit einer höflichen Geste den Weg. Ich trat wortlos ein. Sie blieb an der Schwelle stehen, machte die Tür hinter sich zu und drehte mit sicheren, entschiedenen Bewegungen den Schlüssel zweimal im Schloß.

Ich war nie zuvor in diesem Zimmer gewesen. Was hätte ich dort auch zu suchen gehabt? Und ob du es glaubst oder nicht, ich hatte nie zuvor dieser Frau so richtig aufmerksam ins Gesicht gesehen.

Jetzt aber tat ich's.

Mitten im Zimmer stand ein weißgestrichener Tisch mit zwei Stühlen. Ich hatte Angst, daß mir schwindlig würde, und so ging ich langsam zu einem der Stühle und setzte mich. Judit setzte sich nicht; sie stand vor der abgeschlossenen Tür, mit verschränkten Armen, ruhig und bestimmt, als ob sie verhindern wollte, daß jemand hereinkam und uns störte.

Ich sah mich gründlich um, als hätte ich unbeschränkt Zeit und als wäre hier alles wichtig, jeder Gegenstand, jedes Stückchen Abfall, hier, am »Tatort« – wie Lázár sich ausgedrückt hatte, und jeden Tag las ich ja auch in der Zeitung, daß sich die Polizei nach der Verhaftung des Täters zum Tatort begibt, um einen Augenschein vorzunehmen. Auf diese Art sah ich mich im Zimmer um, als hätte sich hier etwas ereignet, hier oder an einem ähnlichen Ort, in der Urzeit des Lebens. Und jetzt war ich in einer Person die Untersuchungsrichterin, die Zeugin und vielleicht auch das Opfer. Judit sagte nichts, störte mich nicht, sie verstand ganz genau, daß für mich in diesem Zimmer alles wichtig war.

Doch ich sah nichts Auffälliges. Die Einrichtung des Zimmers war nicht ärmlich, aber auch nicht bequem. In Klöstern gibt es solche Gästezimmer für die weltlichen Besucher. Weißt du, was dieses Zimmer, das Messinggestell des Bettes, die weißen Möbel, die weißen Vorhänge, der gestreifte Bauernteppich, das Marienbildnis mit dem Rosenkranz, die äußerst bescheidenen, aber bewußt ausgewählten Toilettenartikel auf dem Glasregal über dem Waschbecken, was die ausdrückten? Verzicht. In diesem Zimmer atmete man die Luft des Verzichts. Und in dem Augenblick, da ich das spürte, war in meinem Herzen kein Zorn mehr, nur noch Traurigkeit und große Furcht.

Und noch viele andere Gefühle überkamen mich in diesen langen Minuten. Ich nahm alles auf und spürte auch, was hinter den Gegenständen verborgen war – ein Schicksal, ein Leben. Wie gesagt, auf einmal fürchtete ich mich. Jetzt hörte ich wieder deutlich Lázárs traurige, heisere Stimme, die voraussagte, daß ich staunen würde, wie einfach, gewöhnlich und zugleich beängstigend die Wirklichkeit ist. Na ja, das alles war in der Tat ziemlich gewöhnlich. Und auch beängstigend. Warte, ich will der Reihe nach erzählen.

Eben habe ich gesagt, ich hätte in diesem Zimmer die Luft des Verzichts gespürt. Aber gleichzeitig spürte ich auch die Luft der Intrige, des Attentats. Glaub ja nicht, das sei irgendein Loch gewesen, ein Verschlag für arme Dienstboten. Es war ein geräumiges, sauberes Zimmer; im Haus meiner Schwiegermutter hätte ein Dienstbotenzimmer gar nicht anders sein können. Ich habe vorhin auch gesagt, in Klöstern gebe es solche Gästezimmer: Es sind auch ein wenig Zellen, in denen der Gast nicht nur wohnt, schläft, sich wäscht, sondern in denen er sich auch mit seiner Seele beschäftigen muß. In solchen Zimmern erinnern jeder Gegenstand, die ganze Atmosphäre an einen strengen Befehl höherer Ordnung. Von irgendwelchen Düften, Kölnischwasser oder feiner Seife, war nicht die Spur vorhanden. Neben dem Waschbecken lag ein Stück Kernseife. Und Mundwasser, Zahnbürste, Kamm und Haarbürste. Und ich sah auch eine Dose Puder mit einem kleinen Wildlederlappen. Ich sah mir das alles sehr genau an.

Auf dem Nachttisch stand ein gerahmtes Gruppenbild. Zwei kleine Mädchen, zwei pfiffig aussehende Burschen – der eine in Uniform – und zwei erschrocken wirkende alte Menschen, Mann und Frau. Kurz und gut, die Familie, irgendwo in Transdanubien.

In einem Wasserglas frische Weidenkätzchen.

Auf dem Tisch stand ein Nähkorb, darin Strümpfe, außerdem lag da eine alte Touristenbroschüre mit Meeresstrand und im Sand spielenden Kindern auf dem Titelblatt.

Die Broschüre war zerknittert, eselsohrig und offenbar zerlesen. Und an der Tür hing an einem Kleiderbügel eine schwarze Dienstmädchentracht mit weißer Schürze. Das war alles.

Doch in diesen gewöhnlichen Gegenständen war eine bewußte Disziplin. Es war zu spüren, daß hier jemand lebte, den man nicht zur Ordnung zu erziehen brauchte: Die Bewohnerin des Zimmers disziplinierte und erzog sich selbst. Du weißt doch, womit die Dienstboten sonst ihre Zimmer vollstopfen. Mit unmöglichen Dingen. Mit allem, dessen sie innerhalb ihrer Welt habhaft werden können, mit Lebkuchenherzen, bunten Ansichtskarten, ausrangierten Sofakissen, billigen Ziergegenständen, mit all dem, was aus der anderen Welt, der Welt der Herrschaft, zu ihnen gespült wird. Ich hatte einmal ein Dienstmädchen, das meine leeren Puderdosen sammelte und meine weggeworfenen Parfumflaschen aufbewahrte. Sie sammelte diesen Plunder, wie die Reichen Tabakdosen oder gotische Schnitzereien oder französische Impressionisten sammeln. In ihrer Welt bedeuten und ersetzen diese Gegenstände all das, was für uns das Schöne und das Künstlerische ist. Denn man kann nicht einfach nur für die Wahrheit und auf bestimmte Ziele hin leben... es braucht auch etwas Überflüssiges, etwas Auffälliges und Glitzerndes, auch wenn es nur Ramsch ist. Die meisten Menschen vermögen nicht ohne das Schöne, Betörende zu leben. Etwas braucht es, eine Ansichtskarte zu sechs Fillér, die den flammenden Sonnenuntergang zeigt oder die Morgenröte über dem Wald. Wir sind so. Die Armen auch.

Die Frau aber, die im Zimmer vor der abgeschlossenen Tür stand, die war nicht so.

Die Frau, die in diesem Zimmer lebte, hatte bewußt und absichtlich auf jeglichen Luxus, jedes billige Blendwerk, jeden schäbigen Flitterkram verzichtet. Es war zu spüren, daß hier jemand lebte, der sich streng und unerbittlich alles versagte, was die Welt in ihrem Überfluß gnädig fallenließ. Ja, es war ein strenges Zimmer. Hier wurde nicht geträumt, nicht gefaulenzt, nicht herumgelegen. Hier lebte eine Frau wie unter einem Gelübde. Doch das Gelübde, die Frau und das Zimmer waren nicht sympathisch. Deshalb hatte ich Angst.

Das war nicht die Behausung eines munteren Hauskätzchens, das die Seidenstrümpfe und die abgelegten Kleider der Herrschaft trägt, sich heimlich das Parfum des Fräuleins anspritzt und mit dem Hausherrn schäkert. Die Frau, die da stand, war nicht der böse Geist des Haushalts, die heimliche Geliebte, die Sirene der verdorbenen, verkommenen Bürgerhäuser. Nein, diese Frau war nicht die Geliebte meines Mannes gewesen, auch wenn sie seine Bilder in einem Amulett an einem violetten Band um den Hals trug. Weißt du, wie diese Frau war? Ich will dir sagen, was für ein Gefühl ich hattte: daß sie unsympathisch, aber gleichrangig war. Ebenso begeisterungsfähig, gefühlsbetont, stark, eigenständig, sensibel und leidensfähig wie ich, wie alle Menschen, die sich ihre Würde bewahren.

Ich saß auf dem Stuhl, in der Hand das violette Band mit dem Amulett, und brachte kein Wort heraus.

Auch sie sagte nichts. Aufgeregt war sie auch nicht. Sie hielt sich gerade, mit breiten Schultern, nicht dünn, auch nicht besonders schlank, aber wohlproportioniert. Wenn sie am Abend zuvor in das Haus mit den berühmten Männern und schönen Frauen getreten wäre, hätte man ihr nachgeblickt und gefragt: Wer ist diese Frau? Und alle hätten das Gefühl gehabt: eine Persönlichkeit. Sie hatte einen Wuchs und eine Figur, die man fürstlich zu nennen pflegt. Ich hatte schon Fürstinnen gesehen, aber keine hatte eine fürstliche Figur gehabt. Die da hingegen schon. Und noch etwas war in ihren Augen, in ihrem Gesicht, um sie herum, in den Gegenständen, in der Einrichtung des Zimmers und in seiner Atmosphäre, etwas, das mir Furcht einflößte. Vorhin habe ich gesagt, es sei wegen des bewußten Verzichts gewesen. Aber unter diesem Verzicht war eine krampfhafte Erwartung. Eine Bereitschaft. Die Forderung: alles oder nichts. Ein lauernder Instinkt, der jahrelang, jahrzehntelang nicht aufgibt. Eine nie nachlassende Aufmerksamkeit. Ein Verzicht, der nicht selbstlos und demütig ist, sondern hochmütig und stolz. Warum heißt es immer, die Adligen seien hochmütig? Ich habe so viele Grafen, so viele Herzoginnen gekannt, und niemand von ihnen war hochmütig. Sie waren eher unsicher und ein bißchen schuldbewußt, wie alle wirklich großen Herrschaften. Diese Tochter transdanubischer Knechte hingegen war weder schuldbewußt noch demütig, wie sie mich da fixierte. In ihrem Blick war ein kalter Glanz. Wie von Messern, mit denen man zur Jagd geht. Dabei war sie völlig gefaßt und anständig. Sie sagte nichts, rührte sich nicht, zuckte nicht mit der Wimper. Sie war eine Frau und erlebte jetzt den großen Moment ihres Lebens. Lebte ihn mit ganzer Seele, ganzem Leib und ihrem ganzen Schicksal.

Gästezimmer in einem Kloster, habe ich es so gesagt? Na ja, das auch. Aber auch Käfig, der Käfig eines wilden Tiers. Seit sechzehn Jahren lebte sie, kreiste sie in einem solchen oder ähnlichen Käfig, ein edles wildes Tier, ganz aus Leidenschaft und Erwartung. Und jetzt war ich zu ihr in den Käfig getreten, und wir sahen uns an. Nein, diese Frau ließ sich nicht mit Firlefanz bestechen oder abspeisen. Die wollte das ganze Leben, das Schicksal mit allen seinen Gefahren. Sie konnte warten. Sie wartete gut, dachte ich anerkennend, und es überlief mich ein Schauder.

Noch immer lag das violette Band mit dem Amulett in meinem Schoß. Ich saß dort wie vom Schlag getroffen.

»Bitte«, sagte sie endlich, »geben Sie mir die Bilder zurück.«

Und als ich mich nicht rührte: »Das eine«, sagte sie, »das vom letzten Jahr gebe ich zurück, wenn Sie wollen. Aber das andere gehört mir.«

Sie sagte das im Ton des Besitzanspruchs und des Urteils. Ja, das andere Bild war sechzehn Jahre zuvor entstanden, als ich Péter noch nicht gekannt hatte. Sie hingegen schon, und zwar besser, als ich je danach. Ich schaute noch einmal auf die beiden Bilder und reichte ihr dann wortlos das Amulett.

Auch sie betrachtete die Bilder, lange und gründlich, als ob sie sich überzeugen wollte, daß ihnen nichts geschehen war. Sie ging zum Fenster, zog unter dem Bett einen abgewetzten Koffer hervor, nahm aus der Schublade des Nachttischs einen winzigen Schlüssel, machte den Koffer auf und verschloß darin das Amulett. Das alles langsam, ohne Aufregung und Hast, als hätte sie Zeit. Ich beobachtete alle ihre Bewegungen. Und undeutlich fiel mir ein, daß sie vorhin, als sie die Bilder zurückhaben wollte, mich nicht mehr gnädige Frau genannt hatte.

Und noch etwas fühlte ich in jenen Augenblicken. Es sind viele Jahre vergangen, ich sehe jetzt das Ganze deutlicher. Es war ein Gefühl, das mich ganz ausfüllte und mir sagte, daß in all dem, was ich gerade erlebte, nichts Besonderes war. Irgendwie hatte ich das alles schon im voraus gewußt. Natürlich wäre ich überrascht gewesen, wenn mir Lázár am Vorabend ganz einfach gesagt hätte, daß die Frau mit dem violetten Band, die ich auf Tod und Leben suche, hier in der Nähe lebte, ein paar Straßen weiter, in der Wohnung meiner Schwiegermutter, und daß ich sie schon oft gesehen und auch mit ihr geredet hatte, und wenn ich mich eines Tages aufmachte, um wie eine Besessene die große Gegenspielerin meines Lebens zu suchen, so würde mich gleich mein erster Weg zu ihr führen. Klar, wenn mir das jemand am Vorabend prophezeit hätte, so hätte ich gesagt, wir sollten lieber das Thema wechseln, denn ich wolle nicht über die ernsten Belange des Lebens Scherze machen. Aber jetzt, da alles so einfach vor sich gegangen war, staunte ich nicht mehr. Die Inszenierung überraschte mich nicht. Die Person auch nicht. Von Judit hatte ich in all den Jahren nur gewußt, daß es sie gab und daß sie »hervorragend« war, die Stütze meiner Schwiegermutter, fast ein Familienmitglied und ein Wunder an Gehorsam. Doch in dem Augenblick spürte ich, daß ich die ganze Zeit noch mehr von ihr gewußt hatte: alles. Nicht in Worten und nicht mit meinem Verstand. Mit den Gefühlen, mit meinem Schicksal hatte ich in jenen Jahren alles von ihr und von mir gewußt, auch wenn ich kaum mehr zu ihr gesagt hatte als »Guten Tag« und »Sind sie zu Hause?« und »Bitte ein Glas Wasser«.

Alles hatte ich gewußt – und ihr vielleicht deshalb nie ins Gesicht geblickt. Ich hatte Angst gehabt. Eine Frau lebte am anderen Ufer des Lebens, tat ihre Arbeit, wartete und wurde älter, so wie ich. Und auch ich lebte, am gegenüberliegenden Ufer, und wußte nicht, warum mein Leben unvollständig und unerträglich war, woher das Etwas-stimmt-nicht-Gefühl stammte, das meine Tage und Nächte durchdrang wie ein heimlicher, bösartiger Strahl. Ich hatte nichts von meinem Mann und nichts von Judit gewußt. Aber es gibt im Leben Momente, in denen man begreift, daß das Unmögliche, Unsinnige, Unfaßbare in Wirklichkeit so gewöhnlich wie einfach ist. Auf einmal sehen wir den Mechanismus des Lebens: Gestalten, die wir für wichtig gehalten haben, verschwinden in der Versenkung, aus dem Hintergrund treten andere hervor, von denen wir nichts Bestimmtes wußten, und plötzlich, im Augenblick ihres Auftritts, wird uns klar, daß wir sie erwartet haben und sie uns, mit ihrem ganzen Schicksal.

Und alles in allem war das Ganze tatsächlich so, wie Lázár gesagt hatte: banal.

Ein Bauernmädchen bewahrt in einem Medaillon, das sie um den Hals trägt, die Photographien meines Mannes auf. Sie war fünfzehn Jahre alt, als sie vom Land in die Stadt kam, in ein herrschaftliches Haus. Selbstverständlich verliebte sie sich in den jungen Herrn. Der junge Herr heiratete und zog weg. Manchmal sehen sie sich noch, aber sie haben nichts mehr miteinander zu tun. Zwischen dem Mädchen und dem Mann wird der Klassenunterschied zu einer immer größeren Kluft. Die Zeit vergeht. Der Mann wird älter. Das Mädchen ist schon fast eine alte Jungfer. Sie hat nie geheiratet. Warum nicht?

Als ob ich laut gedacht hätte, antwortet sie auf meine Frage: »Ich werde weggehen von hier. Die alte gnädige Frau tut mir leid, aber ich werde weggehen.«

»Wohin, Juditchen?« fragte ich. Und die liebevolle Form der Anrede fiel mir nicht schwer.

»Ich nehme eine Stelle an«, sagte sie. »Auf dem Land.«

»Nach Hause können Sie nicht?« Ich blickte auf das Gruppenbild.

Sie zuckte mit den Achseln: »Sie sind arm«, sagte sie dumpf und ohne Betonung.

Das Wort »arm« lag noch eine Weile mit heiserem Hall in der Luft. Als ob hinter all dem, was wir reden konnten, doch nur das steckte. Fast hätten wir dem Wort nachgeblickt wie einem Gegenstand, der zum Fenster hereingeflogen kam: ich neugierig, sie sachlich und gleichmütig. Sie kannte das Wort.

»Ich glaube nicht«, sagte ich dann, »ich glaube nicht, daß das etwas nützt. Warum sollten Sie weggehen? Niemand tut Ihnen etwas. Und warum sind Sie bisher geblieben? Sehen Sie«, sagte ich, als ob wir diskutierten und ich ein starkes Argument gefunden hätte, »wenn Sie bisher geblieben sind, können Sie auch weiterhin bleiben. Es ist nichts passiert.«

»Nein«, sagte sie, »ich gehe.«

Wir sprachen leise, mit halben Worten, auf Frauenart.

»Warum?«

»Weil er's jetzt wissen wird.«

»Wer?«

»Na eben: er.«

»Mein Mann?«

»Ja.«

»Bisher hat er's nicht gewußt?«

»Doch. Aber er hat es vergessen.«

»Sind Sie sicher?«

»Ja.«

»Und«, fragte ich, »wer sagt es ihm, wenn er es vergessen hat?«

»Die gnädige Frau«, sagte sie einfach.

Ich preßte mir die Hände aufs Herz: »Meine Liebe«, sagte ich, »was reden Sie? Das ist doch Wahnwitz. Warum denken Sie, ich würde es ihm sagen? Und was könnte ich sagen?«

Jetzt starrten wir einander ohne Scheu und mit unverhüllter Neugier ins Gesicht, so scharf und gierig, als könnten wir uns nicht satt sehen, nachdem wir jahrelang die Blicke der anderen gemieden hatten. Und tatsächlich war es uns jetzt bewußt, daß wir jahrelang nicht gewagt hatten, uns wirklich mutig in die Augen zu sehen. Wir hatten gelebt, jede an ihrem Ort. Bloß hatten wir beide im Herzen ein Geheimnis aufbewahrt – das Geheimnis, das den Sinn unseres Lebens ausmachte. Und jetzt hatten wir es ausgesprochen.

Wie ihr Gesicht war? Vielleicht kann ich es beschreiben.

Aber vorher trinke ich ein Glas Wasser, ja? Mir ist die Kehle ausgedörrt. Fräulein, bitte ein Glas Wasser. Danke. Du, die löschen hier schon die Lampen. Aber ich bin gleich am Ende. Noch eine Zigarette, magst du?

Also, sie hatte eine hohe Stirn, ein blasses, offenes Gesicht und bläulichschwarzes Haar. Sie trug es zu einem Knoten aufgesteckt, mit einem Scheitel in der Mitte. Ihre Nase war stumpf, ein bißchen slawisch. Und das ganze Gesicht war glatt, offen und so deutlich gezeichnet wie das Gesicht der Maria, die auf dem Altarbild einer Dorfkirche, dem Werk eines herumziehenden namenlosen Meisters, vor der Krippe kniet. Ein stolzes und sehr bleiches Gesicht. Das bläulichschwarze Haar umrahmte es wie… aber ich verstehe mich nicht auf Vergleiche. Was könnte ich schon sagen? Das wäre Lázárs Aufgabe. Aber er würde nichts sagen, sondern bloß lächeln, weil er Vergleiche nicht mag. Er mag nur Tatsachen und Hauptsätze.

Ich will also die Tatsachen erzählen, falls es dich nicht langweilt.

Sie hatte ein hochmütiges, schönes Bauerngesicht. Warum Bauerngesicht? Es war einfach. Es fehlte die typische Kompliziertheit, wie sie sich auf den gutbürgerlichen Gesichtern spiegelt. Jene bittere, gekränkte Spannung. Dieses Gesicht war glatt und unerbittlich. Es ließ sich nicht mit billigen Komplimenten und Freundlichkeiten zu einem Lächeln verlocken. Es hatte Erinnerungen, sehr lang zurückliegende, vielleicht nicht einmal persönliche Erinnerungen. In diesem Gesicht lebten die Erinnerungen eines Stammes. Der Mund und die Augen führten je ihr eigenes Leben. Auch ihre Augen waren bläulichschwarz. Im Tiergarten von Dresden habe ich einmal einen Puma gesehen. Der hatte solche Augen.

Mit diesen Augen blickte sie mich jetzt an, wie ein Ertrinkender den Menschen am Ufer anschaut, der vielleicht sein Mörder, vielleicht sein Retter ist. Auch ich habe Katzenaugen, hellbraun, mit einem warmen Schein. Ich weiß, daß auch meine Augen in dem Moment glänzten und forschende Strahlen aussandten wie die Scheinwerfer, wenn ein Luftangriff bevorsteht.

So blickten wir einander an, aber am beängstigendsten waren ihre Lippen. Weich und gekränkt. Und ihre Zähne, schneeweiß und kräftig. Denn sie war eine kräftige Frau, stattlich und muskulös. Jetzt schien ein Schatten auf dem weißen Gesicht zu liegen. Aber sie beklagte sich nicht. Sie antwortete ebenfalls leise und vertraulich und nicht als Dienstmädchen, sondern als die andere Frau.

»Das«, sagte sie. »Das von den Bildern. Jetzt wird er es

erfahren. Ich gehe weg«, sagte sie noch einmal, verstockt und ein bißchen wie im Wahn.

»Kann es denn sein, daß er es bisher nicht gewußt hat?«

»Ach ja«, sagte sie, »er sieht mich schon lange nicht mehr an.«

»Tragen Sie dieses Medaillon immer?«

»Nein«, sagte sie. »Nur wenn ich allein bin.«

»Wenn Sie bedienen, und er ist hier«, fragte ich vertraulich, »dann tragen Sie es nicht?«

»Nein«, antwortete sie im gleichen Ton. »Denn ich will nicht, daß er sich erinnert.«

»Warum nicht?«

»Einfach so«, sagte sie und machte die blauschwarzen Augen weit auf, als blickte sie in einen Brunnen, in die Vergangenheit. »Wozu soll er sich erinnern, wenn er es ja schon vergessen hat.«

Ich fragte ganz ruhig und mit vertraulich bittender Stimme: »Was, Judit? Was soll vergessen sein?«

»Nichts«, sagte sie hart.

»Waren Sie seine Geliebte? Sagen Sie's mir.«

»Nein, ich war nicht seine Geliebte«, sagte sie laut und deutlich; es war wie eine Anklage.

Wir schwiegen. Mit dieser Stimme konnte man nicht feilschen; ich wußte, daß sie die Wahrheit gesagt hatte. Und du kannst mich verachten und verurteilen, aber während ich Erleichterung spürte, sagte gleichzeitig in mir drin eine heimliche, beklommene Stimme: »Leider ist es die Wahrheit. Wieviel einfacher wäre alles …«

»Was waren Sie dann?« fragte ich.

Sie zuckte mit den Achseln und war sehr verlegen, aber dann flackerten Wut, Erregung und Verzweiflung über ihr Gesicht wie Blitze über eine tote Landschaft.

»Wird die gnädige Frau schweigen?« fragte sie drohend, roh und mit heiserer Stimme.

»Worüber?«

»Wenn ich es sage, wird sie dann schweigen?«

Ich blickte ihr in die Augen. Und wußte, daß ich halten mußte, was ich versprach. Diese Frau würde mich umbringen, wenn ich sie anlog.

»Wenn Sie die Wahrheit sagen«, antwortete ich schließlich, »dann schweige ich.«

»Schwören Sie«, sagte sie düster und mißtrauisch.

Sie trat zum Bett, nahm den Rosenkranz von der Wand und reichte ihn mir.

»Schwören Sie?« fragte sie.

»Ich schwöre«, sagte ich.

»Daß Sie dem Herrn nie sagen werden, was Sie von Judit Áldozó gehört haben.«

»Ich werde es ihm nie sagen. Ich schwöre es«, sagte ich.

Ich sehe, du verstehst das alles nicht. Wenn ich zurückdenke, verstehe ich es vielleicht auch nicht mehr. Aber damals war das alles so natürlich, so einfach. Ich saß im Zimmer des Dienstmädchens meiner Schwiegermutter, und ich schwor ihr, meinem Mann nie zu sagen, was ich von ihr hören würde. Ob das einfach ist? Ich glaube schon.

Ich schwor.

»Gut«, sagte sie und schien beruhigt. »Dann will ich es sagen.«

In ihrer Stimme war eine große Müdigkeit. Sie hängte den Rosenkranz an die Wand zurück und ging zweimal durch das Zimmer, mit langen, leichten Schritten. Ja, wie der Puma im Käfig. Sie lehnte sich gegen den Schrank. Jetzt wirkte sie groß, viel größer als ich.

Sie bog den Hals zurück, verschränkte die Arme und blickte zur Decke: »Woher haben Sie's, wer hat…?« fragte sie mißtrauisch und verächtlich, in diesem vorstädtischen Dienstmädchenton.

»Ich weiß es eben«, sagte ich.

»Hat er davon erzählt?«

In diesem »er« war viel Vertraulichkeit und Komplizentum, aber auch viel Achtung »ihm« gegenüber. Es war offensichtlich, daß sie noch immer mißtrauisch war und hinter allem eine komplizierte Intrige vermutete, daß sie fürchtete, ich würde sie hereinlegen. Auf diese Art zögern die Angeklagten vor dem Meisterdetektiv oder dem Untersuchungsrichter, im letzten Moment, wenn sie »unter der Beweislast« schon zusammengebrochen sind und gestehen wollen und dann doch noch einmal stocken. Sie haben Angst, daß der Untersuchungsrichter sie irreführt, daß er die Wahrheit vielleicht gar nicht weiß, sondern nur so tut, und jetzt würde er mit einem Trick, mit geheucheltem Wohlwollen das Geständnis, die endgültige Wahrheit aus ihnen herauslocken. Gleichzeitig wissen sie aber, daß sie nicht mehr schweigen können. In ihrer Seele hat ein Vorgang begonnen, der nicht mehr aufzuhalten ist. Sie wollen, sie müssen gestehen.

»Gut«, sagte sie und schloß kurz die Augen. »Ich will Ihnen glauben.«

Und kurz darauf: »Dann sag ich's eben.« Sie atmete schwer. »Er wollte mich heiraten.«

»Ja«, sagte ich, als wäre es die natürlichste Sache der Welt. »Wann war das?«

»Vor zwölf Jahren, im Dezember. Und später auch noch. Noch zwei Jahre lang.«

»Wie alt waren Sie da?«

»Achtzehn vorbei.«

Mein Mann war also vierunddreißig in jenem Jahr. Ich fragte unvermittelt: »Haben Sie ein Bild aus der Zeit?«

»Von ihm?« fragte sie erstaunt. »Ja. Sie haben es vorhin doch gesehen.«

»Nein«, sagte ich. »Von Ihnen, Judit.«

»Ach so«, sagte sie mit einem verdrossen-ordinären Tonfall. »Hätt’ ich schon.«

Sie zog die Schublade des Nachttischs heraus und holte ein Schulheft mit Pepitamuster hervor, weißt du, so ein Heft für Schreibübungen, wie wir sie im Internat gebrauchten, um die Vokabeln der La-Fontaine-Fabeln zu lernen. Sie suchte in dem Heft herum. Heiligenbilder steckten darin, aus Zeitungen ausgeschnittene Inserate. Ich stand auf und blickte ihr über die Schulter, während sie blätterte.

Die Heiligenbilder stellten den heiligen Antonius von Padua und den heiligen Joseph dar. Sonst aber hatte alles einen direkten oder indirekten Bezug zu meinem Mann. Sie hatte aus den Zeitungen die Reklamen der Fabrik meines Mannes ausgeschnitten. Und die Rechnung für einen Zylinder, von einem der Hutmacher in der Innenstadt, steckte ebenfalls hier. Dann die Todesanzeige meines Schwiegervaters. Und die Anzeige auf Büttenpapier, die unsere Hochzeit bekanntmachte.

Das alles blätterte sie beinahe gleichgültig und ein bißchen müde durch, als hätte sie den ganzen Kram schon oft gesehen und wäre seiner überdrüssig, ohne ihn loswerden zu können. Jetzt sah ich mir zum erstenmal ihre Hände an: starke, knochige, lange Hände mit sorgfältig geschnittenen, wenn auch nicht manikürten Fingernägeln. Auch die Finger waren lang und kräftig.

Sie hob ein Bild in die Höhe. »Da«, sagte sie und lächelte schief.

Das Bild stellte Judit Áldozó dar, im Alter von achtzehn Jahren, als mein Mann sie heiraten wollte.

Das Bild war bei einem kleinen Photographen in der Innenstadt entstanden, der auf der Rückseite seines Werks in Goldlettern versprach, jegliches glückliche Familienereignis detailgetreu zu verewigen. Die Photographie war ein gekünsteltes Machwerk: Unsichtbare Eisenstangen zwangen einen Mädchenkopf, sich in eine bestimmte Richtung zu wenden und einen Punkt in der Ferne zu fixieren, mit erschrecktem, glasigem Blick. Judit hatte auf diesem Bild ihre beiden Zöpfe um den Kopf gewunden wie die Königin Elisabeth. Ihr stolzes, erschrockenes Bauernmädchengesicht blickte hilfesuchend.

»Geben Sie her«, sagte sie dann hart, nahm mir das Bild weg und steckte es wieder ins Pepitaheft, wie um eine Privatsache vor der Welt zu verschließen.

»So habe ich ausgesehen«, sagte sie. »Da war ich schon drei Jahre hier. Er hat nie mit mir gesprochen. Einmal hat er gefragt, ob ich lesen kann. Ich habe gesagt: Ja. Er hat gesagt: Gut. Aber ein Buch hat er mir nie gegeben. Wir haben nie gesprochen.«

»Was war es dann?« fragte ich.

»Nichts.« Sie zuckte die Achseln. »Nur das.«

»Haben Sie es gewußt?«

»Man weiß es.«

»Das stimmt«, seufzte ich. »Und dann?«

»Am Ende des dritten Jahres«, sagte sie jetzt langsam und stockend, nach oben blickend, an den Schrank gelehnt, und sie hatte den gleichen glasigen, ein bißchen verstörten Blick wie auf dem Bild. »An einer Weihnacht hat er mit mir gesprochen. Im Salon, am Nachmittag. Er hat viel geredet. Er war sehr nervös. Ich habe ihm zugehört.«

»Ja«, sagte ich und schluckte.

»Ja«, sagte sie und schluckte auch. »Er hat gesagt, er wisse, daß das sehr schwierig ist. Und er wolle nicht, daß ich seine Geliebte werde. Er wollte, daß wir zusammen ins Ausland fuhren. Nach Italien«, sagte sie, ihr angespanntes Gesicht lockerte sich, und sie begann mit glänzenden Augen zu lächeln, als verstände sie die volle Bedeutung dieses wunderbaren Wortes, als wäre es das Höchste, das ein Mensch im Leben sagen oder hoffen kann.

Und beide blickten wir unwillkürlich auf das Titelblatt der eselsohrigen Reisebroschüre, auf dem sich das Meer kräuselte und Kinder im Sand spielten. Zu so viel Italien hatte es für sie gereicht.

»Und Sie wollten nicht?«

»Nein«, sagte sie mürrisch.

»Warum nicht?«

»Einfach so«, sagte sie streng. Dann ein bißchen unsicherer: »Ich hatte Angst.«

»Wovor?«

»Vor allem.« Sie zuckte mit den Achseln.

»Davor, daß er ein Herr ist und Sie ein Dienstmädchen?«

»Ja, auch davor«, sagte sie gehorsam und blickte mich beinahe dankbar an, als wäre sie froh, daß ich an ihrer Stelle das Geständnis ausgesprochen und in Worte gefaßt hatte. »Ich hatte immer Angst. Aber auch vor anderem. Ich spürte, daß das Ganze nicht richtig war. Er stand zu hoch über mir.« Sie schüttelte den Kopf.

»Hatten Sie Angst vor der gnädigen Frau?«

»Vor ihr? Nein«, sagte sie und lächelte wieder. Man sah ihr an, daß sie mich für begriffsstutzig hielt, für jemanden, der in bezug auf die wahren Geheimnisse des Lebens völlig ahnungslos ist, und sie begann einfach und belehrend zu mir zu sprechen wie zu einem Kind. »Vor ihr hatte ich keine Angst. Sie wußte es ja.«

»Die gnädige Frau?«

»Ja.«

»Wer wußte es noch?«

»Nur sie und sein Freund. Der Schriftsteller.«

»Lázár?«

»Ja.«

»Hat er mit Ihnen darüber gesprochen?«

»Der Schriftsteller? ... Ja. Ich war einmal bei ihm.«

»Warum?«

»Weil er es so wollte ... Der Herr Gemahl.«

Die Bezeichnung war abweichend, gleichzeitig höhnisch und unerbittlich. Gemeint war: »Für mich ist *er* so, wie er wirklich ist. Ich weiß das. Für dich ist er bloß der Gemahl.«

»Na schön«, sagte ich. »Es haben also zwei davon gewußt. Meine Schwiegermutter und der Schriftsteller. Und was hat er gesagt?«

»Nichts«, sagte sie. »Er hat mir einen Platz angeboten, und dann hat er mich bloß angeschaut und geschwiegen.«

»Lange?«

»Ziemlich lange. Er«, wieder dieses langgezogene »er«, »wollte, daß der Schriftsteller mit mir sprach, daß er mich sah. Daß er mich überredete. Aber er hat nichts gesagt. Im Zimmer waren viele Bücher. So viele Bücher hatte ich noch gar nie gesehen. Er hat sich nicht gesetzt, sondern nur gestanden, gegen den Ofen gelehnt. Er hat mich bloß angeschaut und geraucht. Bis es dunkel wurde. Erst da hat er sich hören lassen.«

»Was hat er gesagt?« fragte ich. Ich sah die beiden vor mir, Lázár und Judit Áldozó, im dunkel werdenden Zimmer, wie sie zwischen den »vielen Büchern« stumm um die Seele meines Mannes rangen.

»Er hat nichts gesagt. Sondern bloß gefragt, wieviel Land wir haben.«

»Wieviel hat Ihre Familie denn?«

»Acht Morgen.«

»Wo?«

»Im Komitat Zala.«

»Und dann?«

»Dann hat er gesagt, das sei wenig. Da wir doch zu viert sind.«

»Ja«, sagte ich rasch und verlegen. Ich verstehe nichts davon. Aber daß das wenig war, verstand sogar ich.

»Und dann?«

»Dann hat er geläutet und gesagt: ›Sie können gehen, Judit Áldozó.‹ Und kein Wort mehr. Aber da habe ich schon gewußt, daß aus der Sache nichts wird.«

»Weil er es nicht erlaubte?«

»Er nicht, und die ganze Welt nicht. Und auch wegen anderem. Und weil ich es nicht will. Wie eine Krankheit«, sagte sie und schlug auf den Tisch.

Ich erkannte sie gar nicht wieder. Sie schien fast zu explodieren. Ihre Glieder zuckten energiegeladen. Es war eine Kraft in ihr wie in einem Wasserfall. Sie sprach leise und schien doch zu schreien. »Wie eine Krankheit, so war das alles. Dann habe ich nicht mehr gegessen, ein Jahr lang, bloß ein wenig Tee getrunken. Aber bitte nicht zu glauben, ich hätte es ihm angehungert«, sagte sie rasch und hob die Hände aufs Herz.

»Was?« fragte ich verblüfft. »Angehungert? Was heißt das?«

»Auf dem Dorf hat man das gemacht, früher«, sagte sie gesenkten Blickes, als wäre es nicht ganz recht, einem Fremden die Stammesgeheimnisse zu verraten. »Jemand schweigt und ißt nicht, bis der andere es tut.«

»Was tut?«

»Na eben das, was der andere will.«

»Und das geht?«

Sie zuckte mit den Achseln: »Ja. Aber es ist eine Sünde.«

»So«, sagte ich, und ich wußte, daß sie, was immer sie jetzt erzählte, meinem Mann »es« heimlich doch »angehungert« hatte.

»Aber Sie haben diese Sünde nicht begangen?«

»Nein, nie«, sagte sie rasch und schüttelte den Kopf, wobei sie errötete, was doch eher wie ein Geständnis wirkte. »Weil ich da nichts mehr wollte. Weil das Ganze wie eine Krankheit war. Ich konnte nicht schlafen, und einen Ausschlag habe ich bekommen, im Gesicht und auf den Oberschenkeln. Und Fieber. Lange. Die gnädige Frau hat mich gepflegt.«

»Und was hat sie gesagt?«

»Nichts«, sagte sie mild und verträumt. »Sie hat geweint. Aber nichts gesagt. Als ich Fieber hatte, gab sie mir in einem Löffel Zuckerwasser die Medizin. Einmal hat sie mir einen Kuß gegeben«, sagte sie und blickte sanft vor sich hin, als wäre das die schönste Erinnerung ihres Lebens.

»Wann?«

»Na, als der Herr verreiste.«

»Wohin?«

»Ins Ausland«, sagte sie einfach.

Ich schwieg. Das war die Zeit gewesen, die mein Mann in London, in Paris, in Nordeuropa und in den italienischen Städten verbracht hatte. Einige Jahre war er im Ausland gewesen, und als er heimkam, übernahm er die Fabrik. Manchmal erzählte er von dieser Zeit, die er seine Wanderjahre nannte. Bloß erwähnte er nie, daß er wegen Judit Áldozó weggewesen war und die Welt bereist hatte.

»Und vor der Abreise, haben Sie da noch miteinander gesprochen?«

»Nein«, sagte sie. »Weil ich da schon wieder gesund war. Wir haben nur einmal wirklich gesprochen. Damals, an Weihnachten. Da habe ich von ihm das Medaillon mit dem Bild und dem violetten Band erhalten. Ein Stück hat er aber davon abgeschnitten. Es war in einer Schachtel«, erklärte sie ernsthaft, als würde das an der Bedeutung des Geschenks etwas ändern oder als wäre jede Einzelheit sehr wichtig, so eben auch die Tatsache, daß sich das Medaillon, das mein Mann Judit Áldozó schenkte, in einer Schachtel befand. Und auch ich empfand es so, daß jede Einzelheit wichtig war.

»Das andere Bild haben Sie auch von ihm bekommen?«

»Das frühere? Nein«, sie schlug die Augen nieder. »Das habe ich gekauft.«

»Wo?«

»Beim Photographen. Einen Pengő hat's gekostet.«

»Ich verstehe«, sagte ich. »Anderes haben Sie von ihm nicht bekommen?«

»Anderes?« fragte sie erstaunt. »Doch. Einmal habe ich kandierte Orangenschalen bekommen.«

»So was mögen Sie?«

Wieder schlug sie die Augen nieder. Offenbar schämte sie sich für diese Schwäche. »Ja«, sagte sie. »Aber ich habe sie nicht gegessen«, fügte sie hinzu, wie um sich zu entschuldigen. »Soll ich sie zeigen? Ich habe sie noch, in der Zellophantüte.«

Und sie drehte sich zum Schrank, voll guten Willens, ihr Alibi zu beweisen.

»Nein, lassen Sie nur, Judit«, sagte ich. »Ich glaube es Ihnen. Und später, was war dann?«

»Es war nichts«, sagte sie, als ob sie eine Geschichte erzählte. »Er ist verreist, und ich bin gesund geworden. Die gnädige Frau hat mich nach Hause geschickt, auf drei Monate. Es war Sommer, wir haben gemäht. Aber ich hatte trotzdem den vollen Lohn«, sagte sie prahlerisch. »Dann bin ich zurückgekommen. Er ist lange weggeblieben. Vier Jahre lang. Und ich bin ruhig geworden. Dann ist er zurückgekommen, hat aber nicht mehr bei uns gewohnt. Wir haben auch nicht mehr miteinander gesprochen. Geschrieben hat er auch nie. Ja, es war eine Krankheit«, sagte sie klug und ernst, als wollte sie sich hartnäckig etwas beweisen, in der Debatte, die sie schon seit langem mit sich selbst führte.

»Und dann war es vorbei?«

»Ja. Er hat geheiratet. Dann ist das Kind geboren. Und gestorben. Da habe ich sehr geweint, und die gnädige Frau hat mir sehr leid getan.«

»Ja, ja. Lassen Sie nur«, sagte ich nervös und zerstreut, um die höfliche Anteilnahme abzuwehren. »Sagen Sie mir noch, Judit, haben Sie später ganz sicher nie mehr miteinander gesprochen?«

»Ganz sicher«, sagte sie und blickte mir in die Augen.

»Davon, nie mehr?«

»Auch von anderem nicht«, sagte sie streng.

Es war die Wahrheit, so eindeutig, als wäre es in Stein gemeißelt. Die beiden logen nicht. Mir wurde es ganz schwindlig vor Angst und Übelkeit. Sie hätte mir keinen schlechteren Bescheid geben können, als daß sie nie mehr miteinander gesprochen hatten. Zwölf Jahre lang hatten sie geschwiegen, das war alles. Und inzwischen trug die eine um den Hals das Medaillon mit der Photographie des anderen, und der andere verwahrte in einem Fach seiner Brieftasche den violetten Fetzen, den er vom Band des Medaillons abgeschnitten hatte. Und der eine heiratete, mich, und kam doch nie ganz zu mir, weil die andere auf ihn wartete. Das war alles. Ich fror, hatte kalte Hände und Füße.

»Jetzt beantworten Sie mir noch eine Frage«, bat ich. »Sehen Sie, ich verlange nicht von Ihnen, daß Sie schwören. Was ich geschworen habe, halte ich: Ich werde meinem Mann nichts sagen. Aber sagen Sie mir jetzt die Wahrheit, Judit: Haben Sie es bereut?«

»Was?«

»Daß Sie ihn damals nicht geheiratet haben.«

Sie ging mit verschränkten Armen zum Fenster und starrte in den schattigen Innenhof hinunter. Sie schwieg lange und sagte dann über die Schulter hinweg: »Ja.«

Das Wort schlug zwischen uns ein wie eine Bombe, die in ein Zimmer geworfen wird, aber nicht gleich explodiert. Wir horchten stumm auf das Klopfen unserer Herzen und auf das Ticken der unsichtbaren Höllenmaschine. Sie tickte noch lange... noch zwei Jahre lang, erst dann ist sie explodiert.

Aus dem Flur kamen Geräusche, meine Schwiegermutter war heimgekehrt, Judit ging auf Zehenspitzen zur Tür und schloß sie vorsichtig auf, mit der lautlosen Geschicklichkeit eines Einbrechers. Die Tür öffnete sich, meine Schwiegermutter stand auf der Schwelle, in Pelzmantel und Hut, so wie sie aus der Stadt nach Hause gekommen war.

»Du bist auch da?« fragte sie, und ich sah, daß sie erbleichte.

»Wir haben uns unterhalten, Mama«, sagte ich.

Wir standen im Dienstmädchenzimmer, die drei Frauen, die in seinem Leben eine Rolle spielten, wie die drei Parzen in einem lebenden Bild. Das kam mir in den Sinn, und in meiner Qual begann ich nervös zu lachen. Es verging mir aber gleich wieder, denn meine Schwiegermutter, sehr blaß, setzte sich auf den Rand von Judits Bett, vergrub das Gesicht in den behandschuhten Händen und begann lautlos, mit zuckenden Schultern zu weinen.

»Bitte nicht zu weinen«, sagte Judit. »Sie hat geschworen, daß sie ihm nichts sagt.«

Sie schaute mich langsam und aufmerksam von Kopf bis Fuß an und ging dann aus dem Zimmer.

Nach dem Mittagessen rief ich bei Lázár an. Er war nicht zu Hause, der Diener nahm ab. Gegen halb fünf klingelte mein Telephon. Es war Lázár, der sich aus der Stadt meldete. Er schwieg lange, als wäre er sehr weit entfernt, auf einem anderen Stern, und müßte mein Anliegen, das doch wirklich einfach war – ich wollte mit ihm reden, und zwar sofort –, lange erwägen. »Soll ich bei Ihnen vorbeikommen«, fragte er schließlich verdrossen.

Das hatte aber keinen Sinn, denn mein Mann konnte jeden Augenblick nach Hause kommen. Und in einem Kaffeehaus oder einer Konditorei konnte ich ihm kein Rendezvous geben.

Schließlich sagte er unwirsch: »Wenn Sie es wünschen, gehe ich nach Hause und erwarte Sie in meiner Wohnung.«

Ich war froh über das Angebot. Und dachte wirklich nichts dabei. Ich war in jenen Tagen, und besonders in jenen Stunden nach dem vormittäglichen Gespräch, in einem so außergewöhnlichen Seelenzustand wie jemand, der sich ununterbrochen auf den gefährlichen Pflastern des Lebens bewegt, zwischen Zuchthäusern und Krankenhäusern, wo das Leben andere Regeln kennt als in den Häusern der Innenstadt und ihren Salons. Und zu Lázár ging ich auch in einem Gefühl, mit dem man in den besonderen Augenblicken des Lebens auf die Notfallstation oder zur Polizei geht. Erst als ich bei ihm klingelte, machte mich das Zittern meiner Hand darauf aufmerksam, daß ich auf ungewohnten und vielleicht nicht ganz korrekten Wegen ging.

Er machte selbst auf, küßte mir wortlos die Hand und führte mich in ein großes Zimmer.

Er wohnte im vierten Stock eines neuen Hauses am Donauufer. Alles in diesem Haus war brandneu, modern und bequem. Nur die Einrichtung der Wohnung war veraltet, auf ländliche Art altmodisch. Ich blickte mich um und staunte. Zwar war ich beklommen und aufgeregt, aber gleichzeitig fielen mir auch die Einzelheiten der Einrichtung auf, denn weißt du, man ist ja so komisch, ich glaube, auch wenn man zum Galgen geführt wird, fallen einem noch irgendwelche Details auf, ein Vogel auf einem Baum oder ein Pickel auf dem Gesicht des Richters, der das Todesurteil verliest… Also, diese Wohnung. Ich hatte das Gefühl, am falschen Ort geklingelt zu haben. Insgeheim hatte ich mir Lázárs Wohnung schon oft vorgestellt, ich weiß nicht, vielleicht erwartete ich eine Indianereinrichtung, irgendwie einen Wigwam mit vielen Büchern und den Skalps schöner Frauen und lieber Freunde. Aber nichts dergleichen. Es standen gediegene, mit Spitzendeckchen geschmückte Kirschbaummöbel aus dem letzten Jahrhundert herum, so wie in den guten Stuben auf dem Land, du weißt doch, die unbequemen Stühle mit den geschwungenen Rückenlehnen, und eine Vitrine, voll mit kleinbürgerlichem Kram, Gläsern aus Marienbad und Porzellantieren. Das Wohnzimmer war wie der Salon eines mittelmäßig verdienenden Anwalts, der vom Land in die Hauptstadt gekommen war; die Möbel hatte die Frau in die Ehe gebracht, und neue zu kaufen war noch nicht möglich gewesen. Hier aber war nicht die geringste Spur einer Frauenhand, und soviel ich wußte, war Lázár reich.

Mich führte er nicht in das Zimmer mit den »vielen Büchern«, wo er Judit empfangen hatte. Er behandelte mich höflich, ja peinlich aufmerksam, etwa wie ein Arzt einen Kranken bei der ersten Visite. Er bat mich, Platz zu nehmen, und selbstverständlich bot er mir nichts an. Und so abwartend, aufmerksam und zurückhaltend blieb er die ganze Zeit, als hätte er solche Gespräche schon zuhauf erlebt und wüßte, daß sie völlig hoffnungslos sind, so wie der Arzt angesichts des unheilbar Kranken zwar weiß, daß es kein Mittel gibt, aber doch seine Klagen anhört, nickt und eventuell ein Pulver oder einen Sirup verschreibt. Was wußte er? Er wußte einfach, daß es in Gefühlsangelegenheiten keinen Rat gibt. Auch mir dämmerte das. Und als ich ihm dort gegenübersaß, spürte ich entmutigt, daß ich diesen Weg umsonst gemacht hatte. Es gibt keinen »Rat« im Leben. Die Dinge geschehen, das ist alles.

»Haben Sie sie gefunden?« fragte er unvermittelt.

»Ja«, sagte ich. Diesem Menschen brauchte man nicht viel zu erklären.

»Sind Sie jetzt ruhiger?«

»Nicht wirklich. Gerade deshalb bin ich gekommen, um Sie zu fragen, wie es weitergehen soll.«

»Das kann ich Ihnen nicht sagen«, erwiderte er ruhig. »Vielleicht gibt es kein Weiter. Sie mögen sich erinnern, daß ich Ihnen gesagt habe, es wäre besser, nicht an die Sache zu rühren. Sie war schon ganz schön verheilt oder, wie die Ärzte sagen, granuliert. Und jetzt hat man sich daran zu schaffen gemacht, ein bißchen am Gewebe geschnitten.«

Es wunderte mich nicht, daß er medizinische Begriffe gebrauchte; ich fühlte mich ja sowieso schon wie im Sprechzimmer eines Arztes. Weißt du, hier war nichts »literarisch«, nichts glich dem Bild, das man sich von der Wohnung des berühmten Schriftstellers macht. Es war alles eher bürgerlich, ja, kleinbürgerlich, sehr ordentlich und bescheiden.

Er erhaschte meinen Blick – es war überhaupt immer unbehaglich, ihm gegenüberzusitzen, denn er merkte alles, und man hatte das Gefühl, einmal würde man dann verwendet, wie alle und alles, dem er begegnete, einmal würde man in seinen Büchern vorkommen – und sagte ruhig: »Ich brauche die bürgerliche Ordnung. Nach innen ist man abenteuerlich genug. Nach außen soll man leben wie ein Oberpostrat. Ordnung ist lebensnotwendig, weil man sonst nicht achtgeben kann...«

Er sagte nicht, worauf er achtgeben mußte, auf das ganze Leben wahrscheinlich, auf das Leben, auf die Außenwelt und die Unterwelt, wo violette Bänder flattern.

»Ich habe schwören müssen, meinem Mann nichts zu sagen.«

»Ja«, sagte er. »Er wird es sowieso erfahren.«

»Von wem?«

»Von Ihnen. Über so etwas kann man nicht schweigen. Man redet oder schweigt nicht nur mit dem Mund, sondern auch mit seiner Seele. Ihr Mann wird alles erfahren, bald.«

Er verstummte. Und fragte dann ganz direkt und unhöflich: »Was wünschen Sie von mir, gnädige Frau?«

»Ich bitte um eine klare Antwort«, sagte ich und war von meiner eigenen ruhigen Klarheit überrascht. »Sie haben recht gehabt. Es ist etwas explodiert. Habe ich es explodieren lassen, oder war es der Zufall? Das spielt jetzt keine Rolle mehr. Derartige Zufälle gibt es sowieso nicht. Meine Ehe ist nicht gelungen. Ich habe darum gekämpft wie eine Verrückte, habe mein ganzes Leben dafür geopfert. Ich wußte nicht, was ich falsch machte. Jetzt habe ich Zeichen und Spuren und einen Menschen gefunden, der behauptet, mit meinem Mann mehr gemeinsam zu haben als ich.«

Er stand rauchend an den Tisch gelehnt und schwieg.

»Glauben Sie tatsächlich, daß diese Frau im Herzen, in den Nerven meines Mannes einen so unauslöschlichen Eindruck hinterlassen hat? Gibt es das überhaupt? Was ist dann Liebe?«

»Ich bitte Sie«, sagte er höflich und ein bißchen spöttisch, »ich bin bloß ein Schriftsteller und ein Mann. Ich kann so schwierige Fragen nicht beantworten.«

»Glauben Sie daran«, fragte ich, »daß die Liebe solche Macht über eine Seele gewinnen kann, daß man nie mehr jemand anderen zu lieben vermag?«

»Vielleicht«, sagte er vorsichtig und gewissenhaft, wirklich wie der gute Arzt, der schon vieles gesehen hat und nicht vorschnell urteilen mag. »Habe ich schon von so etwas gehört? Ja. Oft? Nein.«

»Was geschieht in der Seele, wenn man verliebt ist?« fragte ich wie ein Schulmädchen.

»In der Seele geschieht nichts«, sagte er bereitwillig. »Die Gefühle spielen sich nicht in der Seele ab. Sie haben eine andere Bahn. Aber sie überfluten die Seele wie der über die Ufer getretene Fluß das umliegende Gebiet.«

»Vermag ein kluger, intelligenter Mensch diese Überflutung aufzuhalten?« fragte ich.

»Nun ja«, sagte er lebhaft, »das ist eine ziemlich interessante Frage. Ich habe mich viel mit ihr befaßt. Und muß antworten, daß es bis zu einem gewissen Grad möglich ist. Ich meine, der Verstand kann Gefühle weder hervorbringen noch aufhalten. Aber er kann sie regulieren. Man kann Gefühle, die gemeingefährlich sind, in einen Käfig sperren.«

»Wie einen Puma?« fragte ich unwillkürlich.

»Wie einen Puma, meinetwegen«, sagte er achselzuckend. »Und dann dreht das arme Gefühl seine Runden, brüllt, knirscht mit den Zähnen, reißt an den Gitterstäben. Am Ende aber zerbricht es daran, das Fell und die Zähne fallen ihm aus, es wird alt, zahm und traurig. Das gibt es. So etwas habe ich schon gesehen. Dieser Art ist das Werk des Verstands. Man kann die Gefühle zähmen und dressieren. Natürlich«, sagte er vorsichtig, »tut man gut daran, den Käfig nicht vorzeitig zu öffnen. Denn der Puma spaziert heraus, und wenn er nicht zahm und traurig genug ist, kann er etlichen Schaden anrichten.«

»Sagen Sie das einfacher«, bat ich.

»Einfacher kann ich es nicht sagen«, antwortete er geduldig. »Sie möchten von mir wissen, ob man Gefühle mit Hilfe des Verstands aufheben kann. Darauf muß ich rundheraus sagen: nein. Aber ich kann Sie damit trösten, daß man die Gefühle zuweilen, im glücklichen Fall, zähmen und schrumpfen lassen kann. Sehen Sie mich an. Ich habe es überlebt.«

Ich kann dir gar nicht sagen, was ich in dem Moment fühlte, aber ich vermochte ihm nicht in die Augen zu sehen. Auf einmal kam mir der Abend in den Sinn, als ich ihn kennengelernt hatte, und ich wurde rot. Das seltsame Spiel kam mir in den Sinn. Ich war verlegen wie ein Back-fisch. Auch er schaute mich nicht an, er stand mit ver-schränkten Armen an den Tisch gelehnt und blickte zum Fenster. Unsere Verlegenheit dauerte eine Weile. Es waren die peinlichsten Augenblicke meines Lebens.

»Sie haben damals«, sagte ich hastig, um von etwas anderem zu reden, »Péter abgeraten, das Mädchen zu heiraten.«

»Ich habe alles getan, was ich konnte, damit er sie nicht heiratete. Damals hatte ich noch Macht über ihn.«

»Jetzt nicht mehr?«

»Nein.«

»Diese Frau ist heute mächtiger?«

»Diese Frau?« fragte er und legte den Kopf in den Nak-ken, während sich seine Lippen bewegten, als zählte er, als wöge er die Machtverhältnisse ab. »Ich glaube schon.«

»Hat Ihnen damals meine Schwiegermutter gehol-fen?«

Er schüttelte ernst den Kopf, als käme ihm eine unange-nehme Erinnerung: »Nicht sehr.«

»Sie werden doch nicht glauben«, sagte ich irritiert, »daß diese stolze, vornehme Frau so einen Wahnsinn be-fürwortet hätte.«

»Ich glaube gar nichts«, sagte er vorsichtig, »ich weiß nur, daß diese stolze, vornehme Frau ein ganzes, langes Leben in einer Kälte verbracht hat, als hätte sie nicht in einer Wohnung, sondern in einem Kühlhaus gewohnt. Solche durchfrorenen Menschen verstehen es eher, wenn sich jemand aufwärmen möchte.«

»Und Sie, warum haben Sie nicht erlaubt, daß sich Péter... wie Sie sagen... in der Atmosphäre dieser seltsamen Beziehung aufwärmt?«

»Weil ich es nicht mag«, sagte er wieder geduldig und belehrend, »wenn man sich an Orten wärmt, wo man am Spieß gebraten wird.«

»Für so gefährlich halten Sie Judit Áldozó?«

»Sie als Person? Das ist nicht leicht zu beantworten. Aber auf jeden Fall die Situation, die sich daraus ergeben hätte.«

»Und die andere Situation, die sich nachher ergeben hat, ist die weniger gefährlich?« fragte ich und gab sehr acht, leise und gefaßt zu sprechen.

»Jedenfalls ist sie geregelter.«

Ich verstand das nicht und starrte ihn stumm an.

»Geehrte Dame«, sagte er, »Sie wissen nicht, was für ein altväterischer, gesetzesfürchtiger Mensch ich bin. Vielleicht sind nur noch wir Schriftsteller wirklich gesetzesfürchtig. Der Bürger ist ein viel abenteuerlustigeres, ja, revolutionäreres Wesen, als man gemeinhin glaubt. Kein Zufall, daß alle großen revolutionären Bewegungen den verkommenen Bürger als Fahnenträger haben. Wir Schriftsteller hingegen können uns den Luxus der Revolte nicht erlauben. Wir sind die Bewahrer. Es ist viel schwerer, etwas zu bewahren, als es zu erwerben oder zu vernichten. Ich kann den Menschen nicht erlauben, sich gegen die

Gesetze aufzulehnen, die in den Büchern und den menschlichen Herzen leben. Ich muß aufpassen und in einer Welt, in der alle fieberhaft das Alte zerstören und etwas Neues aufbauen wollen, zum Wächter über die ungeschriebenen menschlichen Übereinkünfte werden, deren eigentlicher Sinn die höhere Ordnung und Harmonie der Welt ist. Ich lebe unter Wilderern, und ich bin der Wildhüter. Eine gefährliche Situation... Neue Welt!« sagte er mit so bitterer Verachtung, daß ich ihn mit aufgerissenen Augen anstarrte. »Als ob die Menschen sich je erneuerten!«

»Deshalb haben Sie nicht erlaubt, daß Péter Judit Áldozó heiratete?«

»Natürlich nicht nur deshalb. Péter ist ein Bürger. Ein sehr wertvoller Bürger... wie es nur noch wenige gibt. Er bewahrt eine Kultur, die mir wichtig ist. Einmal hat er im Scherz gesagt, ich sei für ihn der Augenzeuge. Und ich habe geantwortet, im Scherz, aber vielleicht doch nicht nur im Scherz, daß ich auf ihn aufpassen müsse, aus geschäftlichen Gründen, ich müsse ihn mir bewahren, ihn, den Leser. Ich denke jetzt natürlich nicht an die Auflagen meiner Bücher, sondern an die paar Seelen, in denen noch die Verantwortung lebt, wie sie zu meiner Welt gehört. Für sie schreibe ich, sonst hat meine Arbeit nicht den geringsten Sinn. Péter ist einer der wenigen. Es sind ihrer nicht mehr viele, weder bei uns noch in der Welt draußen. Die anderen interessieren mich nicht. Doch das war nicht der wahre Grund, genauer gesagt: auch das nicht. Ich hatte einfach Angst um ihn, weil ich ihn gern hatte. Ich bin nicht jemand, der in Gefühlen schwelgt. Doch dieses Gefühl, die Freundschaft, ist viel feiner und verwickelter als die Liebe. Es ist das stärkste menschliche Gefühl. Und wirklich selbstlos. Die Frauen kennen es nicht.«

»Warum hatten Sie wegen dieser Frau Angst um ihn?«
fragte ich hartnäckig. Ich gab auf jedes seiner Worte acht
und hatte dabei das Gefühl, er weiche aus.

»Weil ich den Gefühlsheroismus nicht mag«, sagte er
schließlich resigniert, als hätte er sich endlich damit abgefunden, daß die Wahrheit gesagt werden mußte. »Erstens
sehe ich im Leben gern alles an seinem Platz. Aber ich
hatte nicht nur wegen des Klassenunterschieds Angst um
ihn. Die Frauen lernen schnell, sie vermögen in kürzester
Zeit nachzuholen, was sich über Jahrhunderte entwickelt
hat. Ich zweifle nicht daran, daß diese Frau an Péters Seite
die Lektion blitzschnell gelernt hätte und daß sie sich
zum Beispiel gestern abend in dem herrschaftlichen Haus
genauso einwandfrei benommen hätte wie Sie oder ich.
Die Frauen stehen in bezug auf Geschmack und Benehmen meistens weit über den Männern ihrer Klasse. Aber
Péter hätte sich trotzdem als Held gefühlt, von morgens
bis abends als Held, der zu einer Situation steht, die zwar
ganz menschlich und vor Gott und der Welt völlig legitim
ist, zu der man aber doch stehen muß. Und dann war da
noch anderes. Die Frau selbst. Diese Frau hätte Péter nie
verziehen, daß er ein Bürger ist.«

»Das glaube ich nicht«, sagte ich unsicher.

»Aber ich weiß es«, sagte er streng. »Nur ist das alles
für Ihr Eheproblem nicht von Belang. Denn hier ging
es um das Schicksal eines Gefühls. Was war für Péter in
diesem Gefühl? Was für eine Sehnsucht, was für Regungen... Ich weiß es nicht. Aber ich habe dieses Erdbeben
in seinem gefährlichsten Augenblick gesehen. Alles in
seiner Seele war in Bewegung geraten, die Klasse, zu der
er gehörte, die Grundlagen, auf denen ein Leben und eine
Lebensform standen. Diese Lebensform ist nicht nur Pri-

vatangelegenheit. Bricht ein solcher Mensch zusammen, der den Sinn einer Kultur bewahrt und manifestiert, so geht nicht nur er zugrunde, sondern mit ihm ein Stück der Welt, in der es sich zu leben lohnt. Ich habe mir diese Frau gut angesehen. Das Problem ist nicht, daß sie aus einer anderen Klasse stammt. Vielleicht ist es auch für die Welt ein glücklicher Vorgang, wenn die Kinder verschiedener Klassen im Strudel einer großen Leidenschaft ineinander verschmelzen. Nein, in der Frau war etwas, das ich sehr stark spürte und mit dem ich mich nicht aussöhnen konnte, etwas, dem ich Péter nicht ausliefern mochte. Ein irgendwie wahnwitziger Wille, eine barbarische Kraft. Haben Sie es nicht gespürt?«

Seine müden, schläfrigen Augen blitzen plötzlich auf, als er sich jetzt mir zuwandte. Er sagte unsicher und schien die Wörter zu suchen: »Es gibt Menschen, die mit einer urtümlichen Kraft aus ihrer Umgebung alles Lebensnotwendige absaugen, so wie gewisse Lianen im Dschungel in einem Umkreis von mehreren hundert Metern den Bäumen die Feuchtigkeit des Bodens und die Nährstoffe entziehen. Das ist ihr Gesetz und ihre Eigenheit. Sie sind nicht bösartig, sie sind einfach so. Mit den Bösen kann man streiten, vielleicht kann man sie versöhnen und in ihrer Seele auflösen, was sie leiden macht und wofür sie sich an anderen, am Leben rächen wollen. Das sind die Glücklicheren. Und dann sind da die anderen, die Lianenartigen, die nichts Böses wollen, bloß drücken sie mit tödlich unerbittlichem Durst ihre Umgebung an sich und saugen alle Kraft aus ihr heraus. Solche Menschen sind barbarisch, eine Naturgewalt. Unter Männern kommen sie selten vor. Die Kraft, die aus ihnen strömt, vernichtet auch widerstandsfähigere Seelen als so eine, wie Péter hat. Haben Sie das nicht gespürt, als Sie mit ihr sprachen? Als ob man mit dem Samum spräche oder mit einem Wildbach.«

»Ich habe bloß mit einer Frau gesprochen«, sagte ich seufzend. »Mit einer Frau, in der viel Kraft ist.«

»Ja, natürlich. Die Frauen haben ein anderes Gehör füreinander«, sagte er bereitwillig. »Ich meinerseits achte diese Kraft und fürchte sie. Und jetzt fangen Sie bitte an, Péter zu achten. Versuchen Sie, sich vorzustellen, welchen Widerstand er in diesen zehn Jahren aufbringen mußte, welche Kraft, um sich von dieser unsichtbaren Umklammerung loszureißen. Denn das ist eine, die alles will, wissen Sie. Die will nicht die Backstreet, nicht die Zweizimmer-Junggesellenwohnung in einer Nebenstraße, den Silberfuchs und die dreiwöchigen heimlichen Ferien mit dem Geliebten. Sie will das Ganze, denn sie ist keine Zweitfrau, sondern eine richtige. Haben Sie das nicht gespürt?«

»Ja«, sagte ich, »sie hungert es ihm lieber an.«

»Was tut sie?« fragte er überrascht.

»Sie hungert es ihm an«, sagte ich. »Sie selbst hat das gesagt. Es ist ein dummer, böser Aberglaube. Jemand hungert, bis er sein Ziel erreicht hat.«

»Das hat sie gesagt?« fragte er gedehnt. »Im Fernen Osten gibt es so etwas. Es ist eine Form der Willensübertragung.« Er lachte nervös und verdrossen. »Ja, eben. Judit Áldozó gehört zur gefährlicheren Sorte. Denn es gibt Frauen, die man in ein Luxusrestaurant ausführen kann, wo man mit ihnen Hummer ißt und Champagner trinkt; das sind die ungefährlichen. Und dann gibt es die anderen, die lieber hungern ... Aber ich fürchte doch, daß Sie das alles unnötig wieder aufgerührt haben. Sie wurde schon allmählich müde. Ich habe sie lange nicht mehr gesehen, vor Jahren einmal, und da hatte ich doch das Gefühl, die Konstellation über eurem Schicksal habe sich verändert, das Ganze sei bereits etwas abgestanden, nicht mehr so akut. Denn es gibt im Leben nicht nur Überschwemmungen und barbarische Kräfte. Es gibt auch noch anderes. Es gibt auch das Trägheitsgesetz. Respektieren Sie es.«

»Ich mag nichts respektieren«, sagte ich, »denn ich kann nicht so leben. Ich weiß nichts von Judit Áldozó, ich kann nicht beurteilen, was sie für meinen Mann bedeutet hat und was sie heute noch für ihn bedeutet, wie gefährlich sie ist. Ich vermag nicht zu glauben, daß es Leidenschaften gibt, die ein Leben lang in der Seele schwelen wie ein unterirdisches Feuer, ein Minenbrand. Mag sein, daß es das auch gibt; aber ich glaube, das Leben löscht solche Feuer aus. Meinen Sie nicht?«

»Doch, doch«, sagte er zu beflissen und blickte auf die glühende Spitze seiner Zigarette.

»Ich sehe, Sie glauben es nicht«, fuhr ich fort. »Kann ja sein, daß ich nicht recht habe. Vielleicht gibt es da und dort eine Leidenschaft, die stärker ist als das Leben und die Vernunft und die Zeit. Sie versengt und verbrennt alles? Vielleicht... Dann soll sie aber gewaltiger sein. Soll nicht nur schwelen, sondern ausbrechen. Ich möchte mein Heim nicht am Fuß des Stromboli errichten. Ich will Ruhe und Frieden. Deshalb ist mir auch gleichgültig, was geschehen ist. Mein Leben ist eine einzige Niederlage, völlig unerträglich. Auch in mir ist Kraft, auch ich kann warten und wollen, nicht bloß Judit Áldozó, auch wenn ich es niemandem anhungere, sondern kaltes Huhn mit Mayonnaise esse, dazu Salat... Dieses stumme Duell aber muß ein Ende haben. Sie waren einer der Sekundanten, deshalb wende ich mich an Sie. Glauben Sie, daß Péter noch immer an diese Frau gebunden ist?«

»Ja«, sagte er einfach.

»Dann ist er an mich nicht richtig gebunden«, sagte ich ruhig und laut. »Dann soll er etwas machen, sie heiraten oder sie nicht heiraten, mit ihr zugrunde gehen oder glücklich werden, aber er soll seine Ruhe finden. Ich jedenfalls will so ein Leben nicht. Ich habe dieser Frau geschworen, daß ich Péter nichts sage, und ich werde den Schwur halten. Aber ich werde nicht böse sein, wenn Sie einmal… bald einmal, in den nächsten Tagen… vorsichtig, oder auch nicht vorsichtig, mit ihm ein bißchen reden. Würden Sie das tun?«

»Wenn Sie es wünschen«, sagte er unwillig.

»Ich bitte sehr darum«, sagte ich, stand auf, zog mir die Handschuhe an. »Ich sehe, jetzt möchten Sie mich fragen, was aus mir wird. Ich will die Frage beantworten. Ich werde den Entscheid ertragen. Ich mag solche jahrzehntelangen stummen Dramen nicht, mit unsichtbaren Gegnern und einer blutleeren, bleichen Anspannung. Wenn schon Drama, dann laut, mit Schlägereien, mit Toten, mit Applaus und Pfiffen. Ich will wissen, wer ich in diesem Drama bin und was ich darin noch gelte. Wenn ich durchfalle, muß ich gehen. Dann komme, was wolle, aber das Schicksal von Judit Áldozó und Péter interessiert mich dann nicht mehr.«

»Das stimmt nicht«, sagte er ruhig.

»Doch«, sagte ich, »denn ich werde es tun. Wenn er zwölf Jahre lang nicht entscheiden konnte, dann will ich entscheiden, und zwar in viel kürzerer Zeit. Wenn er die Richtige nicht hat finden können, dann finde ich sie eben für ihn.«

»Wen, sagen Sie?« fragte er jetzt mit einem plötzlich aufblitzenden, heiteren Interesse. Während des ganzen Gesprächs hatte ich ihn so nicht gesehen. Als ob er etwas Überraschendes und Spaßhaftes gehört hätte. »Wen wollen Sie finden?«

»Ich habe es doch gesagt«, erwiderte ich ein bißchen verwirrt. »Was schauen Sie mich so ungläubig lächelnd an? Meine Schwiegermutter hat einmal gesagt, daß der oder die Richtige immer irgendwo lebt. Vielleicht ist Judit Áldozó die Richtige, vielleicht bin ich es, aber vielleicht ist es jemand anders. Dann will ich sie eben finden, an seiner Stelle.«

»Ja«, sagte er.

Er schaute auf den Teppich hinunter, wie jemand, der nicht streiten will.

Wortlos begleitete er mich zur Tür. Küßte mir die Hand, noch immer mit dem seltsamen Lächeln. Er öffnete die Tür mit einer langsamen Bewegung und verbeugte sich tief.


So, jetzt wollen wir aber zahlen, die machen Ernst mit dem Schließen. Fräulein, ich hatte zweimal Tee und zweimal Pistazieneis. Nein, Liebes, heute bist du mein Gast. Laß nur. Und hab auch kein Mitleid mit mir. Es ist zwar Monatsende, aber diese bescheidene Einladung wird mich nicht zugrunde richten. Ich habe ein unabhängiges und sorgloses Leben, meinen Unterhalt bekomme ich pünktlich zu Monatsanfang, und zwar einiges mehr, als ich brauche. Weißt du, mein Leben ist gar nicht so schlecht.

Bloß hat es keinen Sinn, denkst du das?… Das stimmt auch nicht. Es gibt so vieles im Leben. Vorhin, als ich durch die Innenstadt hierher unterwegs war, begann es auf einmal zu schneien. Das war so eine reine, echte Freude. Der erste Schnee... Früher habe ich mich nicht auf diese Art an der Welt freuen können. Ich hatte anderes zu tun, gab auf anderes acht. Ich gab auf einen Menschen acht und hatte keine Zeit, mich mit der Welt zu befassen. Dann habe ich den Menschen verloren und an seiner Stelle eine Welt bekommen. Ein schlechter Tausch, denkst du das?... Ich weiß nicht. Mag sein, daß du recht hast.

Ich habe nicht mehr viel zu erzählen. Den Rest kennst du ja. Ich habe mich scheiden lassen und lebe allein. Auch er lebte eine Zeitlang allein, dann hat er Judit Áldozó geheiratet. Aber das ist eine andere Geschichte.

Das alles ist natürlich nicht so rasch gegangen, wie ich es mir in Lázárs Wohnung vorgestellt hatte. Nach jenem Gespräch habe ich noch zwei Jahre mit meinem Mann gelebt. Offenbar geschieht im Leben alles nach dem Minutenzeiger eines unsichtbaren Uhrwerks: Man kann keinen Augenblick zu früh »entscheiden«, sondern erst dann, wenn die Dinge und Situationen von sich aus entschieden haben. Alles andere ist willkürlich, sinnlos, unmenschlich, vielleicht auch unmoralisch. Das Leben entscheidet, auf überraschende, wunderbare Art. Und dann ist alles ganz einfach und selbstverständlich.

Ich ging nach dem Besuch bei Lázár nach Hause und sagte meinem Mann nichts von Judit Áldozó. Der Arme, er wußte doch schon alles. Bloß das Wichtigste wußte er nicht. Und auch ich konnte es ihm nicht sagen, weil ich es selbst noch lange nicht wußte... Nur Lázár wußte es, und im Augenblick des Abschieds, als er so merkwürdig schwieg, dachte er genau daran. Aber auch er sagte nichts, denn das Wichtigste kann man niemandem sagen. Jeder muß es selbst erfahren.

Was das Wichtigste ist?... Schau, ich will dir nicht weh tun. Nicht wahr, du bist gerade ein bißchen in den schwedischen Professor verliebt?... Oder?... Na gut, ich will keine Geständnisse. Aber erlaube dann, daß auch ich nichts sage, ich möchte dieses schöne, große Gefühl nicht verletzen, ich möchte nichts verderben.

Ich weiß nicht, wann mein Mann mit Lázár gesprochen hat, am folgenden Tag oder Wochen später, und ich weiß auch nicht, was sie sprachen. Bloß war alles so, wie es Lázár gesagt hatte. Mein Mann wußte alles, wußte, daß ich das violette Band und auch dessen Trägerin gefunden hatte. Er wußte, daß ich mit Judit gesprochen hatte, die am nächsten Monatsersten das Haus meiner Schwiegermutter tatsächlich verließ. Zwei Jahre lang hörte niemand von ihr. Mein Mann ließ sie durch Privatdetektive suchen, aber dann konnte er nicht mehr und wurde krank. Er gab die Suche auf. Weißt du, was mein Mann in den zwei Jahren tat, in denen Judit Áldozó verschwunden war?

Er wartete.

Ich hätte mir nie vorstellen können, daß man auf solche Weise warten kann. Es schien eine Zwangsarbeit. Ein Steineklopfen im Steinbruch. Mit solcher Kraft, so systematisch, so entschlossen und verzweifelt. Und da konnte ich ihm auch nicht mehr helfen. Und wenn ich einst auf dem Totenbett die Wahrheit sagen soll, so werde ich zugeben müssen, daß ich ihm auch gar nicht mehr helfen wollte. Mein Herz war da schon voller Bitterkeit und Hoffnungslosigkeit. Ich sah mir zwei Jahre lang diese fürchterliche Kraftanstrengung an. Diese lächelnde, schweigende, höfliche, immer bleichere, immer stummere Auseinandersetzung mit jemandem oder etwas... Die Bewegung, mit der er morgens nach der Post greift, so wie der Süchtige nach der Phiole, und wie er dann sieht, daß nichts darin ist, wie dann seine Hand herabsinkt. Die Kopfbewegung, wenn das Telephon läutet. Dieses Zucken mit der Schulter, wenn an der Tür geklingelt wird. Das Um-sich-Blicken im Restaurant oder im Foyer eines Theaters. Dieser Blick, der ewig etwas sucht. Zwei Jahre haben wir so gelebt. Und Judit Áldozó war verschollen.

Später haben wir erfahren, daß sie ins Ausland gereist war und als Dienstmädchen im Haus eines englischen Arztes arbeitete, in London. Damals waren in England ungarische Dienstboten gefragt.

Weder ihre Familie noch meine Schwiegermutter wußten etwas von ihr. Ich ging in diesen zwei Jahren oft zu meiner Schwiegermutter und verbrachte ganze Nachmittage bei ihr. Sie war damals schon krank, die Arme, sie hatte eine Thrombose gehabt und mußte monatelang reglos im Bett liegen. Da saß ich eben bei ihr. Ich gewann sie richtig lieb. Wir lasen, strickten, plauderten, fast könnte ich sagen, daß wir Scharpie zupften, wie die Frauen zu alter Zeit, wenn die Männer im Krieg waren. Ich wußte, daß mein Mann in einer gefährlichen Stellung lag. Er konnte jeden Augenblick fallen. Auch meine Schwiegermutter wußte das. Aber wir konnten ihm nicht mehr helfen. Es kommt der Augenblick im Leben, da man allein bleibt und einem niemand mehr helfen kann. Mein Mann war soweit. Er war allein, war ein wenig, oder vielleicht gar nicht so wenig, in Lebensgefahr, und er wartete.

Wir beiden hingegen, meine Schwiegermutter und ich, bewegten uns gewissermaßen auf Zehenspitzen um ihn herum wie Krankenschwestern. Und redeten von anderem, manchmal sogar heiter und unbeschwert. Es muß an einem besonderen Taktgefühl oder an einer Verschämtheit gelegen haben, daß meine Schwiegermutter später nie mehr von dem Geschehenen sprach. An jenem Mittag, als sie im Dienstmädchenzimmer saß und weinte, schlossen wir wortlos einen Bund, daß wir einander helfen würden, wo immer nötig, und vom Geschehenen würden wir nicht mehr reden, da die Sache nunmehr hoffnungslos war. Auch von meinem Mann sprachen wir nur wie von einem sehr geliebten Kranken, dessen Zustand zwar besorgniserregend, aber nicht unmittelbar bedrohlich ist. Weißt du, wie ein Zustand, in dem man noch lange weiterleben kann. Und unsere Aufgabe wäre es, das Kissen unter seinem Kopf zurechtzurücken oder ihm Eingemachtes zu bringen oder ihn mit den Nachrichten aus der Welt zu unterhalten. Und wirklich, in diesen zwei Jahren lebten wir still und ruhig und gingen selten in Gesellschaft. Mein Mann hatte da schon begonnen, alle Brücken zur Welt abzubrechen. Während zweier Jahre zog er sich fein und rücksichtsvoll von seiner Welt zurück, wobei er darauf achtete, niemanden zu verletzen. Allmählich blieben die Leute weg, und wir waren allein. Das war gar nicht so schlimm, wie du vielleicht denkst... An fünf Abenden der Woche waren wir zu Hause, hörten Musik oder lasen. Lázár kam nie mehr zu uns. Auch er war in jenen Jahren verreist, lange Zeit lebte er in Rom.

So also war das. Alle drei warteten wir auf etwas: meine Schwiegermutter auf den Tod, mein Mann auf Judit Áldozó und ich darauf, daß der Tod oder Judit Áldozó oder etwas Unvorhergesehenes eines Tages in mein Leben treten würde und ich endlich wüßte, was aus mir würde und zu wem ich gehörte. Du fragst, warum ich meinen Mann nicht verlassen habe. Wie man mit jemandem leben könne, der auf eine andere wartet, der bei jedem Türöffnen bleich zusammenzuckt, der die Menschen meidet, der mit seiner Welt bricht, krank von einem Gefühl, besessen von einer unbändigen Erwartung. Leicht ist das nicht, so viel ist sicher. Und auch nicht gerade eine angenehme Lage. Aber ich war seine Frau, ich durfte ihn nicht verlassen, wenn er in Gefahr schwebte. Ich war seine Frau, ich hatte vor dem Altar geschworen, zu ihm zu halten, in guten und in schlechten Tagen, solange er es wollte, solange er mich brauchte. Und jetzt brauchte er mich. Wäre er in den zwei Jahren allein geblieben, wäre er zugrunde gegangen. Wir lebten und warteten auf ein himmlisches oder irdisches Zeichen; wir warteten auf Judit Áldozó.

Denn von dem Augenblick an, da er erfuhr, daß diese Frau die Stadt verlassen hatte und nach England gegangen war – bloß kannte kein Mensch ihre Adresse –, wurde mein Mann richtig krank vom Warten, und das ist vielleicht das qualvollste Leiden im Leben. Ich kenne das Gefühl… Später, als wir geschieden waren, erwartete ich ihn eine Zeitlang, vielleicht ein Jahr lang, auch auf diese Art. Weißt du, man erwacht in der Nacht und schnappt nach Luft wie ein Asthmatiker. Streckt im Dunkeln eine Hand aus, tastet nach einer anderen Hand. Kann nicht begreifen, daß der andere nicht mehr da ist, nicht in der Nähe, nicht im Nachbarhaus oder in der nächsten Straße. Man geht durch die Stadt, und er kommt einem nicht entgegen. Telephonieren hat keinen Sinn, die Zeitungen sind voller belangloser Nachrichten, zum Beispiel, daß der Weltkrieg ausgebrochen ist oder daß in einer Millionenstadt mehrere Straßenzüge in Trümmer gelegt worden sind. Man hört sich solche Nachrichten höflich und halbwegs aufmerksam an, sagt: »Ach ja?… Wirklich?… Sehr interessant«

oder: »Wie traurig«, aber man spürt nichts dabei. Ich habe in einem schönen, klugen, traurigen spanischen Buch gelesen – den Namen des Autors habe ich vergessen, er hat viele, lange Vornamen wie ein Torero –, daß in einem solchen benommenen, magischen Zustand, dem Seelenzustand der vergeblich aufeinander wartenden Liebenden, etwas von der Trance der Hypnotisierten sei; auch ihr Blick habe etwas Gebrochenes, wie der verschleierte Blick der Kranken, die mit langsamem Augenaufschlag aus dem Fiebertraum zu sich kommen. Für solche Menschen besteht die Welt aus einem Gesicht, und sie hören nichts anderes als einen Namen.

Doch eines Tages wachen sie auf.

Schau mich an.

Man blickt sich um, reibt sich die Augen. Und sieht nicht mehr nur ein einziges Gesicht. Man sieht es zwar auch noch, aber verschwommen. Man sieht einen Kirchturm, einen Wald, ein Bild, ein Buch, das Gesicht anderer Menschen, das Unendliche der Welt. Es ist ein seltsames Gefühl. Was man am Vortag noch nicht ertragen konnte, weil es weh tat und brannte, schmerzt heute nicht mehr. Man sitzt auf einer Bank und ist ruhig. Man denkt Sachen wie: »Hühnersuppe.« Oder: *Die Meistersinger von Nürnberg.*« Oder: »Die Lampe über dem Eßtisch braucht eine neue Glühbirne.« Und das alles ist wirklich und wichtig. Gestern war es noch unwirklich, schwebend und sinnlos, und die Wirklichkeit war etwas ganz anderes. Gestern wollte man noch Rache oder Erlösung, wollte, daß er anriefe, daß er einen dringend brauche oder daß er ins Gefängnis geworfen und hingerichtet werde. Weißt du, solange man so fühlt, kann sich der andere in seiner Ferne freuen. Denn da hat er noch Macht über dich. Solange du nach Rache schreist, reibt er sich die Hände, denn Rachegelüste bedeuten auch Sehnsucht und Gebundensein. Dann kommt der Tag, an dem man erwacht, sich die Augen reibt, gähnt und plötzlich merkt, daß man nichts mehr will. Es ist auch gleich, ob er einem auf der Straße entgegenkommt. Wenn er telephoniert, spricht man, wie es sich gehört. Wenn er einen sehen will und das Treffen unumgänglich ist, bitte, warum nicht. Und das alles ist von innen her ganz locker und ehrlich, weißt du. Kein Krampf mehr, kein Schmerz, kein Außer-sich-Sein. Was ist geschehen? Man versteht es nicht. Rache will man auch nicht mehr, nein, und da wird einem klar, daß das die echte Rache ist, die einzige, die vollkommene, nämlich die, daß man nichts mehr von ihm will, ihm weder Gutes noch Schlechtes wünscht, denn er kann einen nicht mehr verletzen. Früher schrieben die Männer in einem solchen Moment ihren Geliebten Briefe, die so begannen: »Verehrte Dame«. Da war alles drin. »Du kannst mir nicht mehr weh tun«, das war drin und machte die hellhörigen Frauen weinen. Oder nicht einmal das. Kluge Männer schicken in einem solchen Moment das große Geschenk, den Rosenstrauß, die Lebensrente. Warum auch nicht? Jetzt tut es ja nicht mehr weh.

So ist das. Ich weiß es. Ich bin eines Morgens erwacht und habe begonnen zu leben, kleine Schritte zu machen.

Mein Mann hingegen, der Arme, ist nicht erwacht. Ich weiß gar nicht, ob er je wieder gesund wird. Manchmal bete ich für ihn.

So vergingen zwei Jahre. Was taten wir? Wir lebten, mein Mann verabschiedete sich von der Welt, von seinem Kreis, von den Menschen, wortlos wie der Betrüger, der heimlich seinen Absprung ins Ausland vorbereitet, inzwischen aber gewissenhaft seiner Arbeit nachgeht. Das Ausland war sie, die andere, die Richtige. Wir warteten. Und lebten gar nicht schlecht, verstanden uns in diesen zwei Jahren ganz gut, wirklich... Bei Tisch oder während des Lesens blickte ich manchmal verstohlen zu ihm hin, so wie man das Gesicht eines Kranken anschaut, und während man innerlich erschauert, weil ihm die Krankheit ihren Stempel schon aufgedrückt hat, sagt man munter lächelnd: »Du siehst heute viel besser aus.« Wir warteten auf Judit Áldozó, die spurlos verschwunden war, die Bestie... Denn die wußte schon, daß sie nichts Schlimmeres tun konnte... Du glaubst das nicht? Vielleicht ist sie gar keine Bestie? Schließlich hat sie auch ihren Preis gezahlt, auch sie hat gekämpft, auch sie ist eine Frau und hat Gefühle, nicht?... Tröste mich, denn jetzt möchte ich gern glauben, daß es so ist. Sie hat zwölf Jahre gewartet und ist dann nach England gegangen. Und sie hat Englisch gelernt und sich Tischmanieren angeeignet und das Meer gesehen. Und dann ist sie eines Tages heimgekommen, und sie besaß siebzig Pfund, wie ich erfahren habe, und einen Schottenrock und Toilettenwasser von Atkinson. Da haben wir uns eben scheiden lassen.

Mir brach das Herz, ein Jahr lang hatte ich das Gefühl, sterben zu müssen. Dann bin ich erwacht und habe etwas begriffen... Ja, ebenjenes Wichtigste, das man nur selbst erfahren kann.

Soll ich es sagen?

Wird es dir nicht weh tun?

Kannst du es aushalten?

Na ja, ich habe es ausgehalten. Aber ich sage es niemandem gern, ich mag niemandem den Glauben nehmen, jene wundervolle Illusion, aus der so viel Leid, aber auch so viel

Großartiges entspringt: Heldentaten, Kunstwerke, eine riesige Konzentration der Kräfte. Du bist jetzt in einem solchen Seelenzustand, ich weiß. Und willst doch, daß ich es sage?

Na gut, wenn du darauf bestehst. Aber sei mir dann nicht böse. Schau, Liebes, mich hat Gott damit gestraft und beschenkt, daß ich es erfahren und ausgehalten habe. Was ich erfahren habe? ... Das, Liebes: daß es die Richtige und den Richtigen nicht gibt.

Eines Tages bin ich erwacht, habe mich im Bett aufgesetzt und gelächelt. Es tat nichts mehr weh, und ich begriff auf einmal, daß es die Richtigen nicht gibt. Weder auf Erden noch im Himmel. Es gibt ihn nicht, jenen einzigen. Es gibt nur Menschen, und in jedem Menschen ist eine Prise vom Richtigen, aber in keinem gibt es das, was wir vom anderen erwarten und erhoffen. Es gibt keinen vollkommenen Menschen, und jener einzige, Wunderbare, Beglückende existiert nicht. Nur Menschen, in denen es soviel Schutt wie Licht gibt... Lázár wußte das, als er mich schweigend zur Tür begleitete und lächelte, weil ich gesagt hatte, ich wollte die Richtige suchen. Er wußte, daß es die nicht gibt. Aber er sagte nichts, und dann ging er nach Rom und schrieb Bücher. Am Ende tun das die Schriftsteller immer.

Mein armer Mann war kein Schriftsteller, sondern ein Bürger und Künstler ohne Objekt. Deshalb mußte er leiden. Und als eines Tages Judit Áldozó auftauchte, die vermeintlich Richtige, die jetzt nach Toilettenwasser von Atkinson roch und sich am Telephon mit »hello« meldete, da haben wir uns eben scheiden lassen. Eine schwierige Scheidung, wie gesagt, sogar den Flügel habe ich mitgenommen.

Er hat sie nicht gleich geheiratet, sondern erst nach einem Jahr. Wie sie miteinander auskommen?... Gut, glaube ich. Du hast ja vorhin gesehen, er bringt ihr kandierte Orangenschalen mit.

Bloß ist er alt geworden. Nicht sehr, aber auf so traurige Art. Was meinst du, ob er es jetzt weiß?... Ich fürchte, es wird zu spät sein, wenn er es erfährt; inzwischen geht das Leben vorbei.

So, jetzt schließen die da aber wirklich.

Bitte?... Was sagst du? Warum ich vorhin geweint habe, als ich ihn sah? Wenn es doch keinen Richtigen gibt, wenn doch alles zu Ende ist und ich völlig geheilt bin, warum ich mir dann die Nase pudern mußte, als ich hörte, daß er die Brieftasche aus braunem Krokodilleder immer noch hat? Wart mal, ich muß nachdenken. Ich glaube, ich weiß die Antwort. Ich habe mir in meiner Verlegenheit die Nase pudern müssen, weil es zwar den Richtigen nicht gibt, weil die Illusionen verfliegen, weil ich ihn aber liebe, und das ist etwas anderes. Wenn man jemanden liebt, klopft einem das Herz immer, wenn man von ihm hört oder ihn sieht. Ich glaube nämlich, daß alles vergeht, nicht aber die Liebe. Aber das hat überhaupt keine praktische Bedeutung mehr.

Auf Wiedersehen, Liebes. Auf nächsten Dienstag, ja? Wir plaudern doch so angenehm miteinander. Gegen Viertel nach sechs, wenn das für dich geht. Jedenfalls nicht viel später. Ich werde um Viertel nach sechs bestimmt schon hier sein.

# ZWEITER TEIL

Du, schau dir mal die Frau dort an. Jetzt ist sie an der Drehtür. Die Blonde mit dem runden Hut?... Nein, die Große mit dem Nerzmantel – ja, die schwarzhaarige große Frau ohne Hut. Jetzt steigt sie in den Wagen. Der untersetzte Mann hält ihr die Tür auf, stimmt's? Vorhin saß sie mit ihm am Ecktisch. Ich habe sie schon beim Hereinkommen gesehen, aber ich wollte nichts sagen. Sie haben uns wahrscheinlich gar nicht bemerkt. Jetzt, wo sie gegangen sind, kann ich dir ja verraten, daß das der Mann ist, mit dem ich mein peinliches, dummes Duell hatte.

Wegen der Frau?... Ja, natürlich wegen der Frau.

Und doch ist auch das nicht ganz sicher. Ich hatte das Gefühl, ich müsse jemanden umbringen. Vielleicht gar nicht diesen kleinen Untersetzten. Der ging mich nichts an. Aber er war gerade zur Hand.

Ob ich sagen darf, wer die Frau ist?... Aber sicher, alter Freund. Sie ist meine Frau gewesen. Nicht die erste, sondern die zweite. Wir sind seit drei Jahren geschieden. Seit dem Duell.

Laß uns noch eine Flasche trinken, ja?... Nach Mitternacht wird dieses Kaffeehaus auf einmal so leer und kalt. Zuletzt war ich als Student hier, zur Karnevalszeit. Damals kamen auch Frauen in diese berühmten Säle, bunte Nachtvögel, schillernd und amüsant. Dann bin ich jahrzehntelang nicht mehr hergekommen. Die Zeit verging, das Lokal ist aufgeputzt worden, auch das Publikum ist heute ein anderes. Jetzt kommt nachts die große Welt hierher... du weißt ja, die Leute, die man so nennt. Ich ahnte natürlich nicht, daß auch meine Exfrau in diesem Lokal verkehrt.

Das ist ein schöner Wein. So hellgrün wie der Plattensee vor dem Sturm. Prosit.

Ich soll erzählen?... Wenn du darauf bestehst.

Es ist vielleicht gar nicht schlecht, wenn ich es einmal jemandem erzähle.

Du hast meine erste Frau nicht gekannt? Nein, stimmt, du warst ja damals in Peru, beim Eisenbahnbauen. Du hast Glück gehabt, daß du gleich im ersten Jahr nach dem Diplom in die große wilde Welt hinausgeraten bist. Ich muß gestehen, daß ich dich manchmal beneidet habe. Wenn mich damals die Welt ebenfalls gerufen hätte, wäre ich heute vielleicht ein glücklicherer Mensch. So bin ich dageblieben und habe etwas gehütet... Eines Tages bin ich müde geworden, und jetzt hüte ich nichts mehr. Was habe ich gehütet? Die Fabrik? Eine Lebensform? Ich weiß nicht recht. Ich hatte einen Freund, Lázár, den Schriftsteller, du kennst ihn nicht? Hast nie von ihm gehört? Glückliches Land, Peru! Ich habe ihn gut gekannt. Eine Zeitlang glaubte ich, er sei mein Freund. Er behauptete immer, ich sei ein Wächter, der Wahrer einer verschwindenden Lebensform, ein Bürger. Deshalb bin ich zu Hause geblieben, meinte er. Aber auch das ist nicht ganz sicher.

Nur die Tatsachen sind sicher, die Wirklichkeit... unsere Erklärung für die Tatsachen ist hingegen hoffnungslos literarisch. Weißt du, ich bin nicht länger ein großer Freund der Literatur. Eine Zeitlang habe ich viel gelesen, alles, was mir in die Hände kam. Ich fürchte, die schlechte Literatur lügt den Frauen und Männern den Kopf voll mit Pseudogefühlen. Die künstlichen Tragödien der Welt verdanken wir zu einem großen Teil den verlogenen Lehren, wie sie sich in fragwürdigen Büchern finden. Das Selbstmitleid, die sentimentalen Lügen, die künstlichen Verwicklungen sind weitgehend Folgen einer verzerrten, undurchdachten oder einfach dummen Literatur. In der Zeitung wird unter dem Strich der verlogene Roman abgedruckt, auf der zweiten Seite kannst du in den vermischten Nachrichten gleich von den Folgen des Romans lesen, von der Tragödie der Näherin, die Säure getrunken hat, weil der Tischler sie verlassen hat, oder vom Unglück der Frau Geheimrat, die Veronal geschluckt hat, weil der berühmte Schauspieler nicht zum Rendezvous erschienen ist. Was schaust du mich so erschrocken an? Du fragst, was ich mehr verachte? Die Literatur? Das tragische Mißverständnis, das man Liebe nennt? Oder einfach die Menschen?... Schwierige Frage. Ich verachte nichts und niemanden, dazu habe ich kein Recht. Doch für den Rest meines Lebens gebe auch ich mich einer Art Leidenschaft hin. Der Wahrheit. Ich ertrage es nicht mehr, angelogen zu werden, ob von der Literatur oder von den Frauen, und am wenigsten würde ich es ertragen, mich selbst zu belügen.

Du sagst jetzt, ich sei verletzt worden. Jemand habe mich verletzt. Vielleicht diese zweite Frau. Oder vielleicht die erste. Etwas sei schiefgegangen. Ich sei vereinsamt, nach großen seelischen Erschütterungen. Ich sei zornig und glaube nicht an die Frauen, an die Liebe, an die Menschen. Du denkst, ein Mensch wie ich sei lächerlich und bedauernswert. Du willst mich behutsam darauf aufmerksam machen, daß es zwischen den Menschen auch anderes gibt als Leidenschaft und Glück. Es gibt auch Liebe, Geduld, Anteilnahme und Vergebung. Du willst mir die Leviten lesen und sagen, daß ich zuwenig mutig war, zuwenig geduldig mit den Menschen, die meinen Weg kreuzten, und jetzt, da ich ein alter Eigenbrötler geworden bin, sei ich immer noch zuwenig mutig, um einzusehen, daß der Fehler auf meiner Seite war. Mein Lieber, solche Anklagen habe ich schon gehört und geprüft. Auf der Folterbank kann man nicht ehrlicher sein, als ich es mit mir selbst gewesen bin. Ich habe mir jedes Leben, das ich aus der Nähe betrachten konnte, sehr genau angeschaut, habe den Kopf durch das Fenster in fremde Leben hineingestreckt, war gar nicht prüde oder zurückhaltend, sondern ein aufmerksamer Forscher. Auch ich hatte gedacht, der Fehler liege bei mir. Ich erklärte es mir mit Gier, mit Egoismus, mit Genußsucht, mit den gesellschaftlichen Schranken, mit dem Lauf der Welt… was? Na eben, den Bankrott. Die Einsamkeit, in die früher oder später jedes Leben hineinfällt wie der nächtliche Wanderer in die Grube. Für die Männer gibt es keine Hilfe, weißt du das nicht? Wir sind Männer, wir müssen allein leben und über alles genau abrechnen, wir müssen schweigen und die Einsamkeit, unseren Charakter und das Gesetz des Lebens ertragen.

Und die Familie? Ich sehe, du willst das fragen. Ob ich nicht glaube, daß die Familie eine Art unpersönlichen, höheren Sinn des menschlichen Lebens darstelle, eine höhere Harmonie? Man lebe nicht, um glücklich zu sein. Man lebe, um seine Familie zu erhalten und anständige Menschen großzuziehen, und dafür solle man keinen Dank erwarten und auch nicht das Glück. Ich will die Frage ehrlich beantworten. Nämlich damit, daß du recht hast. Ich glaube nicht daran, daß die Familie »glücklich macht«. Nichts macht glücklich. Aber die Familie ist eine so große Aufgabe, vor der Welt und vor uns selbst, daß es sich um ihretwillen lohnt, die unverständlichen Sorgen des Lebens, die unnötigen Leiden zu ertragen. Ich glaube nicht an die »glückliche« Familie. Aber ich habe Formen des Zusammenlebens, menschliche Gemeinschaften gesehen, wo jeder auch ein wenig gegen die anderen lebte, jeder für sich, wo man aber im Ganzen, als Familie, dennoch zusammenhielt, auch wenn die einzelnen Mitglieder wie hungrige Wölfe übereinander herfielen. Familie... großes Wort. Ja, vielleicht ist die Familie das Ziel des Lebens.

Aber gelöst ist damit nichts. Übrigens hatte ich in diesem Sinn gar keine Familie.

Ich habe viel beobachtet, viel herumgehorcht. Ich habe mir die gestrengen zeitgenössischen Prediger angehört, die versichern, daß diese Einsamkeit eine bürgerliche Krankheit sei. Sie verweisen auf die Gemeinschaft, die hehre Gemeinschaft, die den einzelnen einschließt und erhöht, und so hat das Leben unverhofft einen Sinn, weil man nicht für sich selbst, nicht einmal für die engere Familie lebt, sondern für ein übermenschliches Prinzip, für die Gemeinschaft. Diese Behauptung habe ich gründlich geprüft. Nicht theoretisch, sondern gleich dort, wo ich sie auf frischer Tat ertappte, im Leben selbst. Ich habe das Leben der sogenannten »Armen« untersucht – schließlich sind sie die größte Gemeinschaft –, und tatsächlich verschafft ihnen das Bewußtsein, zu ein und derselben Gemeinschaft zu gehören, etwa zur Gewerkschaft der Stahlarbeiter oder zur Pensionskasse der Privatangestellten, die ihre Abgeordneten im Parlament haben, ein intensiveres Lebensgefühl, denn es ist in der Tat erhebend zu wissen, daß es auf der Welt unzählige Stahlarbeiter und Privatangestellte gibt, die alle besser, menschenwürdiger leben möchten, und daß ihre Lage auf Erden, um den Preis bitterer Kämpfe und erregter Auseinandersetzungen, manchmal tatsächlich etwas besser wird... Sie verdienen nicht mehr nur hundertachtzig Pengő, sondern zweihundertzehn... Ja, nach unten gibt es keine Grenzen. Wenn man unten ist, freut man sich über alles, was die unbarmherzige Strenge mildert. Doch das glückliche, innige Lebensgefühl habe ich auch bei denen nicht gefunden, die berufshalber oder aus Berufung in den »großen Gemeinschaften« leben. Ich habe beleidigte, traurige, unbefriedigte, zeternde, zäh kämpfende, resignierte, stumpfsinnige, intelligent und schlau vorgehende Menschen gefunden. Menschen, die daran glaubten, daß sich ihr Los allmählich und aufgrund unberechenbarer Wendungen doch verbessern werde. So etwas ist gut zu wissen. Doch dieses Wissen löst die Einsamkeit des Lebens nicht auf. Es ist nicht wahr, daß nur der Bürger einsam ist. Ein Feldarbeiter von der Tiefebene kann ebenso einsam sein wie ein Zahnarzt in Antwerpen.

Dann habe ich viel gelesen, bis auch ich dachte, es liege an der Zivilisation.

Es ist, als wäre auf Erden die Freude abgekühlt. Zuweilen flackert sie da und dort für ein paar Augenblicke auf. In der Tiefe unserer Seele lebt die Erinnerung an eine heitere, sonnige, verspielte Welt, wo die Pflicht gleichzeitig Vergnügen ist, die Anstrengung angenehm und sinnvoll. Die Griechen, ja, vielleicht waren die Griechen glücklich... Zwar mordeten sie Freund und Feind, zwar führten sie unmäßig lange und schrecklich blutige Kriege, aber in ihnen lebte trotzdem ein heiter strömendes Gemeinschaftsgefühl, denn sie alle waren kultiviert, im tiefen, vorliterarischen Sinn des Wortes, alle, auch die

Töpfer… Wir hingegen leben nicht in einer Kultur, sondern in einer unterschwelligen mechanischen Zivilisation. Jeder hat daran Anteil, und keiner kennt die echte Freude. Jeder kann, wenn er unbedingt will, in warmem Wasser baden, jeder kann Bilder anstarren, Musik hören, über Kontinente hinweg mit jemandem reden, und heutzutage schützt das Gesetz die Rechte und Interessen der Armen ebenso wie die der Reichen. Aber schau dir die Gesichter an! Wo immer du auf der Welt verkehrst, in größeren oder kleineren Gemeinschaften, wie aufgewühlt sind die Gesichter, wie mißtrauisch, was für eine Spannung, was für ein Mangel an Vertrauen, was für ein verkrampfter Widerstand in allen Zügen! Es ist die Anspannung, die von der Einsamkeit herrührt. Man kann sie erklären, und jede Erklärung hat Gültigkeit, und doch nennt keine den wirklichen Grund… Ich kenne Mütter mit sechs Kindern, in genau solcher Einsamkeit, mit dem entsprechenden verkrampften, feindseligen Gesichtsausdruck, und ich kenne bürgerliche Junggesellen, die schon ihre Handschuhe mit einer Überbesorgtheit ausziehen, als bestünde ihr Leben aus einer Reihe von Zwangshandlungen. Und je künstlicher die Gemeinschaften sind, die von Politikern und Propheten in die Welt gerufen werden, je zwangsmäßiger schon die Kinder zu einem Gemeinschaftsgefühl erzogen werden, um so unerbittlicher ist in den Seelen die Einsamkeit. Du glaubst das nicht? Ich weiß es. Und ich werde nicht müde, es zu sagen.

Hätte ich einen Beruf, der mir erlaubte, zu den Menschen zu reden, weißt du, wäre ich Priester oder Künstler, Schriftsteller, würde ich sie anflehen, anspornen, sich zur Freude zu bekehren. Die Einsamkeit zu verlassen, sich aus ihr zu lösen. Das ist vielleicht nicht nur ein Wunschbild.

Und auch keine gesellschaftliche Frage. Es ist eine Frage der Erziehung, des Erwachens. Heutzutage haben die Menschen einen so glasigen Blick, als wären sie Schlafwandler. Glasig und mißtrauisch… Bloß habe ich keinen solchen Beruf.

Doch einmal bin ich einem Gesicht begegnet, dem diese verkrampfte Unzufriedenheit, diese mißtrauische, benommene Anspannung fehlte.

Ja, du hast sie vorhin gesehen. Aber das Gesicht, das du gesehen hast, ist nur noch eine Maske, das Kunstgesicht zu einer Rolle. Als ich das Gesicht zum erstenmal sah, war es offen, so erwartungsvoll, strahlend und offen, wie es das Gesicht der Menschen zu Beginn des Lebens gewesen sein muß, als sie noch nicht vom Baum der Erkenntnis gegessen hatten und Schmerz und Angst noch nicht kannten. Dann wurde es allmählich ernster. Die Augen begannen zu beobachten, der Mund, dieser gespaltene, selbstvergessen offene Mund, schloß sich, wurde härter. Judit Áldozó, so hieß sie. Ein Bauernmädchen. Sie war mit sechzehn zu uns gekommen, als Dienstmädchen in mein Elternhaus. Wir hatten nichts miteinander. Das war das Problem, sagst du? … Das glaube ich nicht. Man sagt solche Dinge, aber das Leben mag diese billigen Weisheiten nicht. Es ist bestimmt kein Zufall, daß ich kein Verhältnis mit diesem Bauernmädchen hatte, das ich später geheiratet habe.

Aber das war meine zweite Frau. Du möchtest von der ersten hören. Ja nun, mein Lieber, die erste, die war ein großartiges Geschöpf. Intelligent, aufrichtig, schön, gebildet. Du siehst, ich rede von ihr wie in einem Heiratsinserat. Oder wie Othello, als er sich aufmacht, Desdemona zu töten: »*So fein mit der Nadel,*

*bewundrungswürdig in der Musik! Oh, sie würde die Wild-
heit eines Bären wegsingen.«* Soll ich noch hinzufügen,
daß sie die Literatur liebte und ebenso die Natur? Denn
ich kann es ruhigen Gewissens sagen. So preisen in den
Provinzblättern pensionierte Oberförster ihre jünge-
ren Schwestern an, mit der Einschränkung eines kleinen
körperlichen Gebrechens. Die aber, die erste, hatte nicht
einmal das. Sie war jung, schön und sensibel... Was dann
das Problem war? Warum ich mit ihr nicht leben konnte?
Was gefehlt hat? Die physischen Freuden? Nein, das
stimmt nicht, ich würde lügen, wenn ich das sagte. Ich
habe mit ihr im Bett mindestens so viele gute Momente
gehabt wie mit anderen Frauen, jenen berufenen Kämp-
ferinnen im Zweikampf der Liebe. Ich halte nichts von
den Don Juans, ich glaube nicht, daß man gleichzeitig
mit mehreren Frauen leben darf. Man muß aus einem einzigen Menschen das Instrument machen, das sämtliche
Melodien wiederzugeben vermag. Manchmal tun mir die
Menschen leid: Sie greifen so sinn- und hoffnungslos nach
allen Seiten... Man möchte ihnen auf die Hand schlagen
und sagen: »Laß das! Nimm die Hände weg! Sitz anständig da. Es wird jeder bekommen, was ihm zusteht, der
Reihe nach.« Sie sind wirklich wie gierige Kinder. Sie wissen nicht, daß ihre Ruhe manchmal nur von der Geduld
abhängt, daß die Harmonie, die sie mit einem ungenauen
Wort Glück nennen, aus ganz einfachen Griffen entsteht
und nicht mit verkrampfter Aufmerksamkeit gesucht zu
werden braucht... Sag, warum wird die Beziehung zwischen Männern und Frauen nicht in den Schulen gelehrt?
Ich meine das ernst. Das ist doch mindestens so wichtig wie die Geographie der Berge und Gewässer unserer
Heimat oder wie die Grundlagen der richtigen Konver-

sation. Davon hängt doch die Seelenruhe der Menschen mindestens so sehr ab wie vom Anstand und von der Orthographie. Ich denke da nicht an irgendwelche frivolen Fächer, ich meine nur, daß intelligente Menschen, Dichter, Ärzte, die Freuden, die Möglichkeiten des Zusammenlebens von Männern und Frauen rechtzeitig lehren sollten. Es geht also nicht um das »Geschlechtsleben«, sondern um die Freude, die Geduld, die Bescheidenheit, die Zufriedenheit. Wenn ich die Menschen verachte, so verachte ich am ehesten diese Feigheit – die Feigheit, mit der sie das Geheimnis ihres Lebens vor sich und der Welt verbergen.

Versteh mich nicht falsch. Auch ich mag die vollmundige, schmatzende Selbstdarstellung, den seelischen Exhibitionismus nicht. Aber ich mag die Wahrheit. Natürlich verschweigt man sie meistens, weil nur Kranke oder Egomanen oder ähnlich veranlagte Wesen ihre Geheimnisse herumzeigen. Aber es ist immer noch besser, die Wahrheit zu hören, als verlogen zu reden. Leider habe ich, wo immer ich mich hinwandte im Leben, zumeist nur Lügen gehört.

Du fragst, was die Wahrheit sei und wie Heilung und Fähigkeit zur Freude möglich seien. Ich will es dir sagen, mein Lieber. Mit zwei Wörtern. Demut und Selbsterkenntnis. Das ist das ganze Geheimnis.

Demut, das ist vielleicht ein zu großes Wort. Dazu braucht es schon Gnade, einen außergewöhnlichen Seelenzustand. Im Alltag reichen auch Bescheidenheit und das Bemühen, unsere wirklichen Sehnsüchte und Neigungen zu erkennen. Und daß wir sie uns ohne Hemmungen eingestehen. Und sie dann mit den gegebenen Möglichkeiten in Einklang bringen.

Du lächelst, wie ich sehe. Du sagst, wenn das alles so einfach ist, wenn es für das Leben einen Leitfaden gibt, warum es mir dann nicht gelungen sei? Schließlich habe ich mit zwei Frauen experimentiert, voll und ganz, auf Leben und Tod. Ich könne nicht einmal sagen, das Leben habe mir seine Schutzengel vorenthalten. Und doch sei ich gescheitert, mit beiden, und sei allein geblieben. Umsonst die Selbsterkenntnis, umsonst die Demut, die großen Vorsätze. Ich sei gescheitert und rede jetzt einfach so daher. Das denkst du, stimmt's?

Ich muß dir also erzählen, wie die erste war und warum die Sache schiefgegangen ist. Die erste war vollkommen. Und ich kann auch nicht sagen, ich hätte sie nicht geliebt. Sie hatte bloß einen einzigen kleinen Fehler, für den sie aber wirklich nichts konnte. Du brauchst nicht an einen seelischen Mangel zu denken. Das Problem war einfach, daß sie eine Bürgerliche war, die Arme. Versteh mich nicht falsch, ich bin ja auch ein Bürger. Ich bin es bewußt, kenne die Fehler und Laster meiner Klasse genau, und ich nehme sie, die Klasse, das bürgerliche Schicksal, auf mich. Ich mag die Salonrevolutionäre nicht. Man soll denen treu bleiben, mit denen man durch Abstammung, Erziehung, Interessen und Erinnerungen verbunden ist. Alles, was ich bin, verdanke ich dem Bürgertum: meine Erziehung, meine Lebensweise, meine Ansprüche und auch die reinsten Augenblicke meines Lebens, die großen Augenblicke des gemeinsamen Eingeweihtseins in eine bestimmte Kultur... Jetzt ist immer wieder davon die Rede, daß diese Klasse eingehen wird, nachdem sie ihren Zweck erfüllt hat und für die führende Rolle, die sie in den vergangenen Jahrhunderten innehatte, nicht länger geeignet ist. Davon verstehe ich nichts. Ein Gefühl sagt mir, daß man das Bürgertum ein bißchen allzu eifrig und ungeduldig begräbt; vielleicht ist in dieser Klasse noch eine Kraft verblieben, vielleicht wird sie in der Welt noch eine Rolle spielen, vielleicht wird gerade das Bürgertum die Brücke sein, auf der die Revolution mit der Ordnung zusammentrifft. Wenn ich sage, daß meine erste Frau eine Bürgerliche war, ist das keine Anklage, sondern die Feststellung eines Seelenzustands. Auch ich bin hoffnungslos bürgerlich. Und meiner Klasse treu. Wenn sie angegriffen wird, verteidige ich sie. Aber ich verteidige sie nicht blind, nicht voreingenommen. Ich will in der gesellschaftlichen Stellung, die mir zuteil geworden ist, klar sehen, und deshalb muß ich wissen, was unser Vergehen war, ob es wirklich eine bürgerliche Krankheit gegeben hat, an der diese Klasse eingegangen ist. Doch darüber habe ich mit meiner Frau natürlich nie geredet.

Was also das Problem war? Wart mal. Erstens, daß ich die Art von Bürger war, welche die Rituale kennt.

Ich war reich, die Familie meiner Frau war arm. Doch Bürgerlichkeit ist keine Frage des Geldes. Ja, nach meiner Erfahrung klammern sich gerade die armen Bürger krampfhaft an die bürgerliche Mentalität und Lebensform. Der Reiche wird nie so peinlich genau an den gesellschaftlichen Sitten festhalten, an der bürgerlichen Ordnung, an den Anstandsregeln und Ehrbezeigungen, wie es die Kleinbürger in jedem Augenblick ihres Lebens zu ihrer Rechtfertigung brauchen, wie etwa der Bürovorstand, der genau Buch führt über die mit der Lohnklasse steigenden Wohnansprüche, Kleidervorschriften und Regeln des Gesellschaftslebens... Der Reiche ist für ein gedämpftes Abenteurertum immer zu haben, er ist bereit, sich einen Bart anzukleben und über eine Strickleiter für eine Zeit aus dem vornehmen, langweiligen Gefängnis des Besitzes zu verschwinden. Es ist meine heimliche Überzeugung, daß sich der Reiche von morgens bis abends langweilt. Der Bürger jedoch, der nur seinen Status hat, aber kein Geld, beschützt mit dem pedantischen Heldentum eines Kreuzritters die Ordnung, zu der er gehört, die bürgerlichen Regeln und Prinzipien. Nur der Kleinbürger ist förmlich. Er braucht das, denn er muß bis zu seinem Lebensende etwas beweisen.

Meine Frau wurde sorgfältig erzogen. Sie konnte Sprachen, kannte den Unterschied zwischen guter Musik und wohlfeiler Melodie, zwischen Literatur und den verlogenen, billigen Texten. Sie wußte, warum ein Bild von Botticelli schön ist und was Michelangelo mit der *Pietà* sagen wollte. Genauer besehen erfuhr sie das alles doch eher von mir, auf Reisen, aus Büchern und im vertrauten Gespräch. Von der Erziehung, die sie zu Hause und in der Schule bekommen hatte, war die Bildung nur als eine Art strenger Lektion übriggeblieben. Ich bemühte mich, das Krampfhafte dieser Lektion zu lockern, aus ihr ein lebendiges, warmes Erleben zu machen. Das war nicht einfach. Sie hatte ein hervorragendes Gehör, auch im übertragenen Sinn des Wortes; sie fühlte, daß ich sie erziehen wollte, und war gekränkt. Es gibt viele Arten, gekränkt zu sein. Du weißt ja, die kleinen Unterschiede... Der eine weiß etwas, weil er in glücklicheren Umständen geboren ist und Gelegenheit hatte, Einblick zu nehmen in das zarte Geheimnis, aus dem die echte Bildung besteht. Der andere hingegen hat bloß die Lektion gelernt. Das gibt es auch. Bis man das alles erfahren hat, vergeht das Leben.

Für den Kleinbürger, mein Lieber, ist Bildung und alles, was damit zusammenhängt, nicht Erlebnis, sondern Information. Und dann hat das Bürgertum auch noch eine obere Schicht, bestehend aus den Künstlern, aus den kreativ Schaffenden. Zu diesen habe ich gehört. Ich sage das nicht überheblich, sondern traurig. Denn am Ende habe ich nichts geschaffen. Etwas hat gefehlt... Was eigentlich? Lázár sagte, der Heilige Geist. Aber das hat er nie näher erklärt.

Was war das Problem mit der ersten Frau? Empfindlichkeit, Eitelkeit. Am Grund der menschlichen Miseren und Unglücksfälle findet man meistens das. Die Eitelkeit. Den Dünkel. Die Angst, weil man aus Eitelkeit das Geschenk der Liebe nicht anzunehmen wagt. Es braucht viel Mut, sich vorbehaltlos lieben zu lassen. Mut, wenn nicht sogar Heldentum. Die meisten Menschen vermögen Liebe weder zu geben noch zu nehmen, weil sie feig und eitel sind und Angst haben. Man schämt sich, wenn man Liebe gibt, und noch mehr schämt man sich, wenn man sich dem andern überläßt und das Geheimnis preisgibt. Das traurige Geheimnis, daß man Zärtlichkeit braucht, daß man ohne sie nicht leben kann. Ich glaube, das ist die Wahrheit. Jedenfalls habe ich das lange geglaubt. Jetzt behaupte ich es nicht mehr so unbedingt, weil ich gescheitert bin. In welcher Hinsicht gescheitert? Ich sage es doch, genau in dieser Hinsicht. Ich war nicht mutig genug für die Frau, die mich liebte, ich vermochte ihre Zärtlichkeit nicht entgegenzunehmen, ich schämte mich, ein bißchen sah ich auch auf sie hinunter, weil sie anders war, eine Kleinbürgerin, und einen anderen Geschmack, einen anderen Lebensrhythmus hatte. Und dann hatte ich Angst um mich, um meine Eitelkeit, hatte Angst, mich der edlen und komplizierten Erpressung auszuliefern, mit der man von mir Liebe forderte. Damals wußte ich noch nicht, was ich heute weiß ... Ich wußte nicht, daß es im Leben nichts gibt, wofür man sich zu schämen braucht. Nur die Feigheit, die einen hindert, Gefühle zu geben oder anzunehmen, ist schmachvoll. Es ist fast eine Frage der Aufrichtigkeit. Und an sie glaube ich. In Schande kann man nicht leben.

Prosit. Ich mag diesen Wein, auch wenn er ein bißchen verschleiert süß ist. In letzter Zeit habe ich mir angewöhnt, abends eine Flasche aufzumachen. Bitte, hier hast du Feuer.

Kurz und gut, mit der ersten war das Problem unser unterschiedlicher Lebensrhythmus. Im Kleinbürger ist immer etwas Steifes, Verschrecktes, Gekünsteltes und Verstörtes, besonders wenn man ihn aus seinem Zuhause und seiner Umgebung herausholt. Ich kenne keine andere Klasse, deren Kinder mit einem solchen erschreckten Mißtrauen durch die Welt laufen. Von dieser Frau, der ersten, hätte ich vielleicht alles bekommen, was ein Mann von einer Frau bekommen kann, wenn sie in glücklicheren Umständen geboren wäre, ein Stufe tiefer oder höher, also freier. Weißt du, sie kannte alles und wußte alles. Sie wußte, welche Blumen im Herbst und im Frühling in die alte florentinische Vase gehörten, sie kleidete sich korrekt und maßvoll, in Gesellschaft machte sie mir nie Schande, sie sagte und antwortete genau so, wie es sich gehört, unser Haushalt war mustergültig, die Dienstboten verrichteten geräuschlos ihre Arbeit, denn meine Frau hatte sie dazu erzogen. Wir lebten wie in einem Anstandsbuch. Aber wir lebten auch im anderen Bereich unseres Lebens so, im echten Bereich, dem Urwald mit den Wasserfällen, wie es das andere Leben ist. Ich denke jetzt nicht nur ans Bett. Daran auch, natürlich. Auch das Bett ist Urwald und

Wasserfall, Erinnerung an etwas Archaisches, Unbedingtes, an ein Erlebnis, dessen Inhalt und Sinn das Leben ist. Wenn das ausgedünnt und zu einem Park gemacht wird, bleibt etwas sehr Schönes, Gepflegtes und Schmuckes, bleiben angenehm duftende Blumen, pittoreske Baumgruppen, hübsche Büsche, plätschernde, schillernde Springbrunnen, doch mit Urwald und Wasserfall, dem uralten Ort unserer Sehnsucht, hat es ein Ende.

Es ist eine große Rolle, die der Bürgerlichkeit. Niemand zahlt wohl so viel für die Bildung wie der Bürger. Eine große Rolle, und wie für alle echten Heldenrollen ist der volle Preis zu entrichten. Er besteht aus dem Mut, den es für das Glück braucht. Für den Künstler ist Bildung ein Erlebnis. Für den Bürger ist Bildung das Wunder der Dressur. Davon war dort drüben natürlich nicht die Rede, in dem glücklichen, von verschiedensten Menschen und neuen Lebensformen brodelnden, sprudelnden Peru. Aber ich habe eben in Budapest gelebt, auf dem Rózsadomb. Man muß die Lebensbedingungen seines Himmelsstrichs in Betracht ziehen.

Dann ist vieles passiert, das ich nicht erzählen kann. Diese Frau lebt noch, allein. Manchmal sehe ich sie. Wir verabreden uns nicht, denn sie liebt mich noch immer. Weißt du, sie ist nicht die Art Frau, von der man sich scheiden läßt, und dann schickt man ihr pünktlich am Ersten das Unterhaltsgeld und zu Weihnachten und zum Geburtstag einen Pelzmantel oder Schmuck, und damit ist es abgetan. Sie liebt mich noch immer und wird wohl nie jemand anderen lieben. Sie ist mir auch nicht böse, denn wenn sich zwei Menschen wirklich geliebt haben, kann es zwischen ihnen keinen wirklichen Zorn geben. Wut, ja, oder Rachegelüste, aber Zorn, den zähen, berechnenden, lauernden Zorn… nein, das ist unmöglich. Sie lebt, und vielleicht wartet sie gar nicht mehr auf mich. Sie lebt und stirbt allmählich. Sie stirbt edel, fein und still, weil ihr Leben keinen neuen Inhalt bekommt, weil man nicht ohne das Gefühl leben kann, daß man auf der Welt gebraucht wird, von jemandem, der gerade dich und niemand anderen braucht. Das weiß sie wahrscheinlich nicht. Vielleicht meint sie, sie sei zur Ruhe gekommen. Einmal ist mir eine Frau über den Weg gelaufen, so ein Ballnachtabenteuer, eine Jugendfreundin meiner Frau, die vor nicht langer Zeit aus Amerika zurückgekommen war. Wir haben uns in einer Karnevalsnacht kennengelernt, und sie ist fast ohne Aufforderung mit mir in meine Wohnung gekommen. Gegen Morgen hat sie erzählt, daß Ilonka einmal von mir gesprochen habe. Du weißt ja, wie beflissen Freundinnen sind. Na, auch die hat alles erzählt. Sie erzählte, im Bett des Exmannes ihrer Freundin, am Morgen, nachdem wir uns kennengelernt hatten, daß sie im Internat immer auf Ilonka eifersüchtig gewesen sei, sie erzählte, daß sie mich in einer Konditorei in der Innenstadt gesehen habe, daß sie dort mit meiner Frau gesessen habe, und auf einmal sei ich hereingekommen und habe kandierte Orangenschalen gekauft, für meine zweite Frau, und aus einer Brieftasche aus braunem Krokodilleder bezahlt. Diese Brieftasche hatte ich zum vierzigsten Geburtstag von meiner ersten Frau bekommen. Ich benutze sie nicht mehr, schau mich nicht mit einem so skeptischen Lächeln an. Also, dann haben die beiden Frauen, die erste und die Freundin, alles durchgeredet. Und die erste hat der Freundin ungefähr gesagt, sie habe mich sehr geliebt und sei fast gestorben, als wir uns scheiden ließen, aber dann habe sie sich beruhigt, weil sie gemerkt habe, daß ich nicht der Richtige gewesen sei, genauer, auch ich sei nicht der Richtige gewesen, oder wenn möglich noch genauer, es gebe den Richtigen gar nicht. So hat es die Freundin erzählt, am Morgen, in meinem Bett. Ich verachtete sie ein wenig, denn obwohl sie das alles wußte, hatte sie sich mir an den Hals geworfen. In Liebesangelegenheiten mache ich mir zwar keine Illusionen über die Solidarität unter Frauen, aber diese Freundin verachtete ich doch ein bißchen, und ich warf sie taktvoll und höflich hinaus. Ich hatte das Gefühl, das zumindest sei ich der ersten schuldig. Und dann habe ich lange nachgedacht. Und mit der Zeit begann ich zu spüren, daß Ilonka gelogen hatte. Es stimmt nicht, daß es den Richtigen nicht gibt. Für sie war ich es gewesen, jener einzige. Ich selbst hatte nie eine gehabt, die so wichtig gewesen wäre, weder die erste noch die zweite, auch nicht die anderen. Aber damals wußte ich das noch nicht. Man lernt die Lektion entsetzlich langsam.

So. Von der ersten weiß ich nichts mehr zu berichten.

Es tut nicht mehr weh, und ich habe keine Schuldgefühle, wenn ich an sie denke. Ich weiß, daß wir sie ein bißchen umgebracht haben, ich, das Leben, der Zufall, die Tatsache, daß das Kind gestorben ist... Das alles hat sie ein wenig getötet. So tötet das Leben. Was man in der Zeitung liest, ist nur grobe Übertreibung, Stümperei. Und wenn das Leben etwas hervorbringt, so ist auch das etwas Kompliziertes. Und es arbeitet mit einem unglaublichen Verschleiß. Um die einzelnen Ilonkas kann es sich nicht kümmern, sondern immer nur um das Ganze, um alle Ilonkas, Judits, Péters zusammengenommen, denn es will mit allen zusammen etwas sagen und ausdrücken. Das ist eine wohlfeile Erkenntnis, aber es braucht lange, bis man sie gewonnen hat und sich mit ihr abfindet. Ich habe nachgedacht, und allmählich sind aus meinem Herzen die Gefühle und Affekte verflogen. Geblieben ist nur die Verantwortung. Von allem Erleben bleibt bei einem Mann schließlich immer das übrig. Wir bewegen uns zwischen Lebenden und Toten, und wir sind verantwortlich. Helfen können wir nicht. Aber ich wollte ja von der zweiten reden. Ja, von der, die vorhin hinausgegangen ist, zusammen mit dem untersetzten Herrn.

Wer diese zweite war? ... Na, mein Alter, das war keine Bürgerliche. Sondern eine Proletarierin. Eine richtig proletarische Frau.

Ich soll erzählen? ... Na gut. Paß auf. Ich will die Wahrheit sagen.

Diese Frau ist Dienstmädchen gewesen. Sie war sechzehn, als ich sie kennenlernte. Sie diente bei uns als Mädchen für alles. Ich will dich nicht mit Jugendlieben langweilen. Aber ich erzähle dir, wie es anfing und wie es endete. Was dazwischen war, sehe ich selbst vielleicht noch nicht ganz klar.

Es fing damit an, daß bei uns zu Hause niemand den anderen zu lieben wagte. Meine Mutter und mein Vater lebten in einer »idealen« Ehe, also in einer gräßlichen. Nie ein lautes Wort. Lieber, worauf hättest du Lust? Meine Teure, was kann ich für dich tun? So haben sie gelebt. Vielleicht nicht einmal schlecht. Jedenfalls nicht gut. Vater war stolz und eitel. Mutter war eine Bürgerliche, im wahrsten Sinn des Wortes. Verantwortungsgefühl und Zurückhaltung. Sie lebten und starben, sie liebten sich und gebaren und erzogen mich, als wären sie die Zelebranten eines überpersönlichen Rituals. Alles bei uns war ein Ritual, das

Frühstück und das Abendessen, das Gesellschaftsleben, der Kontakt zwischen Kindern und Eltern, und ich glaube, auch die Liebe zwischen den beiden, oder was man so nennt, auch das war etwas unpersönlich Rituelles. Als müßten sie fortwährend über etwas Rechenschaft ablegen. Wir lebten nach genau bemessenen Plänen. Neuerdings machen ja große Völker solche Vier- oder Fünfjahrespläne, zum Segen der Nation, Pläne, die sie dann auf Biegen und Brechen durchpeitschen, ob es den Staatsbürgern gefällt oder nicht. Denn es geht nicht darum, daß sich der einzelne wohl fühlt oder womöglich glücklich ist, sondern daß dank der Durchführung des Vier- oder Fünfjahresplans die große Gemeinschaft, das Volk oder die Nation, über die Runden kommt. Wir haben in der nahen Vergangenheit viele solcher Beispiele gesehen. Also, auch bei uns zu Hause haben wir so gelebt, und nicht bloß nach Vier- oder Fünfjahresplänen, sondern nach Vierzig- und Fünfzigjahresplänen, ohne Rücksicht auf unser persönliches Glück. Denn die Rituale, die Arbeit, die Ehe, der Tod, das alles hatte eine tiefere Bedeutung, nämlich die Erhaltung und Stärkung der Familie und der bürgerlichen Ordnung.

Wenn ich meine Kindheitserinnerungen überdenke, sehe ich, daß alles unterlegt ist von diesem peinlichen, düsteren Zielbewußtsein. Wir verrichteten Zwangsarbeit, eine reiche, verfeinerte, unerbittliche und gefühllose Zwangsarbeit. Etwas mußte täglich aufs neue gerettet, mußte mit jeder Handlung bewiesen werden: daß wir eine Klasse sind. Die bürgerliche Klasse. Die Bewahrer. Wir haben eine wichtige Aufgabe, wir müssen das Prestige wahren, wir dürfen dem Aufruhr der Instinkte und der Plebejer nicht nachgeben, wir dürfen nicht zurückweichen und nicht für das persönliche Glück leben. Ob das eine bewußte Haltung gewesen sei, fragst du... Nun, ich sage nicht gerade, daß mein Vater oder meine Mutter jeweils am Sonntag eine Programmrede hielten, in der sie den Fünfzigjahresplan der Familie umrissen. Aber ich kann auch nicht sagen, daß wir einfach nur dem unzweideutigen Gebot der Situation und der Abstammung gehorchten. Wir wußten sehr wohl, daß uns das Leben für eine harte Aufgabe ausersehen hatte. Nicht nur das Haus und der schöne Lebensmodus und die Coupons und die Fabrik mußten gewahrt werden, sondern auch der Widerstand, der die tiefere Bedeutung und der höhere Befehl unseres Lebens war. Der Widerstand gegen die plebejischen Kräfte in der Welt, die unser Selbstgefühl verderben und uns fortwährend zu Freiheiten verlocken wollten. Der Widerstand, mit dem wir jegliche Neigung zum Aufbegehren nicht nur in der Welt, sondern in uns selbst unterdrücken mußten. Alles war verdächtig und gefährlich. Wir paßten auch in unseren vier Wänden auf das ungestörte Funktionieren der heiklen und grausamen Gesellschaftsmaschinerie auf, und zwar durch die Art und Weise, wie wir die Phänomene der Welt beurteilten, wie wir unsere Sehnsüchte abfertigten, unsere Triebe disziplinierten. Bürger zu sein ist eine fortwährende Anstrengung. Ich spreche jetzt von der schöpferischen, bewahrenden Art Bürger, nicht vom kleinbürgerlichen Streber, der einfach nur schöner und bequemer leben will. Wir wollten keineswegs bequemer und auch nicht luxuriöser leben. Am Grunde unserer Haltung, unserer Gewohnheiten war eine bewußte Selbstverleugnung. Wir fühlten uns ein bißchen wie Mönche, wie die Verschworenen eines heidnischen, weltlichen Ordens, der Geheimnisse und Regeln hütet in einer Zeit, da alles Sakrale gefährdet ist. Auf die Art aßen wir zu Mittag. Auf die Art gingen wir einmal wöchentlich ins Nationaltheater oder in die Oper. Auf die Art empfingen wir unsere Gäste, die anderen Bürger, die in dunkler Kleidung kamen, sich in den Salon oder ins Kerzenlicht des mit edlem Silber und Porzellan und erlesenen Gerichten angefüllten Speisezimmers setzten und etwas redeten, das steriler und überflüssiger nicht sein konnte. Doch diese sterilen Gespräche hatten noch einen tieferen Sinn. Als ob sie unter Barbaren lateinisch miteinander redeten. Jenseits der höflichen Sätze, der gleichgültigen, nichtssagenden Konversation, jenseits der Gemeinplätze und des gesellschaftlichen Geplauders bedeuteten diese Gespräche, daß sich die Bürger zum Ritual, zur edlen Verschwörung versammelt hatten und jetzt in Gleichnissen – denn sie nannten nie etwas beim Namen – erneut schworen und bekräftigten, daß sie den Aufrührerischen gegenüber das Geheimnis und die Übereinkunft hüten würden. So lebten wir. Auch einander gaben wir immer Rechenschaft. Mit zehn Jahren war ich schon so selbstbewußt und still, aufmerksam und diszipliniert wie der Präsident einer Großbank.

Ich sehe, du staunst. Du hast diese Welt nicht gekannt. Du bist der Schöpfer, du beginnst in deiner Familie die Lektion neu, du bist der erste, der in eine höhere Klasse aufgestiegen ist. In dir ist nur Ehrgeiz. In mir war nur Erinnerung, Tradition, Pflichtbewußtsein. Vielleicht verstehst du gar nicht, wovon ich da rede. Nimm's mir nicht übel.

Ich will es also erklären, so gut ich kann.

Die Wohnung war immer ein bißchen dunkel. Es war eine schöne Wohnung, das heißt ein Haus mit Garten, und es wurde immer etwas verbessert und ausgebaut. Ich hatte im ersten Stock ein eigenes Zimmer, im Nachbarzimmer schliefen die Gouvernanten. Ich glaube, als Kind und als Jugendlicher war ich nie allein. Zu Hause wurde ich genauso dressiert wie später im Internat. Dressiert wurde das wilde Tier in mir, der Mensch, der zum guten Bürger werden und den Dressurakt perfekt beherrschen mußte. Vielleicht sehnte ich mich deshalb mit so dumpfer Hartnäckigkeit nach dem Alleinsein. Jetzt lebe ich allein, seit einiger Zeit habe ich nicht einmal mehr einen Diener. Nur eine Zugehfrau kommt hin und wieder vorbei, wenn ich nicht zu Hause bin, und reinigt mein Zimmer vom Abfall des Lebens. Endlich ist niemand mehr um mich herum, der mich überwacht, beobachtet und prüft... Ich sage dir, es gibt im Leben auch große Befriedigungen und Freuden. Sie kommen spät und in verzerrter, unerwarteter Gestalt. Aber sie kommen. Als ich nach meiner Jugend im Elternhaus, nach zwei Ehen und zwei Scheidungen in meiner jetzigen Wohnung allein blieb, fühlte ich zum erstenmal im Leben die traurige Erleichterung, etwas zu Ende gelebt, ein Ziel erreicht zu haben. Du weißt, wie jemand, der aus lebenslänglicher Haft plötzlich in die Freiheit entlassen wird, begnadigt wegen guter Führung, und zum erstenmal seit Jahrzehnten schlafen kann, ohne sich vor dem Wärter fürchten zu müssen, der auf seiner Runde auch nachts durch das Guckloch hereinschaut. Das Leben schenkt auch solche Freuden. Sie kosten zwar viel, aber immerhin bekommt man sie.

Freude ist natürlich nicht ganz das richtige Wort... Eines Tages wird man still. Man sehnt sich nicht mehr nach Freude, aber man fühlt sich auch nicht betrogen und beraubt. Eines Tages sieht man ganz klar, daß man alles bekommen hat, Strafe und Belohnung, von allem so viel, wie einem zusteht. Die Dinge, für die man zu feige war oder vielleicht nur zuwenig heldenhaft, hat man nicht bekommen. Das ist alles. Es ist keine Freude, sondern ein Sichabfinden, ein Verstehen und eine Ruhe. Auch so etwas tritt einmal ein. Nur ist der Preis dafür sehr hoch.

Wie gesagt, bei uns zu Hause spielten wir fast bewußt die Rolle des Bürgers. Wenn ich an meine Kindheit zurückdenke, sehe ich dunkle Zimmer. In den Zimmern eine Aufstellung von prachtvollen Möbeln, wie in einem Museum. Es wird dauernd geputzt. Manchmal mit Lärm und elektrischen Geräten, bei weit geöffneten Fenstern, mit Unterstützung von ausgeliehenem, sachverständigem Personal. Manchmal unsichtbar und unhörbar. Immer aber ist es so, als ob jeder, der in ein Zimmer tritt, Dienstbote oder Familienmitglied, gleich etwas zurechtrücken müßte, ein Staubkörnchen vom Flügel bliese, einen Gegenstand abklopfte, die Troddeln einer Gardine ordnete. Wir schonten diese Wohnung, als wäre alles, die Möbel, die Gardinen, die Bilder und die Gebräuche, eine einzige große Ausstellung, gleichzeitig Museum und Kunstwerk, etwas, das man dauernd hegen und pflegen mußte, wobei man in den Räumen auf Zehenspitzen zu gehen hatte, da es sich nicht schickte, zwischen diesen ehrwürdigen Dingen ungehemmt herumzulaufen und laut zu reden. Vor den Fenstern hingen mehrere Vorhänge, die auch im Sommer die Helligkeit schluckten. Hoch oben an der Decke verstreuten achtarmige Kronleuchter ihr Licht ziellos in den Zimmern, in deren Halbdunkel alles ein bißchen verschwamm.

Es standen Glasvitrinen herum, voller Gegenstände, an denen Personal und Hausbewohner ehrfürchtig vorbeigingen, die aber nie von jemandem in die Hand genommen, nie aus der Nähe betrachtet wurden. Da gab es Altwiener Porzellantassen mit Goldrand und chinesische Vasen und Miniaturen, Porträts von völlig unbekannten ausländischen Damen und Herren, Fächer aus Elfenbein, mit denen sich nie jemand fächelte, und winzige Gegenstände aus Gold, Silber und Bronze, Krüge, Tiere, kleine Schüsseln, die nie jemand gebrauchte. In einem Schrank wurde »das« Silber verwahrt wie die heiligen Schriftrollen in der Bundeslade. Dieses Silber wurde wochentags nie verwendet, genausowenig wie die Damasttischtücher und das feine Porzellan. Alles wurde nach dem geheimen Gesetz des Hauses für eine unvorstellbare Feier aufbewahrt, bei der dann für vierundzwanzig Personen gedeckt würde. Doch es wurde nie für vierundzwanzig Personen gedeckt. Natürlich kamen auch zu uns Gäste, und dann wurden »das« Silber und der Damast und die Artefakte aus Porzellan und Glas hervorgeholt, und das Mittag- oder Abendessen verlief nach einem so pedantischen Ritual, als ginge es gar nicht ums Essen, sondern um die Ausführung eines komplizierten Auftrags, der vielleicht darin bestand, in der Konversation nie einen Fehler zu machen oder keinen Teller, kein Glas zu zerbrechen.

Das kennst du ja auch; worüber ich jetzt rede, ist das Gefühl, das mich in dieser Wohnung, in den Zimmern des Elternhauses erfüllte, und zwar nicht nur in der Kindheit, sondern auch später, als ich längst erwachsen war. Ja, es kamen Gäste, zum Abendessen oder sogar als Logierbesuch, wir lebten in der Wohnung, »benutzten« sie auch, doch hinter dem Alltäglichen hatte die Wohnung noch eine tiefere Bedeutung und Aufgabe: Wir hüteten sie in unserem Herzen wie eine Grenzfestung.

Ich werde mich ewig an das Zimmer meines Vaters erinnern. Es war ein großes Zimmer, ein richtiger Saal. An den Türen hingen dicke orientalische Stoffe. An den Wänden verschiedenste Bilder, teure Gemälde in Goldrahmen, die fremde, nie gesehene Wälder darstellten, fernöstliche Häfen und unbekannte, zumeist bärtige Herren aus dem vorigen Jahrhundert. In der einen Zimmerecke stand ein mächtiger Schreibtisch, ein sogenannter Diplomatenschreibtisch, drei Meter lang und anderthalb Meter breit, beladen mit einem Globus, einem Kerzenhalter aus Messing, einer Schreibmappe aus venezianischem Leder und sonstigem edlem Kram. Des weiteren standen schwere Ledersessel um einen runden Tisch herum. Auf dem Kaminsims kämpften zwei Bronzetiere miteinander. Auch auf den Bücherschränken standen Gegenstände aus Bronze, Adler und Pferde sowie ein sprungbereiter Tiger, der einen halben Meter maß. Alles aus Bronze. Und in den Schränken mit den Glastüren die Bücher. Eine Menge Bücher, vielleicht vier- oder fünftausend, ich weiß gar nicht genau. Je in verschiedenen Schränken die Belletristik, dann Werke der Theologie, Philosophie, Soziologie, die in blaues Leinen gebundenen Werke eines englischen Philosophen und allerlei Reihen, wie sie von Vertretern verkauft wurden. Diese Bücher wurden eigentlich von niemandem gelesen. Mein Vater las am liebsten die Zeitung und Reisebeschreibungen. Meine Mutter las zwar, aber nur deutsche Romane. Die Buchhändler schickten von Zeit zu Zeit die Neuerscheinungen, und dann blieben sie bei uns liegen, bis sich der Diener von meinem Vater den Schlüssel erbat und die angesammelten Exemplare in den Schränken unterbrachte. Denn die Schränke wurden sorglich abgeschlossen, angeblich um die Bücher zu schonen. In Tat und Wahrheit wurden die Bücher vor dem Gelesenwerden geschützt, vor der Gefahr, daß es jemandem einfallen könnte, das geheime und gefährliche Material, das in ihnen verborgen ist, zur Kenntnis zu nehmen.

Dieses Zimmer hieß so: Vaters Arbeitszimmer. Im Arbeitszimmer hatte seit Menschengedenken nie jemand gearbeitet, am allerwenigsten mein Vater. Er arbeitete in der Fabrik und im Kasino, wohin er nachmittags ging, unter die Fabrikanten und Kapitalisten, um geruhsam Karten zu spielen, die Zeitung zu lesen und über Politik und Geschäfte zu diskutieren. Mein Vater war ohne Zweifel ein kluger, praktisch veranlagter Mann. Die Fabrik hatte er aus der Werkstatt meines Großvaters zu einem Großbetrieb gemacht, unter seiner Hand wurde sie zu einer der wichtigsten Industrieanlagen des Landes. Dazu brauchte es Kraft, Schlauheit, viel Unerbittlichkeit, Voraussicht, kurz und gut all das, was es eben für ein Unternehmen braucht, bei dem in einem oberen Stockwerk ein Mensch am Schreibtisch sitzt und dank Instinkt und Erfahrung bestimmt, was die Menschen in den unteren Stockwerken tun sollen. An diesem Schreibtisch saß mein Vater vier Jahrzehnte lang. Er war dort an seinem Platz, man achtete ihn, man fürchtete ihn, in der Geschäftswelt nannte man seinen Namen mit Respekt. Ohne Zweifel waren die Geschäftsmoral meines Vaters, seine Ansichten über Arbeit und Geld, Gewinn und Vermögen genau so, wie es die Welt, seine Geschäftsfreunde und seine Familie von ihm erwarteten. Er war ein schöpferischer Mensch, also keineswegs der düster-engherzige Kapitalist, der seine Angestellten ausbeutet, sondern ein schaffensfrohes Talent, das kreatives Arbeiten achtete und besser bezahlte als sture Pflichterfüllung. Doch das war ein anderer Bund,

Vater, die Fabrik und der Klub – was sich zu Hause als Ritual abspielte, war draußen, in der Fabrik, in der Welt ein unverfälschteres, geheimnisvolleres Bündnis.

Der Gesellschaftskreis, dessen Gründungsmitglied mein Vater war, nahm nur Millionäre auf, und es durften nur zweihundert sein, keiner mehr. Wenn eins der Mitglieder starb, wurde mit größter Umsicht, etwa so, wie wenn die Académie Française ein neues Mitglied wählt oder die tibetanischen Mönche unter den Kindern des Hochlands den neuen Dalai Lama suchen, nach einem Millionär gefahndet, der dieser Rolle gewachsen war und den Platz des Verstorbenen ausfüllen konnte. Die Auswahl und die Berufung wurden unter Geheimhaltung durchgeführt. Die Zweihundert spürten, daß sie auch ohne Titel und Amt eine Macht darstellten, vielleicht eine wichtigere als ein Ministerium. Sie waren die andere Macht, die unsichtbare, mit der die offizielle Macht nicht selten in Verhandlungen zu treten und Vereinbarungen zu treffen gezwungen war. Mein Vater war einer dieser Männer.

Das wußten wir zu Hause. Ich betrat das »Arbeitszimmer« stets mit Ehrfurcht und Scheu, blieb vor dem Diplomatenschreibtisch stehen, an dem seit Menschengedenken niemand gearbeitet hatte – nur der Diener rückte jeden Morgen die Kunstgegenstände und Schreibutensilien zurecht –, und ich starrte auf die Porträts der bärtigen Männer, wobei ich mir vorstellte, daß diese düsteren Herren mit dem stechenden Blick in einer ebenso strengen Zweihunderter-Verbindung gelebt hatten wie mein Vater und seine Freunde im Klub. Sie hatten über Bergwerke, Wälder und Werkstätten geherrscht, und aufgrund eines ungeschriebenen Vertrags zwischen dem Leben und der Zeit, aufgrund des ewigen Bündnisses unter einer bestimmten Art von Menschen waren diese Leute stärker und mächtiger als die anderen. Ich dachte mit beklommenem Stolz daran, daß mein Vater zu diesen zeitlos mächtigen Menschen gehörte. Mit beklommenem Ehrgeiz auch, denn ich wollte einmal den Platz meines Vaters in dieser erlauchten Gesellschaft einnehmen. Es hat fünfzig Jahre gebraucht, bis ich gemerkt habe, daß ich nicht zu ihnen gehöre, nicht einer von ihnen bin, so daß ich letztes Jahr endlich aus der Gesellschaft ausgetreten bin, in die ich nach dem Tod meines Vaters hineingewählt worden war, und meinen Posten in der Fabrik aufgegeben und »mich von sämtlichen Aktivitäten zurückgezogen« habe, wie man so sagt. Aber damals wußte ich das natürlich noch nicht. Deshalb stand ich betreten im Allerheiligsten herum, entzifferte die Titel der Bücher, die niemand las, und ich ahnte undeutlich, daß hinter diesen starren Formen und strengen Ziergegenständen etwas Regelmäßiges und kaum Spürbares geschah, nach harten Gesetzen, und wahrscheinlich mußte das so sein, weil es immer so sein muß, wobei es vielleicht doch nicht ganz in Ordnung war, da nie jemand davon sprach. Sobald zu Hause oder in Gesellschaft die Rede auf die Arbeit, das Geld, die Fabrik oder den Kreis der Zweihundert kam, wurden mein Vater und seine Freunde seltsam wortkarg, blickten streng vor sich hin und wechselten das Thema. Da war eine Grenze, weißt du, eine unsichtbare Schranke. Na ja, du kennst das ja. Ich erzähle es trotzdem, denn wenn ich schon angefangen habe, will ich auch alles sagen.

Ich kann aber nicht behaupten, daß unser Leben kalt und ohne jede Herzlichkeit war. Die Familienfeste hielten wir zum Beispiel allesamt sorgfältig ein. Jedes Jahr war bei uns vier- bis fünfmal Weihnachten. Diese Tage, im Kalender zwar nicht rot vermerkt, waren im ungeschriebenen gregorianischen Jahreslauf der Familie wichtiger als die großen christlichen Feste. Nein, falsch, denn auch die Familie hatte einen geschriebenen Kalender: ein in Leder gebundenes Buch, in dem die Geburten, Eheschließungen und Todesfälle genauestens notiert wurden, so sorglich, wie es vielleicht nicht einmal auf dem Standesamt geschieht. Dieses Buch, das Stammbuch der Familie, das Goldene Buch oder was immer, wurde vom Familienoberhaupt geführt. Mein Urgroßvater hatte das Buch vor hundertzwanzig Jahren gekauft, Urgroßvater im schnurverzierten Ungarnrock, das erste namhafte, schaffende und mehrende Mitglied der Familie, seines Zeichens Mühlenbesitzer in der Tiefebene. Er war es, der zum erstenmal den Namen der Familie, *In nomine Dei*, ins schwarzlederne Buch mit dem Pergamentpapier schrieb. Er war *Johannes II.*, Müller und Familiengründer. Und er war es, der geadelt wurde.

Ich selbst habe ein einziges Mal in das Buch geschrieben, nämlich als mein Sohn geboren wurde. Den Tag werde ich nie vergessen. Es war ein nebliger Oktobermorgen. Ich war aus der Klinik nach Hause gekommen, in der peinlich-glücklichen, hilflosen Stimmung, in der man nur einmal im Leben, nur bei der Geburt des Sohnes ist. Mein Vater lebte damals nicht mehr. Ich ging ins Arbeitszimmer, wo ich genauso selten arbeitete, suchte aus einer unteren Schublade des Diplomatenschreibtischs das mit Schnallen verschlossene Buch hervor, öffnete es, nahm die Füllfeder und malte sehr sorgfältig die Buchstaben: *Matthias I.* – und dazu den Tag und die Stunde. Ein großer, feierlicher Augenblick. Wieviel Eitelkeit, wieviel zweitklassiges Material ist in jedem menschlichen Empfinden! Ich hatte das Gefühl, die Familie bestehe fort, auf einmal habe alles einen Sinn, die Fabrik, die Möbel, die Bilder an den Wänden, das Geld auf der Bank. Mein Sohn würde meinen Platz in dieser Wohnung, in der Fabrik, im Kreis der Zweihundert einnehmen. Aber er hat eben gar nichts eingenommen. Darüber habe ich viel nachgedacht, weißt du. Es ist nicht sicher, daß ein Kind, der Nachfolger, eine Antwort auf die eigentlichen Lebensfragen darstellt. Dem Gesetz nach schon, aber das Leben kennt keine Gesetze. Na ja, lassen wir das. Ich wollte ja von Judit Áldozó erzählen.

So also haben wir gelebt. So war meine Kindheit. Es gibt auch schlimmere, ich weiß. Aber solche Dinge sind relativ.

Die Feste, besonders die Familienfeste, hielten wir also getreulich ab. Vaters Geburtstag, Mutters Namenstag und all die anderen hochheiligen Stammesfeiern, mit den Geschenken, der Musik, den Festessen, den Tischreden und flackernden Kerzen. An solchen Tagen wurde ich von der Gouvernante sorgfältig gekleidet, in einen blausamtenen Anzug mit Spitzenkragen, du weißt, ganz der *Kleine Lord*. Das alles war Vorschrift wie beim Militär. Vaters Geburtstag war natürlich das Hauptfest. Da mußten Gedichte auswendig gelernt werden, das Hausvolk versammelte sich im Salon, alle in Festtagskleidung, die Augen blitzten, die Dienstboten küßten meinem Vater mit duckmäuserischer Begeisterung die Hand und dankten für etwas, ich weiß gar nicht recht, wofür. Wahrscheinlich dafür, daß sie das Personal waren und mein Vater nicht. Jedenfalls küßten sie ihm die Hand. Dann kam das große Mittag- oder Abendessen. Aus der Familienschatzkammer waren die schönen Teller, das seltene Silber hervorgeholt worden. Es traf die Verwandtschaft ein, um das reiche und mächtige Familienoberhaupt an seinem großen Fest gebührend zu feiern – und zu beneiden natürlich auch. Wir führten die Familie an. Die armen Verwandten bekamen von Vater monatlich Geld, eine richtige Monatsrente. Diese Rente wurde aber hinter Vaters Rücken für zu niedrig befunden. Da war eine alte Tante, eine gewisse Tante Mária, die den Betrag, den ihr mein Vater aus Erbarmen zukommen ließ, für so gering hielt, daß sie bei den Familienfeiern nie ins Zimmer kommen, sich nie an den festlich gedeckten Tisch setzen wollte. »Für mich ist auch die Küche recht«, pflegte sie zu sagen. »Ich nehme dann in der Küche ein bißchen Kaffee.« So unzufrieden war sie mit dem Betrag, den ihr mein Vater freiwillig, ohne jegliche Verpflichtung, jeden Monat überwies. Man mußte sie richtiggehend in den Salon zerren und beim Essen an den Ehrenplatz setzen. Es ist sehr schwierig, sich unter den Wünschen und Ansprüchen der armen Verwandtschaft auszukennen. Eigentlich ist es gar nicht möglich. Wahrscheinlich braucht es Größe, außerordentliche menschliche Größe, um den Erfolg eines nahen Verwandten zu ertragen. Die meisten sind dazu unfähig, und es ist idiotisch, sich aufzuregen, wenn man sieht, daß sich die Familie in einem subtilen, aus Mißgunst, Rachsucht und Feindseligkeit geflochtenen Bündnis gegen das erfolgreiche Familienmitglied wendet. Denn es gibt immer einen in der Familie, der Geld oder Ruhm oder Einfluß hat, und dieser eine wird dann von den anderen, vom Stamm, gehaßt und ausgenutzt. Mein Vater wußte das, er gab ihnen, soviel er für richtig hielt, und ertrug im übrigen ihre Abneigung mit Gleichmut. Er war ein starker Mensch. Das Geld hatte ihn weder sentimental noch schuldbewußt gemacht. Er wußte genau, wem wieviel zustand, und mehr gab er nicht. Auch nicht, was die Gefühle betrifft. Ein Lieblingswort von ihm war: »Das steht ihm zu.« Oder: »Das steht ihm nicht zu.« Und das war genau abgewogen. Hatte er es einmal ausgesprochen, war es fest und verbindlich wie ein Urteil der Kurie. Es gab nichts mehr zu diskutieren. Bestimmt war auch er ein einsamer Mensch, der sich Sehnsüchte und ihre Befriedigung im Namen des familiären Ansehens versagte. Er verdrängte sie und blieb doch stark, blieb im Gleichgewicht. »Das steht ihm nicht zu«, sagte er manchmal nach längerem Schweigen, wenn meine Mutter oder ein Verwandter nach komplizierten Unterhandlungen und Anspielungen die Bitte eines Familienmitglieds vortrug. Nein, mein Vater war nicht engherzig. Bloß kannte er die Menschen, und er kannte das Geld, das war alles.

Prosit.

Das ist ein ausgezeichneter Wein, was meinst du? Er hat so viel Geist und Kraft! Und ist im Alter gerade richtig, sechsjährig. Das beste Alter für Hunde und Weine. Mit siebzehn stirbt der Weißwein, verliert Farbe und Duft, ist tot wie Glas. Das habe ich gerade jetzt auf dem Badacsony von einem Winzer gelernt. Sei ja nicht gerührt, wenn dir Snobs sehr alten Wein zu trinken geben. Es muß alles gelernt werden.

Wo war ich? ... Ja, das Geld.

Du, warum schreiben die Schriftsteller so oberflächlich über das Geld? Immer schreiben sie vom Geistigen, vom Erhabenen, vom Schicksal, von der Gesellschaft, nur vom Geld reden sie nicht; es scheint ein nebensächliches Requisit zu sein, ein bedruckter Fetzen, den der Inspizient den Schauspielern in die Tasche steckt, wenn es die Handlung erfordert. In Wirklichkeit gibt es um das Geld viel mehr Spannungen, als man es sich eingesteht. Ich spreche jetzt nicht von »Reichtum« und »Armut«, also nicht von den theoretischen Begriffen, sondern vom Geld selbst, diesem alltäglichen, unendlich gefährlichen und merkwürdigen Stoff, diesem Etwas, das explosiver ist als Dynamit; von den achtzehn Pengő und den dreihundertfünfzig Pengő, die wir verdienen oder nicht verdienen, die wir uns oder anderen schenken oder verweigern... Davon reden die Schriftsteller nicht. Und doch bauen sich die großen Spannungen des Lebens um so klägliche Summen auf, die alltäglichen Intrigen, Machenschaften, der Verrat und die kleinen Heldentaten, Verzichte und Opfer werden über dreihundert Pengő zu Tragödien. Wenn nicht das Leben die Spannungen sonst irgendwie auflöst. Vom Reichtum spricht die Literatur wie von einer Art Verschwörung. Das ist er auch, im tieferen Sinn des Wortes. Doch innerhalb des Reichtums, innerhalb der Armut gibt es das Geld, die Beziehung der Menschen zum Geld, ihre Bestechlichkeit durch das Geld oder ihren heroischen Widerstand dagegen, aber nicht das angelegte Geld, sondern die kleinen Summen am Morgen und am Nachmittag und in der Nacht. Mein Vater war reich und ehrte also das Geld. Einen Pengő gab er ebenso bedachtsam aus wie hunderttausend. Einmal sagte er von jemandem, er könne ihn nicht achten, weil er über vierzig sei und kein Geld habe.

Ich war betroffen von dieser Aussage. Ich fand sie herzlos und ungerecht.

»Der Arme«, sagte ich, »er kann ja nichts dafür.«

»Doch«, sagte mein Vater streng. »Er kann etwas dafür. Er ist weder invalid noch krank. Wer mit vierzig nicht so viel Geld hat, wie man es in seiner Lage ohne weiteres hätte verdienen können, der ist entweder feig oder faul oder ein Nichtsnutz. Ich kann einen solchen Menschen nicht achten.«

Und ich, ich bin jetzt über fünfzig. Ich werde alt. Schlafe schlecht, liege die halben Nächte mit offenen Augen im Dunkeln, wie die Anfänger unter den Toten. Ich meine die Wirklichkeit zu kennen. Wozu soll ich mir etwas vormachen? Ich schulde niemandem mehr etwas. Nur mir schulde ich die Wahrheit. Ich glaube, mein Vater hat recht gehabt. Wenn man jung ist, versteht man so etwas nicht. Als ich jung war, schien mir mein Vater ein ungerechter, strenger Kapitalist, dessen Gott das Geld war und der die Menschen nach ihrer Fähigkeit zum Gelderwerb beurteilte. Ich verachtete diese Einstellung, hielt sie für kleinlich und unmenschlich. Dann ist die Zeit vergangen, und alles mußte gelernt werden, die Liebe, die Zuneigung, das Heldentum, die Feigheit, die Ehrlichkeit, alles, also auch das Verhältnis zum Geld. Und jetzt verstehe ich Vater und kann ihm das strenge Urteil nicht mehr übelnehmen. Ich verstehe, daß er auf die hinuntersah, die weder krank noch behindert sind und mit vierzig zu feig oder zu faul oder zu nichtsnutzig, um sich Geld zu beschaffen. Natürlich nicht viel Geld, denn dazu braucht es Glück oder große Schlauheit oder groben Egoismus oder den blinden Zufall. Aber das Geld, das sich ein Mensch nach seinen Kräften, nach den Möglichkeiten seiner Lebensumstände erwerben kann; dieses Geld lassen sich nur die entgehen, die irgendwie schwach oder feig sind. Ich mag die sentimentalen Schöngeister nicht, die bei solcher Gelegenheit auf die grausame, selbstsüchtige Welt hinweisen, die es ihnen versagt hat, an ihrem Lebensabend in einem schmucken kleinen Häuschen zu wohnen, ihren Garten zu gießen und sommers bei Sonnenuntergang in

Pantoffeln und Strohhut darin zu wandeln, wie es dem friedlichen, zufriedenen Kleinsparer gebührt, der am Ende seines tätigen Lebens auf den Lorbeeren des Schaffens und Mehrens ausruht. Die Welt ist immer zu allen grausam. Was sie gibt, nimmt sie sofort oder später wieder zurück, sie probiert es jedenfalls. Das Heldentum besteht in diesem Kampf, mit dem man die eigenen Interessen oder die seiner Angehörigen verteidigt. Ich mag die Wehleidigen nicht, die den anderen die Schuld geben, den bösen, gierigen Geldmenschen, den grausamen Unternehmern, dem harten Konkurrenzkampf, der ihnen nicht erlaubt hat, ihre Träume in Kleingeld zu verwandeln. Dann soll man eben stärker und, wenn nötig, unerbittlicher sein. Das waren die Prinzipien meines Vaters. Deshalb verachtete er die Armen – womit er also nicht die unglückliche große Masse meinte, sondern den einzelnen, der nicht stark und begabt genug gewesen war, aus der Masse auszubrechen.

Ein unerbittlicher Standpunkt, sagst du. Ich habe es auch so gesehen, lange Zeit. Aber jetzt sehe ich es nicht mehr so. Überhaupt sage ich über nichts mehr etwas Abschließendes. Ich lebe und denke, das ist alles, was ich tun kann. Um die Wahrheit zu sagen, ich habe in meinem Leben keinen einzigen gelochten Fillér verdient. Ich habe nur bewahrt, was mein Vater und meine Vorfahren mir hinterlassen hatten. Auch das ist nicht leicht, das Geld zu bewahren, denn es entstehen fortwährend riesige Kräfte gegen jeglichen Besitz. Zuweilen habe ich gegen sichtbare und unsichtbare Gegner gekämpft – so wie meine Ahnen, die Schöpfer des Reichtums, so entschlossen und wach wie sie. Doch in Tat und Wahrheit war ich kein Schöpfer mehr, denn ich hatte keine echte, unmittelbare Beziehung zum Geld. Ich war die zweite, die zweitletzte Generation, die nur noch bewahren will, was sie erhalten hat, anstandshalber.

Mein Vater sprach manchmal auch vom Geld der Armen. Denn er achtete das Geld nicht nach der Höhe der Summen. Er sagte, jemand, der ein Leben lang Hilfsarbeiter in der Fabrik gewesen ist und am Ende immerhin ein Grundstück, ein kleines Haus und einen Obstgarten erwirbt, so daß er leben und sich mit dem Ertrag über Wasser halten kann, sei ein größerer Held als ein Feldherr. Er achtete den zähen Willen, mit dem die Gesunden und Herausragenden unter den Armen, die so schmerzlich wenige Chancen haben, sich doch wild entschlossen einen Teil vom Kuchen ergattern. Sie bringen es fertig, ein Stückchen Land unter die Schuhsohle zu bekommen und sich für ein paar Fillér ein Dach über dem Kopf zu bauen. Solche Leute respektierte er. Im übrigen achtete er nichts und niemanden auf der Welt. »Der ist nichts wert«, sagte er, wenn man ihm das Schicksal eines Unbeholfenen, Kraftlosen schilderte. Das war auch ein Lieblingsausdruck von ihm. Er konnte es mit vernichtendem Nachdruck sagen.

Ich selbst war im Grunde genommen knauserig und bin es immer noch. Wie alle, die nicht mehr zu schaffen und zu erwerben vermögen und nur mehr die Rolle haben zu bewahren, was sie vom Leben und von den Vorfahren bekommen haben. Mein Vater war nicht knauserig, er ehrte das Geld: verdiente es, häufte es an und gab es dann, war der Moment dafür gekommen, mit sicherer, ruhiger Hand aus. Ich habe ihn einmal gesehen, wie er einen Scheck über eine Million ausfüllte, mit einer so entschlossenen und schlichten Geste, als gäbe er einem Kellner das Trinkgeld.

Damals war die Fabrik abgebrannt, und die Versicherung zahlte nicht, weil das Feuer wegen betrieblicher Fahrlässigkeit entstanden war, und mein Vater mußte entscheiden, ob er die Fabrik wieder aufbauen oder alles auflösen wollte, um dann bis zu seinem Lebensende friedlich von den Zinsen zu leben. Er war nicht mehr jung damals, über sechzig, und hätte allen Grund gehabt, die Fabrik nicht wieder aufzubauen. Es wäre ihm durchaus möglich gewesen, diesen letzten Abschnitt seines Lebens ohne Arbeit zu verbringen und nur noch spazierenzugehen, zu lesen und sich ein bißchen umzuschauen. Doch er überlegte keinen Augenblick, sondern traf seine Vereinbarungen mit den Unternehmern und den ausländischen Ingenieuren, und dann schrieb er den Scheck und überreichte sein ganzes Vermögen dem Ingenieur, der das neue Unternehmen aufbaute und leitete. Und er sollte recht behalten. Mein Vater ist zwar zwei Jahre danach gestorben, aber die Fabrik steht heute noch, funktioniert und leistet nützliche Arbeit. Was gibt es mehr im Leben, als daß nach uns etwas zurückbleibt, aus dem die Welt und die Menschen Nutzen ziehen.

Bloß hilft das dem schöpferischen Menschen nichts, das denkst du, oder?... Ich weiß, du denkst an die Einsamkeit. Die tiefe, dichte Einsamkeit, die alle kreativen Menschen umgibt wie die Atmosphäre die Erdkugel. Nun ja. Wer etwas zu schaffen hat, ist einsam. Aber es ist nicht so sicher, daß Einsamkeit Leiden bedeutet. Ich habe unter der Annäherung der Menschen, unter dem gesellschaftlichen Zusammensein mehr gelitten als unter der wirklichen Einsamkeit. Eine Zeitlang empfindet man die Einsamkeit als Strafe, so wie ein Kind, das im dunklen Zimmer allein gelassen wird, während sich nebenan die

Erwachsenen unterhalten und amüsieren. Doch dann ist man eines Tages erwachsen, und man merkt, daß die Einsamkeit, das wahre, bewußte Alleinsein, keine Strafe ist, auch kein verletzter, kränklicher Rückzug, keine Eigenbrötlerei, sondern der einzig menschenwürdige Zustand. Und da ist er auch nicht mehr so schwer zu ertragen. Es ist, als ob man in reinerer Luft lebte.

Also, das war mein Vater. Das war die Welt bei uns zu Hause. Die Welt des Geldes, des bürgerlichen Wohlanstands. Die Wohnung, die Fabrik schienen auf ein ewiges Leben eingerichtet. Die zur Arbeit und zum Leben gehörigen Rituale waren über das Leben hinaus geplant. Es herrschte Stille bei uns. Auch ich hatte mich früh an die Stille, ans Schweigen gewöhnt. Wer viel redet, verhüllt etwas. Wer konsequent schweigt, ist von etwas überzeugt. Auch das habe ich von meinem Vater gelernt. Doch als Kind litt ich unter solchen Lehren. Ich hatte das Gefühl, in unserem Leben fehle etwas. Die Liebe, sagst du... Die opferbereite Liebe. Ja, das sagt sich so leicht. Später habe ich erfahren, daß die mit falschen Ansprüchen geforderte Liebe mörderischer ist als Salzsäure, Automobil und Lungenkrebs zusammengenommen. Die Menschen morden einander mit Liebe wie mit einem tödlichen Strahl. Sie sind unersättlich, alle Zärtlichkeit soll ihnen gelten, nur ihnen. Sie wollen das ganze Gefühl, sie wollen ihrer Umgebung die Lebenskräfte entziehen, mit der Gier großer Pflanzen, die um sich herum alles leersaugen, dem Boden, den Keimlingen die Kraft, die Feuchtigkeit und den Duft rauben. Die Liebe ist ein gewaltiger Egoismus. Ich weiß nicht, ob es viele Menschen gibt, die ohne tödliche Verletzung die Schreckensherrschaft der Liebe ertragen. Schau um dich, schau durch die Fenster in die Wohnungen, schau in die Augen, hör dir die Klagen an, und du wirst überall die gleiche verzweifelte Anspannung finden. Niemand erträgt die Liebesansprüche seiner Umgebung. Eine Zeitlang höchstens, eine Zeitlang macht man Kompromisse, dann wird man müde. Dann kommt das Magenbrennen. Das Magengeschwür. Die Zuckerkrankheit. Das Herzproblem. Der Tod.

Hast du je Harmonie und Frieden gesehen? Einmal, in Peru, sagst du?... Na ja, vielleicht in Peru. Aber hier bei uns, in gemäßigten Zonen, kann diese Wunderblume nicht gedeihen. Manchmal blüht sie kurz auf, dann verwelkt sie gleich wieder. Vielleicht verträgt sie den Dunstkreis der Zivilisation nicht. Lázár sagte, die maschinelle Zivilisation stelle auf dem Laufband Einsamkeit her. Er sagte auch, Paphnucius in der Wüste, zerlumpt und verdreckt, sei nicht einsamer gewesen als die Menschen einer Großstadt in der sonntagnachmittäglichen Masse, im Kaffeehaus oder im Kino. Auch Lázár war einsam, aber bewußt, so wie die Mönche im Kloster. Einmal kam ihm jemand nahe, und da verreiste er schleunigst. Ich weiß das vielleicht genauer als er selbst und als die Person, die ihm nahekam. Doch das sind Privatangelegenheiten, die Angelegenheiten fremder Menschen, und ich habe kein Recht, darüber zu reden.

Bei uns zu Hause herrschte so eine hochfeierliche, düstere Einsamkeit. Ich erinnere mich manchmal an sie wie an einen traurigen, erschreckenden Traum... Du kennst das doch, die beengenden Träume, wie vor dem Examen. Auch wir bereiteten uns ständig auf ein beklemmendes, gefährliches Examen vor. Das Examen war die Bürgerlichkeit. Fortwährend übten wir für das Aufsagen der Lektion. Jeden Tag begann das Examen von neuem. In allem eine Anspannung, in unseren Handlungen, Worten und Träumen. Um uns herum. Die Einsamkeit, die sich auch den Dienstboten und den Menschen mitteilte, die nur kurz unser Haus betraten, und seien es Laufburschen. In den von Vorhängen verdunkelten Zimmern vergingen die Kindheit und die Jugend mit Warten. Mit achtzehn war ich dieser beklommenen Warterei schon sehr müde. Ich hätte gern etwas kennengelernt, das nicht ganz regulär war. Bis dahin ging es aber noch lange.

In diese Einsamkeit hinein trat Judit Áldozó.

Moment, ich gebe dir Feuer. Wie erträgst du diesen Kampf mit den Zigaretten? ... Ich ertrage ihn ganz schlecht, aber ich habe es aufgegeben. Nicht die Zigaretten, sondern den Kampf. Eines Tages muß man auch dafür Rechenschaft ablegen. Man fragt sich, ob es sich lohnt, fünf oder zehn Jahre länger zu leben, ohne Zigaretten, oder ob man sich dieser peinlichen, kleinlichen Leidenschaft überläßt, die einen zwar umbringen wird, aber bis dahin das Leben um einen seltsam aufregend-beruhigenden Stoff bereichert. Nach fünfzig ist das eine ernsthafte Frage. Ich habe geantwortet, mit Herzkrämpfen, und mit dem Entschluß, so weiterzumachen, bis zum Tod. Ich gebe dieses bittere Gift nicht aus der Hand, denn es lohnt sich nicht. Du sagst, es sei nicht so schwer, aufzuhören ... Natürlich nicht. Ich habe auch schon aufgehört, mehr als einmal, als es sich noch lohnte. Bloß verging da mein ganzer Tag damit, daß ich nicht rauchte. Dem muß man auch einmal ins Auge blicken. Sich damit abfinden, daß man etwas nicht erträgt, daß man Suchtmittel braucht, daß man dafür zahlen muß. Dann wird alles leichter. Darauf heißt es zwar: »Du bist auch kein Held«, aber ich antworte: »Schön, dann bin ich eben kein Held, aber ich bin auch nicht feig, denn ich habe Mut zu meinen Leidenschaften.«

Meine ich.

Du siehst mich skeptisch an. Ich sehe schon, jetzt willst du fragen, ob ich zu allen meinen Leidenschaften, in jeder Hinsicht, Mut gehabt habe. Zum Beispiel Mut zu Judit Áldozó? … Jawohl, mein Lieber. Ich habe es bewiesen. Habe eingezahlt, wie man hier auf dem Boulevard sagt. Habe die Ruhe meines Lebens draufgezahlt, und auch die Ruhe eines anderen Menschen. Mehr kann man wohl nicht tun. Jetzt willst du fragen, ob es sich gelohnt habe… Rhetorische Frage. Die großen Unternehmen des Lebens lassen sich nicht mit Buchhalterweisheit beurteilen. Es geht nicht darum, ob sich etwas gelohnt oder nicht gelohnt hat, sondern darum, daß man etwas tun muß, weil es das Schicksal oder die Umstände oder das Temperament oder die Funktion der Drüsen so befehlen… Wahrscheinlich spielt das alles ineinander… und daß man dann nicht feig ist, sondern es tut. Nur das zählt. Der Rest ist Theorie.

Also gut, ich habe es getan.

Ich will dir erzählen, wie es war, als Judit Áldozó eines Nachmittags bei uns eintraf, in der prachtvollen dunklen Wohnung. Sie kam mit einem Bündel in der Hand, wie das arme Mädchen aus dem Märchen. Die Märchen sind meistens ziemlich genau. Ich kam vom Tennis, blieb im Entree stehen, warf den Schläger auf einen Stuhl, stand erhitzt dort und wollte gerade den weißen Pullover ausziehen. In dem Augenblick wurde ich gewahr, daß im Halbdunkel eine fremde Frau vor der gotischen Truhe stand. Ich fragte sie, was sie wünsche.

Aber sie antwortete nicht. Offensichtlich war sie verlegen. Ich dachte, es sei wegen der neuen Situation, sah ihre Befangenheit einfach als die Verlegenheit eines Dienstboten an. Später habe ich erfahren, daß nicht der Prunk unserer Wohnung, auch nicht das Eintreffen des jungen Herrn sie aus dem Gleis geworfen hatte, sondern etwas anderes. Die Begegnung. Die Tatsache, daß sie mir begegnet war, und auch das, daß ich sie angeschaut hatte und etwas geschehen war. Natürlich wußte auch ich in dem Augenblick, daß etwas geschehen war, wußte es aber nicht ganz von innen her. Die Frauen, die instinktbegabten, starken Frauen, so wie sie eine war, wissen, was wichtig und entscheidend ist, genauer als wir Männer, die wir immer bereit sind, wichtige Begegnungen mißzuverstehen, sie uns anders zu erklären. Diese Frau wußte gleich, daß sie mir begegnet war, dem Menschen, der in ihrem Leben eine wesentliche Rolle spielen würde. Ich wußte es auch, machte mir aber etwas vor.

Und da sie meine Frage nicht beantwortet hatte, schwieg auch ich, ein bißchen überheblich und verstimmt. Wir standen uns eine Weile stumm gegenüber und sahen einander an.

So aufmerksam, wie man nur selten ein Phänomen anstarrt. Und es war keinesfalls das neue Dienstmädchen, das ich in jenen Augenblicken anstarrte. Sondern die Frau, die irgendwie, aus unverständlichen Gründen, unter unmöglichen Umständen für mein Leben sehr wichtig sein würde. Ob man so etwas weiß?... Ja, sicher. Nicht mit dem Verstand, sondern mit seinem ganzen Schicksal. Und unterdessen denkt man zerstreut auch an anderes. Stell dir mal vor, was das für eine unwahrscheinliche Situation war. Stell dir vor, in dem Augenblick tritt jemand zu mir und sagt, das sei die Frau, die ich eines Tages heiraten müsse; vorher würden aber viele andere Dinge geschehen, vorher müsse ich eine andere Frau heiraten, die von mir sogar ein Kind bekommt, und die Frau, die da vor mir im dämmerigen Entree steht, würde auf lange Zeit ins Ausland verreisen, und dann würde sie zurückkommen, und ich würde mich von meiner Frau scheiden lassen und würde diese heiraten, ich, der heikle Bürger, der wählerische reiche Herr, dieses kleine Dienstmädchen da mit seinem Bündel in der Hand, das mich genauso besorgt fixiert wie ich sie. Mit einer Aufmerksamkeit, als sähe sie zum erstenmal im Leben etwas, das den genauen Blick wirklich lohnt. Also, die ganze Geschichte schien in dem Moment völlig unwahrscheinlich. Hätte es jemand prophezeit, hätte ich ihm ungläubig zugehört. Jetzt nachträglich, Jahrzehnte später, würde ich gern die Frage beantworten, ob ich in dem Augenblick wußte, daß die Dinge so kommen würden. Und überhaupt, ob die sogenannten großen Begegnungen, die entscheidenden Augenblicke bewußt sind. Ob es das gibt, daß eines Tages jemand ins Zimmer tritt und man weiß: Aha, das ist sie. Die Richtige, wie im Roman. Ich kann darauf nicht antworten. Ich kann bloß die Augen schließen und mich erinnern. Ja, also, etwas geschah damals. Eine Strömung? Eine Strahlung? Ein heimlicher Kontakt? Das sind Wörter. Sicher ist aber, daß die Menschen ihre Gefühle und Gedanken nicht nur mit Worten ausdrücken. Es gibt auch eine andere Berührung zwischen den Menschen, eine andere Form der Übermittlung. Kurzwellen, so würde man heute sagen. Anscheinend ist auch der Instinkt nichts anderes als eine Art Kurzwellenkontakt. Ich weiß es nicht. Ich will niemandem etwas vormachen, weder dir noch mir. Deshalb kann ich nur sagen, daß ich in dem Augenblick, als ich Judit Áldozó erblickte, nicht weiterzugehen vermochte, und so unmöglich die Situation auch war, ich blieb dort dem fremden Dienstmädchen gegenüber stehen, und wir rührten uns beide nicht, sondern sahen uns an, lange.

»Wie ist Ihr Name?« fragte ich schließlich.

Sie nannte ihn. Auch das klang so vertraut. Es war Opfer darin, etwas Feierliches*. Und auch ihr Vorname, Judit, war so biblisch. Als ob das Mädchen aus der Vergangenheit gekommen wäre, aus der biblischen Einfachheit und Dichte, wie es das andere Leben ist, das ewige, wahre. Als ob sie nicht aus einem Dorf, sondern aus einer tieferen Schicht der Existenz gekommen wäre. Ich überlegte nicht lange, sondern ging zur Tür und drehte das Licht an, um sie besser zu sehen. Nicht einmal diese plötzliche Bewegung überraschte sie. Gehorsam und bereitwillig – aber nicht, weil sie ein Dienstmädchen war, sondern eine Frau, die wortlos dem Mann gehorcht, dem Mann, der als einziger das Recht hat, ihr zu befehlen – wandte sie sich seitwärts, wandte das Gesicht dem Licht zu, damit ich sie besser sehen konnte. Als ob sie sagen wollte: »Bitte, schau mich gut an. So bin ich. Wunderschön, ich weiß. Schau mich ganz ruhig an, beeil dich nicht. Das ist das Gesicht, an das du dich noch auf deinem Sterbebett erinnern wirst.« So stand sie im Lampenlicht, ruhig und reglos, mit dem Bündel in der Hand, wie ein Modell vor dem Maler, mit stummer Bereitwilligkeit.

Da habe ich sie mir eben angeschaut.

Ich weiß nicht, ob du sie vorhin gesehen hast... Ich habe dich zu spät aufmerksam gemacht. Du hast nur ihre Figur gesehen. Sie ist so groß wie ich. Und wohlproportio-

---

* Áldozó heißt wörtlich: der Opfernde; der – im Sinn der katholischen Messe – Kommunizierende (Anm. d. Übers.).

niert, weder dick noch dünn, und so war sie auch mit sechzehn, als ich sie zum erstenmal sah. Sie hat nie zu- oder abgenommen. Weißt du, so etwas wird von inneren Kräften, geheimnisvollen Gleichgewichten geregelt. Dieser Organismus brannte immer auf gleicher Temperatur. Ich sah ihr ins Gesicht und blinzelte vor einer solchen Schönheit, wie jemand, der lange im Halbdunkel gelebt hat und auf einmal ins Licht blickt. Du hast jetzt ihr Gesicht nicht sehen können. Überhaupt trägt sie seit geraumer Zeit eine Maske, eine mondäne Maske mit geschwärzten Wimpern, mit Puder, mit einem nachgezogenen Mund, mit angemalten Lidern, mit verlogenen, künstlichen Zügen. Doch damals, im ersten Schreck der Begegnung, war dieses Gesicht noch neu und unversehrt, so wie es aus der Werkstatt gekommen war. Man sah noch die Hand des Schöpfers. Es war ein vollkommen proportioniertes herzförmiges Gesicht. Jeder einzelne seiner Züge harmonierte mit den anderen. Das nennt sich Schönheit. Sie hatte schwarze Augen, weißt du, das seltsame Schwarz, das manchmal fast dunkelblau erscheint. Auch ihr Haar war so, bläulichschwarz. Und man spürte, daß dieser Körper schön gestaltet und selbstsicher war. Deshalb stand sie so selbstbewußt vor mir. Sie war aus der Namenlosigkeit, aus der Tiefe, aus der Masse hervorgetreten und hatte etwas Außergewöhnliches mitgebracht: die Harmonie, die Sicherheit und die Schönheit. Das alles fühlte ich damals nur undeutlich. Sie war kein Kind mehr, und sie war noch nicht ganz eine Frau. Ihr Körper war schon entwickelt, ihre Seele war noch schlaftrunken, vor dem Erwachen. Ich habe auch seither keine Frau getroffen, die ihres Körpers, ihrer körperlichen Stärke so völlig sicher war wie Judit Áldozó.

Sie trug ein billiges städtisches Kleid und schwarze Halbschuhe. Es war alles so bewußt und brav zusammengesucht wie üblich unter den Bauernmädchen, wenn sie sich für die Stadt anziehen und hinter den Fräuleins nicht zurückstehen wollen. Ich blickte auf ihre Hände. Ich hoffte, an ihnen etwas zu finden, das mich abstoßen würde. Das sind wahrscheinlich klobige, von der Feldarbeit rote Hände, hoffte ich. Aber sie hatte weiße, längliche Hände. Von keiner Arbeit verdorben. Später erfuhr ich, daß sie auch zu Hause verwöhnt worden war, daß ihre Mutter sie nie zu grober Arbeit angehalten hatte.

So stand sie da und ließ es zu, daß ich sie im starken Licht betrachtete. Sie blickte mir in die Augen, mit einem direkten, aufmerksamen Blick. In diesem Blick und in ihrer Haltung war nichts Herausforderndes, keine Koketterie. Das war nicht die kleine Schlampe, die zur städtischen Herrschaft kommt und gleich die Ohren spitzt, gleich mit dem jungen Herrn Blicke zu tauschen beginnt. Nein, das war eine Frau, die sich einen Mann gut ansah, weil sie spürte, daß er sie anging. Ohne jedoch zu übertreiben, weder damals noch später. Die Beziehung zwischen uns beiden wurde bei ihr nie zu einer Zwangsvorstellung. Als ich nicht mehr ohne sie leben, ohne sie schlafen, nicht mehr ohne sie meine Arbeit tun konnte, als sie in meiner Haut und in meinen Träumen und Reflexen festsaß wie ein tödliches Gift, entschied sie immer noch ruhig und selbstbewußt, ob sie weggehen oder dableiben sollte. Sie hat mich nicht geliebt, meinst du?... Das habe ich eine Zeitlang auch gedacht. Aber ich will nicht streng urteilen. Sie hat mich geliebt, bloß auf eine andere Art, bodenständiger, praktischer, vorsichtiger. Gerade darum ging es ja.

Gerade darum war sie die Frau aus der Unterschicht. Und ich der Bürger. Ich will dir das erklären.

Was dann geschehen ist? ... Nichts, mein Lieber. Dinge wie meine Gefangenschaft bei Judit Áldozó »geschehen« nicht wie die Ereignisse in einem Roman oder einem Theaterstück. Die entscheidenden Ereignisse des Lebens geschehen mit der Zeit, also sehr langsam. Eine Handlung ist kaum sichtbar. Man lebt ... mehr Handlung haben die Situationen nicht, die wichtig sind im Leben. Ich kann nicht sagen, Judit Áldozó sei eines Tages bei uns eingetreten, und am folgenden Tag oder ein halbes Jahr später sei das oder jenes geschehen. Ich kann auch nicht sagen, ich sei von dem Augenblick an, da ich sie sah, von Leidenschaft gepackt gewesen und habe weder essen noch schlafen können, sondern bloß von einem unbekannten Bauernmädchen phantasiert, das in meiner Umgebung lebte, jeden Tag in mein Zimmer kam, sich immer gleich benahm, meine Fragen beantwortete, lebte und gedieh wie ein Baum und mit seinen einfachen und überraschenden Ausdrucksmitteln etwas Wesentliches mitteilte, nämlich ganz schlicht die Tatsache, daß auch sie auf dieser Erde lebte. Das stimmte alles und war doch nichts, was über das Alltägliche hinausreichte. Noch lange nicht.

Und doch erinnere ich mich mit einer gewissen Rührung an jene erste Zeit. Das Mädchen hatte in unserem Haus keine wichtige Rolle, und ich sah sie selten. Meine Mutter bildete sie zum Zimmermädchen aus, aber bei Tisch durfte sie noch nicht servieren, denn sie kannte unsere familiären Rituale noch nicht. Meistens trottete sie einfach hinter dem Diener her wie der Clown im Zirkus, der die Darbietung imitiert. Manchmal begegnete ich ihr im Treppenhaus oder im Salon, manchmal kam sie auch in mein Zimmer, grüßte, blieb auf der Schwelle stehen, überbrachte eine Nachricht. Du mußt wissen, daß ich dreißig vorbei war, als Judit Áldozó in unser Haus kam. Dreißig vorbei, und in vielem mein eigener Herr. In der Fabrik war ich Geschäftspartner, mein Vater begann – sehr vorsichtig –, mich an die Selbständigkeit zu gewöhnen. Ich verdiente sehr gut, aber ich zog nicht weg von zu Hause. Ich bewohnte zwei Zimmer im ersten Stock. Dieser Teil des Hauses hatte einen eigenen Eingang. Wenn ich abends nicht in der Stadt beschäftigt war, aß ich mit meinen Eltern. Das alles erzähle ich, damit du siehst, daß ich nicht viel Gelegenheit hatte, das Mädchen zu treffen. Doch von dem Augenblick an, da sie unser Haus betreten hatte, war in unseren Begegnungen eine Spannung, die man nicht mißverstehen konnte.

Diese Frau blickte mir immer geradewegs in die Augen. Als ob sie etwas fragen wollte.

Das war kein Zimmerhäschen, keine Unschuld vom Lande, die zu Boden blickt, wenn sie dem jungen Herrn begegnet. Sie errötete nicht, sie flirtete nicht. Wenn wir uns trafen, blieb sie stehen wie angerührt. So wie in dem Moment, als ich das Licht angedreht hatte, um sie besser zu sehen, und sie mir gehorsam ihr Gesicht gezeigt hatte. Sie schaute mir in die Augen, aber so seltsam ... nicht herausfordernd, nicht lockend, sondern ernst, mit fragend geweiteten Augen. Immer so, mit diesem offenen, fragenden Blick. Die Frage des Geschöpfs, hat Lázár einmal gesagt. Daß es unter dem Bewußtsein der Kreatur eine Frage gibt und daß sie lautet: »Warum?«

Auch Judit Áldozó stellte diese Frage. Warum lebe ich, was hat das Ganze für einen Sinn? So irgendwie. Seltsam war nur, daß sie mich das fragte.

Und da sie beängstigend schön war, würdevoll, jungfräulich und wild entschlossen schön, ein Meisterstreich des Schöpfers, etwas, das man nur einmal so vollkommen zu gestalten und in eine Form zu gießen vermag, begann ihre Schönheit in unserem Haus, in unserem Leben zu wirken wie eine hartnäckige unhörbare Musik. Die Schönheit ist wahrscheinlich eine Kraft, genauso wie die Hitze, das Licht oder der menschliche Wille. Ich glaube allmählich, daß auch Wille dahinter ist, natürlich nicht kosmetische Bemühungen, denn was ist schon Schönheit, die durch künstliche Mittel hervorgerufen wird, durch Gerben und Präparieren wie bei einem Tierbalg? Nein, hinter der Schönheit, die aus vergänglichem, zerbrechlichem Material besteht, lodert ein starker Wille. Die Menschen erhalten mit ihrem Herzen und ihren Drüsen, mit dem Verstand und den Instinkten die Harmonie, dieses glückliche und wunderbare Gemisch, dessen letzte Konsequenz und Wirkung die Schönheit ist. Wie gesagt, ich war dreißig vorbei.

Ich sehe deinem Blick an, daß du jetzt die verdorbenkluge Männerfrage stellen willst, nämlich: Wo war denn das Problem? Wäre es nicht einfacher, wenn man in einem solchen Fall auf sein Blut, seine Triebe hört? Ein dreißigjähriger Mann kennt doch die Wahrheit bereits. Er weiß, daß es die Frau nicht gibt, die er nicht in sein Bett bringen kann, wenn die Frau gerade frei und ihr Herz und ihr Denken nicht von einem anderen Mann besetzt ist, wenn es keine körperlichen oder geschmacksbedingten Hindernisse gibt und wenn man sich kennt und Gelegenheit zu Treffen hat. Das ist die Wahrheit. Ich kannte sie auch und setzte sie durchaus großzügig in die Tat um. Wie allen Männern in dem Alter, dazu einem, der nicht unbedingt kläglich anzusehen und obendrein wohlhabend war, kamen mir die Frauen entgegen, und ich wich ihren Angeboten nicht aus. Um einen vermögenden Mann ist ein ähnlicher Ringelreihen wie um eine hübsche Frau. Es ist nicht die Person gemeint: Die Frauen sind einsam, sie sehnen sich nach Zärtlichkeit, Vergnügen und Liebe, in jeder europäischen Großstadt leben mehr Frauen als Männer, und ich war weder entstellt noch dumm, lebte in einer gepflegten Umgebung, man wußte, daß ich reich war – ich tat also wie jeder andere in meiner Situation. Ich bin überzeugt, daß nach der Verlegenheit und Befangenheit der ersten Wochen ein freundliches Wort das Herz von Judit Áldozó gefügig gemacht hätte. Aber ich sprach es nicht aus. Für mich wurde diese Bekanntschaft, wenn man die Gegenwart eines jungen Dienstmädchens im Elternhaus so nennen kann, von dem Augenblick an verdächtig, gefährlich, unverständlich und aufregend, als ich merkte, daß ich diese Frau nicht als Geliebte wollte, daß ich sie nicht ins Bett kriegen wollte wie all die anderen vorher, daß ich nicht fünfzig Kilo erstklassiges Fleisch kaufen und konsumieren wollte. Nein. Was wollte ich?

Es ging lange, bis ich das herausfand. Ich ließ sie in Ruhe, denn ich hoffte auf etwas von ihr. Erwartete etwas. Nicht das Abenteuer. Was dann? ... Die Antwort auf eine Frage, die bis dahin mein Leben geprägt hatte.

Unterdessen lebten wir, wie es sich gehörte. Natürlich dachte ich auch daran, das Mädchen aus unserer Umgebung wegzunehmen, sie zu erziehen, eine gesündere Art von Beziehung herzustellen, ihr eine Wohnung zu kaufen, sie zu meiner Geliebten zu machen und dann mit ihr zu leben, soweit es möglich war. Ich muß dir aber sagen, daß mir das alles viel später, erst Jahre danach in den Sinn kam. Und da war es schon zu spät, da kannte diese Frau ihre Stärke schon, sie wußte, was sie zu tun hatte, sie war obenauf. Da war ich schon auf der Flucht vor ihr. In den ersten Jahren hingegen hatte ich nur gespürt, daß im Haus etwas geschah. Ich kam nachts heim, tiefe Stille empfing mich, Stille und Ordnung wie in einem Kloster. Ich ging in meine Wohnung hinauf, wo der Diener schon alles für die Nacht vorbereitet hatte, den kalten Orangensaft in der Thermosflasche, meine Lektüren und Zigaretten. Auf meinem Tisch standen immer Blumen, meine Kleider, Bücher und Kunstgegenstände waren alle an ihrem Platz. Ich blieb im angenehm geheizten Zimmer stehen und horchte. Natürlich dachte ich nicht dauernd an dieses Mädchen, hatte nicht die Zwangsvorstellung, daß sie in der Nähe war, irgendwo in der Nähe in einem Dienstbotenzimmer schlief. Es verging ein Jahr, dann noch eins, und ich spürte bloß, daß unser Haus irgendwie einen Sinn bekommen hatte. Und wußte nur, daß Judit Áldozó bei uns lebte und sehr schön war, was alle wußten – der Diener mußte entlassen werden, und auch der Köchin, einer alleinstehenden älteren Frau, mußte gekündigt werden, weil sie sich in Judit verliebt hatte und ihrer Liebe nicht anders Ausdruck zu geben wußte als durch Streit und Gezänk –, aber von alldem sprach niemand. Vielleicht kannte nur meine Mutter die Wahrheit, aber sie sagte nichts. Ich habe über dieses Schweigen später oft nachgedacht. Meine Mutter war intuitiv, sie wußte alles, auch ohne Worte. Niemand im Haus kannte das Geheimnis des verliebten Dieners und der verliebten Köchin, außer meiner Mutter, die in der Liebe bestimmt keine weitreichenden Erfahrungen hatte und von so verqueren, hoffnungslosen Gefühlen, wie sie die alte Köchin für Judit hegte, vielleicht nie gelesen hatte. Und doch kannte sie den wahren Sachverhalt. Sie war schon eine alte Frau und staunte über nichts mehr. Sie wußte auch, daß Judit für das Haus gefährlich war, und nicht nur für die Köchin und den Diener. Sondern für alle, die im Haus lebten. Um Vater hatte sie allerdings keine Angst, denn er war alt und krank, und außerdem liebten sie sich sowieso nicht. Mutter liebte mich, und später fragte ich mich, warum sie die Gefahr nicht rechtzeitig aus dem Haus geschickt hatte, wenn sie doch alles durchschaute. Das Leben ist vergangen, oder beinahe, bis ich es endlich herausgefunden habe.

Ganz im Vertrauen: Meine Mutter wünschte diese Gefahr für mich.

Und zwar deshalb, weil sie mich vor einer größeren Gefahr bewahren wollte. Weißt du, vor welcher? ... Keine Ahnung? ... Vor der Einsamkeit, vor jener beängstigenden Einsamkeit, in der ihr Leben verlief, das Leben meines Vaters und meiner Mutter, das ganze glorreiche, arrivierte, rituelle Leben ihrer Klasse. Es gibt einen Vorgang, der beängstigender, erschreckender ist als alles andere: der Vorgang der Vereinsamung. Das Mechanischwerden des Lebens. Die strenge Hausordnung, die noch strengere Arbeitsordnung und die noch strengere Gesellschaftsordnung und dann auch die Ordnung in den Vergnügungen, Neigungen, sexuellen Betätigungen. Man weiß im voraus, zu welcher Stunde man sich anziehen, frühstücken, arbeiten, Liebe machen, ausspannen, sich bilden wird. Die ideale Ordnung. Und in dieser großen Ordnung gefriert allmählich das Leben um einen herum; so wie um eine Expedition, die in blühende, weit entfernte Gegenden hätte führen sollen, auf einmal die Welt und das Meer zu Eis werden und es keine Pläne und Absichten mehr geben kann, sondern nur noch Kälte und Erstarrung. Das ist der Tod, eine derartige kalte Starrheit. Der Prozeß verläuft langsam und unaufhaltsam. Eines Tages gerinnt das Leben der Familie. Alles wird wichtig, jede Einzelheit, das Leben selbst aber spürt man nicht mehr. Man kleidet sich morgens so sorgfältig an, als rüste man sich für eine bedeutsame Feierlichkeit, Beerdigung oder Hochzeit oder Urteilsverkündung. Man geht in Gesellschaft, man empfängt Gäste, und hinter allem ist die Einsamkeit. Solange in den Herzen und Seelen hinter dieser Einsamkeit eine Erwartung lebt, so lange ist es auszuhalten, man lebt noch, nicht gut zwar, nicht menschenwürdig, aber immerhin, man lebt, und es hat einen Sinn, morgens den Mechanismus aufzuziehen, damit er bis zum Abend tickt.

Denn man hofft noch lange. Man findet sich nur sehr schwer mit der Hoffnungslosigkeit ab, mit der Tatsache, daß man allein ist, tödlich und hoffnungslos allein. Nur sehr wenige halten die Erkenntnis aus, daß es für die Einsamkeit ihres Lebens keine Lösung gibt. Man hofft, rennt herum, flüchtet sich in Beziehungen, und bei diesen Fluchtversuchen ist keine echte Leidenschaft, keine Hingabe, man stürzt sich in Beschäftigungen, arbeitet viel, macht systematisch Reisen, oder man führt ein großes Haus, kauft sich Frauen ein, mit denen man nichts anfangen kann, oder man beginnt zu sammeln: Fächer, Edelsteine, seltene Insekten. Doch das alles hilft nichts. Und während man das alles betreibt, weiß man auch ganz genau, daß es nichts hilft. Und hofft noch immer. Und weiß selbst nicht, worauf. Man spürt genau, daß noch mehr Geld, die noch vollständigere Insektensammlung, die neue Geliebte, die interessante Bekanntschaft, der hervorragend gelungene Abend und die noch rauschendere

Gardenparty, daß das alles nichts hilft. Deshalb hält man Ordnung, aus Not, aus Verwirrtheit. In jedem wachen Augenblick ordnet man um sich herum das Leben. Fortwährend wird etwas »erledigt«, Dokumente oder Schäferstunden oder das Gesellschaftsleben... Bloß nie allein bleiben! Bloß keinen Augenblick lang die Einsamkeit sehen! Rasch, Menschen her. Oder Hunde. Oder Gobelins. Oder Aktien. Oder gotische Gegenstände. Oder Geliebte. Rasch, bevor man klar sieht.

So lebt man. So lebten wir. Und kleideten uns äußerst sorgfältig. Mit fünfzig zog sich mein Vater so sorgfältig an wie ein Geistlicher vor der Messe. Sein Diener kannte seine Gewohnheiten haargenau, er bereitete schon am frühen Morgen den Anzug, die Schuhe, die Krawatte vor, mit der Sorgfalt eines Sakristans, und mein Vater, der bestimmt nicht eitel war und wenig auf sein Äußeres hielt, begann eines Tages pedantisch darauf zu achten, daß seine würdige Altherrengewandung makellos sei, kein Staubkörnchen auf der Jacke, keine Falte in der Hose, kein Fleck auf Hemd oder Kragen, kein abgewetzter Rand an der Krawatte. Und dann begann die nächste Stufe des Ordnunghaltens, das Frühstück oder das Vorfahren des Wagens, das Zeitunglesen, die Post, das Büro, die ehrfürchtig Rapport erstattenden Angestellten und Geschäftspartner, der Klub und das Gesellschaftsleben. Und das alles mit solch angespannter Aufmerksamkeit, solcher Pedanterie, als ob jemand das Ganze beobachtete, als ob man abends jemandem über die sakralen Handlungen Rechenschaft ablegen müßte. Das war es, wovor meine Mutter Angst hatte. Denn hinter der Ordnung, den Kleidern, dem Gobelinsammeln und dem Klubbesuch, den Gästen und der Geselligkeit zeigten sich schon die Monstren der Einsamkeit wie Eisberge im warmen Meer. Weißt du, innerhalb bestimmter Lebensweisen und Gesellschaftssysteme meldet sich die Einsamkeit in einem bestimmten Lebensalter ganz ähnlich wie die Krankheit im verbrauchten Organismus. Das geschieht nicht von einem Tag auf den andern, die Schicksalsaugenblicke des Lebens, die Krankheit, die Trennung, die endgültige zwischenmenschliche Bindung, das alles geschieht nicht so, daß jemand zu einer bestimmten Stunde etwas erklärt oder feststellt oder herausfindet. Wenn wir der entscheidenden Geschehnisse gewahr werden, ist meistens schon alles vollzogen, und es bleibt uns nichts anderes übrig, als es zu akzeptieren, zum Anwalt zu laufen oder den Arzt, den Priester kommen zu lassen. Denn anders gesagt, ist die Einsamkeit ein Zustand, der den Menschen umschließt wie ein Käfig ein ausgestopftes Tier. Nein, das Kranke ist vielmehr der Vorgang vor der Einsamkeit, der Vorgang, den ich Erstarrungsprozeß genannt habe. Davor wollte mich meine Mutter bewahren.

Wie gesagt, es wird alles mechanisch. Alles erkaltet. Die Zimmer sind zwar immer gleich warm, deine Körpertemperatur beträgt nach wie vor sechsunddreißig-sechs, dein Puls ist achtzig, und dein Geld ist auf der Bank oder im Unternehmen. Einmal pro Woche gehst du in die Oper oder ins Theater, möglichst in eins, wo man heitere Stücke spielt. In den Gasthäusern wählst du leichte Speisen, den Wein mischst du mit Wasser, denn du hast die Lektionen des gesunden Lebens gelernt. Alles läuft rund. Dein Hausarzt, falls er einfach ein guter, aber kein richtiger Arzt ist – das ist nicht dasselbe –, schüttelt dir nach der halbjährlichen Kontrolle zufrieden die Hand. Falls er aber ein guter Arzt ist, also auf eine spezifisch aufmerksame Art, so wie ein Pelikan nur und ausschließlich Pelikan ist und ein Feldherr auch dann ein Feldherr, wenn er nicht im Feld steht, falls du also einen solchen Arzt hast, wird er dir nach der halbjährlichen Kontrolle nicht beruhigt und zufrieden die Hand schütteln, auch wenn Herz, Lunge, Niere und Leber noch so gut funktionieren, denn dein Leben funktioniert nicht gut, man spürt dir schon die Kühle der Einsamkeit an, so wie auf den Schiffen feine Instrumente bereits in der Nähe des Äquators, in balsamischer Wärme, die Gefahr registrieren, den kalten Tod, den Eisberg, der sich auf dem graublauen Meer nähert. Es fällt mir kein anderer Vergleich ein, deshalb komme ich immer mit diesem Eisberg. Aber vielleicht könnte ich auch sagen – Lázár wüßte bestimmt viel bessere Vergleiche –, daß es eine Art Kühle ist, die man sommers spürt, in verlassenen Wohnungen, deren Bewohner in den Ferien sind, und es riecht nach Mottenpulver, die Teppiche und Pelze sind in Zeitungspapier gewickelt, während draußen Sommer ist, Hitze und versengendes Lodern, hinter den geschlossenen Fensterläden aber haben sich die Möbel und dunklen Zimmer mit kühler Traurigkeit vollgesogen, denn auch leblose Gegenstände spüren die Einsamkeit, alles und alle spüren sie, saugen sie auf und strahlen sie ab.

Und man bleibt allein, weil man hochmütig ist und das beängstigende Geschenk der Liebe nicht anzunehmen wagt. Denn man hat eine Rolle, die man für wichtiger hält als das Erlebnis der Liebe. Weil man eitel ist. Jeder richtige Bürger ist eitel. Ich spreche jetzt nicht von den Pseudobürgern, die diesen Titel und diese Stellung beanspruchen, weil sie Geld haben oder auf eine höhere Stufe befördert worden sind. Das sind grobe Klötze. Ich spreche von den schöpferischen, bewahrenden, echten Bürgern. Um die herum beginnt sich eines Tages die Einsamkeit zu kristallisieren. Und da fangen sie an zu frieren. Und dann werden sie feierlich wie edle Kunstgegenstände, chinesische Vasen oder Renaissancetische. Sie werden feierlich und beginnen, unnötige Titel und Auszeichnungen zu sammeln, sie tun alles, um Hochwohlgeboren oder Exzellenz zu werden, sie verbringen ihre Zeit mit komplizierten Demarchen, um einen Orden oder einen weiteren Titel zu ergattern, um Vizepräsident oder richtiger Präsident oder dann Ehrenpräsident zu werden. Das alles ist schon die Einsamkeit. Glückliche Völker haben keine Geschichte, so heißt es, glückliche Menschen haben keine Titel, keine Ehrenposten, keine weltliche Rolle.

Deshalb hatte meine Mutter Angst um mich. Und vielleicht duldete sie Judit Áldozó deshalb im Haus, auch dann noch, als sie die gefährliche Ausstrahlung ihrer Präsenz schon fühlen mußte. Wie gesagt, es »passierte« nichts. Fast müßte ich sagen: Leider passierte nichts. Es vergingen einfach drei Jahre. Und einmal an Weihnachten – ich kam aus der Fabrik und ging zu meiner Geliebten, der Sängerin, die an dem Nachmittag allein zu Hause war, in ihrer schönen, warmen, langweiligen Wohnung, die ich ihr eingerichtet hatte, und überreichte ihr mein Geschenk, das ebenso schön und langweilig war wie meine Geliebte und wie alle anderen Wohnungen und Geschenke, mit denen ich mich schon abgemüht hatte –, also, ich kam nach Hause, weil es der Nachmittag vor Heiligabend war und am Abend die Familie bei uns essen sollte. Und da ist es geschehen. Ich ging in den Salon, auf dem Flügel stand der geschmückte, glitzernde Baum, im Zimmer Halbdunkel, vor dem Kamin kniete Judit Áldozó.

Es war, wie gesagt, der Nachmittag vor Heiligabend, und in diesen Stunden im Elternhaus fühlte ich mich angespannt und allein. Und ich wußte auch, daß es von nun an immer so sein würde, in meinem ganzen Leben, immer, wenn nicht ein Wunder geschah. Du weißt ja, an Weihnachten glaubt man stets ein wenig an ein Wunder, nicht nur du und ich, sondern die ganze Welt, die Menschheit, denn das Fest gibt es eben, weil man ohne Wunder nicht leben kann. Natürlich hatte es vor diesem Nachmittag sehr viele andere Nachmittage, Nächte und Morgen gegeben, da ich Judit Áldozó gesehen und mir dabei nichts Besonderes gedacht hatte. Wenn man am Meer lebt, denkt man nicht immer daran, daß man auf dem Meer nach Indien fahren oder daß der Badende in den Wellen den Tod finden könnte. Meistens lebt man einfach am Meer, man schwimmt darin oder liest am Ufer ein Buch. Doch an dem Nachmittag blieb ich im dunklen Zimmer stehen und beobachtete Judit – sie hatte eine schwarze Zimmermädchenuniform an, so wie ich eine graue Jungfabrikantenuniform, wobei ich eigentlich auf mein Zimmer gehen wollte, um mich für den Abend in die schwarze Festuniform zu kleiden –, an diesem Nachmittag also blieb ich im halbdunklen Zimmer stehen, betrachtete den Weihnachtsbaum, die kniende Frauengestalt und verstand auf einmal, was in diesen Jahren geschehen war. Ich verstand, daß die großen Ereignisse ganz wort- und reglos sind, hinter den sichtbaren Ereignissen gibt es etwas anderes, das so träge ist wie ein Ungeheuer, das am Grund der Wälder und Meere und des menschlichen Herzens schläft, ein träges Urtier, das sich nur selten rührt, sich selten streckt und nach etwas greift, und dieses Urtier sind auch wir. Hinter dem Alltag gibt es eine Ordnung wie in der Musik oder in der Mathematik, eine etwas romantische Ordnung. Du verstehst nicht? ... Ich hatte so ein Gefühl. Ich sag's ja, ich bin ein Künstler, bloß fehlt mir das Instrument.

Das Mädchen verteilte im Kamin die Holzscheite, und sie spürte, daß ich hinter ihr stand und sie beobachtete, aber sie rührte sich nicht. Drehte den Kopf nicht zu mir. Sie kniete vorgebeugt, und diese Körperhaltung ist immer auch erotisch. Eine Frau, die vorgebeugt kniet, und wenn es während der Arbeit ist, verwandelt sich immer in eine erotische Erscheinung. Darüber mußte ich lachen. Aber nicht auf frivole Art, sondern einfach gutgelaunt, aus Freude darüber, daß selbst den großen Augenblicken, den entscheidenden, schicksalhaften Sekunden in uns und unseren Beziehungen eine ungeschlachte Menschlichkeit, ein derber Stumpfsinn innewohnt, daß die großen Gefühle und pathetischen Regungen mit solchen Körperhaltungen und Bewegungen zusammenhängen. So etwas ist lächerlich und erbärmlich. Doch die Erotik, die große erneuernde Kraft, die jedes Lebewesen zu ihrem Sklaven macht, setzt sich aus solchen Bewegungen zu einem Phänomen höherer Art zusammen. Auch daran dachte ich in jenem Augenblick. Und natürlich daran, daß ich diesen Körper begehrte und daß da eine Notwendigkeit war und auch etwas Gemeines und Verachtenswertes, aber ich begehrte sie, das war die Wahrheit. Und auch das, daß ich nicht nur ihren Körper begehrte, der sich mir jetzt in so plumper Art zeigte, sondern auch das Schicksal hinter diesem Körper, seine Gefühle und Geheimnisse. Und da ich sehr viel mit Frauen zusammengewesen war, wie damals alle reichen und im Grunde müßiggängerischen jungen Leute, wußte ich auch, daß es zwischen Männern und Frauen keine definitiven erotischen Lösungen gibt, daß die erotischen Augenblicke aus sich selbst aufflackern und ins Nichts zerfallen, in die Gewohnheit und die Gleichgültigkeit. Und daß dieser Körper, dieser pralle Hintern und diese schlanke Taille, diese breiten und doch wohlproportionierten Schultern, dieser hübsche, etwas seitwärts gebeugte Hals mit dem dunklen Flaum, diese nett geformten, vollen Beine, daß dieser Frauenkörper nicht der schönste der Welt war – ich hatte schon besser proportionierte, schönere, aufregendere Körper in mein Bett geschleppt –, daß es jetzt aber nicht darum ging. Und ich wußte auch, daß die Wellenbewegung und das Schwanken, die einen fortwährend zwischen Begehren und Befriedigung, zwischen Durst und Überdruß hin und her schieben, daß dieses Anziehen und Abstoßen keine Ruhe kennt. Das alles wußte ich, wenn auch nicht so genau wie jetzt, da ich alt werde. Mag sein, daß ich damals noch hoffte, in der Tiefe meines Herzens hoffte, daß es einen Körper gibt, der in völliger Harmonie einem anderen Körper antwortet und den Durst des Begehrens und den Überdruß der Befriedigung in einem sanfteren Frieden auflöst – gemäß dem Traum, den die Menschen im allgemeinen das Glück nennen. Nur gibt es das Glück eben nicht, aber das wußte ich damals noch nicht so genau.

In Wirklichkeit kommt es nur selten vor, daß auf die Anspannung des Begehrens, des Reizes nicht eine ebenso tief empfundene kritische Nachdenklichkeit folgt, die Herabgestimmtheit der Befriedigung. Daneben gibt es Menschen, die wie Schweine sind, denen alles gleich ist, Begehren und Befriedigung, alles auf derselben undifferenzierten Ebene. Vielleicht sind das die Zufriedenen. Aber eine solche Zufriedenheit wünsche ich mir nicht. Wie gesagt, das alles wußte ich damals noch nicht so genau; vielleicht hoffte ich noch, und sicher ist auch, daß ich mich ein bißchen verachtete und für die Situation und die Gefühle auslachte, die ich mir da suggerieren ließ. Ich wußte damals noch vieles nicht, zum Beispiel auch das nicht, daß eine Situation nie lächerlich ist, wenn Menschen ihrer körperlichen und seelischen Bestimmung gehorchen.

Und dann sprach ich das Mädchen an. Ich weiß nicht mehr, was ich sagte. Aber die Situation sehe ich ganz deutlich, als sei sie auf Schmalfilm aufgenommen, sehe sie wie die familiären Filmszenen, die zartfühlende Wesen von der Hochzeitsreise oder von den ersten Schritten des Kleinen anfertigen. Judit erhob sich langsam, zog aus der Tasche ihres Rocks das Taschentuch hervor und wischte sich die von der Asche und vom Holz schmutzigen Hände ab. Diese Szene sehe ich deutlich. Und dann begannen wir zu reden, rasch und halblaut, als hätten wir Angst, daß jemand hereinkäme, redeten wie die Verschwörer, nein, wie der Dieb und sein Spießgeselle. Denn ich muß dir jetzt etwas sagen. Ich möchte das Ganze ehrlich erzählen, und du wirst gleich verstehen, warum das nicht leicht ist.

Denn das ist keine Frauengeschichte, was ich da erzähle, kein pikantes Abenteuer, nein. Dafür ist die Geschichte zuwenig munter, und sie ist auch nur insofern meine Geschichte, als ich einer der Protagonisten war. Zwischen uns wirkten in dem Augenblick größere Kräfte, rangen wichtigere Kräfte miteinander, jenseits unserer Einzelschicksale. Also, wir redeten leise. Das war ja auch natürlich, schließlich war ich der Herr und sie das Dienstmädchen, und wir sprachen von vertraulichen und ernsten Dingen, und in jedem Augenblick konnte jemand hereinkommen, meine Mutter oder der Diener, der ja eifersüchtig war. Kurz und gut, die Situation und der Takt verlangten, daß wir leise redeten. Natürlich spürte auch sie, daß man jetzt flüstern mußte.

Ich aber spürte auch noch etwas anderes. Vom ersten Augenblick unseres Gesprächs an hatte ich gespürt, daß es hier um anderes ging: Da redete nicht einfach ein Mann mit einer Frau, die ihm gefiel, von der er etwas erwartete, die er zu seiner Befriedigung gewinnen wollte, nein. Und ich fühlte auch nicht einfach, daß ich in diese gutgewachsene junge Frau verliebt war, daß ich verrückt war nach ihr, daß ich mich kaum mehr halten konnte, daß ich bereit war, die Welt auf den Kopf zu stellen, um diese Frau zu haben, zu erwerben, zu besitzen. Das alles ist ziemlich langweilig. Kommt in jedem Männerleben vor, und nicht bloß einmal. Geschlechtstrieb wie Hunger, beide können quälend grausam sein. Nein, dieses Geflüster hatte einen anderen Grund. Zuvor hatte ich eine solche Vorsicht nicht gekannt, weißt du. Jetzt hingegen verfocht ich nicht bloß mein eigenes Anliegen, sondern ich redete auch gegen etwas oder jemanden an, deshalb sprach ich so leise. Denn hier nun war es ernst, ernster als in einem galanten Roman zwischen dem jungen Herrn und dem ansehnlichen Zimmerhäschen. Denn als diese Frau aufstand, ohne die geringste Verlegenheit, wie man so sagt, ihre Hände abwischte und mir in die Augen blickte, mit weit geöffneten Augen und sehr aufmerksam – in ihrem schwarzen Kleid mit weißer Schürze und dem weißen Häubchen, so wie das Zimmermädchen in der Operette, lächerlich ähnlich –, da spürte ich, daß ich ein Bündnis anbot, das nicht nur die Befriedigung eines Verlangens betraf, sondern vor allem gegen etwas gerichtet war. Und sie spürte das auch. Wir sprachen sofort vom Wesentlichen, unmittelbar und ohne Umschweife, wirklich so wie in einem Stadtpalais oder auf einem wichtigen Amt zwei Verschwörer miteinander reden, der eine ist hier angestellt, der andere hat hier immer wieder zu tun, und jetzt haben sie endlich zwei Minuten Zeit, ihr gemeinsames Unternehmen zu besprechen, flüsternd und so, als sprächen sie von etwas anderem, sehr aufgeregt und doch so, als erledigte der eine seine Arbeit, während der andere nur gerade hier vorbeigekommen wäre und ihn kurz angeredet hätte. Sie haben nicht viel Zeit. In jedem Augenblick könnte der Chef hereinkommen, oder ein mißtrauischer Beamter geht durchs Zimmer, und wenn man die beiden zusammen sieht, kommt gleich ein Verdacht auf. Deshalb sprachen wir gleich vom ersten Augenblick an vom Wesentlichen, und Judit blickte zwischendurch aufs Feuer, denn die Scheite waren feucht und brannten nicht gleich. Sie kniete sich noch einmal vor den Kamin und fachte das Feuer mit dem Blasebalg an, und ich kniete mich neben sie und stellte die Feuerböcke aus Messing richtig hin und half ihr beim Feuerschüren. Und unterdessen redete ich.

Was ich ihr gesagt habe?... Warte, ich will mir noch eine anzünden. Spielt ja keine Rolle. In einem solchen Moment zähle ich die Zigaretten nicht mehr. Überhaupt spielt vieles keine Rolle.

Doch damals hatte ich das Gefühl, es sei alles sehr wichtig, was ich sagte und was dann geschehen würde. Ich hatte keine Zeit, ihr den Hof zu machen und zu scharwenzeln. Das war auch nicht nötig. Ich sagte, ich wolle mit ihr leben, und sie war davon nicht überrascht. Sie hörte ruhig zu, blickte aufs Feuer, blickte mir dann in die Augen, ernst und gar nicht erstaunt. Jetzt nachträglich habe ich das Gefühl, daß sie mich in dem Augenblick prüfend ansah, daß sie gleichsam meine Kräfte abzuschätzen versuchte, so wie das Bauernmädchen den Burschen ansieht, der vor ihr großtut und behauptet, er könne so und so schwere Gewichte heben, einen Sack Weizen oder so ähnlich. Auch sie prüfte mich mit dem Blick, aber es ging nicht um meine Muskelkraft, sondern um meine Seele. Wie gesagt, jetzt habe ich das Gefühl, als hätte sie mich ein bißchen spöttisch einer Prüfung unterzogen, mit einem gelinden Spott. Als ob sie hätte sagen wollen: »So stark bist du nicht. Es braucht viel Kraft, mein Freund, um mit mir zu leben. Du wirst dir das Kreuz brechen.« Das sagte ihr Blick. Ich fühlte das und redete noch eindringlicher. Ich sagte, alles würde sehr schwer sein, denn die Situation sei unmöglich, mein Vater würde niemals seine Einwilligung zur Heirat geben, und wahrscheinlich würden noch ganz andere Schwierigkeiten entstehen. Zum Beispiel, sagte ich, sei es auch möglich, daß mir eine solche Ehe vor der Welt und vor der Familie peinlich wäre, und es sei nicht wahr, daß man die Welt, in der man lebt und von der man einiges bekommen hat, ganz verleugnen könne. Und es sei anzunehmen, daß diese Befangenheit, dieses schlechte Grundgefühl früher oder später unsere Beziehung verderben würde. Ich hätte solches schon gesehen, hätte in meiner Gesellschaftsschicht Leute gekannt, die sich weit unter ihrer Stellung verheiratet hatten, und alle diese Beziehungen seien gescheitert.

Solchen Blödsinn redete ich. Selbstverständlich meinte ich das alles ernst, ich sprach nicht aus Feigheit so, ich suchte nicht nach Ausflüchten. Und sie verstand, daß ich ehrlich redete, sie blickte mich ernsthaft an und nickte, weil auch sie so dachte. Fast spornte sie mich an, noch weitere Argumente zu finden, die sogleich und von vornherein bewiesen hätten, was für eine unmögliche Idee das

Ganze war: Ich sollte mit weiteren schlagenden Beispielen den Wahnwitz der Angelegenheit beweisen. Und tatsächlich suchte ich nach solchen Argumenten. Sie selbst sagte nichts, kein einziges Wort, genauer, sie sagte erst am Ende etwas, und das ganz kurz. Sie ließ mich reden. Ich weiß selbst nicht, wie, aber ich redete anderthalb Stunden lang, dort vor dem Kamin, und sie blieb die ganze Zeit auf den Knien, während ich neben ihr saß, im niedrigen englischen Ledersessel, und ins Feuer blickte und redete, und es kam niemand ins Zimmer, niemand störte uns. Es gibt im Leben eine unsichtbare Regie: Wenn eine Situation eintritt, in der Menschen etwas erledigen, zu Ende bringen müssen, dann machen auch die Umstände mit, ja, der Ort und die Gegenstände und die Menschen ringsum werden zu unbewußten Komplizen. Niemand störte uns. Es war schon Abend, mein Vater war nach Hause gekommen, Judit wurde bestimmt schon in der Anrichte vermißt, wo Geschirr und Besteck für das Abendessen vorbereitet wurden, und im Haus hatten sich alle schon für den Abend umgezogen, aber uns störte niemand. Später habe ich verstanden, daß so etwas gar nicht so verwunderlich ist. Das Leben inszeniert die Situationen vollkommen, wenn es etwas schaffen will.

Ich selbst hatte in jenen anderthalb Stunden das Gefühl, zum erstenmal mit jemandem zu sprechen, zum erstenmal in meinem Leben. Ich wolle mit ihr leben. Ich könne sie nicht heiraten, aber genau wisse ich das selbst auch nicht, sagte ich. Auf jeden Fall müßten wir zusammenleben. Ich fragte sie, ob sie sich an unser erstes Treffen erinnerte, als sie in unser Haus gekommen war. Sie sagte nichts, nickte aber zustimmend. Sie war sehr schön dort, in dem halbdunklen Zimmer, so wie sie vor dem Feuer kniete im rötlichen, herbstlaubfarbenen Licht, mit ihrem glänzenden Haar und dem schönen, etwas seitwärts geneigten Hals, während sie mir zuhörte, in der Hand den Feuerhaken. Ich sagte, sie solle das Haus verlassen, sie solle kündigen, solle sagen, sie müsse nach Hause fahren, und dann solle sie irgendwo auf mich warten, ich würde meine Angelegenheiten in ein paar Tagen ordnen, und dann würden wir zusammen verreisen, nach Italien, und dort würden wir lange bleiben, vielleicht jahrelang. Ich fragte sie, ob sie Italien gern sehen würde. Sie schüttelte stumm den Kopf, wahrscheinlich hatte sie meine Frage gar nicht verstanden, wahrscheinlich wirkte das so, als hätte ich gefragt, ob sie Heinrich IV. sehen wolle. Sie verstand es nicht. Aber sie war sehr aufmerksam. Sie schaute ins Feuer, während sie gerade aufgerichtet kniete wie die Büßer, ganz nahe bei mir, ich hätte nur die Hand auszustrecken brauchen. Einmal streckte ich sie auch aus und griff nach ihrer Hand, aber sie zog sie zurück – weder kokett noch beleidigt, sondern mit einer natürlichen, einfachen Abwehr, so wie man im vertrauten Gespräch beiläufig einen Versprecher des andern korrigiert. Erst jetzt sah ich, daß diese Frau auf ihre Art vornehm war. Eine vornehme Substanz, aus der sie gemacht war. Ich war überrascht, aber gleichzeitig dünkte es mich auch natürlich. Immerhin wußte ich bereits, daß die Menschen nicht durch Stellung und Geburt vornehm sind, sondern durch den Charakter und den Verstand. Sie kniete im rötlichen Licht vor dem Kamin wie eine Herzogin, aufgerichtet und natürlich, weder stolz noch demütig, ohne das geringste Anzeichen von Verlegenheit oder Befangenheit, als wäre dieses Gespräch die natürlichste Sache der Welt. Und über allem der Weihnachtsbaum, nicht wahr. Später mußte ich immer lachen, wenn mir der Weihnachtsbaum einfiel, wobei es ein leicht bitteres Lachen war, das kann ich wohl sagen... Und Judit unter dem Baum wie ein unverständliches, seltsames Geschenk.

Und da sie nicht antwortete, verstummte ich schließlich auch. Sie beantwortete die Frage nicht, ob sie mit mir leben wolle, und auch nicht die Frage, ob wir nach Italien reisen sollten, für mehrere Jahre. Und weil mir nichts anderes mehr einfiel, und schließlich auch, weil ich für einmal reden mußte wie ein Käufer, der dem hartnäckigen Verkäufer gegenüber alles probiert, zuerst wenig anbietet, dann sieht, daß der andere hart bleibt und nicht mit sich feilschen läßt, und so am Ende den vollen Kaufpreis verspricht: so fragte ich sie also, ob sie meine Frau werden wollte.

Auf diese Frage antwortete sie.

Allerdings nicht sofort. Zuerst benahm sie sich merkwürdig. Sie blickte mich wütend an, fast haßerfüllt. Ich sah, daß sie geschüttelt wurde wie von einem Krampf. Sie zitterte. Kniete da und zitterte. Den Feuerhaken hängte sie an seinen Platz zurück, an die Wand neben dem Kamin, neben den Blasebalg. Und verschränkte die Arme auf der Brust. Jetzt sah sie aus wie ein Zögling, den der strenge Lehrer knien läßt. Sie starrte düster, mit einem gequälten Gesichtsausdruck, ins Feuer.

Dann stand sie auf, strich ihr Kleid zurecht und sagte: »Nein.«

»Warum nicht?« fragte ich.

»Weil Sie feig sind«, sagte sie und schaute mich sehr langsam und sehr gründlich von Kopf bis Fuß an. Und ging aus dem Zimmer.

Prosit. So hat es begonnen. Dann ging ich in die Stadt, die Geschäfte wurden geschlossen, die Leute beeilten sich, mit ihren Weihnachtspaketen nach Hause zu kommen. Ich ging in einen kleinen Uhrenladen, wo auch einfacher Schmuck verkauft wurde. Ich suchte ein Goldmedaillon aus, weißt du, so ein billiges kleines Ding, in dem die Frauen das Bild ihres verstorbenen oder lebenden Liebsten aufbewahren. In meiner Brieftasche fand ich einen Ausweis mit einem Photo, irgendein Abonnement, das am letzten Tag des Jahres ablief. Ich riß das Photo heraus, legte es ins Medaillon und bat den Händler, das Ganze schön als Geschenk zu verpacken. Als ich wieder nach Hause kam, machte Judit auf. Ich drückte ihr das Päckchen in die Hand. Kurz darauf verreiste ich, kam jahrelang nicht zurück und erfuhr erst viel später, daß sie das Medaillon von dem Augenblick an um den Hals getragen hatte, an einem violetten Band, und es nur abnahm, um sich zu waschen oder um das Band auszuwechseln.

Daraufhin geschah alles so, als hätten wir an jenem Weihnachtsnachmittag gar nicht von schicksalhaften Dingen gesprochen. Am Abend servierte Judit bei Tisch, zusammen mit dem Diener, am folgenden Tag machte sie wie immer in meinem Zimmer sauber. Natürlich hatte ich schon an dem Nachmittag gewußt, daß ich nicht bei Sinnen war. Ich wußte es auf die Art, wie es ein Tobsüchtiger weiß, der mit dem Kopf gegen die Wand rennt oder mit dem Pfleger ringt oder sich nachts mit einem rostigen Nagel ein paar Zähne herausstochert, während er doch weiß, daß das, was er schäumenden Mundes an sich selbst verübt, eine äußerst schädliche, schmachvolle, seiner und der Gesellschaft unwürdige Handlung ist. Er weiß es nicht erst, wenn der Anfall vorüber ist, sondern auch in den Augenblicken, da er die schmerzhafte, wahnsinnige Handlung vollführt. Auf diese Art wußte auch ich an dem Nachmittag vor dem Kamin, daß alles, was ich sagte und plante, völliger Irrwitz war, daß ich mir da Dinge vorstellte, die meiner Person und meiner Position unwürdig waren. Und so sah ich später auf diesen Augenblick zurück wie auf einen Anfall, wenn man die Herrschaft über seinen Willen verliert, wenn Gefühle und Sinne selbständig zu funktionieren beginnen, wenn die kontrollierende, bremsende Kraft der Seele gelähmt ist. Ohne Zweifel hatte ich an jenem Nachmittag unter dem Weihnachtsbaum den einzigen ernstlichen Wahnanfall meines Lebens gehabt. Auch Judit wußte das, deshalb hörte sie so aufmerksam zu, wie jemand, der eines Tages an einem Familienmitglied die Anzeichen des Nervenzusammenbruchs wahrnimmt. Selbstverständlich wußte sie auch noch etwas anderes: Sie kannte den Grund des Anfalls. Hätte an jenem Nachmittag jemand – ein Fremder oder ein Familienmitglied – gelauscht, hätte er ganz sicher den Arzt kommen lassen.

Das alles war für mich selbst auch überraschend, weil ich sonst alles im Leben mit Bedacht tue. Vielleicht sogar ein bißchen zu bedacht. Vielleicht fehlt meinen Handlungen gerade das, was man Spontaneität nennt. Ich handle nie unmittelbar, einfach aufgrund eines Einfalls oder aus der Laune des Augenblicks oder weil es gerade meinen Neigungen oder den Möglichkeiten entspricht. Auch in der Fabrik und im Geschäftsleben hatte ich den Ruf, ein bedächtiger Mensch zu sein, der gut überlegt, bevor er sich zu etwas entschließt. Und so überraschte die einzige Nervenschwäche meines Lebens mich selbst am meisten, denn ich wußte ja während des Gesprächs ganz genau, daß ich verrückte Dinge sagte, daß alles nicht so kommen würde und daß ich ganz anders vorgehen müßte, schlauer oder vorsichtiger oder hartnäckiger. Weißt du, bis dahin war ich in der Liebe nach dem Gesetz des Cash-and-carry verfahren, so wie die Amerikaner im Krieg: zahlen und gleich mitnehmen. Das war meine Einstellung. Nicht gerade vornehm, aber jedenfalls von einem gesunden Egoismus. Hier hingegen hatte ich nicht gezahlt und auch nicht mitgenommen, was ich haben wollte, sondern ich hatte gefleht und erklärt, und das auf eine unmögliche Art, in einer völlig demütigenden Situation.

Für den Wahn gibt es keine Erklärung. Einmal bricht er in fast jedes Leben ein. Und vielleicht ist ein Leben, über das nie ein solcher Gemütssturm hinwegfegt, dessen Grundfesten nie von einem solchen Erdbeben erschüttert werden, das nie von einem Tornado heimgesucht wird, der die Ziegel von den Dächern reißt und heulend alles von der Stelle rückt, was Vernunft und Anstand bis dahin in Ordnung gehalten haben, vielleicht ist ein solches Leben armselig. Über mein Leben ist der Wahn gekommen. Du fragst, ob ich es bedaure. Nein. Aber ich sage auch nicht, das sei der Sinn meines Lebens gewesen, jener Augenblick. Er hat stattgefunden wie eine Krankheit, und wenn man von einer plötzlichen Krankheit befallen wurde, fährt man zur Rekonvaleszenz am besten ins Ausland. Das tat ich auch. Eine solche Reise ist natürlich immer auch eine Flucht. Doch zuvor wollte ich sicher sein, und ich bat meinen Freund Lázár, den Schriftsteller, das Mädchen einmal zu empfangen, es sich anzuschauen, mit ihm zu sprechen. Und ich bat Judit, zu Lázár zu gehen. Jetzt weiß ich, daß sie recht hatte, daß ich feig war, daß ich deswegen so handelte. Weißt du, als ob ich sie zu einem Arzt schickte, der untersuchen sollte, ob sie gesund ist. Schließlich hatte ich sie fast auf der Straße aufgelesen, auf irgendeinem Schauplatz, wie es heutzutage in der Kriegsberichterstattung heißt. Sie hörte mich mitleidig an, als ich mit meiner Bitte kam. Aber sie wehrte sich nicht, ging willig zu Lázár, stumm und wahrscheinlich beleidigt, als würde sie sagen: »Na gut, wenn du darauf bestehst, gehe ich zum Arzt und lasse mich untersuchen.«

Lázár, ja. Es war eine seltsame Beziehung, die wir hatten.

Wir waren gleich alt, Schulkameraden. Er war schon fünfunddreißig vorbei, als sein Name plötzlich aufgegriffen wurde; bis dahin hatte man praktisch nichts von ihm gehört. Er schrieb in kleinen, hoffnungslosen Zeitschriften merkwürdige kurze Texte, die auf mich immer wirkten, als mache sich der Autor über die Leser lustig, als spotte er über diese Erfindung, über das Schreiben, das Publizieren, das Lesen und Kritisieren. Er schrieb zwar kein einziges Wort, das eine solche Ansicht ausgedrückt hätte. Was schrieb er eigentlich? Er schrieb über das Meer oder ein altes Buch oder einen Charakter, ganz kurz, zwei, drei Seiten. Diese Texte waren so hermetisch, als teilte jemand in der Sprache eines fremden, seltsamen Volksstamms seine Beobachtungen über die Welt und über die Dinge hinter der Welt mit. Dieser Volksstamm – das war mein Gefühl, als ich seine ersten Artikel las – war im Aussterben begriffen, es lebten nur noch sehr wenige seiner Mitglieder, nur noch sehr wenige sprachen diese Sprache. Die Muttersprache der Schriften Lázárs. Daneben sprach und schrieb er ein kühles, schönes Ungarisch, fehlerlos und rein. Er sagte mir, er lese jeden Tag morgens und abends János Arany, so wie man täglich mehrmals den

Mund spüle. Aber seine Texte redeten dennoch in jener anderen Sprache.

Und dann war er auf einmal berühmt. Warum?... Es war unerklärlich. Hände wurden nach ihm ausgestreckt, man vernahm zuerst in den Salons, dann auf den Diskussionspodien, dann in den Zeitungen immer öfter seinen Namen. Und plötzlich begann man ihn zu imitieren, die Zeitungen und Zeitschriften waren voller Lázár-Texte, die nicht er geschrieben hatte und deren heimlicher Autor doch er war. Vor allem das große Publikum interessierte sich für ihn, was niemand verstand, denn seinen Büchern fehlte alles, was die Menschen unterhält, beruhigt und einlullt. Vielmehr schien er den Leser gar nicht zu beachten. Aber auch das wurde ihm verziehen. Nach ein paar Jahren war er einer der ersten in dem seltsamen Wettbewerb, der den weltlichen Teil des intellektuellen Lebens ausmacht; seine Texte wurden gedeutet wie die uralten Schriften des Orients an den Hochschulen. Das alles veränderte ihn nicht. Auf dem Höhepunkt seines Erfolgs fragte ich ihn einmal, was er fühle, ob ihm dieses Geschrei nicht in den Ohren schmerze, da es natürlich auch durchsetzt war vom Gekreisch der Mißgunst, des Hasses, der berechtigten oder unberechtigten, jedenfalls der neidvollen Anklage. Das Ganze aber ergab ein einziges Klanggemisch, aus dem klar und deutlich sein Name heraustönte wie die Soloviline aus dem Orchester. Er hörte sich die Frage aufmerksam und nachdenklich an. Dann sagte er ernst: »Das ist die Rache des Schriftstellers.« Mehr sagte er nicht.

Ich wußte etwas von ihm, das die Welt nicht wußte: Er war ein Mann, der spielte. Mit allem, mit Menschen, Situationen, Büchern, überhaupt mit dem seltsamen Phänomen, das man im allgemeinen Literatur nennt. Einmal, als ich ihm das vorhielt, sagte er schulterzuckend, die Kunst sei heimlich und ganz innen, in der Seele des Künstlers, nichts anderes als eine Erscheinungsform des Spieltriebs. »Und die Literatur?« fragte ich. »Die Literatur ist doch mehr als die Kunst, sie ist Antwort und ethische Haltung.« Er hörte mir ernst und höflich zu, wie immer, wenn ich die Rede auf seinen Beruf brachte, und dann sagte er, das sei richtig, doch der Instinkt, der diese Haltung bestimme, sei ein spielerischer Instinkt, und übrigens bestehe der eigentliche Sinn der Literatur, ebenso wie der des Glaubens, in der Form, und was Form sei, sei auch schon Kunst. Er wich der Frage aus. Das große Publikum und die Kritiker wußten natürlich nicht, daß dieser Mensch genauso ernsthaft mit einem Kätzchen spielte, das ein Fadenknäuel jagte, wie er mit einem philosophischen oder ethischen Problem spielte: mit demselben Ernst, also gleicherweise unvoreingenommen, seine Aufmerksamkeit dem Phänomen oder dem Gedanken voll zuwendend, während er sein Herz keinem von ihnen überließ. Er war der Spielkamerad. Das wußte man nicht von ihm. Und er war auch der Augenzeuge meines Lebens. Darüber sprachen wir oft und ganz offen. Du weißt ja, jeder hat jemanden, der sein Anwalt, Überwacher, Richter und gleichzeitig auch ein bißchen sein Komplize ist in dem rätselhaften Prozeß, der sich Leben nennt. So ist der Augenzeuge. Er ist es, der einen durchschaut und bis ins kleinste kennt. Alles, was man tut, tut man auch ein bißchen für ihn, und wenn man Erfolg hat, denkt man: »Ob er es wohl glaubt?« Der Augenzeuge ist ein Leben lang im Hintergrund da. Ein unbequemer Spielkamerad. Und doch kann man ihn nicht loswerden, will es wohl auch nicht.

Das war für mich die Bedeutung Lázárs, des Schriftstellers, mit dem ich die merkwürdigen, für andere unverständlichen Spiele der Jugend und des Erwachsenenalters spielte. Nur wir wußten voneinander, daß wir zwar in den Augen der Welt erwachsene Leute waren, der ernsthafte Fabrikant und der berühmte Schriftsteller, daß wir in den Augen der Frauen aufgeregte oder traurige oder leidenschaftliche Männer darstellten, daß aber in Wirklichkeit das Beste, das wir uns bewahren konnten, dieses grillenhafte, mutige, unerbittliche Spiel war, mit dem wir den feierlichen, verlogenen Schein des Lebens entlarvten und in etwas Besseres verwandelten.

Wenn wir zusammenkamen, verstanden wir uns, wie ganz üble Komplizen, sogar ohne geheime Zeichen und begannen gleich zu spielen.

Wir hatten viele Spiele. Zum Beispiel das Herr-Kovács-Spiel. Das erzähle ich dir, damit du verstehst, was ich meine. Man mußte es in der Gesellschaft, unter den anderen Damen und Herren Kovács, ganz unvermittelt so spielen, daß niemand etwas merkte oder auch nur ahnte. Also, wir treffen uns irgendwo und fangen gleich an. Was sagt der eine Herr Kovács zum andern Herrn Kovács, wenn gerade davon gesprochen wird, daß die Regierung gestürzt worden oder die Donau über die Ufer getreten ist und eine ganze Gemeinde weggeschwemmt hat oder daß sich die berühmte Schauspielerin scheiden läßt oder daß der namhafte Politiker öffentliche Gelder veruntreut hat oder daß der große Moralapostel in einem Stundenhotel tot gefunden wurde? Herr Kovács brummt ein bißchen vor sich hin, dann sagt er: »So geht das eben.« Und noch weitere monumentale Platitüden, wie zum Beispiel: »Das Wasser hat die Eigenschaft, naß zu sein.« Oder:

»Einmal so, einmal anders, nicht wahr?« Seit es die Welt gibt, reden sämtliche Damen und Herren Kovács so. Und wenn der Zug anfährt, sagen sie: »Wir fahren.« Und wenn der Zug in Füzesabony hält, sagen sie ernst und feierlich: »Füzesabony.« Und sie haben immer recht. Die Welt ist vielleicht deshalb so unbegreiflich gemein und hoffnungslos, weil die Gemeinplätze immer stimmen, und nur ein Genie oder ein Künstler wagt es, auf sie zu pfeifen und zu enthüllen, was an ihnen tot und lebensfeindlich ist, und zu zeigen, daß es hinter den wohlanständigen Herr-Kovács-Weisheiten eine andere Wahrheit gibt, die das Rad schlägt und sich keinen Deut um Füzesabony schert und nicht überrascht ist, wenn die Polizei den Moralapostel vorfindet, wie er nach einem Stelldichein im rosaroten Unterrock vom Türsturz baumelt... Das Herr-Kovács-Spiel hatten Lázár und ich zur Vollkommenheit gebracht, die Herren Kovács vermuteten nichts und fielen immer herein. Wenn Herr Kovács von der Politik sprach, antworteten Lázár oder ich, ohne zu zögern: »Es ist nämlich so: Der eine hat zwar schon recht, aber auch der andere hat nicht ganz unrecht. Man muß eben beide Seiten anhören.« Dann gab es das Zu-meiner-Zeit-Spiel, das auch nicht schlecht war. Zu meiner Zeit, nicht wahr, war alles besser, der Zucker süßer, das Wasser nasser, die Luft luftiger, die Frauen liefen nicht irgendwelchen Liebhabern hinterher, sondern klopften den ganzen Tag am Fluß die Wäsche, bis zum Sonnenuntergang, und danach klopften sie noch ein Weilchen weiter. Und wenn die Männer Geld sahen, wollten sie es nicht haben, sondern schoben die Geldscheine von sich und sagten: »Gehen Sie mir doch weg mit diesem Geld. Geben Sie es lieber den Armen.« So waren die Frauen und Männer zu meiner Zeit, nicht wahr?

Zu diesem Mann schickte ich vor meiner Abreise Judit Áldozó, damit er sie sich anschaute. Wie gesagt, als wäre er ein Arzt.

Judit war an einem Nachmittag bei ihm, am Abend traf ich mich mit Lázár. »Schau«, sagte er, »was willst du? Das ist schon gelaufen.« Ich hörte ihm mißtrauisch zu. Hatte Angst, er spiele wieder. Wir saßen in einem Kaffeehaus in der Innenstadt, wie jetzt du und ich. Er drehte seine Zigarettenspitze zwischen den Fingern – er rauchte die Zigaretten immer aus einer langen Spitze, denn er hatte dauernd Nikotinvergiftungen und dachte sich die kompliziertesten Dinge aus, um die Menschheit vor den schrecklichen Folgen dieses Giftes zu retten –, und dabei sah er mich so ernst und aufmerksam an, daß es verdächtig war. Ich fürchtete, er führe mich an der Nase herum, habe ein neues Spiel erfunden, tue so, als sei die Angelegenheit lebenswichtig, und am Ende würde er mir ins Gesicht lachen und sagen, nichts sei lebenswichtig, das sei alles bloß eine Herr-Kovács-Sache: Nur der Spieß-bürger glaube, das Universum drehe sich um ihn, und die Sternbilder seien auf sein Schicksal hin geordnet. Ich wußte, daß er mich für einen Bürger hielt – nicht gerade im verächtlichen Sinn des Wortes, so wie es heute Mode ist, nein, er erkannte an, daß Bürgerlichkeit auch Anstrengung bedeutet, er sah wegen meiner Abstammung, meiner Manieren und Überzeugungen nicht auf mich herunter, denn auch er hatte eine hohe Meinung vom Bürger –, bloß war ich das in seinen Augen auf hoffnungslose Art. Er hatte das Gefühl, in meiner Situation sei etwas Aus-sichtsloses. Er sagte, der Bürger sei immer auf der Flucht. Zu Judit Áldozó mochte er sich hingegen nicht äußern. Er sprach von anderem, höflich und bestimmt.

Später habe ich oft über dieses Gespräch nachgedacht. Weißt du, ich dachte wie ein Kranker daran, der erst später die Wahrheit hört, den wahren Namen und das wahre Ausmaß seiner Krankheit, und dem dann der Nachmittag einfällt, an dem er zum erstenmal bei dem berühmten Arzt war. Der Nachmittag, an dem ihn der Professor, der renommierte Internist, sorglich und gründlich untersuchte, mit allen Mitteln der Kunst, und dann höflich von anderem redete, ihn fragte, ob er nicht Lust auf eine Reise hätte, ob er das Erfolgsstück schon gesehen, von dem und jenem gemeinsamen Bekannten etwas gehört habe. Nur gerade von dem, was den Kranken interessiert, spricht er nicht. Und der hat doch genau deswegen die Unannehmlichkeit der Untersuchung auf sich genommen, denn er will Gewißheit haben, er weiß ja selbst nicht recht, was ihm fehlt, seine Beschwerden haben etwas Allgemeines, es sind eher kleine Symptome, und eine Art Beklommenheit, ein vages Unwohlsein warnt ihn, daß in seinem Organismus, seinem Lebensrhythmus etwas nicht in Ordnung ist. Vielleicht hofft er sogar noch, daß sich die Sache einrenken läßt, doch gleichzeitig dämmert ihm undeutlich, aber unmißverständlich, daß der Professor die Wahrheit kennt, sie aber nicht sagen will. Und jetzt heißt es warten, bis man aufgrund der Symptome, der unheilvollen Zeichen der Krankheit und der Art der Behandlung doch noch die Wahrheit erfährt, die der weise Arzt verschwiegen hat. Und unterdessen wissen alle alles, der Kranke weiß, daß er sehr krank ist, der Professor weiß es ohnehin, und er weiß auch, daß der Kranke die Wahrheit ahnt und weiß, daß der Arzt sie ihm verschweigt. Dennoch ist nichts zu machen, man muß warten, bis die Krankheit spricht. Und dann muß man, soweit es geht, sie zu beheben versuchen.

Auf diese Art hörte ich Lázár an dem Abend zu, nachdem Judit bei ihm gewesen war. Er redete von allerlei: von Rom, von einem neuen Buch, vom Verhältnis der Jahrhunderte zur Literatur. Dann stand er auf, reichte mir die Hand und ging. Da spürte ich, daß es kein Spiel gewesen war. Mein Herz klopfte unruhig. Ich fühlte, daß er mich meinem Schicksal überlassen hatte und daß ich von nun an alles allein tun mußte. In dem Augenblick begann ich eine Art Hochachtung vor dieser Frau zu fühlen, die auf Lázár eine solche Wirkung gehabt hatte. Ich achtete sie, ich hatte Angst vor ihr. Einige Tage später reiste ich ab.

Dann verging viel Zeit, an die ich mich nur noch ungenau erinnere. Weißt du, das war die Zeit des Zwischenspiels. Ich will dich nicht damit langweilen.

Ich reiste vier Jahre lang durch ganz Europa. Mein Vater kannte den wahren Grund dieser Reise nicht. Meine Mutter vielleicht schon, aber sie sagte nichts. Mir selbst fiel lange Zeit auch nichts Besonderes auf. Ich war jung, und wie man zu sagen pflegt: Mir gehörte die Welt.

Damals war noch Friede. Wenn auch kein richtiger. Es war die Übergangszeit zwischen zwei Kriegen. Die Grenzen waren nicht ganz offen, doch die Züge hielten nur mehr kurze Zeit an den diversen Schranken. Die Menschen, erstaunlich vertrauensvoll und selbstvergessen, forderten voneinander Wechsel mit langem Verfallsdatum, und nicht nur die Menschen, sondern auch die Länder, und was noch erstaunlicher ist: Sie erhielten sie auch – man baute Häuser und benahm sich ganz allgemein so, als wäre ein schmerzlicher, schrecklicher Abschnitt des Lebens endgültig vorbei, als wäre eine neue Zeit angebrochen, da alles wieder an seinem Platz war, da man wieder planen,

Kinder erziehen, in die Ferne blicken und sich überhaupt mit Dingen beschäftigen konnte, die angenehm und ein bißchen überflüssig waren. In dieser Welt begann ich umherzureisen, zwischen den beiden Kriegen. Ich kann nicht sagen, daß das Gefühl, mit dem ich aufgebrochen war und das mich an jeder einzelnen Station der Reise erfüllte, ein Gefühl absoluter Sicherheit gewesen sei. Wie Leute, die einmal gründlich ausgeraubt worden sind, waren wir in jener kurzen Zwischenkriegszeit in Europa alle ein bißchen vorsichtig: Alle, Individuen wie Völker und Nationen, gaben wir uns Mühe, herzlich, großzügig und stilvoll zu sein, doch heimlich hielten wir – für alle Fälle – in der Hosentasche einen Revolver umklammert, und von Zeit zu Zeit griffen wir erschrocken nach der Brieftasche in der Innentasche unseres Jacketts. Zweifellos hatten wir in jenen Jahren nicht nur um unsere Brieftaschen Angst, sondern auch um unsere Herzen und Gemüter. Aber immerhin, man konnte wieder reisen …

Es entstanden überall neue Häuser, neue Stadtviertel, neue Städte, ja, neue Länder. Zuerst fuhr ich nach Norden, dann nach Süden, dann nach Westen. Am Ende blieb ich mehrere Jahre in den Städten des Westens. Was ich liebte, woran ich glaubte, hier war es auf unmittelbar vertraute Art vorhanden: Weißt du, wie wenn man in der Schule aus den Büchern eine Sprache lernt und dann in das Land reist, in dem sie die Muttersprache der Einheimischen ist. Im Westen lebte ich unter echten Bürgern, die das Bürgertum offensichtlich nicht als Rolle und Motto und auch nicht als Pflicht verstanden, sondern darin wohnten, wie man in einem Haus wohnt, das man von seinen Vorfahren geerbt hat und das zwar ein bißchen eng, dunkel und altmodisch ist, aber dennoch das beste, das man kennt, so daß man es nicht abbrechen und ein neues bauen mag. Man brachte höchstens da und dort einen neuen Verputz an. Wir bei uns hatten an diesem Haus, am Daheim des Bürgertums, immer noch gebaut; zwischen den Palästen und den Hütten bauten wir eine ausgedehntere, großzügigere Lebensform, in der sich alle heimisch fühlen konnten, nicht nur Judit Áldozó, sondern vielleicht auch ich.

In jenen Jahren dachte ich nur undeutlich an Judit. Zu Anfang der Reise kam sie mir manchmal noch in den Sinn, und es war wie die Erinnerung an einen heftigen Fieberanfall. Ja, einmal war ich krank gewesen und hatte im Wahn geredet, mit geschlossenen Augen. Ich hatte die Einsamkeit gespürt, die in beängstigenden, eisigen Wellen in mein Leben strömte, und war zu einem Menschen geflüchtet, dessen Wesen, Ausstrahlung und Lächeln meine Angst aufzulösen versprachen. Daran erinnerte ich mich. Jetzt aber eröffnete sich die Welt, und sie war sehr interessant. Ich sah Statuen und Dampfturbinen und einsame Menschen, wie sie sich an der heiteren Melodie eines Verses ergötzten, sah Wirtschaftssysteme, die Würde und Großzügigkeit versprachen, sah riesige Städte, Berggipfel, wunderbare mittelalterliche Brunnen auf dem von Platanen gesäumten viereckigen Hauptplatz deutscher Kleinstädte, die Türme von Kathedralen, Meeresstrände mit goldenem Sand und dunkelblauem Ozean und nackten weiblichen Körpern. Ich sah die Welt. Damit konnte die Erinnerung an Judit Áldozó natürlich nicht mithalten. Genauer: Damals wußte ich noch nicht, daß die Kräfteverhältnisse in einem solchen Duell ungleich sind. Judit Áldozó war neben der Wirklichkeit der Welt tatsächlich weniger als ein Schatten; in jenen Jahren zeigte und versprach das Leben alles, es bot den großen Entwurf an, nämlich daß ich aus der traurigen, beschränkten Kulisse meines Zuhauses ausbrechen, das schöne Kostüm abwerfen und mich in die anderen Dimensionen des Lebens versenken könnte. Und auch Frauen bot mir das Leben an, Frauen verschiedenster Art, Mengen von Frauen, sämtliche Frauen der Welt, flämische Frauen mit kastanienbraunem Haar und verschlafen-feurigem Blick, Französinnen mit strahlenden Augen, demütige Deutsche. Na ja, jede Art Frauen. Ich lebte in der Welt, war ein Mann, und die Frauen machten es mir leicht, sie schickten Botschaften und riefen mich, sowohl die Koketten als auch die Anständigen, und versprachen das ganze Leben oder die einmalige Ekstase, die geheimnisvolle Vereinigung, nicht auf ewig, aber auch nicht nur für einen Augenblick, sondern für die Dauer eines längeren, rätselvollen Sichkennenlernens.

Die Frauen. Ist dir aufgefallen, wie unsicher, vorsichtig die Männer dieses Wort aussprechen? Als ob sie von einem nicht vollständig unterworfenen, ewig aufruhrbereiten, eroberten, aber ungebrochenen rebellischen Volksstamm sprächen. Was heißt denn dieses Wort im Alltag überhaupt? »Die Frauen.« Was erwarten wir von ihnen? Kinder? Hilfe? Frieden? Freude? Alles? Nichts? Augenblicke? Man lebt einfach, sehnt sich, macht Bekanntschaften, macht Liebe, dann heiratet man, erlebt in der Gesellschaft einer Frau Liebe, Geburt und Tod, und dann dreht man sich auf der Straße nach schlanken Beinen um, ruiniert sich wegen prachtvoller Haare oder wegen eines heißen Kusses, hat womöglich in bürgerlichen Betten oder auf den durchgelegenen Matratzen schmutziger Stundenhotels für Augenblicke das Gefühl, befriedigt zu sein, ist manchmal erhebend großzügig zu einer Frau, manchmal weint und schwört man, daß man auf ewig zusammenbleiben wird, auf einem Berggipfel oder in einer Großstadt. Doch dann vergeht die Zeit, ein Jahr oder drei Jahre oder zwei Wochen – ist dir aufgefallen, daß die Liebe, so wie der Tod, keine mit Uhr und Kalender berechenbare Zeit hat? –, und der große Plan, das große Unterfangen, ist mißlungen, oder ist nicht ganz so gelungen, wie man sich das vorgestellt hat. Und so trennt man sich, in Zorn oder in Frieden, und beginnt alles wieder von vorn, die Hoffnung, die Suche. Oder man kann nicht mehr, man bleibt zusammen und entzieht einander Lebenslust und Lebenskraft, man wird krank, man bringt einander um, man stirbt. Und im allerletzten Augenblick, da man die Augen schließt, versteht man? Was hat man voneinander gewollt? Man hat bloß gehorcht, einem großen, blinden Gesetz, das mit dem Hauch der Liebe seinen Befehl durchsetzt, der lautet, daß die Welt erneuert werde, mit Hilfe von sich paarenden Männern und Frauen, zum Weiterbestehen der Gattung. Ist das alles? Und wir selbst, wir Ärmsten, was hatten wir eigentlich für uns selbst erhofft? Was hatten wir einander gegeben, was voneinander bekommen? Was ist das für eine geheimnisvolle, furchtbare Buchhaltung? Und gilt es wirklich der Person, wenn ein Mann sich einer Frau zuwendet? Gilt es nicht vielmehr der Sehnsucht, immer nur der Sehnsucht, die zuweilen für kurze Zeit in körperlicher Gestalt erscheint? Und diese künstliche Erregung, in der wir leben, konnte doch wohl nicht das Ziel der Natur gewesen sein, als sie den Mann schuf und ihm eine Frau zur Seite gab, da sie sah, daß es nicht gut ist, wenn er allein ist.

Schau dich um auf der Welt, aus allem strahlt diese künstliche Anziehung, aus der Literatur, aus den Bildern, von der Bühne, von der Straße. Geh in ein Theater, im Zuschauerraum sitzen Männer und Frauen, auf der Bühne agieren Männer und Frauen, reden, schwören, im Zuschauerraum husten sie und räuspern sich. Doch wenn das Wort fällt: »Ich liebe dich« oder das andere: »Ich begehre dich« oder sonst etwas Ähnliches, das an die Liebe, den Besitz oder den Verlust, das Glück oder das Unglück erinnert, wird es im Zuschauerraum sogleich totenstill, Tausende von Menschen halten den Atem an. Und damit arbeiten die Schriftsteller, damit erpressen sie die Menschen im Zuschauerraum. Und wohin man auch geht, überall diese künstlichen Anreize, die Parfums, die bunten Fetzen und teuren Pelze, die halbnackten Körper, die fleischfarbenen Strümpfe, alles nicht wirklich funktional, denn auch im Winter ziehen sie sich ja nicht wärmer an, sie wollen ihre seidenbestrumpften Knie zeigen, und im Sommer, an den Ufern der Gewässer, tragen sie nur deshalb eine Art Lendenschurz, weil die weibliche Erscheinung auf diese Art verlockender und erregender ist, und all die Schminke, die roten Zehennägel, der blaue Lidschatten, das goldblonde Haar, das viele Zeug, mit dem sie sich einstreichen und aufdonnern, das alles ist doch ungesund.

Ich war schon fast fünfzig, als ich Tolstoi verstanden habe. Du weißt ja, die *Kreutzersonate*. Er spricht in diesem Meisterwerk von der Eifersucht, aber das ist nicht der Punkt. Er spricht von der Eifersucht, wahrscheinlich weil er selbst ein quälend sinnliches und eifersüchtiges Naturell hatte. Doch die Eifersucht ist nichts anderes als erbärmliche, verachtenswerte Eitelkeit. Ich kenne dieses Gefühl. Kenne es gut. Bin fast daran gestorben. Nun bin ich nicht mehr eifersüchtig. Verstehst du? Glaubst du es? Schau mich an. Nein, mein Alter, ich bin nicht mehr eifersüchtig, denn ich habe, wenn auch um einen hohen Preis, diese Eitelkeit niedergekämpft. Tolstoi hat noch geglaubt, man könne die Dinge lösen, und er dachte den Frauen ein tierähnliches Schicksal zu: Sie sollten gebären und sich in Jute kleiden. Eine unmenschliche, krankhafte Idee. Aber unmenschlich und krankhaft ist es auch, aus der Frau einen Ziergegenstand zu machen, ein erotisches Meisterwerk. Wie soll ich eine Person achten, wie soll ich ihr meine Gefühle und Gedanken anvertrauen, wenn sie von morgens bis abends nichts anderes tut, als sich aufzudonnern und herauszuputzen und einzuschmieren. Angeblich will sie mir gefallen mit ihren Federn und Pelzen und Parfums. Aber auch das ist nicht richtig. Sie will allen gefallen, sie will, daß nach ihrem Erscheinen bei den Männern, in den Nerven aller Männer, Sehnsüchte zurückbleiben. So leben wir. Im Kino, im Theater, auf der Straße, im Kaffeehaus, im Restaurant, an den Stränden, auf den Bergen, überall diese ungesunde Aufreizung. Du meinst, die Natur sei darauf angewiesen? Das ist Quatsch, mein Alter. Darauf sind bloß Wirtschaftssysteme und Gesellschaftsordnungen angewiesen, in denen die Frau als Ware betrachtet wird.

Ja, du hast schon recht, ich kenne auch nichts Besseres als dieses Wirtschafts- und Gesellschaftssystem. Alle anderen Experimente, die man an seiner Stelle durchführen wollte, sind mißlungen. Aber es stimmt trotzdem, in diesem System will sich die Frau fortwährend verkaufen, manchmal bewußt, meistens unbewußt. Ich will nicht behaupten, jede Frau betrachte sich als Ware, aber ich wage nicht anzunehmen, daß die Ausnahmen die große Regel widerlegen. Ich werfe es den Frauen auch nicht vor, sie können nichts dafür. Aber dieses Sichanbieten, dieses eingebildete, rauh-kokette Sichspreizen ist schon todtraurig, besonders wenn die Frau spürt, daß sie einen schweren Stand hat, daß es schönere, billigere, aufregendere Frauen gibt. Und so hat der Wettlauf beängstigende Dimensionen angenommen, denn in sämtlichen Städten Europas leben mehr Frauen als Männer, und sie haben in den freien Berufen keinen Platz, was können sie also mit ihrem traurigen weiblichen Leben anfangen? Sie bieten sich an. Zuweilen maßvoll, mit gesenkten Lidern, zitternde Blümchen Rührmichnichtan, die eigentlich davor zittern, daß wir sie tatsächlich nicht anrühren werden. Und dann die Selbstbewußten, die harten Schritts in den täglichen Kampf ziehen, wie die römischen Legionen, und wissen, daß sie immer um ein Reich und gegen Barbaren kämpfen. Nein, mein Freund, wir haben nicht das Recht, streng über die Frauen zu urteilen. Wir dürfen sie bloß bemitleiden, und vielleicht bemitleiden wir nicht sie, sondern uns selbst, die Männer, die im großen Basar der Zivilisation diesen lauernden, peinlichen Widerspruch nicht auflösen können. Immer diese bewußte Aufreizung. Wo man geht und steht. Und hinter allem das Geld, vielleicht nicht immer, doch in neunundneunzig von hundert Fällen menschlichen Elends. Das ist es, wovon der Heilige und Weise nicht gesprochen hat, als er in der *Kreutzersonate* seine zornige Anklage vortrug.

Er sprach von der Eifersucht. Schimpfte auf die Frauen, die Mode, die Musik, die Verlockungen des Gesellschaftslebens. Nur davon hat er nicht gesprochen: daß kein Wirtschaftssystem, keine Gesellschaftsordnung den Seelenfrieden zu garantieren vermögen, daß nur wir allein ihn uns garantieren können. Wie? Indem wir die Begierden und die Eitelkeit niederkämpfen. Ist das möglich? Es ist fast unmöglich. Vielleicht später, viel später im Leben. Auch dann sind die Begierden noch da, aber der zorniggierige Besitzanspruch ist aus ihnen gewichen, Erregung und Überdruß, die jede Sehnsucht und jede Befriedigung mit Hoffnungslosigkeit durchstrahlen, haben sich verflüchtigt. Man wird müde, weißt du. Ich bin manchmal fast froh, daß das Alter vor der Tür steht. Sehne mich schon nach den Regentagen, da ich mich an den Ofen setze, mit einer Flasche Rotwein und einem Buch, darin von alten Sehnsüchten und Enttäuschungen erzählt wird.

Doch damals war ich noch jung. Reiste vier Jahre lang. Wachte mit zerzaustem Haar in den Armen von Frauen auf, in fremden Zimmern, fremden Städten. Ich lernte, so gut ich es konnte, mein Handwerk. Bewunderte die schönen Dinge der Welt. Dachte nicht wirklich an Judit Áldozó. Jedenfalls nicht oft und nicht bewußt. Nur so, wie man in der Fremde an die Straßen, die Häuser, die Menschen der Heimat denkt, an all das Zurückgelassene, das aus dem Goldbad der Erinnerung auftaucht, als wäre es auf feine Art fast schon gestorben. Es hatte eine Fieberstunde gegeben, ich war ein einsamer Bürger gewesen, in dieser Einsamkeit war eine wilde junge Schönheit aufgetaucht, ich hatte zu ihr geredet… und dann das Ganze vergessen. Ich reiste umher, die Wanderjahre vergingen, und dann kehrte ich nach Hause zurück. Nichts war geschehen.

Nur gerade so viel, daß Judit Áldozó in der Zwischenzeit auf mich gewartet hatte.

Das sagte sie natürlich nicht, als ich nach Hause kam und wir uns begegneten. Sie kam mir entgegen, nahm mir Mantel, Hut und Handschuhe ab, lächelte höflich und zurückhaltend, so wie es sich gebührt, wenn der jüngere Herr des Hauses heimkehrt, ein Dienstbotenlächeln. Ich sprach sie an, wie es sich schickte, ebenfalls lächelnd und ohne Verlegenheit. Es fehlte nicht viel, und ich hätte ihr wohlwollend und väterlich die Wange getätschelt. Die Familie hatte sich versammelt. Judit wartete bei Tisch gemeinsam mit dem Diener auf, da der verlorene Sohn heimgekehrt war. Freudenbezeigungen auf allen Seiten, Freude auch bei mir, daß ich endlich zu Hause war.

Mein Vater zog sich noch im selben Jahr zurück, und ich übernahm die Fabrik. Ich ging von zu Hause weg und mietete eine Wohnung in einer Villa am Hügelhang, in Stadtnähe. Jetzt traf ich meine Familie seltener, manchmal vergingen Wochen, ohne daß ich Judit sah. Zwei Jahre danach starb mein Vater. Meine Mutter gab die große Wohnung auf, das Personal wurde entlassen. Sie nahm nur Judit mit, die jetzt den Titel einer Haushälterin führte. Ich ging jeden Sonntag zu meiner Mutter zum Mittagessen. Bei diesen Gelegenheiten sah ich Judit, aber wir sprachen nie miteinander. Wir hatten eine freundliche, höfliche Beziehung, ich nannte sie manchmal vertraulich-wohlwollend Juditka, wie man das bei alternden häuslichen guten Geistern tut. Gut, irgendwann vor sehr langer Zeit hatte es eine verrückte Stunde gegeben, da wir von allerlei gesprochen hatten. Darüber lächelt man dann später nur. Jugendtorheiten. So dachte ich über jene Stunde, wenn sie mir in den Sinn kam. Das war ganz bequem. Nicht ehrlich, aber bequem. Alles war wieder an seinem Platz. Und ich heiratete.

Meine Frau und ich lebten in einer schönen, höflichen Beziehung. Später, als mein Sohn starb, hatte ich das Gefühl, hereingelegt worden zu sein. Die Einsamkeit lauerte in mir wie eine beginnende Krankheit. Meine Mutter beobachtete mich, sagte aber nichts. Dann vergingen die Jahre, ich wurde älter. Mit Lázár brach der Kontakt allmählich ab, hin und wieder trafen wir uns noch, aber die alten Spiele spielten wir nicht mehr. Offenbar waren wir erwachsen geworden. Wer erwachsen ist, ist einsam. Der Einsame ist entweder gekränkt, und dann scheitert er, oder er schließt mit der Welt eine Art heiteren Frieden. Da ich aber innerhalb einer Ehe und einer Familie einsam war, fiel es mir ein bißchen schwer, mit meiner Umgebung diesen heiteren Frieden zu schließen. Jedenfalls war ich beschäftigt, mit der Arbeit, mit dem Gesellschaftsleben, mit Reisen. Meine Frau tat alles, damit wir in Harmonie und Frieden leben konnten. Ein wenig erinnerten ihre Bemühungen um Harmonie und Frieden an verzweifeltes Steineklopfen. Ich konnte ihr nicht helfen. Einmal habe ich versucht, mich mit ihr zu arrangieren, und bin mit ihr nach Meran gereist. Das ist lange her. Da, auf jener Reise, habe ich begriffen, daß das alles hoffnungslos war, daß es keinen Frieden gab und daß mein Leben, so wie ich es mir aufgebaut hatte, zwar erträglich war, aber auch mehr oder weniger sinnlos. Ein großer Künstler erträgt vielleicht eine solche Einsamkeit, er zahlt einen entsetzlich hohen Preis dafür, aber seine Arbeit entschädigt ihn bis zu einem gewissen Grad. Eine Arbeit, die niemand an seiner Stelle machen kann. Eine Arbeit, die den Menschen etwas Einmaliges, Unvergängliches, Wunderbares gibt. Mag sein. Man sagt es so. Ich stelle es mir jedenfalls so vor. Lázár, mit dem ich einmal darüber gesprochen habe, war anderer Meinung. Er sagte, die Einsamkeit führe in jedem Fall zu vorzeitigem Untergang. Es gebe kein Entrinnen, das sei die Regel. Ich weiß nicht, ob das stimmt. Ich war kein Künstler, also war ich doppelt einsam in meinem Leben und in meiner Arbeit, die den Menschen nichts Besonderes geben konnte. Ich habe Gebrauchsgegenstände hergestellt, habe am Laufmeter bestimmte Requisiten der Zivilisation produziert. Es war anständige Ware, aber alles in allem hätte sie auch von Maschinen und von Menschen hergestellt werden können, die auf dieses Ziel hin abgerichtet, für diese Arbeit geschult waren. Was tat ich eigentlich in der Fabrik, die mein Vater gebaut hatte und die seine Ingenieure eingerichtet hatten? Ich traf pünktlich um neun dort ein, so wie die anderen höheren Kader, denn man mußte ja mit gutem Beispiel vorangehen. Ich las die Post. Mein Sekretär zählte auf, wer angerufen hatte, wer mit mir zu sprechen wünschte. Dann trafen die Ingenieure und die Vertreter ein, statteten Bericht über den Geschäftsgang ab und forderten mich auf, meine Meinung über die Produktionsaussichten eines neuen Materials zu äußern. Die hervorragend qualifizierten Büroangestellten und Ingenieure – die meisten hatte noch mein Vater ausgebildet – traten selbstverständlich mit fertigen Plänen vor mich hin, die ich bestenfalls ein bißchen beanstandete, ein bißchen korrigierte. Meistens aber war ich mit ihnen einverstanden und hieß sie gut. Die Fabrik produzierte von früh bis spät, die Vertreter verkauften die Ware, die Einkünfte wurden verbucht, und ich saß den ganzen Tag in meinem Büro, und das alles war sehr nützlich, notwendig und ehrbar. Wir legten niemanden herein, weder einander noch die Kunden, noch den Staat, noch die Welt. Nur ich mich selbst.

Denn ich glaubte, das alles gehe mich wirklich und ehrlich an. Das sei mein Tätigkeitsbereich, wie man so sagt. Ich beobachtete die Gesichter der Menschen in meiner

Umgebung, hörte ihre Reden und versuchte zu ergründen, ob diese Arbeit ihr Leben tatsächlich ausfüllte oder ob sie heimlich doch das Gefühl hatten, jemand oder etwas verbrauche sie, sauge ihnen das Beste aus, den einzigen Sinn des Lebens. Es gab einige, die sich nicht einfach mit ihrer Arbeit begnügten, die sich bemühten, alles besser oder anders zu machen, und dieses »anders« war gar nicht immer die beste, richtigste Methode. Aber immerhin wollten die etwas. Wollten an der Ordnung der Dinge etwas verändern. Wollten ihrer Arbeit einen neuen Inhalt geben. Darum geht es offenbar. Den Menschen genügt es nicht, ihr tägliches Brot zu verdienen, ihre Familie zu ernähren, Arbeit zu haben und sie anständig zu verrichten. Nein, die Menschen wollen mehr. Sie wollen zum Ausdruck bringen, was in ihnen als Idee, als Absicht lebt. Die Menschen wollen nicht nur Brot und eine Anstellung, nicht nur Arbeit, sondern eine Berufung. Sonst hat ihr Leben keinen Sinn. Sie wollen das Gefühl haben, man brauche sie, auch auf andere Art als in der Fabrik oder in einem Büro, wo ihre Arbeitskraft zur allgemeinen Zufriedenheit verwendet wird. Sie wollen etwas tun, und zwar so, wie es andere nicht können. Das wollen natürlich nur die Begabten. Die große Mehrheit ist träge. Vielleicht flimmert auch in ihren Seelen eine schwache Erinnerung, daß es nicht um den Wochenlohn geht, daß Gott noch anderes mit ihnen vorhatte. Doch das war vor sehr langer Zeit. Und sie sind so viele, diese anderen, in denen die Erinnerung kaum mehr lebt. Sie sind es, die den Begabten hassen. Ihn Streber nennen, weil er anders leben und arbeiten will, anders als sie, die beim Sirenenton von der Akkordarbeit der Fabrik zur Akkordarbeit des Lebens rennen. Mit subtilen, verwickelten Methoden versuchen sie, dem Begabten die Lust an der eigenständigen Arbeit zu nehmen. Sie verspotten ihn, behindern und verdächtigen ihn.

Auch das habe ich gesehen, von meinem Büro aus, wo ich die Arbeiter, Ingenieure und Besucher aus der Geschäftswelt empfing.

Und ich, was tat ich? Ich war der Chef. Saß an meinem Platz wie ein Wächter. Achtete darauf, würdig, menschlich und gerecht zu sein. Gleichzeitig achtete ich natürlich auch darauf, von der Fabrik und den Angestellten alles zu bekommen, was mir an Gewinn und Vorteil zustand. Ich hielt mich peinlich genau an meine Arbeitseinteilung, genauer als die Arbeiter und Büroangestellten. Auf diese Art war ich bemüht, das Vermögen und die mir zustehenden Einkünfte zu rechtfertigen. Doch innen war das alles fürchterlich hohl. Was konnte ich schon in dieser Fabrik tun? Konnte einen Plan gutheißen oder zurückweisen, konnte eine neue Arbeitsordnung aufstellen, konnte für die Ware neue Absatzmöglichkeiten finden.

Ob ich mich über den großen Verdienst freute? ... Sich freuen ist nicht das richtige Wort. Es verschaffte mir Befriedigung, daß ich meine Pflichten gegenüber der Welt erfüllen konnte, daß mir das Geld die Möglichkeit verlieh, vornehm, großmütig und einwandfrei unparteiisch zu sein. In der Fabrik und in der Geschäftswelt galt ich als das Muster eines korrekten Unternehmers. Ich war gerecht, ich gab einer großen Anzahl von Menschen ihr tägliches Brot, und mehr als nur Brot. Geben ist schön. Bloß bezog ich aus alldem keine echte Freude. Ich lebte ohne Sorgen, meine Tage verliefen in Anstand und Würde. Ich war nicht untätig, jedenfalls war ich in den Augen der Welt kein Müßiggänger. Ich war der gute Chef; auch in der Fabrik nannte man mich so.

Und doch war das alles nichts als ein peinlich sorgfältiges, gewissenhaftes Zeittotschlagen. Das Leben bleibt leer, wenn man es nicht mit einer gefährlichen, aufregenden Aufgabe füllt. Diese Aufgabe kann natürlich nur eines sein: die Arbeit. Die andere Arbeit, die unsichtbare, die Arbeit der Seele, des Geistes, der Begabung, deren Schöpfungen die Welt reicher, wahrer, menschlicher machen. Ich las viel. Aber auch mit dem Lesen ist es ja so eine Sache. Von den Büchern hat man nur dann etwas, wenn man der Lektüre auch etwas zu geben vermag. Ich meine, wenn man mit einer Seele an sie herantritt, die bereit ist, im Zweikampf Wunden zu empfangen und zuzufügen, zu streiten, zu überzeugen und überzeugt zu werden, um dann, bereichert durch das Gelernte, im Leben oder in der Arbeit etwas daraus zu machen. Eines Tages ist mir bewußt geworden, daß ich zu meinen Lektüren keinen rechten Bezug mehr hatte. Ich las so, wie wenn man in einer fremden Stadt zum Zeitvertreib auch noch das Museum besucht und dort die ausgestellten Gegenstände mit höflicher Gleichgültigkeit betrachtet. Ich las aus Pflichterfüllung: Es kam ein neues Buch heraus, es wurde davon geredet, also mußte ich es lesen. Oder: Dieses berühmte alte Buch habe ich noch nicht gelesen, das ist eine Bildungslücke, ich will ihm morgens und abends je eine Stunde widmen, bis ich damit fertig bin. Auf diese Art las ich. Früher war das Lesen für mich ein Erlebnis gewesen, ich nahm die neuen Bücher der bekannten Schriftsteller mit Herzklopfen zur Hand, das neue Buch war wie die Begegnung mit einem Menschen, ein gefährliches Zusammensein, aus dem sich allerhand Gutes, Beglückendes oder auch beunruhigende, bedenkliche Konsequenzen ergeben konnten. Jetzt aber las ich so, als wäre es der

Gang in die Fabrik oder das wöchentlich zwei-, dreimal stattfindende Gesellschaftsleben, der Theaterbesuch, die Abende zu Hause, mit meiner Frau, so aufmerksam und höflich und gleichzeitig so aufgewühlt von der laut und heiser schreienden Frage, ob ich nicht gefährdet war, ob es nicht schlimm um mich stand, ob vielleicht eine Intrige, eine Verschwörung gegen mich im Gange war, ob ich vielleicht eines Tages erwachen und vor die Tatsache gestellt würde, daß alles, was ich aufgebaut hatte, das Kunstwerk aus peinlicher Ordnung, aus Ansehen, aus guten Manieren und höflichem Zusammenleben eingestürzt war. Mit so einem Gefühl lebte ich. Und eines Tages fand ich in meiner Brieftasche aus braunem Krokodilleder, die mir meine Frau zum vierzigsten Geburtstag geschenkt hatte, ein altes violettes Band. Da begriff ich, daß Judit Áldozó all die Jahre auf mich gewartet hatte. Gewartet, bis ich nicht mehr feig war. Doch das geschah erst viel später, zehn Jahre nach dem Gespräch vom Weihnachtsnachmittag.

Das violette Band – ich habe es nicht mehr, es ist abhanden gekommen, so wie auch die Brieftasche und wie überhaupt alles im Leben, so wie auch die abergläubischen Menschen von einst, die magische Gegenstände am Körper trugen –, das violette Band fand ich im innersten Fach der Brieftasche, wo ich nur eine Haarlocke meines verstorbenen kleinen Sohnes aufbewahrte. Es brauchte eine Weile, bis ich überhaupt begriff, was es mit dem Band auf sich hatte, wie es zu mir gekommen war, wer es getragen hatte, wie es Judit gelungen war, diesen Fetzen in meine Brieftasche zu schmuggeln. Nämlich so, daß sie von meiner Mutter zu uns geschickt worden war, um das sommerliche Großreinemachen zu leiten, denn meine Frau war in der Kur und ich allein zu Hause. Vielleicht war ich gerade im Bad, als sie ins Schlafzimmer kam und das Band in die Brieftasche steckte, die auf dem Tisch lag. Jedenfalls hat sie es später so erzählt.

Was wollte sie damit? Nichts. Alle verliebten Frauen sind abergläubisch. Sie wollte, daß ich immer etwas bei mir hatte, das sie bis dahin am eigenen Körper getragen hatte. Sie wollte mich damit an sich binden, eine Botschaft senden. In Anbetracht ihrer Lebensumstände und ihres Weltbilds war diese abergläubische Schmuggelei ein wahres Attentat. Aber sie verübte es, weil sie auf mich wartete.

Als ich das alles begriff – denn das violette Band gab beredt seine Botschaft weiter –, da war ich, ich weiß es noch, seltsam verärgert. Ich hatte dieses kleine Attentat entdeckt, und jetzt blickte ich verärgert vor mich hin. Weißt du, wie wenn man merkt, daß alle ausgeklügelten Pläne ungültig sind, weil sie jemand durchkreuzt hat. Ich begriff, daß diese Frau, die im benachbarten Stadtviertel lebte, seit zehn Jahren auf mich wartete. Und jenseits des Ärgers spürte ich auch eine merkwürdige Ruhe. Ich will dieses Gefühl aber nicht übertreiben. Ich machte keine Pläne. Ich sagte mir nicht: »Aha, das war es also die ganze Zeit, das war es, was du dir nicht eingestanden hast, es gibt jemanden, der wichtiger ist als deine Lebensordnung, deine Rolle, deine Arbeit, deine Familie, es gibt in deinem Leben eine große, bizarre Leidenschaft, die du verdrängt hast, während sie dennoch lebt und dich erwartet, dich nicht losläßt. Und das ist gut so. Jetzt hat die Ruhelosigkeit ein Ende. Es ist nicht wahr, daß dein Leben und deine Arbeit völlig ziellos sind. Das Leben hat noch einiges vor mit dir.« Nein, das sagte ich mir nicht. Aber ich kann nicht leugnen, daß ich von diesem Augenblick an ruhig war. Wo laufen die großen, nachhaltigen Gefühlsvorgänge ab, in unseren Nerven oder auch in unserem Verstand? Mit dem Verstand hatte ich früher alles verdrängt. Mit den Nerven hingegen erinnerte ich mich. Und jetzt, da die andere ihre Botschaft gesandt hatte, auf so konventionelle, dienstmädchenhafte Art – jede verliebte Frau ist ein bißchen wie ein Dienstmädchen und würde ihre Briefe am liebsten auf Papier schreiben, in dessen Ecken gepreßte Rosen sind und über zwei ineinandergeschlungenen Händen sich zwei Tauben küssen, und sie möchte die Taschen des Erwählten mit Haarlocken, Taschentüchern und sonstigem abergläubischem Schnickschnack vollstopfen –, jetzt beruhigte ich mich. Als ob alles, meine Arbeit, mein Leben, ja, auch meine Ehe, auf geheimnisvolle Art doch noch einen schwerverständlichen, unverhofften Sinn bekommen hätte. Kannst du das verstehen?

Ich ja. Jetzt schon. Weißt du, im Leben muß sich alles ereignen, alles muß seinen Platz finden. Und das ist ein sehr langsamer Vorgang. Entschlüsse, Träume, Absichten helfen da nicht viel. Ist dir schon aufgefallen, wie schwer es ist, in einer Wohnung den endgültigen Platz für die Möbel zu finden? Es vergehen Jahre, man denkt, alles sei am richtigen Platz, und doch hat man den leisen Verdacht, etwas sei nicht ganz in Ordnung, vielleicht stehen die Sessel nicht am richtigen Ort, vielleicht gehörte ein Tisch an die Stelle des Geschirrschranks. Und dann, nach zehn oder zwanzig Jahren, geht man durch das Zimmer, wo man sich nie ganz wohl gefühlt hat, wo sich Raum und Mobiliar nicht fanden, und auf einmal sieht man den Fehler, sieht man den inneren Entwurf und die geheime Ordnung des Zimmers, und man verschiebt ein paar Möbel, und es dünkt einen, jetzt sei endlich alles in Ordnung.

Und einige Jahre lang hat man tatsächlich das Gefühl, das Zimmer stimme jetzt. Noch später, vielleicht zehn Jahre danach, ist man doch wieder unzufrieden, denn so, wie wir uns verändern, ändert sich auch das Raumgefühl, und es gibt um einen Menschen herum nie eine definitive Ordnung. Und so ist es auch mit dem Leben selbst, wir konstruieren Methoden und denken lange Zeit, der Stundenplan unseres Lebens sei perfekt, vormittags arbeiten wir, nachmittags gehen wir spazieren, abends bilden wir uns. Und eines Tages merken wir, daß der Tagesablauf nur in umgekehrter Reihenfolge erträglich und sinnvoll ist, und wir verstehen gar nicht, wie wir jahrelang nach einer so unsinnigen Einteilung leben konnten. So verändert sich in und um uns alles. Und alles ist befristet, die neue Ordnung, die neue Seelenruhe, und auch die Veränderung geschieht nach einem eigenen Gesetz, das eines Tages verjährt ist. Warum? Vielleicht, weil auch wir eines Tages verjährt sind. Und alles, was zu uns gehört.

Nein, die »große Leidenschaft« war das nicht. Es gab mir einfach jemand zu verstehen, er sei da, er lebe in der Nähe und erwarte mich. So plump. So dienstbotenhaft. Als ob mich im Dunkeln zwei Augen beobachteten. Und es war kein schlechtes Gefühl, es machte mich nicht nervös, daß mich im Dunkeln zwei Augen beobachteten. Ich hatte ein Geheimnis, und dieses Geheimnis gab dem Leben Halt und Spannung zugleich. Ich wollte die Lage nicht ausnutzen, ich wollte keine unvernünftige, peinliche oder unsaubere Situation. Bloß lebte ich von dem Augenblick an ruhiger.

Bis zu dem Tag, da Judit Áldozó aus dem Haus meiner Mutter verschwand.

Ich erzähle da die Geschichte mancher Jahre, vieles ist schon verschwommen, so wichtig ist das nicht. Ich will dir von der Unterschichtfrau erzählen, von dem, was in diesem Zusammenhang wichtig war. Vielleicht erläßt du mir den polizeilichen Aspekt der Geschichte. Denn jede solche Geschichte hat auch einen polizeilichen, einen vor den Untersuchungsrichter gehörenden Teil. Das Leben ist unter anderem auch eine Straftat. Lázár hat das einmal gesagt, und zuerst hat es mich ein bißchen schockiert, doch später, als mein eigener Prozeß begann, habe ich es verstanden. Denn wir sind nicht unschuldig im Leben, und eines Tages wird uns der Prozeß gemacht. Wir werden verurteilt oder freigesprochen, unschuldig sind wir aber in keinem Fall.

Wie gesagt, sie war verschwunden wie jemand, den man in einen Sack genäht und in die Donau geworfen hat.

Eine Zeitlang wurde ihre Abwesenheit vor mir geheimgehalten. Meine Mutter lebte ja längst allein, Judit sorgte seit Jahren für sie. Eines Nachmittags schaute ich bei meiner Mutter vorbei, und eine fremde Person machte die Tür auf. Da erfuhr ich es.

Ich begriff, daß sie es nur so hatte sagen können. Schließlich ging ich sie nichts an, sie hatte keinerlei Rechte auf mich. Prozesse zwischen den Menschen, die Jahrzehnte dauern, kann man nicht mit großen Szenen und Diskussionen abschließen. Am Ende muß man handeln, auf die eine oder andere Art. Es konnte sein, daß inzwischen etwas geschehen war, von dem ich nichts wußte. Die drei Frauen – meine Mutter, meine Frau und Judit – schwiegen. Sie hatten eine gemeinsame Sache, die sie irgendwie gemeinsam erledigten, während sie mir nur das Ergebnis ihrer Beschlüsse mitteilten. Das Ergebnis war, daß Judit das Haus meiner Mutter verließ und ins Ausland reiste. Aber auch das erfuhr ich erst später, als ein Polizeioffizier, ein Bekannter von mir, auf dem Paßbüro in dieser Angelegenheit recherchierte. Sie war nach England gegangen. Ich erfuhr auch, daß die Reise nicht einer plötzlichen Eingebung zu verdanken war, sondern langer Überlegung, einem langsam reifenden Entschluß.

Die drei Frauen schwiegen. Die eine ging weg. Die andere, meine Mutter, sagte nichts, sondern litt. Die dritte, meine Frau, wartete und beobachtete. Damals wußte sie schon alles, fast alles. Sie benahm sich klug, so wie es in ihrer Lage ihr Temperament, ihr Geschmack, ihr Verstand verlangten. Sie benahm sich kultiviert, weißt du. Was tut eine kultivierte Frau von Geschmack, wenn sie erfährt, daß etwas gar nicht stimmt mit ihrem Mann, und das nicht erst seit gestern, daß er keine Beziehung hat zu ihr, im Grunde zu niemandem, daß er einsam ist, hoffnungslos ungebunden, und daß vielleicht irgendwo eine Frau lebt, die für die kurze Zeit des Lebens diese unheilvolle Einsamkeit aufheben kann? Natürlich kämpft die Ehefrau. Sie wartet, beobachtet, hofft. Tut alles, um ihre Beziehung zu ihrem Mann hervorzuheben. Dann ermüdet sie. Dann verliert sie die Selbstbeherrschung. Es gibt Augenblicke, da jede Frau zu einem wilden Tier wird, da die Eitelkeit, diese Bestie, zu heulen beginnt. Dann beruhigt sie sich, findet sich ab, denn anderes bleibt ihr nicht übrig. Wart mal, ich glaube, ganz findet sie sich doch nicht ab. Aber das sind nur noch emotionale Einzelheiten. Jedenfalls bleibt ihr nichts anderes übrig, als eines Tages den Mann loszulassen.

Judit war verschwunden, und niemand redete mehr von ihr. Sie redeten so auffällig nicht von dieser Frau, die immerhin den größeren Teil ihres Lebens im Haus meiner Mutter verbracht hatte, als hätten sie einfach einem flatterhaften kleinen Dienstmädchen gekündigt. Adieu. Dienstboten kommen und gehen. Wie sagt doch die empörte Hausfrau? »Ich bitte dich, das sind ja bezahlte Feinde. Und merkwürdigerweise haben sie immer alles. Aber trotzdem nie genug.« Ja, Judit hatte nie genug. Sie war eines Tages erwacht, hatte sich erinnert, es war etwas geschehen, und jetzt wollte sie das Ganze. Deshalb war sie weggegangen.

Da wurde ich krank. Nicht sofort, erst nach einem halben Jahr. Und auch nicht sehr, bloß so ein bißchen lebensgefährlich. Doch der Arzt konnte nichts tun. Niemand konnte etwas tun. Ich auch nicht, so fühlte ich eine Zeitlang. Was mir fehlte? ... Schwer zu sagen. Natürlich wäre es am einfachsten, zuzugeben, daß in dem Augenblick, da diese Frau, die ihre Jugend in meiner Umgebung verbracht hatte und von deren Körper und Wesen ein persönlicher Ruf an mich ergangen war, daß sie mit ihrer Abreise etwas in mir Lauerndes zur Explosion gebracht hatte. Ja, sie hatte den Minenbrand ausgelöst, nachdem in den Schächten der Seele schon alles brennbare Material aufgehäuft worden war. Klingt sehr schön. Stimmt aber auch nicht ganz. Soll ich sagen, daß ich jenseits der Überraschung, des Vor-den-Kopf-gestoßen-Seins auch eine feine, unvorhergesehene und zaghafte Erleichterung empfand? Denn so war es, wenn auch nicht nur so; richtig ist auch, daß ich anfangs vor allem aus Eitelkeit litt. Ich wußte genau, daß diese Frau meinetwegen ins Ausland gegangen war, ich war heimlich erleichtert, wie jemand, der in einer Stadtwohnung ein gefährliches Tier verborgen hält, das eines Tages genug hat und sich davonmacht, in den Urwald zurück. Gleichzeitig war ich beleidigt, denn nach meinem Gefühl hatte sie kein Recht wegzugehen. Als ob mein persönlicher Besitz gegen mich aufbegehrt hätte. Ja, ich war eitel. Dann verging die Zeit.

Eines Tages wachte ich auf und wurde gewahr, daß sie mir fehlte.

Das ist das erbärmlichste Gefühl. Wenn jemand fehlt. Man blickt um sich, versteht nicht. Streckt die Hand aus, tastet nach einem Glas, einem Buch. Alles an seinem Platz, die Gegenstände, die Personen, die gewohnte Zeiteinteilung: Das Verhältnis zur Welt hat sich nicht verändert. Bloß fehlt etwas. Man verschiebt die Möbel im Zimmer. War es nicht das? Nein. Man verreist. Die Stadt, die man schon lange hatte sehen wollen, empfängt einen in düsterer Pracht. Man steht früh auf, eilt auf die Straße hinunter, Reiseführer und Stadtplan in der Hand, man sucht das berühmte Bild über dem Altar einer Kirche, man bestaunt die Bögen der berühmten Brücke, im Restaurant serviert der Kellner mit lokalpatriotischem Stolz die typischen Spezialitäten. In der Nähe wächst Wein, betörend wie kein anderer. Große Künstler haben hier gelebt und ihre Geburtsstadt verschwenderisch mit Kunstwerken vollgestopft. Man geht an Fenstern, Toren und unter Giebeln vorbei, deren Schönheit und edle Linien in weltberühmten Büchern ausführlich abgehandelt werden. Mittags und abends füllen sich die Straßen mit schönäugigen, leichtfüßigen Frauen und Mädchen. Es ist ein stolzes Volk, stolz, selbstbewußt schön und erotisch. Blicke fliegen einem zu, wohlwollende oder solche, die den Einsamen mit sachter Überheblichkeit verspotten, weibliche Blicke, die locken und Botschaften senden und kleine Funken sprühen. Nachts erklingt am Flußufer Musik, im

Licht bunter Papierlampions wird gesungen, man trinkt süßen Wein und tanzt. An solchen musikdurchfluteten und mit freundlichem Licht lockenden Orten erwarten auch dich ein Tisch, eine Frau, ein freundliches Wort. Du schaust dir alles an wie ein beflissener Student, von morgens an marschierst du durch die Stadt, den Reiseführer in der Hand, aufmerksam, gewissenhaft und eifrig, als hättest du Angst, etwas zu verpassen. Überhaupt verändert sich das Zeitgefühl. Man erwacht auf die Minute, als müßte man sich peinlich genau an eine Ordnung halten. Als würde man erwartet. Das ist es natürlich, aber man wagt es sich lange nicht einzugestehen. Wagt sich nicht einzugestehen, daß man meint, je genauer die Ordnung, um so eher würde man erwartet. Man brauche bloß sehr aufmerksam und pünktlich zu sein, früh aufzustehen und spät schlafen zu gehen, viele Menschen zu treffen, hierhin und dorthin zu fahren, bestimmte Räume zu betreten, und dann würde man dem, der wartet, schließlich begegnen. Man weiß natürlich, daß diese Hoffnung völlig kindisch ist. Man setzt auf die endlosen Zufälle der Welt. Der Polizeioffizier weiß nur, daß sie ausgereist ist, irgendwo nach England. Auf der englischen Botschaft wissen sie auch nicht mehr, oder sie wollen nichts Näheres sagen. Eine geheimnisvolle Trennwand steht zwischen dir und der Verschwundenen. In England leben siebenundvierzig Millionen Menschen, dort gibt es die am dichtesten bewohnten Städte der Welt. Wo soll man suchen?

Und wenn man sie gefunden hat, was soll man zu ihr sagen?

Und doch erwartet man sie. Noch eine Flasche, was meinst du? Ein reiner Wein, am nächsten Morgen erwacht man frisch und ohne Kopfschmerzen. Ich kenne ihn gut. Herr Ober, noch eine Flasche Kéknyelǔ.

Kalter Rauch steht jetzt hier im Raum. Für mich ist das der beste Moment. Es sind nur noch die Nachtschwärmer da, siehst du. Die Einsamen und Weisen, oder Hoffnungslosen und Verzweifelten, denen alles gleich ist, wenn sie nur irgendwo sein können, wo die Lampen brennen und Fremde in der Nähe sitzen, wo sie einsam bleiben können, aber so, daß sie nicht nach Hause zu gehen brauchen. Es ist schwer, nach Hause zu gehen, in einem bestimmten Alter, nach bestimmten Erfahrungen. So ist es noch am besten, unter fremden Menschen, einsam, ohne Beziehungen. Der Garten und die Freunde, hat Epikur gesagt, etwas anderes gibt es nicht. Ich glaube, er hatte recht. Aber auch an Garten braucht es nicht so viel, manchmal genügen ein paar Blumentöpfe auf einer Kaffeehausterrasse. Und ein, zwei Freunde sind auch genug.

Herr Ober, Eis bitte… Prosit.

Wo war ich?

Ach ja. Die Zeit, da ich wartete.

Ich merkte nur so viel, daß mich die Menschen zu beobachten begannen. Zuerst meine Frau. Dann in der Fabrik, im Klub, in der Welt. Meine Frau bekam mich da nicht mehr oft zu Gesicht. Manchmal beim Mittagessen. Abends seltener. Gäste empfingen wir schon seit längerer Zeit nicht mehr. Ich wies die verschiedenen Einladungen zurück, zuerst irritiert, dann bewußt, und ich duldete nicht, daß Gäste zu uns eingeladen wurden. Denn alles war so peinlich und unwahrscheinlich, unser Zuhause, der Haushalt, weißt du. Es war alles sehr schön und genau so, wie es sich gehört, die Räume, die gefälligen Bilder, die Kunstgegenstände, der Diener und das Zimmermädchen, das Porzellan und das Silber, die feinen Speisen und Getränke. Bloß fühlte ich mich nicht wie der Hausherr, fühlte mich nicht zu Hause, meinte nicht, nie, keinen Augenblick, das sei mein wahres Daheim, wohin ich gern Leute einlade. Es war, als ob wir Theater spielten, meine Frau und ich, als ob wir den Gästen fortwährend beweisen wollten, daß das eine echte, reale Wohnung sei. Und sie war es doch nicht! Warum nicht? Man kann nicht mit den Tatsachen streiten. Aber die einfachen, starken Tatsachen bedürfen auch keiner Erklärung.

Wir begannen zu vereinsamen. Die Welt hat ein feines Gehör. Es genügen ein paar Zeichen, ein paar falsche Züge, und der Neid, die Neugier und die Mißgunst bekommen über ihr feingesponnenes Spionagenetz Wind von den Dingen. Es genügt, ein paar Einladungen abzusagen, es genügt, eine Einladung, die man angenommen hat, nicht rechtzeitig zu erwidern, und über diese Signale vernimmt der gesellschaftliche Mechanismus, daß jemand aus der herrschenden Ordnung abspringen will, und schon weiß man, daß mit der und der Familie, mit dem und dem Ehepaar etwas nicht stimmt. Dieses »Etwas stimmt nicht« haftet der Familie an, als hütete sie in der Wohnung jemanden mit einer ansteckenden Krankheit, als hätte der Amtsarzt einen roten Zettel an die Wohnungstür geklebt. Die anderen benehmen sich einer solchen Familie gegenüber auf einmal sehr taktvoll und ein bißchen spöttisch und reserviert. Natürlich hofft man auf einen Skandal. Nichts wünscht man sich sehnlicher als den Zerfall eines Hauses. Das ist ein richtiges Fieber in der Gesellschaft, eine Art Epidemie. Du betrittst allein ein Kaffeehaus oder ein Restaurant, und schon wird geflüstert: »Hast du's gehört? Die haben Probleme, sie sind in Scheidung, der

Mann hat die Frau mit ihrer besten Freundin betrogen.«
So hofft man. Aber wenn du mit deiner Frau irgendwohin
gehst, wird ebenfalls gezwinkert, Köpfe werden zusam-
mengesteckt, und es heißt im Ton des Eingeweihtseins:
»Sie gehen zwar miteinander aus, aber das hat nichts zu
bedeuten. Ist bloß eine Alibiübung.« Und du begreifst
allmählich, daß die Leute recht haben, auch dann, wenn
sie die Wahrheit gar nicht kennen, wenn die Einzelheiten
plumpe Lügen sind. In den wesentlichen Angelegenheiten ist die Gesellschaft auf geheimnisvolle, zuverlässige
Art informiert. Lázár hat einmal halb ernsthaft, halb im
Scherz gesagt, nichts sei wahr, es sei denn der Klatsch. Im
allgemeinen gibt es unter den Menschen keine Geheimnisse. Wir erfahren über Kurzwellen voneinander, bis hin
zu den verborgensten Gedanken. Wörter und Handlungen sind nur die Konsequenzen dieses Wissens. Daran
glaube ich. Also, auf diese Art lebten wir. Der feine Zerfall
hatte begonnen. Weißt du, wie wenn man vor der Emigra-
tion steht. Du meinst, am Arbeitsplatz und in der Familie
vermuteten sie noch nichts, aber in Wirklichkeit wissen
schon alle, daß du dich auf der ausländischen Botschaft
um ein Visum und einen Platz auf der Einwandererliste
bemüht hast. Deine Familie redet geduldig und aufmerksam zu dir, wie zu einem Verrückten oder einem Misse-
täter, der einem zwar leid tut, während man aber schon
den Hausarzt und den Privatdetektiv benachrichtigt hat.
Eines Tages merkst du, daß du in einer Art Hausarrest
und unter ärztlicher Kontrolle lebst.

Und wenn man das weiß, wird man mißtrauisch. Man
geht sehr behutsam vor und wägt jedes seiner Worte ab.
Nichts ist schwieriger, als eine gegebene Lebenssituation
zu demontieren. Es ist so kompliziert, als müßte man eine

Kathedrale abreißen. Von so vielem mag man sich nicht trennen. Natürlich gibt es in kritischen Situationen kein größeres Vergehen an uns und unseren Lebensgefährten als die Sentimentalität. Es braucht lange, bis man weiß, wozu man im Leben ein Recht hat. Bis zu welchem Grad man Herr seines Lebens ist oder wie weit man sich und sein Schicksal an die Gefühle und Erinnerungen verkauft hat. Du siehst, ich bin hoffnungslos bürgerlich: Für mich war das Ganze, die Scheidung, der stille Protest gegen meine familiäre Situation und meine gesellschaftliche Stellung, irgendwie eine rechtliche Frage. Natürlich nicht nur im Sinn des Scheidungsprozesses und der Alimente. Zwischen den Menschen gibt es auch noch ein anderes Recht. Man fragt, während langer Nächte oder auf der Straße in der Menge, wenn einem plötzlich die Zusammenhänge aufgehen: Was habe ich bekommen? Was habe ich gegeben? Was bin ich schuldig? Heikle Fragen. Ich habe Jahre gebraucht, um zu verstehen, daß es zwischen den Verpflichtungen ein Recht gibt, das nicht die Menschen gemacht haben, sondern der Schöpfer. Ich habe das Recht, allein zu sterben, verstehst du?

Das ist ein großes Recht. Alles andere ist eine Schuldigkeit. Etwas ist man der Familie schuldig, oder der Gesellschaft, der man tatsächlich viel Gutes verdankt, oder einem Gefühl oder den Erinnerungen. Doch dann kommt der Augenblick, da sich die Seele mit der Sehnsucht nach Alleinsein füllt. Wenn man nichts anderes mehr will, als sich in Stille und Würde auf den letzten Moment vorzubereiten, auf die letzte menschliche Aufgabe, den Tod. Man muß aber aufpassen, daß man nicht falschspielt. Denn dann hat man kein Recht zum Handeln. Solange man aus Egoismus handelt, solange man aus Bequemlichkeit oder aus Gekränktsein oder eitlem Begehren die Einsamkeit sucht, so lange bleibt man der Welt und allen, die einem die Welt bedeuten, etwas schuldig. Solange man Sehnsüchte hat, hat man auch Verpflichtungen. Doch es kommt der Tag, da die Seele sich ganz mit dem Bedürfnis nach Alleinsein füllt. Wenn man nichts anderes mehr will, als alles Unnötige, Verlogene, Nebensächliche aus ihr hinauszuwerfen. Wenn man sich zu einer langen, gefährlichen Reise rüstet, packt man sehr sorgfältig. Man prüft jeden Gegenstand mehrmals, beurteilt ihn nach verschiedenen Gesichtspunkten, und erst dann legt man ihn zum bescheidenen Gepäck. Erst wenn man weiß, daß man ihn unbedingt brauchen wird. Auf diese Art verlassen die chinesischen Mönche, wenn sie auf die Sechzig zugehen, ihre Familie. Und nehmen nur ein kleines Bündel mit. Lächelnd und wortlos gehen sie in einer Morgenfrühe weg. Nicht auf etwas Neues zu, sondern in die Berge, in die Einsamkeit und in den Tod. Das ist die letzte Reise des Menschen. Darauf hat man ein Recht. Und das Gepäck muß leicht sein, in einer Hand zu tragen. Nichts Eitles, nichts Überflüssiges mehr darin. Diese Sehnsucht wird in einer bestimmten Lebensphase sehr stark. Auf einmal hört man das Rauschen der Einsamkeit, und es ist ein bekannter Ton. Als wäre man am Meer geboren und hätte dann in lärmigen Städten gelebt und hörte eines Nachts im Traum das Meer. Allein leben, ohne Ziel. Einem jeden geben, was ihm zusteht, und dann weggehen. Die Seele reinigen und warten.

Zuerst ist die Einsamkeit hart wie ein Richtspruch. Es gibt Stunden, da meint man, sie nicht ertragen zu können. Vielleicht wäre es doch gut, jemanden zu haben, vielleicht wäre die schwere Strafe leichter, wenn man sie mit jemandem teilen könnte, mit irgend jemandem, mit unwürdigen Gefährten, mit fremden Frauen. Das sind die Stunden der Schwäche. Doch sie vergehen, denn die Einsamkeit umarmt allmählich auch dich, dich persönlich, so wie es alle geheimnisvollen Elemente des Lebens tun, so wie die Zeit, in der alles geschieht. Auf einmal verstehst du, daß alles planmäßig geschehen ist: Zuerst war da die Neugier, dann das Warten, dann die Arbeit und schließlich die Einsamkeit. Du willst nichts mehr, du hoffst auf keine neue Frau, die dich tröstet, auf keinen neuen Freund, dessen weise Reden deine Seele erlösen. Jede menschliche Rede ist eitel, auch die weiseste. In jedem menschlichen Gefühl sind Egoismus, hartnäckige Absicht, feine Erpressung, unüberwindbare, hoffnungslose Zwänge. Wenn man das weiß, wenn man von den Menschen wirklich nichts mehr will, von den Frauen keine Hilfe mehr erwartet, wenn man den verdächtigen Preis und die beängstigenden Konsequenzen des Geldes, der Macht und des Erfolgs kennt, wenn man vom Leben nichts anderes mehr will, als sich irgendwo zurückziehen zu dürfen, ohne Gefährten, ohne Hilfe und Bequemlichkeit, um auf die Stille zu horchen, die allmählich in der Seele zu rauschen beginnt, so wie sie an den Ufern der Zeit rauscht. Dann hat man das Recht wegzugehen.

Jeder Mensch hat das Recht, sich allein, in heiliger Stille auf den Abschied und den Tod vorzubereiten. Seine Seele noch einmal zu leeren, sie so leer und ehrfürchtig werden zu lassen, wie sie zu Anfang der Zeiten gewesen ist, in der Kindheit. Auf diese Art ist Lázár eines Tages nach Rom gegangen. Ich selbst bin jetzt an dem Punkt angelangt, wo ich allein bin. Doch vorher habe ich einen langen Weg zurücklegen müssen. Habe lange gehofft, es gebe eine andere Lösung. Die gibt es aber nicht. Am Ende, oder kurz vor dem Ende, muß man allein bleiben.

Zuvor aber habe ich Judit Áldozó geheiratet. Denn das war die Ordnung der Dinge.

Eines Nachmittags um vier klingelte in meinem Zimmer das Telephon. Meine Frau nahm ab. Da wußte sie schon alles, wußte, daß ich krank war vor wahnwitziger Erwartung. Sie behandelte mich wie einen Schwerkranken, war zu allen Opfern bereit. Natürlich, als dann die Reihe an sie kam, vermochte sie kein wirkliches Opfer zu bringen: Sie kämpfte bis zum letzten Augenblick um mich. Doch da war die andere schon stärker, und ich ging mit ihr weg.

Meine Frau nahm also ab, fragte etwas. Ich saß zwischen meinen Büchern, mit dem Rücken zum Telephon, und las. Ich hörte dem Zittern ihrer Stimme an, daß der Augenblick gekommen war, daß etwas geschah, daß das Warten, die Anspannung ein Ende hätten und daß jetzt eintreten würde, worauf wir uns alle seit Jahren vorbereiteten. Sie kam mit dem Apparat in der Hand wortlos zu mir, stellte ihn auf das Tischchen und ging aus dem Zimmer.

»Hello«, sagte eine vertraute Stimme, die Stimme Judits. So maniert sagte sie es, als könnte sie nicht mehr Ungarisch.

Dann sagte sie nichts mehr. Ich fragte, wo sie jetzt sei. Sie nannte die Adresse eines Hotels in Bahnhofsnähe. Ich hängte auf, holte Hut und Handschuhe, ging die Treppe hinunter und dachte an vieles, bloß an das eine nicht, daß ich jetzt zum letztenmal im Leben über die Treppe meines Hauses hinunterging. Damals hatte ich noch einen Wagen, der immer vor dem Haus stand. Ich fuhr zu dem leicht suspekten Bahnhofshotel. Judit saß in der Halle, inmitten ihres Gepäcks. Sie trug einen karierten Rock, eine blaßblaue Wolljacke, feine Handschuhe und einen Reisehut. So gelassen saß sie in der drittklassigen Hotelhalle, als wäre die ganze Situation, ihre Abreise und ihre Heimkehr, eine zwischen uns vereinbarte Sache.

Sie gab mir die Hand, ganz Dame. »Soll ich hierbleiben?« fragte sie, blickte um sich und zeigte ratlos auf ihre Umgebung, als hätte sie beschlossen, daß ich in allem entscheiden sollte.

Ich gab dem Portier Geld und ließ ihr Gepäck in meinem Wagen verstauen. Sie folgte mir wortlos und setzte sich neben mich auf den Beifahrersitz. Ihr Gepäck war schön, Ledertaschen, englische Ware, mit den Aufklebern ausländischer Hotels. Ich weiß noch, daß mich diese anspruchsvolle Ausrüstung im ersten Moment mit einer Art grotesker Befriedigung erfüllte. Ich war froh, mich für Judits Gepäck nicht schämen zu müssen. Wir fuhren zum Inselhotel, wo ich für sie ein Zimmer nahm. Ich selbst ging in ein Hotel am Donauufer, von dort telephonierte ich nach Hause und bat darum, mir einen Koffer mit Anzügen und Wäsche zu schicken. Ich betrat meine Wohnung nie wieder. Sechs Monate lang lebten wir so, meine Frau zu Hause, Judit im Inselhotel, ich im Hotel an der Donau. Dann wurde die Scheidung ausgesprochen, und am nächsten Tag heiratete ich Judit.

In diesen sechs Monaten riß natürlich jede Beziehung zu der Welt ab, zu der ich vor kurzem noch so unmittelbar gehört hatte, wie man zu einer Familie gehört. In der Fabrik verrichtete ich zwar meine Arbeit, aber in meinen Kreisen und überhaupt in dem verworrenen Gebilde, das man die »Welt« nennt, sah man mich nicht mehr. Eine

Zeitlang wurde ich noch eingeladen, mit verlogenem Wohlwollen und unverhohlener Schadenfreude und Neugier. Man wollte den Rebellen sehen. Man wollte ihn in die Salons schleppen, wo man von anderem reden und ihn unterdessen spöttisch beobachten würde wie einen Geistesgestörten, der von einem Moment auf den andern etwas Überraschendes tun oder sagen konnte. Ein solcher Mensch ist zwar ein wenig beängstigend, aber auch interessant, ein Amüsement für die Gesellschaft. Leute, die sich meine Freunde nannten, suchten ernst und geheimnisvoll den Kontakt mit mir: Fest entschlossen, mich zu »retten«, schrieben sie mir Briefe und suchten mich in meinem Büro auf. Und am Ende waren alle beleidigt und überließen mich meinem Schicksal. Nach kurzer Zeit redete man von mir bereits wie von jemandem, der Geld veruntreut oder moralisch über die Stränge geschlagen hat.

Und doch waren diese sechs Monate alles in allem ein ruhiger, ja, friedlicher Abschnitt meines Lebens. Die Wirklichkeit ist immer einfach und beruhigend. Judit wohnte auf der Insel und aß jeden Abend mit mir. Sie war gelassen und wartete ab. Sie hatte es nicht eilig, sie schien etwas verstanden zu haben, nämlich daß Eile und Überstürzung unnötig waren, da sich alles zu seiner Zeit vollziehen würde. Wir beobachteten einander wie Fechter vor dem Zweikampf. Denn damals glaubten wir noch, daß diese unsere Angelegenheit das große Duell des Lebens wäre. Wir würden auf Leben und Tod kämpfen und am Ende verwundet, aber ritterlich Frieden schließen. Ich hatte ihretwegen meine gesellschaftliche Stellung, die bürgerlichen Konventionen, meine Familie und eine mich liebende Frau aufgegeben. Judit hatte meinetwegen nichts aufgegeben, war aber zu jeglichem Opfer bereit. Jedenfalls hatte sie gehandelt. Eines Tages schlägt das Warten in Tun um.

Ich begriff nur sehr langsam, was in Wirklichkeit zwischen uns vorging. Auch sie begriff es nur langsam. Es gab zwischen uns und um uns herum niemanden, der uns gewarnt hätte. Lázár lebte schon im Ausland, ein wenig so, als wäre er aus lauter Gekränktsein schon tot. Es gab keinen Augenzeugen mehr, niemand setzte mir Schranken.

Von dem Augenblick an, da wir uns in jenem drittklassigen Bahnhofshotel getroffen hatten, lebten wir beide wie Auswanderer, die an einem wildfremden Ort versuchen, sich unauffällig in die neuen Sitten zu fügen, sich unter die neuen Menschen zu mischen. Sie tun alles, um nicht aufzufallen, und vor allem schwelgen sie nicht in Gefühlen, sie denken nicht mehr an die verlassene Heimat, die verlorenen Nächsten. Wir sprachen nicht davon, wußten aber beide, daß alles Gewesene keine Bedeutung mehr hatte. Wir warteten und beobachteten.

Soll ich der Reihe nach erzählen? Ermüdet es dich nicht? ... Ich will mich auf das Wesentliche beschränken. Nach der ersten Erschütterung, als ich im Hotelzimmer an der Donau allein geblieben war und man mir mein Gepäck gebracht hatte, schlief ich ein. Ich schlief lange und erschöpft, es war schon später Abend, als ich erwachte. Das Telephon hatte nicht geklingelt, weder Judit noch meine Frau suchten mich. Was taten sie wohl in jenen Stunden, da die eine wissen mußte, daß sie mich verloren hatte, und die andere Grund hatte anzunehmen, daß sie ihren mehrjährigen, stummen kleinen Krieg gewonnen hatte? Sie saßen an den beiden Enden der Stadt, jede in ihrem Zimmer, und dachten selbstverständlich nicht an mich, sondern an die Rivalin. Sie wußten, daß noch nichts zu Ende war, daß ihr Zweikampf jetzt in eine schwierigere Phase trat. Ich schlief wie betäubt. Als ich dann am Abend aufwachte, rief ich Judit an. Sie antwortete ruhig; ich bat sie, auf mich zu warten, ich würde sie abholen, denn ich wolle mit ihr reden.

An jenem Abend begann meine Bekanntschaft mit dieser seltsamen Frau. Wir gingen in ein Restaurant in der Innenstadt, wo wenige Bekannte verkehrten. Wir setzten uns an den gedeckten Tisch, der Kellner brachte die Speisekarte, ich bestellte für uns beide, wir sprachen leise von belanglosen Dingen. Während des Essens beobachtete ich verstohlen Judits Bewegungen. Sie wußte, daß ich sie beobachtete, und zuweilen lächelte sie ein bißchen spöttisch. Dieses Lächeln verschwand auch später nicht aus ihrem Gesicht. Als ob sie sagen wollte: »Ich weiß, daß du mich beobachtest. Dann beobachte mal schön. Ich habe die Lektion gelernt.«

In der Tat, sie hatte die Lektion perfekt gelernt. Fast ein bißchen zu perfekt. Diese Frau hatte sich innerhalb einiger Jahre aus eigener Kraft alles beigebracht, was wir Stil, Umgangsformen, gute Manieren, gesellschaftliche Sicherheit nennen und was uns von unserer Umgebung und unserer Erziehung geliefert wird. Sie wußte, wie man einen Raum betrat, wie man grüßte, wie man ungerührt dasaß, während der Mann bestellte, und gleichzeitig verstand sie es, sich bedienen zu lassen, überlegen und selbstbewußt. Ihre Tischmanieren waren einwandfrei. Sie handhabte Messer, Gabel, Glas und Serviette, als hätte sie nie anders gegessen, als wären da nie andere Requisiten und Umstände gewesen. Ich bewunderte an dem Abend –

und später auch – ihre Kleider. Ich verstehe nicht viel von Frauenkleidern und weiß wie die meisten Männer nur, ob die Frau, mit der ich auftrete, korrekt angezogen ist oder ob da irgendwelche geschmacklichen Fehler sind, irgendwelcher Firlefanz. Diese Frau war in ihrem schwarzen Kleid, mit ihrem schwarzen Hut so schön, so beängstigend schön, daß auch die Kellner sie anstarrten. Ihre Bewegungen, wie sie am Tisch Platz nahm und lächelnd zuhörte, während sie die Handschuhe auszog und ich ihr die Speisekarte vorlas, wie sie zustimmend nickte und dann gleich darauf von anderem zu sprechen begann, freundlich zu mir geneigt: das alles war ein einziges Examen, das Examen der Musterschülerin. Sie legte es an diesem ersten Abend mit Auszeichnung ab.

Ich selbst war besorgt, drückte ihr die Daumen, und dann erfüllten mich wilde Freude, Befriedigung, Erleichterung. Weißt du, wie wenn man begreift, daß die Dinge nicht ohne Grund geschehen. Alles, was zwischen uns beiden vorgefallen war, hatte seinen Grund: Diese Frau war eine Ausnahmeerscheinung. Und ich schämte mich auch gleich für meine Besorgnis. Sie spürte das, und, wie gesagt, sie lächelte zuweilen ein bißchen spöttisch. Sie benahm sich im Restaurant wie eine Dame der großen Welt, die ihr ganzes Leben an solchen Orten verbracht hat. Nein, sie benahm sich viel besser. Die Damen der großen Welt essen nicht so schön, halten Messer und Gabel nicht so einwandfrei, sind nicht so vollkommen diszipliniert. Wer in eine Situation hineingeboren wird, rebelliert auch immer ein wenig gegen seine Abstammung und die Zwänge seiner Erziehung. Judit hingegen war noch im Examen, ganz unauffällig, aber auch unbeirrt.

An diesem Abend so wie an den folgenden Tagen und in den folgenden Monaten und Jahren – morgens, abends, unter Menschen und allein, bei Tisch und in Gesellschaft, später auch im Bett und in allen sonstigen Lebenslagen – war das fürchterliche, hoffnungslose Examen im Gang. Judit bestand es jeden Tag mit Auszeichnung; bloß scheiterten wir beide an dem Experiment.

Ich habe auch meine Fehler gemacht, das ist wahr. Wir beobachteten einander wie das wilde Tier und sein Dompteur während der Darbietung. Nie, mit keinem Wort, habe ich Judit kritisiert, habe sie nie gebeten, sich anders zu kleiden, sich auch nur um einen Tonfall, eine Geste anders zu benehmen. Ich »erzog« sie nicht. Ich hatte diese Seele geschenkt bekommen, so wie sie erschaffen und vom Leben geprägt war. Ich erwartete von ihr nichts Außergewöhnliches. Ich wollte keine Dame, kein gesellschaftliches Wundertier. Ich hoffte auf eine Frau, die meine Lebenseinsamkeit auflösen konnte. Doch diese Frau war so entsetzlich ehrgeizig wie ein junger Soldat, der die Welt erobern will und zu diesem Zweck den ganzen Tag büffelt, exerziert, sich stählt. Sie fürchtete nichts und niemand. Außer einer einzigen Sache: ihre eigene Verletztheit, eine schwere, tödliche Kränkung, ein Schwelen in der Tiefe ihres Lebens, ihrer Seele. Davor hatte sie Angst, dagegen unternahm sie alles, mit Taten und Worten und Schweigen.

Ich verstand das nicht. Wir waren ins Restaurant gegangen und aßen zu Abend. Was wir redeten? ... Natürlich von London. Auf welche Art wir von London redeten? ... Na ja, schon so wie bei einem Examen. London ist eine große Stadt. Sie hat unzählige Bewohner. Die ärmere Bevölkerung kocht mit Hammelfett. Die Engländer sind im

Denken und Handeln langsam. Und dann, zwischen den Gemeinplätzen, auf einmal etwas Wesentliches: Die Engländer wissen, daß man die Dinge überleben muß. Als sie das sagte – und es war vielleicht der erste persönliche Satz, den sie an mich richtete, die erste selbstentdeckte Wahrheit, die sie vor mir aussprach –, flackerte ihr Blick ganz kurz auf und erlosch gleich wieder. Als hätte sie sich nicht zurückhalten können und ihre Meinung gesagt, als bereute sie aber sofort, etwas preisgegeben zu haben, das Geheimnis, daß auch sie über die Welt, sich selbst, mich und die Engländer nachgedacht hatte. Vor dem Feind redet man nicht über seine Erfahrungen. In dem Augenblick spürte ich etwas. Was, das wußte ich nicht. Sie schwieg einen Augenblick. Dann kehrten wir zu den Gemeinplätzen zurück. Das Examen ging weiter. Ja, die Engländer haben Humor, sie lieben Dickens und die Musik. Judit hatte *David Copperfield* gelesen. Was noch? Sie antwortete ruhig. Den neuen Roman von Huxley hatte sie für die Reise gekauft. *Point Counter Point* sei der Titel. Sie habe ihn auf der Reise gelesen, sei aber noch nicht fertig damit. Wenn ich wolle, leihe sie ihn mir aus.

An dem Punkt waren wir also. Ich saß mit Judit Áldozó in einem Restaurant der Innenstadt, wir aßen Hummer mit Spargel, tranken schweren Rotwein und plauderten über Huxleys neuen Roman. Ihr Taschentuch, das sie vor mir entfaltete, hatte einen schweren, angenehmen Duft. Ich fragte sie, welches Parfum sie habe. Sie nannte mit makelloser Aussprache den Namen eines amerikanischen Produkts. Sie sagte, sie möge die amerikanischen Parfums lieber als die französischen, denn die seien ein bißchen schwül. Machte sie sich über mich lustig? Ich sah sie mißtrauisch an. Aber nein, das war kein Witz, sondern ihr Ernst. Es war ihre Meinung. Und die sprach sie aus wie jemand, der aus seinen Erfahrungen bestimmte Wahrheiten herausdestilliert hat. Ich wagte nicht zu fragen, wo diese Bauerntochter aus Westungarn ihre Erfahrungen gesammelt hatte, woher sie so sicher wußte, daß die französischen Parfums »ein bißchen schwül« sind. Und überhaupt, was sie in London sonst noch gemacht hatte, außer daß sie in einem englischen Haus Dienstmädchen war. Bis zu einem gewissen Grad hatte auch ich London und die englischen Häuser kennengelernt, und ich wußte, daß arm und bedienstet sein auch in London kein Zuckerschlecken war. Judit sah mich ruhig an, als wartete sie auf weitere Fragen. Und schon an dem ersten Abend fiel mir etwas auf, wie später dann auch, bis zum Schluß, jeden Abend. Weißt du, sie akzeptierte jeden meiner Vorschläge. Gehen wir da und da hin, sagte ich; sie nickte, ja, gut. Aber wenn der Wagen schon angefahren war, sagte sie leise: »Noch besser wäre vielleicht…« Und dann kam der Name eines anderen Restaurants, das aber in keiner Weise besser oder vornehmer war als das von mir vorgeschlagene. Aber wir gingen dann in dieses. Und wenn ich etwas für sie bestellt hatte, dann kostete sie davon, schob den Teller weg und sagte: »Noch besser wäre vielleicht…« Und diensteifrig brachten die Kellner andere Speisen, andere Getränke. Immer mußte es etwas anderes sein. Und immer wollte sie anderswohin. Ich dachte, dieses Hin und Her habe mit Verlegenheit und Angst zu tun. Erst allmählich begriff ich, daß ihr das Süße nie süß genug, das Salzige nie salzig genug war. Das Hähnchen, das der Meisterkoch zu einem knusprigen Kunstwerk gebraten hatte, schob sie samt Teller von sich und sagte leise, aber sehr bestimmt: »Das schmeckt nicht. Ich möchte etwas anderes.« Und die Sahne war nie sahnig genug und der Kaffee nie stark genug, nirgends, nie.

Ich dachte, das seien Marotten. Schau da einfach mal zu, dachte ich. Und so beobachtete ich sie. Amüsierte mich sogar über die Marotten.

Doch dann begriff ich, daß der Ursprung dieser Marotten in einer Tiefe lag, die ich nicht ausleuchten konnte. Der Ursprung war die Armut. Judit kämpfte mit ihren Erinnerungen. Manchmal so sehr, daß es mich rührte. Doch diese Seele war jetzt überschwemmt, die Dämme, die die Armut zwischen ihr und der Welt errichtet hatte, waren gebrochen. Sie wollte nichts Besseres oder Glänzenderes, als was ich ihr freiwillig bot: Sie wollte *anderes*, verstehst du? Wie ein Schwerkranker, der hofft, im anderen Zimmer werde es besser sein, oder irgendwo lebe ein Arzt, der mehr wisse als der, der ihn behandelt, oder irgendwo gebe es ein Medikament, das wirksamer ist als alle, die er bisher eingenommen hat. Sie wollte anderes, irgend etwas anderes. Und manchmal bat sie dafür um Entschuldigung. Sie sagte nichts, sondern schaute mich bloß an, und das waren vielleicht die Augenblicke, da mir diese hochmütige, gekränkte Seele wirklich nahe war. Sie blickte mich fast hilflos an, als wollte sie sagen, sie könne nichts für die Armut und die Erinnerungen. Doch dann redete in ihr wieder eine laute Stimme, die dieses stumme Flehen übertönte. Die Stimme, die das andere wollte. Schon vom ersten Abend an.

Was wollte sie? Die Rache, alles. Wie wollte sie es? Das wußte sie selbst nicht, wahrscheinlich hatte sie zu diesem Feldzug keinen Schlachtplan ausgearbeitet. Es ist eben nicht gut, diese träge, tiefe Ordnung aufzuwühlen, in welche die Menschen hineingeboren sind. Manchmal ereignet sich ein Unfall, eine unvorhergesehene Wendung, eine ungewohnte Beziehung, und jemand wacht auf und blickt um sich. Und findet sich nicht mehr zurecht. Weiß nicht mehr, was er will und wie er seine Bedürfnisse zügeln soll und was es ist, wonach er sich wirklich sehnt. Er vermag den Horizont seiner aufgewühlten Phantasie nicht mehr zu bestimmen und zu überblicken. Auf einmal ist nichts mehr gut. Gestern hat er sich noch über einen Riegel Schokolade oder ein farbiges Band oder sonst etwas Einfaches gefreut, über die Gesundheit oder den Sonnenschein. Er trank aus einem schartigen Glas reines Wasser und freute sich, daß es kühl war und seinen Durst löschte. Abends stand er am Gitter im Gang des Mietshauses, horchte ins Dunkel, von irgendwo kam Musik, und er war beinahe glücklich. Betrachtete eine Blume und mußte lächeln. Die Welt hält wunderbare Befriedigungen bereit. Doch dann ereignet sich der Unfall, und eine Seele verliert ihre Ruhe.

Was tat Judit? Sie begann eine Art Klassenkampf gegen mich, auf ihre Weise.

Vielleicht gar nicht gegen mich persönlich. Bloß verkörperte eben ich die Welt, die sie so unsäglich begehrte, auf die sie so verzweifelt, so krankhaft neidisch war, zu der sie mit heillos nüchterner, kalter Berechnung strebte, so daß sie, als sie alle diese Wünsche auf mich übertragen konnte, ihre Ruhe verlor. Zuerst war sie heikel und zappelig. Schickte die Speisen zurück. Dann begann sie – zu meinem stillen Erstaunen –, in den Hotels die Zimmer zu tauschen. Die kleine Suite mit Badezimmer auf der Parkseite tauschte sie gegen eine größere, die auf den Fluß ging und Salon und einen Alkoven hatte. Sie sagte: »Hier ist es ruhiger«, wie eine zickige Diva auf der Durchreise. Ich hörte mir ihre Klagen an und lächelte. Ihre Rechnungen beglich natürlich ich, ohne Aufsehen: Ich gab ihr ein Scheckbuch und bat sie, alles selbst zu regeln. Bald schon, nach drei Monaten, meldete sich die Bank mit der Nachricht, daß der nicht unbeträchtliche Betrag auf dem Konto, das ich für Judit eröffnet hatte, erschöpft war. Wie und wofür hatte sie das Geld ausgegeben, eine für ihre Begriffe ansehnliche Summe, ein richtiges kleines Vermögen? Diese Frage, die ich ihr selbstverständlich nicht stellte, hätte sie wahrscheinlich gar nicht beantworten können. Die Bremsen einer Seele hatten nachgegeben, das war alles. Ihre Schränke füllten sich mit sehr teuren, erstaunlich geschmackvollen, weitgehend überflüssigen Fetzen. Sie ließ im besten Salon der Stadt arbeiten, griff gierig und leichtsinnig, mit dem Scheckbuch in der Hand, nach Hüten, Kleidern, Pelzen, modischen Neuheiten, denn in ihrer Situation war das alles nicht selbstverständlich. Wobei sie dieses zusammengeraffte Zeug meistens gar nicht trug. Verhungernde fallen auf diese Art über den gedeckten Tisch her, ohne sich darum zu kümmern, daß die Natur ihren Wünschen erstaunlich schnell Grenzen setzt und daß sie sich unweigerlich den Magen verderben werden.

Also, nichts war gut genug. Diese Seele suchte noch etwas Zusätzliches, begeistert, aufgeregt und hastig. Vormittags durchforschte sie die teuren Geschäfte der Innenstadt, auf Teufel komm raus, als befürchtete sie, die Händler würden die Waren vor ihrer Nase an andere verkaufen. Was für Waren? Noch ein Pelzmantel? Noch ein bunter Fetzen, noch mehr modischer Schmuck, noch weitere Kinkerlitzchen für die Saison? Ja, das alles, und dann auch unmögliche, unsinnige Dinge, an der Grenze des guten Geschmacks. Eines Tages mußte ich doch etwas sagen. Da blieb sie plötzlich stehen wie ein Amokläufer. Sah um sich wie ein erwachter Schlafwandler. Begann zu weinen. Sie weinte tagelang. Und kaufte lange Zeit nichts mehr.

Doch dann schwieg sie wieder so seltsam. Wie jemand, der ins Weite blickt, sich erinnert. Dieses Schweigen rührte mich. Sie war mit mir zusammen, wann immer ich es wollte, und benahm sich dann wie der ertappte Dieb, so unterwürfig, so beschämt und reuig. Ich beschloß, ihr nie mehr etwas zu sagen, sie nicht mehr zu ermahnen. Schließlich spielte Geld keine Rolle, ich war damals noch reich, aber es spielte auch aus einem anderen Grund keine Rolle: Da wußte ich schon, daß ich das Geld, ob nun alles oder nur einen Teil, umsonst retten würde, wenn ich dafür mich selbst verlor. Denn auch ich lebte in jenen Monaten in großer Gefahr. Alle drei befanden wir uns in Lebensgefahr, Judit und meine Frau und ich. Im ganz schlichten Sinn des Wortes: Alles, woran wir uns festgehalten hatten, war eingestürzt, unser Leben war eine einzige Überschwemmung, und die schmutzigen Fluten hatten alles mitgerissen, die Erinnerungen, die Sicherheit, das Zuhause. Von Zeit zu Zeit hoben wir den Kopf aus dem Wasser und suchten mit den Augen das Ufer. Es war aber nirgends in Sicht. Schließlich muß im Leben alles eine Form haben, sogar die Revolte. Am Ende ergießt sich alles in die große Banalität des Lebens. Was hatte da mein Geld noch für eine Bedeutung? Mochte es doch mit allem anderen davonschwimmen, mit der Ruhe, den Sehnsüchten, der Selbstachtung, der Eitelkeit. Eines Tages wird alles ganz einfach. Deshalb mahnte ich Judit nicht mehr, was immer sie tat. Eine Zeitlang hielt sie ihre krankhafte Einkaufssucht im Zaum und beobachtete mich erschrocken, ganz so wie das Dienstmädchen, das man beim Naschen, bei einer Veruntreuung oder beim Verschwenden ertappt hat.

Ich gab ihr also alles, mit einer einzigen Geste. Und so begann das Herumlaufen in der Stadt von neuem, zu den Schneiderinnen, Antiquitätenhändlern und Modistinnen. Wart mal, mir tut der Kopf weh. Herr Ober, ein Glas Wasser. Und ein Pyramidon. Danke.

Jetzt, da ich davon spreche, ist mir wieder schwindlig. Wie wenn man sich über einen Wasserfall beugt. Und nirgends ein Geländer, nirgends eine Hand, die sich nach einem ausstreckt. Nur das Wasser rauscht, und die Tiefe lockt, und plötzlich spürt man jenen beängstigenden, hinunterziehenden Schwindel. Und man weiß, daß man alle seine Kräfte brauchen wird, wenn man noch umkehren, noch davonkommen will. Denn es liegt an einem selbst, und ein Schritt rückwärts würde genügen. Ein Wort. Ein Brief. Eine Handlung. Unten rauscht das Wasser. So ein Gefühl ist das.

Das ist mir in den Sinn gekommen, und jetzt habe ich Kopfschmerzen. Sehe bestimmte Momente jener Zeit deutlich vor mir. Zum Beispiel, als sie mir sagte, daß sie in London die Geliebte eines griechischen Gesangslehrers gewesen war. Gegen Ende ihres Aufenthalts, als ihr Entschluß schon feststand, nach Hause zu kommen. Doch zuvor hatte sie Kleider, Schuhe, elegante Koffer haben wollen. Der griechische Gesangslehrer hatte ihr das alles gekauft. Dann war sie nach Hause gereist, in der Nähe des Bahnhofs abgestiegen, hatte den Hörer in die Hand genommen und »Hello« gesagt...

Wie diese Nachricht auf mich wirkte? Ich will ehrlich sein. Ich erinnere mich, gehe in mich, prüfe die Erinnerung und kann nur antworten: gar nicht. Man versteht die wahre Bedeutung der menschlichen Handlungen und Beziehungen nur mit Mühe. Zum Beispiel stirbt jemand, und man versteht es nicht. Er ist schon beerdigt, und noch immer fühlt man nichts. Man trägt in der Öffentlichkeit Trauer und starrt mit feierlichem Ernst vor sich hin, zu Hause aber gähnt man, kratzt sich an der Nase, liest ein Buch, denkt an alles andere als an den Toten, um den man Trauer trägt. Nach außen lebt man in einem bestimmten Zustand, ernst und würdig, innerlich aber wird man erstaunt gewahr, daß man gar nichts spürt, höchstens eine Art schuldbewußter Befriedigung und Erleichterung. Und Gleichgültigkeit, tiefe Gleichgültigkeit. Das geht eine Weile so, Tage oder sogar Monate. Man macht der Welt etwas vor und lebt in heimlicher Gleichgültigkeit. Und dann, viel später, ein Jahr danach, da dem Toten bereits die Nase abgefallen ist, geht man auf der Straße, und es schwindelt einem, und man muß sich gegen eine Wand lehnen, weil man versteht. Was? Nun, das Gefühl, das einen mit dem Toten verbunden hat. Die Bedeutung des Todes. Die Tatsache, daß man alles aus der Erde herauskratzen kann, was von ihm noch übrig ist, und doch nie mehr sein Lächeln sehen wird, daß die ganze Weisheit und alle Macht der Welt nicht genügen, damit er, der Tote, einem auf der Straße entgegenkommt und einem zulächelt. Und wenn man sämtliche Erdteile mit einem Heer erobert, hilft es auch nichts. Da beginnt man zu schreien. Oder nicht einmal das. Man bleibt auf der Straße stehen, mit blutleerem Kopf, und spürt einen solchen Mangel, als hätte die Welt ihren Sinn verloren, als wäre man allein auf der Welt.

Und die Eifersucht. Was bedeutet sie? Was steckt dahinter? Eitelkeit natürlich. Der menschliche Körper besteht zu siebzig Prozent aus Flüssigkeiten, und nur die restlichen dreißig Prozent sind feste Materie, der Körper, der Mensch. Entsprechend besteht der menschliche Charakter zu siebzig Prozent aus Eifersucht, den Rest teilen sich Sehnsucht, Großzügigkeit, Angst vor dem Tod, Anstand. Wenn man verliebt ist, spaziert man mit blutunterlaufenen Augen durch die Stadt, denn man fürchtet, eine Frau, die genauso eitel, sehnsüchtig, einsam und glücksbeflissen ist wie alle anderen unglückseligen Geschöpfe, könnte irgendwo für eine Stunde in den Armen eines anderen Mannes ruhen, und man will nicht etwa den Körper und die Seele der Frau vor irgendeiner Schmach oder Schande bewahren, sondern die eigene Eitelkeit, daß sie ja nicht angekratzt werde. Judit hatte mir gesagt, daß sie die Geliebte des griechischen Gesangslehrers war, und ich hatte höflich genickt, als fände ich das in bester Ordnung, und hatte dann das Thema gewechselt. Und tatsächlich hatte ich in dem Augenblick nichts gefühlt. Viel später, als wir schon geschieden waren und ich schon wußte, daß sie auch noch von anderen geliebt worden war, als ich schon allein lebte, kam mir eines Nachmittags der griechische Gesangslehrer in den Sinn, und ich stöhnte vor Wut und Verzweiflung. Die bringe ich um, Judit und ihren Gesangslehrer, wenn ich sie irgendwo erwische. Ich litt wie ein angeschossenes Wild, weil eine Frau, die mich nichts mehr anging, deren Gesellschaft ich mied, nachdem wir in jeder Hinsicht voreinander gescheitert waren, irgendeinmal etwas mit einem Mann gehabt hatte, an den sie sich wahrscheinlich nur noch vage erinnerte. Doch damals, als sie es mir sagte, fühlte ich nichts. Schälte einen Apfel und blickte so höflich und verständnisvoll vor mich hin, als hätte ich genau diese Nachricht erwartet und sei froh, sie jetzt zu hören.

So lernten wir uns kennen.

Dann hatte sich Judit an den Dingen gesättigt, die ihr mein Geld bieten konnte, gesättigt wie ein gieriges Kind, bis zum Überdruß. Jetzt kam etwas anderes: die Enttäuschung und die Gleichgültigkeit. Eines Tages war sie gekränkt, nicht von mir, nicht von der Welt, sondern von der Tatsache, daß man nicht ungestraft mit seinen Begierden um die Wette läuft. Ich erfuhr, daß ihre Familie zu Hause auf dem Bauernhof so unwahrscheinlich, so unmöglich und unanständig arm gewesen war, wie es eine tendenziöse Literatur ausmalen könnte. Sie besaßen ein Häuschen und ein paar Morgen Land, das Land aber ging für die Kinder und die Schulden drauf. So daß nichts mehr blieb als die Hütte und ein Garten. Hier lebten der Vater, die Mutter und eine gelähmte Schwester. Die anderen Kinder verstreuten sich in alle Winde, aber Mädchen wie Jungen blieben Mägde und Knechte. Judit sprach unsentimental, mit kühler Sachlichkeit von ihrer Kindheit. Es verging eine geraume Weile, bis sie die Armut erwähnte. Aber nie im Sinn einer Anklage – dafür war sie zu sehr Frau, also klug und beschlagen, was die wichtigen Fragen des Lebens betrifft. Man hadert wegen Armut, Krankheit und Tod nicht mit dem Schicksal, sondern akzeptiert und erträgt es. Judit stellte also nur fest. Sagte, sie hätten einen Winter lang unterirdisch gelebt. Judit war da ungefähr sechs Jahre alt, und der Hunger hatte die Familie von zu Hause vertrieben, sie waren als Melonenpflücker in die Nyírség gegangen und wohnten unter der Erde. Nicht im übertragenen, sondern im wahren Sinn des Wortes: Sie gruben ein großes Loch, deckten es mit Schilf zu und wohnten dort den ganzen Winter über. Sie erzählte auch – in allen Einzelheiten, offensichtlich war diese Kindheitserinnerung sehr wichtig –, daß in jenem Winter unbarmherziger Frost geherrscht habe, so daß die Kälte Tausende von Feldmäusen in das Loch hineintrieb, das Judit mit ihrer Familie bewohnte. »Das war sehr unangenehm«, sagte sie versonnen, aber ohne einen klagenden Unterton.

Weißt du, da saß mir diese wunderschöne Frau gegenüber, in dem luxuriösen Restaurant, mit einem teuren Pelz um die Schultern, mit glitzernden Ringen an den Fingern, und kein Mann konnte vorübergehen, ohne sie von Kopf bis Fuß mit den Blicken zu berühren, und sie erzählte ruhig, wie unangenehm das Wohnen in der gefrorenen Erde gewesen sei, da Mäuse zu Tausenden über ihre Lager sprangen. Bei solchen Gelegenheiten saß ich stumm da und hörte zu. Und hätte nicht gestaunt, wenn sie mich hin und wieder ins Gesicht geschlagen hätte, grundlos, einfach weil ihr etwas in den Sinn gekommen war. Doch sie erzählte ganz natürlich. Sie wußte von der Armut, von der Welt, vom Zusammenleben mit anderen mehr als alle Werke der Soziologie. Sie klagte nichts und niemanden an, sie erinnerte sich bloß und gab acht. Und wie gesagt, eines Tages war sie bis zum Überdruß satt. Vielleicht war ihr etwas in den Sinn gekommen. Vielleicht hatte sie verstanden, daß man nicht in den Geschäften der Innenstadt nachholen konnte, was ihr und anderen, Hunderttausenden von Menschen, versagt worden war, hatte verstanden, daß der individuelle Aufstieg überflüssig und hoffnungslos ist. Die großen Dinge erledigt das Leben nicht auf der individuellen Ebene. Es gibt keine persönliche Wiedergutmachung für das, was im allgemeinen mit den Menschen geschieht und geschah, heute und vor tausend Jahren. Und alle, die für einen Augenblick aus dem Halbdunkel hervortreten und ins Licht getaucht sind, haben auch in den glücklichen Augenblicken das Gefühl, eine Untreue zu begehen – als ob sie auf ewig den unten Gebliebenen versprochen wären. Wußte sie das alles? Sie sprach nicht davon. Man spricht nicht davon, daß man aus diesem oder jenem Grund arm ist. Sie erinnerte sich an die Armut wie an eine Naturerscheinung. Und klagte die Reichen nie an. Eher die Armen; sie erinnerte sich an alles, was mit der Armut zu tun hatte, auf eine leicht spöttische Art. Als seien die Armen irgendwie schuldig. Als wäre die Armut eine Krankheit, und alle, die an ihr litten, seien selber schuld: als hätten sie nicht genug aufgepaßt, zuviel gegessen, sich nicht warm genug angezogen. In einer Familie spricht man in einem solchen Ton von dem quengeligen Kranken, als ob der Todgeweihte, der wegen seiner Blutarmut nur noch wenige Wochen zu leben hat, etwas dafür könnte, daß es mit ihm so weit gekommen ist – vielleicht hätte er die Medizin schlucken sollen oder zulassen, daß man das Fenster öffnete, oder vielleicht hätte er nicht so viele Mohnnudeln verschlingen sollen, und er hätte die tödliche Krankheit nicht bekommen… Ungefähr so sah Judit die Armut und die Armen. Als ob sie sagen wollte: »Einen Grund muß sie ja haben.« Doch die Reichen klagte sie nicht an. Da wußte sie zuviel.

Sie wußte zuviel, und jetzt, da sich der Tisch des Lebens vor ihr gedeckt hatte, griff sie mit beiden Händen zu und überfraß sich. Aber wie immer waren die Erinnerungen stärker.

Diese Frau war nicht sentimental, doch die Erinnerungen überwältigten auch sie. Es war offensichtlich, daß sie gegen diese Schwäche kämpfte. Seit die Welt besteht, ist es eben so. Es gibt die Gesunden und die Kranken, die Reichen und die Armen. Die Armut läßt sich lindern, die Verteilung des Reichtums kann gerechter geschehen, Egoismus, Gewinnsucht und Habgier können gebremst werden, aber aus Unbegabten kann man keine Genies machen, Unmusikalischen kann man nicht beibringen, daß in der Seele des Menschen göttliche Musik wohnt, und die Habgierigen, die sich mit beiden Pfoten vollstopfenden Hamster, kann man nicht auf Großzügigkeit dressieren. Das wußte Judit so genau, daß sie gar nicht mehr davon sprach. Irgendwo geht die Sonne auf, irgendwo geht sie unter, und irgendwo sind die Armen: So dachte sie. Und sie war aus dem Kreis der Armut ausgebrochen, weil sie eine schöne Frau war und mich die Leidenschaft angerührt hatte. Und weil sie etwas von mir wußte. Deshalb blickte sie um sich, als erwachte sie aus einer Ohnmacht. Sie wurde aufmerksam.

Ich wurde gewahr, daß sie bis dahin nicht gewagt hatte, mich richtig anzuschauen. Einem Ideal, einem übernatürlichen Wesen, das unser Schicksal in der Hand hat, blickt man nicht ins Gesicht. Für sie muß in jenen Jahren eine Art leuchtender Dunstkreis um meine Person geschwebt sein. So daß sie geblendet in meine Richtung zwinkerte. Es war nicht so sehr meine Person, auch nicht meine gesellschaftliche Stellung oder eine männliche, persönliche Eigenschaft, die auf sie wirkte. Für sie war ich die Geheimschrift, die man nicht zu entschlüsseln wagt, denn die geheimnisvollen Zeichen bedeuten alles Glück und alles Unglück. Für sie war ich der Zustand, nach dem man sich ein Leben lang sehnt, und dann, wenn sich die Möglichkeit ergibt, sich den Wunsch zu erfüllen, schreckt man zurück, wütend und enttäuscht. Lázár mochte ein Stück von Strindberg sehr, das *Traumspiel*. Du kennst es? ... Ich hingegen habe es nie gesehen. Er zitierte immer wieder Zeilen und Szenen daraus. Er sagte, in diesem Drama komme jemand vor, dessen sehnlichster Wunsch es ist, vom Leben mit einem grünen Anglerkasten beschenkt zu werden, du weißt ja, mit so einer grünen Blechkiste, in der die Angler die Angelhaken, die Angelschnur und die Köder aufbewahren. Und dieser Mensch wird alt, das Leben vergeht, bis sich die Götter schließlich erbarmen und ihn mit dem Anglerkasten beschenken. Und dann tritt der Darsteller, in der Hand das langersehnte Geschenk, an die Rampe vor, untersucht den Kasten gründlich und sagt dann tieftraurig: »Das ist nicht das richtige Grün...« Lázár zitierte zuweilen diesen Satz, wenn die Menschen von ihren Sehnsüchten sprachen. Und als Judit mich allmählich kennenlernte, spürte ich, daß ich für sie »nicht das richtige Grün« war. Lange wagte sie nicht, mich zu sehen, wie ich bin. Man getraut sich lange nicht, das Ersehnte, das Ideal auf Menschenmaß zurückzustutzen. Wir lebten schon zusammen, und die unerträgliche Spannung, die unsere vorangegangenen Jahre befallen hatte wie eine Fieberkrankheit, gab es nicht mehr, wir waren füreinander schon Menschen, ein Mann und eine Frau, Menschen mit körperlichen Schwächen und alltäglichen Problemen, und noch immer hätte sie mich gern so gesehen, wie ich mich selbst nie sah. Wie einen Priester oder ein erhabenes Wesen aus einer anderen Welt. Ich aber war bloß ein einsamer Mensch, der hoffte.

Das Kaffeehaus ist schon ganz leer. Laß uns auch gehen, ja? Ich erzähle dir nur noch den Schluß. Gibst du mir Feuer? Danke. Ich will, da ich nun einmal davon angefangen habe und wenn es dich nicht langweilt, noch erzählen, worauf ich hoffte und wie ich die Wahrheit erfuhr und ertrug.

Jetzt paß auf. Auch ich passe auf. Blicke in meine Seele und passe sehr auf. Es geht um die Wahrheit, ich muß ganz bei der Wahrheit bleiben.

Ich, mein Lieber, hoffte auf ein Wunder. Auf was für eins?... Ganz einfach darauf, daß die Liebe mit ihrer ewigen, übermenschlichen, geheimnisvollen Kraft die Einsamkeit aufhebt, die Entfernung zwischen zwei Menschen verringert und die künstlichen Trennwände abreißt, welche die Gesellschaft, der Name, das Vermögen, die Vergangenheit und die Erinnerungen zwischen uns errichten. Ich war wie jemand, der in Lebensgefahr um sich blickt und eine Hand sucht, die mit heimlichem Druck versichert, daß es Anteilnahme und Mitleid noch gibt, daß noch irgendwo Menschen leben. So griff ich nach Judit.

Nachdem die erste Verlegenheit, die Spannung und das gereizte Warten vorbei waren, griffen wir natürlich mit der Gebärde der Liebe nacheinander. Und dann heiratete ich sie und wartete auf das Wunder.

Ich stellte es mir ganz einfach vor. Ich dachte, im Schmelztiegel der Liebe würden unsere Gegensätze verschmelzen. Ich legte mich mit dieser Frau ins Bett wie der Wanderer, der nach langem Irren durch fremde Lande und vielen Heimsuchungen endlich nach Hause zurückkehrt. Zu Hause ist alles viel einfacher, aber auch geheimnisvoller, ahnungsreicher, denn auch das spektakulärste Ausland bietet nicht das Erlebnis, das sich in den vertrauten Zimmern verbirgt. Dieses Erlebnis ist die Kindheit. Die Erinnerung an das Warten. Wie es in den Tiefen eines jeden Lebens ist. Daran erinnern wir uns, auch wenn wir später den Gaurisankar sehen oder den Michigansee. Die Beleuchtung, die Töne, die Freuden und Überraschungen, die Hoffnung und die Angst sind so wie in der Kindheit. Das ist es, was wir lieben, was wir immer und immer wieder suchen. Und dem Erwachsenen bringt vielleicht nur die Liebe etwas von dieser zitternden, hoffnungsvollen Erwartung zurück. Die Liebe und also nicht nur das Bett und alles, was dazugehört, sondern die Augenblicke der Suche, des Wartens, während zwei Menschen aufeinander zukommen.

Judit und ich gingen ins Bett, und wir liebten uns. Leidenschaftlich, erwartungsvoll, begeistert, staunend und hoffend. Wahrscheinlich hofften wir, daß wir alles, was die Welt und die Menschen kaputtgemacht hatten, in dieser anderen, reineren, ursprünglicheren Heimat, im Bett, im entgrenzten Niemandsland der Liebe, aneinander wiedergutmachen würden. Jede Liebe, der ein langes Warten vorangegangen ist – und vielleicht darf sich nur Liebe nennen, was im reinigenden Feuer der Erwartung von aller Schlacke befreit wurde –, gibt den Beteiligten auf, Wunder zu vollbringen. In einem bestimmten Alter – und Judit und ich waren damals nicht mehr jung, aber auch noch nicht alt, wir waren eine Frau und ein Mann, im vollen, schicksalhaften Sinn des Wortes – erhofft man im Bett vom anderen nicht die Lust, nicht das Glück und die Ekstase, sondern die schlichte, ernste Wahrheit, die bis dahin auch in den Momenten der Liebe von Lüge und Eitelkeit verdeckt war, nämlich daß wir Menschen sind, Mann und Frau, und daß wir auf Erden einen gemeinsamen Auftrag haben, eine gemeinsame Aufgabe, die vielleicht gar nicht so individuell ist, wie wir angenommen haben. Diese Aufgabe läßt sich nicht umgehen, aber durchaus mit Lügen anfüllen. Wenn man alt genug ist, sucht man in allem die Wahrheit, also auch im Bett, im physischen Bereich der Liebe. Es ist nicht wichtig, daß der andere schön sei – nach einer Weile sieht man seine Schönheit nicht mehr –, auch nicht, daß er irgendwie großartig, aufregend, klug, eingeweiht, neugierig, begehrlich und großzügig sei. Was dann wichtig ist? ... Die Wahrheit. So wie in der Literatur und in allen menschlichen Belangen: die Spontaneität, die Freiwilligkeit, die Bereitschaft, sich selbst ohne Ziel und Absicht mit dem wunderbaren Geschenk der Freude zu überraschen; und gleichzeitig, auch wenn man egoistisch ist und etwas bekommen möchte, daß man plan- und ehrgeizlos zu geben bereit ist, gewissermaßen zerstreut und nebenbei. Das ist die Wahrheit, wenn man vom Bett spricht. Nein, mein Alter, in der Liebe gibt es keine Vier- und Fünfjahrespläne. Das Gefühl, das zwei Menschen zueinandertreibt, kennt kein Programm. Das Bett ist eine Wildnis, ein Urwald, voller Überraschungen und Unberechenbarkeiten, aufgeheizt wie die Luft des Dschungels, durchsetzt mit dem Duft merkwürdiger Blumen, durchschlungen von Lianen und voll von wilden Tieren, die glutäugig im Halbdunkel lauern, ewig sprungbereit, in Gestalt von Begehren und Leidenschaft. So kann man das Bett auch verstehen. Dschungel. Dämmerlicht. Seltsame Stimmen aus der Entfernung – man weiß nicht, schreit ein Mensch, dem an der Quelle ein Tier die Kehle durchbeißt, oder schreit die Natur selbst, die gleichzeitig menschliche, tierische und grausame Natur? Diese Frau kannte die Geheimnisse des Lebens, des Körpers, der Selbstbewußtheit und der Selbstverlorenheit. Für sie war die Liebe nicht eine Reihe von gelegentlichen Zusammenkünften, sondern eine ständige Rückkehr in eine vertraute Kindheit, die gleichzeitig ein Ort und ein Fest ist, rotbraune Dämmerung über einer

Landschaft, der vertraute Geschmack von Speisen, Aufregung und Erwartung, und unter alldem die Gewißheit, daß man später, wenn man nach Hause geht, keine Angst zu haben braucht vor den Fledermäusen, man geht nach Hause, weil es dunkelt und man vom Spielen müde ist, und zu Hause brennt die Lampe, es warten warme Speisen und ein Bett. Das war die Liebe für Judit.

Wie gesagt, ich hoffte.

Doch die Hoffnung ist nichts als die Angst vor dem allzusehr Ersehnten, dem man nicht ganz vertraut, an das man nicht wirklich glaubt. Man hofft ja nicht auf das, was vorhanden ist. Das ist einfach da, mehr oder weniger zufällig. Wir verreisten für ein paar Wochen. Kamen dann zurück und mieteten ein Haus am Stadtrand. Das war nicht meine Idee, sondern die von Judit. Ich hätte sie selbstverständlich auch »in Gesellschaft« mitgenommen, wenn sie es gewünscht hätte, jedenfalls hätte ich nach intelligenten Leuten Ausschau gehalten, die keine Snobs waren und in all dem, was geschehen war, doch etwas mehr sahen als nur Klatschfutter. Denn die »Gesellschaft«, jene andere Welt, deren ebenbürtiges Mitglied ich kurz zuvor gewesen war, so wie Judit ein Dienstmädchen, betrachtete die Ereignisse natürlich mit großem Interesse. Die Gesellschaft lebt ja ausschließlich von solchen Dingen, wird geradezu elektrisiert davon, die Augen beginnen zu glänzen, und von morgens bis abends laufen die Telephondrähte heiß. Niemand wäre überrascht gewesen, wenn auch die Leitartikel der Zeitungen unseren »Fall« behandelt hätten, der bald wie eine Straftat durchgehechelt wurde. Wer weiß, womöglich hatten sie recht, im Namen des Gesetzes, auf dem die Gesellschaft aufgebaut ist. Die Menschen ertragen nicht grundlos die peinliche Langeweile des organisierten Zusammenlebens, quälen sich nicht grundlos mit ermüdenden, ihnen längst verleideten Beziehungen ab und willigen nicht grundlos in die Entsagungen ein, die ihnen von den gesellschaftlichen Konventionen aufgezwungen werden. Wenigstens wollen sie das Gefühl haben, niemand sei berechtigt, nach eigenen Vorstellungen Befriedigung, Ruhe und Freude zu suchen, während sie, die vielen, in die Zensur ihrer Gefühle und Sehnsüchte eingewilligt haben, in die große Gesamtzensur, die Zivilisation. Und so sind sie empört und rotten sich zusammen und bilden Femegerichte und erlassen das Urteil in Form von Klatsch, sobald sie erfahren, daß sich jemand aufzulehnen wagt, daß er eine eigene Medizin gegen die Einsamkeit des Lebens entwickelt hat. Und jetzt, da ich allein bin, frage ich mich durchaus, ob die Feindschaft der Menschen gegen ungeregelte Lebenslösungen wirklich so ungerecht ist.

Nur so unter uns gefragt, nach Mitternacht.

Die Frauen verstehen das nicht. Nur ein Mann versteht, daß es auch noch anderes gibt als das Glück. Vielleicht ist das die große und unlösbare Meinungsverschiedenheit zwischen den Männern und den Frauen in fast allen Lebenslagen. Für die Frau, wenn sie eine wirkliche Frau ist, gibt es nur eine einzige Heimat: den Platz, den der Mann, zu dem sie gehört, in der Welt innehat. Für den Mann gibt es eine andere Heimat, eine ewige, unpersönliche, tragische, mit Fahnen und Landesgrenzen. Ich will damit nicht sagen, daß den Frauen an der Gemeinschaft, in die sie hineingeboren werden, nichts liegt, oder nichts an der Sprache, in der sie schwören und lügen und einkaufen, oder an der Landschaft, in der sie aufgewachsen sind, und ich will auch nicht sagen, daß sie nicht anhänglich, opferbereit, treu und manchmal vielleicht auch heldenhaft sein können, wenn es um die andere Heimat geht, die der Männer. In Wahrheit sterben Frauen nie für die Heimat, sondern immer nur für einen Mann. Jeanne d'Arc und die wenigen anderen sind Ausnahmen, Frauen mit männlicher Wesensart. In neuerer Zeit gibt es immer mehr von ihnen. Weißt du, der Patriotismus der Frauen ist viel stiller, schlagwortfreier als der männliche. Sie halten es mit Goethe, der gesagt hat, wenn ein Bauernhaus abbrenne, sei das die wahre Tragödie, wenn aber ein Vaterland zugrunde gehe, sei das zumeist nur ein Schlagwort. Die Frauen wohnen immer nur in diesem Bauernhaus. Dafür leben und arbeiten sie, darum bangen sie, um dessentwillen sind sie zu allen Opfern bereit. In dem Haus gibt es ein Bett, einen Tisch, einen Mann, manchmal ein Kind oder mehrere Kinder. Das ist die wahre Heimat der Frau.

Wie gesagt, wir liebten uns. Und ich will dir etwas sagen, wenn du es nicht längst weißt: Die wahre Liebe ist immer tödlich. Ich meine, ihr Ziel ist nicht das Glück, die Idylle, das Händchenhalten, das Spazieren unter blühenden Linden, bis daß der Tod uns scheidet, das liebe Lampenlicht auf der Veranda, das lavendelduftende Daheim. Das ist das Leben, nicht die Liebe. Die brennt mit ernsterer, gefährlicherer Flamme. Eines Tages kommt der Wunsch, diese zerstörerische Leidenschaft kennenzulernen. Weißt du, wenn man sonst nichts dabei gewinnen will, durch die Liebe nicht gesünder, ruhiger, befriedigter sein, sondern *existieren* will, voll und ganz und auf die Gefahr hin, zugrunde zu gehen. Viele lernen dieses Gefühl gar nie kennen. Das sind die Vorsichtigen; ich beneide sie nicht. Und dann gibt es die Gierigen und die Naschhaften, die aus allen Töpfen kurz mal kosten. Bemitleidenswerte Geschöpfe. Und dann die wild Entschlossenen und Schlauen, die Taschendiebe der Liebe, die blitzschnell ein Gefühl stehlen, aus den Verstecken eines Körpers eine Schwäche herausholen, und schon sind sie mit schadenfrohem Gelächter im Dunkeln, in der Menge, im Leben verschwunden. Dann die Feigen und Bedächtigen, die in der Liebe alles berechnen wie im Geschäftsleben, mit Terminen für auslaufende Lieben und genauen Richtlinien für das eigene Tun. Die meisten sind so. Erbärmliche Hanswürste. Aber das gibt es auch, daß man eines Tages versteht, was das Leben mit der Liebe wollte, warum es den Menschen dieses Gefühl gegeben hat. War es gut gemeint? Die Natur ist nicht gütig. Verspricht sie mit diesem Gefühl den Menschen das Glück? Sie hat solche menschlichen Illusionen nicht nötig. Die Natur will nur schaffen und vernichten, denn das ist ihre Aufgabe. Sie ist unbarmherzig, weil sie einen Plan hat, und gleichgültig, weil der Plan über den Menschen hinausgeht. Die Natur hat den Menschen mit der Leidenschaft beschenkt, aber sie verlangt, daß diese Leidenschaft unbedingt sei.

In jedem Leben, das diesen Namen verdient, kommt ein Augenblick, da man sich in eine Leidenschaft stürzt, als wäre sie der Niagarafall. Natürlich ohne Rettungsring. Ich glaube nicht an die Liebschaften, die wie ein Ausflug zur Maienzeit beginnen, mit Rucksack und frohem Gesang im sonnendurchfluteten Wald. Du weißt doch, jenes überhitzte Festtagsgefühl, das die meisten Beziehungen zu Anfang durchströmt. Eine suspekte Sache. Die Leidenschaft ist kein Fest. Diese ernste Kraft, die fortwährend die Welt erschafft und vernichtet, erwartet von denen, die sie berührt, keine Antwort, sie will nicht wissen, ob es ihnen gefällt, kümmert sich nicht groß um die relativen menschlichen Gefühle. Sie gibt das Ganze und verlangt das Ganze: die unbedingte Leidenschaftlichkeit, deren tiefste Strömung nichts anderes als Tod und Leben sind. Anders kann man die Leidenschaft nicht kennenlernen, und nur wenige gelangen je an diesen Punkt. Die Menschen kitzeln und streicheln einander im Bett, lügen einander etwas vor und sind künstlich gefühlvoll, nehmen sich vom anderen, was ihnen gefällt, und werfen ihnen, wenn's hochkommt, ein paar Brocken der eigenen Lust hin. Und sie wissen nicht, daß das alles nicht Leidenschaft ist. Es ist kein Zufall, daß die großen Liebespaare der Geschichte mit der gleichen etwas erschrockenen Ehrfurcht betrachtet werden wie die Helden, die großen Draufgänger, die um einer erhabenen, hoffnungslosen Angelegenheit willen ihre Haut zu Markte getragen haben. Ja, die wahren Liebenden tragen ebenfalls ihre Haut zu Markte, im wirklichen Sinn des Wortes, und dieses Unternehmen, bei dem die Frau gleich schöpferisch ist wie der Mann, ebenso heldenhaft und ritterlich wie einer, der zur Eroberung des Heiligen Grabes aufbricht. Tapfere, echte Liebende suchen ebenfalls dieses rätselhafte Heilige Grab, um dessentwillen sie umherziehen und kämpfen, verwundet werden und sterben.

Was für einen anderen Sinn hätte die endgültige, unbedingte Hingabe, mit der sich die wahren Leidenschaftlichen suchen. Das Leben manifestiert sich voll und ganz in dieser Kraft und wendet sich danach gleichgültig von seinen Opfern ab. Zu aller Zeit und in allen Religionen wurden die Liebenden deshalb verehrt: weil sie im Augenblick, da sie einander in die Arme sinken, auf den Scheiterhaufen steigen. Die Richtigen, weißt du. Die Tapferen, die Auserwählten. Die anderen brauchen die Frau bloß als Arbeitstier oder als Bestätigung ihrer männlichen Eitelkeit, oder sie meinen, sie müßten einem Naturgesetz Genüge tun. Das ist nicht Liebe. Hinter jeder echten Umarmung steht der Tod mit seinen Schatten, die nicht weniger ausgefüllt sind als die Lichtstrahlen der Freude. Hinter jedem echten Kuß steht der Wunsch nach Vernichtung, nach jenem letzten Glücksgefühl, das nicht mehr feilscht, sondern weiß, daß Glück auch Aufhebung bedeutet und vollkommene Hingabe. Ein Gefühl, das kein Ziel hat. Und so werden die Liebenden in alten Religionen und alten Heldenliedern verehrt. In der Tiefe des menschlichen Bewußtseins lebt die Erinnerung an eine Liebe, die einst mehr und anderes war als eine gesellschaftliche Konvention, und auch anderes als Zeitvertreib und vergnügliches Spiel wie Bridge oder Gesellschaftstanz. Es gibt die Erinnerung, daß einst jedes Lebewesen eine schreckliche Aufgabe hatte, nämlich die Liebe, also den vollständigen Ausdruck des Lebens, das Daseinsgefühl mit allen Konsequenzen, bis hin zur Vernichtung. Doch das erfährt man erst sehr spät. Und wie gleichgültig sind dann Tugend, Moral, Schönheit und Güte des Auserwählten. Lieben heißt die Freude voll und ganz kennen und dann zugrunde gehen. Aber so viele Menschen erhoffen von ihren Geliebten nichts als Hilfe und Mitleid, Zärtlichkeit, Geduld, Verstehen, Gekuschel. Und sie wissen nicht, daß das alles wertlos ist, daß nur sie selbst geben können, bedingungslos, denn das ist der Sinn dieses Spiels.

Auf diese Art begann die Liebe zwischen Judit Áldozó und mir, als wir in einem Haus am Stadtrand unser gemeinsames Leben aufnahmen.

Jedenfall begann es für mich so. Das waren meine Gefühle. Das hoffte ich. Ich arbeitete noch im Büro, aber der

Betrieb ging mich kaum mehr etwas an, ich war wie einer, der Geld unterschlagen hat und weiß, daß er demnächst auffliegen wird und dann aus der gewohnten Umgebung verschwinden muß. Wie hätte ich auffliegen können? Na eben, indem herausgekommen wäre, daß ich mit der Rolle, die ich vor der Welt spielte, nichts mehr gemeinsam hatte. Aber ich hielt mich noch genau an die Arbeitszeiten, war als erster in der Fabrik, verließ sie nachmittags um sechs, wenn nur noch der Torwächter an seinem Platz war. Ging zu Fuß durch die Stadt, wie zuvor. Betrat eine Konditorei und sah dort zuweilen meine Frau, die erste und beinahe hätte ich gesagt: die richtige. Denn Judit empfand ich nie, keinen Augenblick als meine Frau. Sie war die andere. Was ich bei solchen Gelegenheiten fühlte, wenn ich die erste, richtige Ehefrau wiedersah? Ich wurde nicht sentimental. Aber ich wurde doch immer ein wenig blaß, grüßte verlegen und blickte streng anderswohin. Denn weißt du, die Körper erinnern sich ewig, so wie die Kontinente, die einst zusammengehörten.

Doch davon wollte ich nicht reden, jetzt, da ich fast alles gesagt habe. Das Ende dieser Geschichte ist so töricht, wie es eben alle Abschlüsse menschlicher Geschichten sind. Willst du es hören?

Na klar, jetzt, wo ich davon angefangen habe, willst du es schon hören, und ich muß es zu Ende erzählen. Denk dir, wir haben ein Jahr lang in dieser unwahrscheinlichen physischen und psychischen Verfassung gelebt. Ein Jahr lang habe ich gelebt wie im Urwald, zwischen Pumas und würgenden Lianen und Giftschlangen im Unterholz. Um dieses Jahres willen hat sich die Sache vielleicht gelohnt. Vielleicht sogar auch das, was vorangegangen war und was darauf folgte.

Was vorangegangen war, weißt du im großen und ganzen. Was danach kam, überraschte auch mich einigermaßen. Ich sehe, du denkst, eines Tages hätte ich erfahren, daß mich Judit betrog. Nein, mein Lieber, das habe ich erst viel später erfahren. Sie hat mich erst betrogen, als sie nicht mehr anders konnte.

Es brauchte ein Jahr, bis ich merkte, daß mich Judit Áldozó bestahl.

Schau mich nicht so ungläubig an. Ich meine es nicht im übertragenen Sinn. Sie stahl mir nicht meine Gefühle, sondern Geld aus meiner Brieftasche. Genau so, wie es in den Polizeimeldungen heißt.

Wann sie damit anfing? ... Sofort, im ersten Augenblick. Halt, nein, in der ersten Zeit bestahl sie mich noch nicht, da beschwindelte sie mich bloß. Ich habe doch erzählt, daß ich zu Beginn, als wir im Hotel wohnten, für sie ein Bankkonto eröffnete und ihr ein Scheckbuch gab. Und daß das Konto erstaunlich rasch leer war. Die vielen Ausgaben, eine solche Verschwendung waren fast unverständlich. Gut, sie kaufte sich eine Menge Dinge, Pelze, Fähnchen, und ich achtete nicht darauf, Anzahl und Qualität der gekauften Sachen interessierten mich viel weniger als diese krankhafte Gier, und was mich beunruhigte, war dieser Wahn, an sich selbst etwas wiedergutmachen zu wollen. Kurz, eines Tages benachrichtigt mich die Bank, Judits Konto sei erschöpft. Natürlich zahle ich wieder eine Summe ein, allerdings eine etwas kleinere. Einige Wochen später ist auch dieses Geld weg. Da mache ich sie in scherzhaftem Ton darauf aufmerksam, daß sie unsere finanziellen Verhältnisse überschätzt, offenbar hätten sich in England ihre Vorstellungen vom Geld ein bißchen geändert, wir hierzulande seien viel bescheidener und anspruchsloser reich, als sie das meine. Sie hört sich die Lektion brav an. Verlangt kein Geld mehr. Dann ziehen wir in das Haus im Grünen, und ich stelle ihr jeden Monat eine Summe zur Verfügung, mit der sie den Haushalt versorgen und ihre eigenen Bedürfnisse mehr als reichlich befriedigen kann. Von Geld ist nicht mehr die Rede.

Doch eines Tages mache ich einen Brief auf, in welchem die Bank meine Frau davon in Kenntnis setzt, daß man ihr per dann und dann sechsundzwanzigtausend Pengő gutgeschrieben habe. Ich drehe den Brief hin und her, reibe mir die Augen. Im ersten Augenblick wird mir ganz heiß: Ich bin eifersüchtig. Stelle mir vor, Judit habe dieses Geld noch von England, wo sie die Geliebte von jemandem war, nicht nur vom griechischen Gesangslehrer, sondern weiß Gott von was für großen Herren, die ihre Liebesdienste fürstlich entgolten haben. Die Vorstellung schmerzt mich so, daß ich mit der Faust auf den Schreibtisch schlage. Dann gehe ich zur Bank. Und erfahre dort, daß Judit das Geld nicht aus England mitgebracht, sondern in kleinen Summen eingezahlt hat. Die erste Einzahlung stammt von dem Tag, an dem ich ihr das Scheckbuch überreicht habe.

Typisch Frau, sagst du und lächelst. Auch ich habe das im ersten Augenblick gesagt und erleichtert gelächelt. Jetzt war es klar – das bewies auch die Reihenfolge der Einzahlungen –, daß Judit das Geld von mir hatte und es dann vor mir versteckte. Während ich dachte, sie werfe es besinnungslos für modisches Zeug zum Fenster hinaus. Das tat sie zwar auch, aber nicht ganz besinnungslos. Wie ich später erfuhr, feilschte sie beim Einkaufen auf Leben und Tod und ließ dann die Rechnung auf einen höheren Betrag ausstellen, als sie in Wirklichkeit gezahlt hatte.

Animierdamen verfahren so mit ihren leichtsinnigen und belämmerten Kavalieren. Wie gesagt, im Augenblick, da ich begriff, daß Judit mein eigenes Geld hortete, lächelte ich erleichtert.

Ich steckte die Mitteilung der Bank in den Umschlag zurück, klebte ihn wieder zu und ließ ihn Judit zukommen. Von meiner Entdeckung sagte ich nichts. Doch jetzt begann für mich eine neue Variante der Eifersucht. Ich lebte mit einer Frau, die ein Geheimnis hatte. So wie die bösen Frauen, die nett und freundlich mit ihrer Familie zu Mittag essen, und während sie mit ihren gutgläubigen, opferbereiten Lieben plaudern, sinnen sie schon auf das Rendezvous am Nachmittag, wenn sie in der Wohnung eines fremden Mannes verschwinden und einige Stunden lang schamlos alle menschlichen Gefühle beschmutzen werden, da sie jene verraten, die ihnen vertrauen und für sie sorgen. Du mußt wissen, daß ich ein altmodischer Mann bin und die ehebrecherischen Frauen grenzenlos verachte. So sehr verachte, daß kein Argument dagegen ankommt. Niemand hat ein Recht auf die schmutzigen, kläglichen Abenteuer, die diese Frauen das Glück nennen, um den Preis, daß sie heimlich oder offen die Gefühle eines anderen Menschen verletzen. Ich selbst war der leidende oder handelnde Protagonist solcher Gemeinheit, und wenn es etwas in meinem Leben gibt, für das ich mich zutiefst schäme, so ist es der Ehebruch. Ich verstehe in geschlechtlichen Dingen jede Verirrung, ich verstehe, wenn jemand in den schrecklichen Tiefen der physischen Begierden verschwindet, ich verstehe auch die Ekstasen und grotesken Erscheinungen der Leidenschaft. Denn das Begehren spricht in tausend Sprachen zu uns. Das alles verstehe ich. Aber nur freie Menschen dürfen sich diesen tiefen, reißenden Strömen überlassen. Alles andere ist billiger Betrug, schlimmer als die bewußte Grausamkeit.

Menschen, die einander etwas bedeuten, dürfen keine Geheimnisse haben. Denn genau das nennt sich Betrug. Der Rest ist mehr oder weniger nebensächlich, eine rein physische Angelegenheit und meist nichts anderes als ein trostloses Gefuchtel. Das sind die berechneten Liebschaften, in berechneter Zeit, an vorausbestimmtem Ort, ohne Spontaneität. Wie traurig und schmählich das alles ist. Und hinter allem das winselnde, miese Geheimnis. Das die Gemeinsamkeit vergiftet, wie wenn in einer schönen Wohnung irgendwo unter einem Sofa eine Leiche verwest.

Und so wußte ich von dem Tag an, da ich den Brief von der Bank fand, von Judits Geheimnis. Das sie vorsätzlich und gut hütete.

Sie hütete es gut, und ich beobachtete sie noch besser. Ich hätte sie durch Privatdetektive beschatten lassen können, sie wäre nicht gründlicher beobachtet worden. Wir lebten freundlich und vertraulich, so wie es sich unter Frauen und Männern ziemt, und belogen einander. Sie log mir vor, sie hätte kein Geheimnis, und ich log, daß ich ihr das glaubte. Ich beobachtete sie und dachte nach. Später habe ich mir überlegt, daß die Sache anders gekommen wäre, wenn ich sie mit meiner Entdeckung überfallen und zu einem Geständnis gezwungen hätte. Vielleicht wäre die Situation danach bereinigt gewesen, wie die Luft eines schwülen Sommertags nach einem kurzen Gewitter. Aber offenbar hatte ich vor diesem Geständnis Angst. Es beunruhigte mich zu sehr, daß diese Frau, mit der ich mein Schicksal teilte, vor mir ein Geheimnis hatte. Sechsundzwanzigtausend Pengő waren für eine Frau, die einen Winter ihrer Kindheit in einem mäuseverseuchten

Loch verbracht hatte und dann Dienstmädchen gewesen war, verflucht viel Geld, geradezu ein Vermögen. Und dieses Geld vermehrte sich. Hätte es sich nur darum gehandelt, daß Judit mit der billigen, praktischen Schlauheit der Frauen etwas vom Haushaltsgeld abzwackte, um ein Taschengeld zu haben, und dabei etwas von den Betriebskosten unseres Zusammenlebens wegnahm, so wäre das eine Lappalie gewesen. Alle Frauen machen das, denn insgeheim denken alle, daß sich der Mann nicht auf die Wirklichkeit des Lebens versteht, daß er nur verdienen, aber nicht bewahren kann. Jede Frau bereitet sich auf die Regentage vor. Grundanständige Frauen betrügen ihre Männer in Geldsachen wie das letzte diebische Dienstmädchen. Sie wissen, daß die größte Schwierigkeit des Lebens darin besteht, etwas zu bewahren: das Eingemachte, einen Menschen, das Geld, alles, was es wert ist, bewahrt zu werden. Deshalb betrügen und stehlen sie, einen Fillér hier, einen Pengő dort. Das ist so eine weibliche Tugend, eine kleinliche, zähe Schläue. Doch Judit beschränkte sich nicht auf Fillér und Pengő. Schön und lächelnd und lautlos bestahl sie mich systematisch, indem sie mir gefälschte Rechnungen vorwies und das Geld versteckte.

Wir lebten still und freundlich. Judit stahl, ich beobachtete. So begann das Ende der Geschichte.

Doch dann erfuhr ich, daß sie mir nicht nur Geld unterschlug, sondern mir jenes rätselhafte Etwas nahm, das die Grundbedingung eines Menschenlebens ist: meine Selbstachtung. Weißt du, es ist mir schon klar, daß dieser Begriff nicht viel mehr als Eitelkeit bedeutet. Es ist ein Männerwort, die Frauen zucken mit den Schultern, wenn es ausgesprochen wird. Denn die Frauen »achten« sich nicht. Vielleicht achten sie den Mann, mit dem sie leben, oder ihre gesellschaftliche oder familiäre Stellung oder ihren guten Ruf. Das alles ist auf einer sekundären Ebene, ist Äußerlichkeit. Sich selbst aber, das aus Charakter und Bewußtheit zusammengesetzte Phänomen, das »Ich« und die Persönlichkeit, das betrachten die Frauen mit gutmütig-herablassender Komplizität.

So wußte ich nun, daß mich diese Frau regelrecht bestahl oder jedenfalls alles tat, soweit es nicht zu sehr auffiel, um sich von meinem Kuchen ein beträchtliches Stück abzuschneiden. Weißt du, von dem Kuchen, der doch eigentlich uns beiden gehörte oder sogar noch mehr ihr, solange er noch richtig süß war. Doch das erfuhr ich nicht von draußen, nicht von der Bank, die mit ahnungslosem Diensteifer meine Frau über die erfreuliche Entwicklung ihrer Vermögenslage informierte. Nein, mein Junge, im Bett habe ich es erfahren. Und das tat sehr weh... Ja, da kommt die Selbstachtung ins Spiel.

Ich habe es im Bett erfahren, als ich sie schon seit geraumer Weile beobachtete. Ich hatte gedacht, sie brauche das Geld für ihre Familie. Sie hatte eine große Familie, Männer und Frauen, die irgendwo in der Tiefe lebten, gewissermaßen in historischer Zeit, von der ich mit dem Kopf alles wußte, deren Tiefen auszuloten ich aber nicht beherzt genug war. Ich dachte, Judit bestehle mich im Auftrag dieser geheimnisvollen unterirdischen Gemeinde. Vielleicht hatte die Familie Schulden, vielleicht wollten sie Land kaufen... Du fragst, warum sie dann nichts gesagt habe. Das fragte ich mich auch. Und antwortete mir gleich, sie sage nichts, weil sie sich schäme, weil die Armut auch eine Verschwörung sei, ein Geheimbund, ein ewiges, stummes Gelübde. Die Armen wollen nicht nur ein besseres Leben, nein, sie wollen auch ein besseres Selbstwertgefühl, im Bewußtsein, daß sie ein großes Unrecht erleiden, wofür die Welt sie wie Helden verehren sollte. Und tatsächlich sind sie das auch. Jetzt, da ich alt werde, weiß ich, daß sie die einzigen wahren Helden sind. Jedes andere Heldentum entsteht aus der Gelegenheit, oder es ist erzwungen oder eitel. Aber sechzig Jahre lang arm sein und gegenüber Familie und Gesellschaft schweigend seine Pflicht tun und dabei menschlich, würdig und womöglich sogar gutgelaunt bleiben: das ist das wahre Heldentum.

Also, ich dachte, sie stehle für die Familie. Doch nein, Judit war nicht sentimental. Sie stahl für sich selbst, ohne ein bestimmtes Ziel, aber mit großem Eifer und Ernst und jener Umsicht, die aus jahrtausendealter Erfahrung weiß, daß die sieben fetten Jahre enden werden, daß die Herrschaft sprunghaft ist und das Glück unbeständig, daß es ratsam ist, sich den Bauch vollzuschlagen, wenn einen die Laune des Schicksals vor den gefüllten Topf gesetzt hat, denn die mageren Zeiten kommen bestimmt bald wieder. Sie stahl aus Voraussicht, nicht aus Großherzigkeit und Mitleid. Wenn sie ihrer Familie helfen wollte, brauchte sie mir bloß ein Wort zu sagen: das wußte sie genau. Doch Judit hatte instinktiv Angst vor der Familie, besonders jetzt, da sie am anderen Ufer angelangt war, am Ufer der Besitzenden. Ihr Instinkt, defensiv und auf Erwerb bedacht, kannte kein Erbarmen.

Und unterdessen beobachtete sie mich, ihren Herrn. Was würde ich tun? Hatte ich noch nicht genug von ihr? Schickte ich sie nicht weg? Dann war es ja gut, dann wollte sie rasch noch etwas mehr Geld beiseite schaffen. Sie beobachtete mich bei Tisch und im Bett.

Und als ich das zum erstenmal spürte, wurde ich rot vor Scham. Zu Judits Glück war es fast dunkel im Zimmer. Man kennt seine eigenen Grenzen nicht. Wenn ich mich da nicht zusammengenommen hätte, wäre sie jetzt vielleicht tot. Vielleicht. Aber es ist müßig, darüber zu spekulieren.

Es war nur ein Blick, nachdem ich in einem zärtlich-vertraulichen Moment die Augen geschlossen und dann plötzlich wieder aufgemacht hatte. Und da sah ich im Halbdunkel ein Gesicht, ein vertrautes, schicksalhaftes Gesicht, das ganz vorsichtig spöttisch lächelte. Da wußte ich, daß diese Frau jetzt und auch zuvor, als ich dachte, ich erlebe mit jemandem den Moment unbedingter Hingabe, eine Frau, mit der ich aus den gesellschaftlichen Konventionen ausgewandert war: daß sie genau in solchen Augenblicken mich mit sanftem, aber unmißverständlichem Spott betrachtete. Du weißt, wie ein Dienstbote, der einen forschend beobachtet und sich fragt: »Was macht der junge Herr?« Und sich dann sagt: »Aha, das wollen die also.« Und einen dann entsprechend bedient. So erfuhr ich, daß mich Judit im Bett und außerhalb des Betts nicht liebte, sondern bediente. So wie damals als Zimmermädchen, da sie meine Schuhe und Kleider in Ordnung hielt. So wie sie uns bei Tisch bediente, später, als ich zu meiner Mutter zum Mittagessen ging. Sie bediente mich, denn das war ihre Rolle mir gegenüber, und an den schicksalhaften, wirklich menschlichen Rollen kann man nichts ändern. Und als ihr seltsamer Kampf mit mir und meiner Frau begann, glaubte sie keinen einzigen Augenblick, daß unsere Beziehung, die Rollen, die uns vereinten und trennten, in irgendeiner Weise aufgelöst oder verändert werden könnten. Sie glaubte nicht, daß ihre Rolle in mei-

nem Leben je etwas anderes sein würde als die der Dienen-
den und Bedienenden, also des Dienstmädchens. Und da
sie das alles nicht nur mit dem Verstand wußte, sondern
auch mit dem Körper und den Nerven, mit ihren Träumen
und auch mit ihrer Vergangenheit und Abstammung, so
haderte sie jeweils nicht lange mit ihrer Situation, sondern
tat, wie es die Gesetze ihres Lebens befahlen. Auch das
verstehe ich jetzt.

Du fragst, ob es weh getan hat.

Sehr.

Aber ich habe sie nicht gleich weggeschickt. Ich war
eitel und wollte nicht, daß sie wußte, wie sehr sie mir
weh tat. Ich ließ zu, daß sie mich noch eine Weile bediente, im Bett und bei Tisch, ich duldete, daß sie mich
noch eine Zeitlang bestahl. Auch später habe ich ihr nie
gesagt, daß ich ihre traurigen kleinen Machenschaften
kannte, und ich erwähnte auch nie, daß ich im Bett ihre
spöttischen, verächtlichen, neugierigen Blicke bemerkt
hatte. Die Angelegenheit zwischen zwei Menschen muß
zu Ende geführt werden, ganz zu Ende, bis zum Tod,
wenn es nicht anders geht. Und dann, nachdem sie mir
einen anderen Anlaß dafür gegeben hatte, schickte ich
sie in aller Stille weg. Sie ging, ohne zu protestieren, es
gab keine lauten Worte, keinen Streit. Sie nahm ihr Bündel – ein großes Bündel, da steckten schon ein Haus und
Juwelen drin – und zog von dannen. So wortlos, wie sie
mit sechzehn gekommen war. Und sie blickte genauso
von der Schwelle zurück, mit dem stummen, fragenden,
gleichgültigen Blick, den sie hatte, als ich sie im Entree
zum erstenmal sah.

Das Schönste an ihr waren die Augen. Ich sehe sie
manchmal noch, im Traum.

Ja, der kleine Untersetzte hat sie sich geholt. Wir hatten ja auch das Duell... Das sind Trostlosigkeiten, aber manchmal geht's nicht anders.

Du, die werfen uns gleich raus.

Ober, zahlen. Wir hatten... nein, das kommt überhaupt nicht in Frage! Das war mein Abend, wenn du gestattest. Keine Widerrede, du warst mein Gast.

Nein, ich habe keine Lust, mit dir nach Peru zu gehen. Wenn man bei der Einsamkeit angelangt ist, warum sollte man dann nach Peru gehen oder sonstwohin? Weißt du, eines Tages habe ich verstanden, daß mir niemand helfen kann. Man sehnt sich nach Liebe, aber es hilft einem niemand, nie. Wenn man das begriffen hat, wird man stark und einsam.

So war das also, während du in Peru lebtest.

# DRITTER TEIL

Was hast du da, mein Schatz? Die Photos? Schau sie dir ruhig an. Dann hast du was zu tun, während ich Kaffee koche.

Warte, ich zieh mir rasch den Morgenrock an. Wieviel Uhr ist es? ... Halb vier? Ich öffne mal kurz das Fenster. Nein, steh nicht auf, bleib liegen. Schau, wie der Vollmond leuchtet. Jetzt ist die Stadt ganz still, alles schläft. In einer halben Stunde werden schon die Lastwagen vorbeirumpeln, mit dem Gemüse, dem Fleisch und der Milch für die Märkte. Aber jetzt schläft Rom noch tief. Ich selbst schlafe um diese Zeit fast nie, ich wache um drei Uhr auf, weil mein Herz einen Sprung macht. Was lachst du? Ich meine nicht die Art Sprung, wie wenn wir miteinander schlafen. Lach nicht so. Der Arzt sagt, das sei die Stunde, in der das Herz den Gang wechselt, du weißt ja, wie wenn ein Motor vom ersten in den zweiten Gang geschaltet wird. Und jemand anders – nein, kein Arzt – hat gesagt, nachts um drei ändere sich der Magnetismus der Erde. Weißt du, was das ist? Ich auch nicht. Er hat das in einem Schweizer Buch gelesen. Ja, das war der Mann, dessen Photo du jetzt in der Hand hast.

Rühr dich nicht, mein Engel. Wenn du wüßtest, wie schön du bist, wenn du so im Bett liegst, auf einen Arm gestützt und mit dem Haar in der Stirn. So phantastische Männerkörper, wie du einen hast, gibt es sonst nur in den Museen. Und auch dein Kopf, ja, was will man, ein Künstlerkopf. Was schaust du mich so verschlagen an? Du weißt doch, daß ich dich vergöttere. Weil du phantastisch schön bist. Weil du ein Künstler bist. Weil du mein Einziger bist. Mein Göttergeschenk. Warte, ich will dir einen Kuß geben, rühr dich nicht. Nur da, auf den Augenwinkel. Ah, und deine Schläfen! Na, ich lasse dich. Ist dir nicht kalt? Soll ich das Fenster schließen? Die Luft draußen ist lau, und im Mondlicht leuchten die beiden Orangenbäume. Wenn du nicht da bist, stehe ich nachts oft am Fenster und betrachte die Via Liguria. Jemand scheint an den Hauswänden entlangzuschleichen, wie im Mittelalter. Weißt du, wer das ist? Du sollst mich aber nicht auslachen. Ich bin nicht so dumm, bloß weil ich in dich verliebt bin und du der Einzige und Letzte bist. Das Alter ist es, das unter meinem Fenster durch die Via Liguria schleicht und durch ganz Rom und durch die ganze Welt.

Das Alter, dieser Räuber und Mörder. Und eines Tages kommt es herein. Mit geschwärztem Gesicht. Reißt dir mit beiden Händen die Mähne vom Kopf, schlägt dir mit der Faust die Zähne ein, stiehlt dir das Licht aus den Augen und die Töne aus den Ohren und den guten Geschmack der Speisen aus dem Magen... Na gut, ich höre auf. Was lachst du so höhnisch? Ich habe noch das Recht, dich zu lieben, und wie du siehst, lasse ich mich nicht lange bitten, ich fresse mich voll mit dem Glück, das du mir schenkst. Kann von dieser Honigsüße gar nicht genug bekommen. Ich schäme mich nicht zuzugeben, daß ich ohne dich nicht mehr leben könnte. Aber keine Angst, ich werde dir nicht auf dem Besen nachreiten, aufs Kapitol hinauf. Der Tag wird kommen, an dem ich kein Recht mehr habe, dich zu lieben, weil ich alt bin. Faltenbauch, Hängebusen... Nein, tröste mich nicht. Ich habe die Lektion gelernt. Das wäre dann nur noch ein Almosen, was ich von dir erhielte. Oder eine Zugabe, wie man sie den

Angestellten für die Überstunden zahlt. Was schielst du mich an? Du wirst sehen, es wird so sein. Ich habe gelernt, daß man beizeiten gehen muß... Du willst wissen, von wem? Ja, auch von dem Mann, dessen Photo du in der Hand hast.

Was sagst du? Warte, da macht ein Gemüsewagen Lärm. Ob das mein Mann war? Nein, mein Schatz, das war er nicht. Der andere war mein Mann, der da unten im Album, der mit dem Pelzmantel. Nicht der zweite Mann, dessen Namen ich jetzt trage, sondern der erste. Der richtige. Wenn es so etwas überhaupt gibt. Der zweite hat mich bloß geheiratet. Genauer gesagt, habe ich ihn dafür bezahlt, daß er mich heiratet, denn da war ich schon im Ausland und brauchte Papiere und einen Paß. Und vom ersten war ich schon lange geschieden. Wo das Photo des zweiten ist, weiß ich nicht. Ich habe es nicht aufbewahrt, ich wollte ihn später nicht mehr sehen, nicht einmal im Traum. Als ich noch von ihm träumte, war mir das peinlich, wie wenn man etwas Unanständiges träumt, Frauen mit Brusthaar und dergleichen... Was starrst du mich so an? Durch jedes Männerleben spazieren Frauen. Und es gibt Männer, die sind wie Durchgangsheime, in denen die Frauen einander die Klinke reichen. Das war auch so einer. Und auch in jedem Frauenleben klopfen die Männer an. Es gibt Männer, die wenigstens fragen: »Ist es gestattet? Bloß für einen Augenblick.« Dumme Frauen beginnen bei solcher Gelegenheit empört zu kreischen, was das für eine Frechheit sei, was das heißen soll: »Bloß für einen Augenblick«? Und sie knallen die Tür zu. Nachher bereuen sie ihre vorschnelle Empörung. Sie drücken ein Auge an den Türspalt, um zu sehen, ob der freche Mann vielleicht noch dort steht, mit dem Hut in der Hand. Und wenn sie sehen, daß er fort ist, sind sie verstimmt. Und später, sehr viel später vielleicht, überläuft sie eines Nachts kalter Schweiß, denn um sie herum ist schon alles abgekühlt, und es kommt ihnen in den Sinn, daß es schade war, ihn fortzujagen, denn es wäre gar nicht so schlecht, ihn hier im kalten Zimmer, im kalten Bett zu haben, so nahe, daß man nach ihm greifen kann, mag er auch lügen und frech sein, aber wenigstens wäre er da… So wie du?… Gott sei Dank bist du noch da. Du warst so frech, daß ich dich nicht loswerden konnte. Was grinst du? Ich hab ja gesagt: Gott sei Dank. Grinse nicht so höhnisch, du Mistkerl!

Na, Spaß beiseite. Ich fahre fort, ja?

Klar, bei mir hat man auch angeklopft, und nicht zu selten. Doch der da, der war bloß auf dem Papier mein Mann. Mit zwei Koffern bin ich in Wien angekommen, anno achtundvierzig, weil ich von der Demokratie bereits genug hatte. Zwei Koffer, das war vom herrschaftlichen Leben übriggeblieben, nebst dem Schmuck.

Dieser da, mein zweiter, lebte damals schon seit mehreren Jahren in Wien. Und zwar davon, daß er von Zeit zu Zeit heiratete und sich dann scheiden ließ. Der war gleich nach dem Krieg nach Wien hinausspaziert, weil er schlau war und gemerkt hat, daß man das schöne Ungarn besser rechtzeitig verläßt. Papiere hatte er auch, weiß Gott, woher. Für die Heirat hat er vierzigtausend verlangt. Und dann noch zwanzig für die Scheidung. Ich habe alles bezahlt, aus dem Schmuck. Das weißt du ja. Auch für dich ist noch was übriggeblieben, stimmt's?… Na siehst du. Man muß sich einteilen. Es wäre alles in Ordnung gewesen, wenn er nicht eines Nachmittags bei mir im Hotel, wo ich allein wohnte, aufgetaucht wäre, mit der Idee, das sei keine Scheinehe, sondern er habe eheliche Rechte. Ich habe ihn natürlich rausgeschmissen. Schließlich sind solche Scheinehen heute an der Tagesordnung, man heiratet, um zu Papieren zu kommen. Es gibt allerdings auch Scheinehen, in denen plötzlich drei Kinder da sind. Man muß aufpassen. Wie gesagt, ich habe ihn rausgeworfen. Zum Abschied mußte ich ihm noch das silberne Zigarettenetui geben, das auf meinem Nachttisch lag. Dann ist er nicht mehr gekommen, sondern hat sich eine neue Braut gesucht.

Mein richtiger Mann war der mit dem Pelzmantel da auf dem Photo. Ein wahrer Gentleman, man sieht es gleich? ... Ja, sicher, er war das, was man einen Gentleman nennt. Bloß, weißt du, es ist schwierig zu sagen, was der Unterschied ist, es gibt solche, die nur so tun, und dann stellt sich heraus, daß sie gar keine richtigen Gentlemen sind. Es gibt die Reichen, Wohlerzogenen, aber es gibt auch die weniger Reichen, die sich gar nicht so wohlerzogen benehmen und doch Gentlemen sind. Geschniegelte reiche Leute gibt es viele. Echte Gentlemen wenige. So wenige, daß sie kaum mehr der Rede wert sind. Sie sind so selten wie das merkwürdige Tier, das ich einmal im Zoo von London gesehen habe, das Okapi. Manchmal denke ich, wer richtig reich ist, kann gar nicht durch und durch ein Gentleman sein. Unter den Armen findet sich hie und da einer. Aber die sind so selten wie die Heiligen.

Wie gesagt, mein Mann, der war ein Gentleman. Aber ganz und unbedingt war er es doch nicht. Weil er beleidigt war. Als er mich kennenlernte, ich meine, als er mich voll und ganz kannte, da war er beleidigt und ließ sich scheiden. Da hat er versagt. Aber er war nicht dumm. Er wußte, daß jemand, den man beleidigen kann, der sich beleidigen läßt, kein wirklicher Gentleman ist. Auch unter meinesgleichen gab es zuweilen Gentlemen. Nicht oft, zugegeben, denn wir waren arm wie die Feldmäuse, mit denen wir in meiner Kindheit zusammenlebten.

Mein Vater war Melonenpflücker in der Nyírség. Wir waren so bettelarm, daß wir ein Loch in die Erde graben mußten und winters dort wohnten, zusammen mit den Feldmäusen. Aber wenn ich an meinen Vater denke, sehe ich ihn immer als einen Gentleman. Weil man ihn nicht beleidigen konnte. Er war ruhig. Na ja, wenn er wütend war, dann schlug er uns schon. Seine Faust war hart wie Stein. Manchmal war er hilflos, weil die Armut ihn lähmte. Da schwieg er und blinzelte. Er konnte lesen, konnte auch seinen Namen kritzeln, aber davon machte er nicht viel Gebrauch. Eher schwieg er. Ich glaube, er dachte auch nach, aber nur kurz. Manchmal beschaffte er sich Schnaps, und dann trank er bis zur Bewußtlosigkeit. Aber wenn ich alle meine Erinnerungen zusammennehme, dann war dieser Mensch, mein Vater, der mit meiner Mutter und uns Kindern zwischen den Mäusen in der Grube lebte... Ich erinnere mich an einen Winter, als er keine Schuhe hatte, er bekam vom Postmeister löchrige Überschuhe, darin lief er herum, mit Lumpen an den Füßen... Dieser Mensch war nie beleidigt.

Mein erster Mann, der richtige, bewahrte seine Schuhe in einem Schrank auf, denn er hatte so viele feine Schuhe, daß er eigens einen Schrank hatte machen lassen. Und er las dauernd, neunmalkluge Bücher. Und doch war er die ganze Zeit irgendwie gekränkt. Lange dachte ich, man könne einen Menschen, der so viele feine Schuhe besitzt, nicht kränken. Ich erwähne die Schuhe nicht zufällig. Als ich zu meinem Mann ins Haus kam, gefiel mir das irgendwie am besten. Es gefiel mir, machte mir aber auch angst. In meiner Kindheit hatte ich nämlich lange keine Schuhe. Ich war schon zehn vorbei, als ich zum erstenmal Schuhe bekam, die auf meine Füße paßten und ganz mir gehörten. Es waren gebrauchte Schuhe, die Frau des Vizegespans hatte sie der Köchin geschenkt. Knopfschuhe, damals trug man noch so was. Sie waren der Köchin zu eng, und als ich an einem Wintermorgen Milch ins Komitatshaus brachte, erbarmte sie sich und schenkte mir diese wundervollen Dinger. Vielleicht freute ich mich deshalb so sehr, daß der große Stehkoffer mit meinen Schuhen drin nach der Belagerung noch unversehrt war. Ich habe ihn dann in Budapest gelassen, als ich wegging aus der Demokratie. Na, genug von den Schuhen.

Hier ist der Kaffee. Warte, ich hole auch die Zigaretten. Die nehmen mir die Luft, diese süßen amerikanischen Zigaretten. Na gut, ich verstehe, du brauchst sie, weil du ein Künstler bist. Und die Nachtarbeit im Lokal, die ist auch so, daß man Zigaretten braucht. Aber gib acht auf dein Herz, mein Schatz. Ich überlebe es nicht, wenn dir etwas zustößt.

Wie ich ins Haus meines Mannes gekommen bin?... Nicht als Braut, wie du dir denken kannst. Erst später bin ich dann in dem Haus die Dame und Gattin, die Gnädige, ja, die Hochwohlgeborene gewesen. Als Dienstmädchen war ich gekommen, als Mädchen für alles.

Was schaust du so? Das ist kein Witz.

Ich sag's dir, ich war Dienstmädchen. Nicht einmal richtiges Dienstmädchen, sondern bloß so eine Hilfskraft. Denn das war ein herrschaftliches Haus, mein Lieber. Davon könnte ich dir einiges erzählen, vom Haus, von den Gebräuchen, wie sie wohnten, aßen, sich langweilten, miteinander sprachen. Ich habe mich zuerst nur auf den

Zehenspitzen bewegt, wagte keinen Mucks zu machen, solche Angst hatte ich. Es vergingen Jahre, bis ich in die inneren Zimmer durfte, denn ich hatte keine Ahnung, was sich schickt, wie man sich in einem so feinen Haus benimmt. Ich mußte es erst lernen. Durfte mich nur im Bad und im WC nützlich machen. Und in der Küche ließen sie mich nicht an die Speisen heran, ich durfte nur Kartoffeln schälen oder beim Abwaschen helfen. Weißt du, als wären meine Hände auf ewig dreckig. Aber vielleicht dachten gar nicht sie so, die Gnädige und die Köchin und der Diener, nein. Ich selbst hatte das Gefühl, in dem schönen Haus seien meine Hände nicht so sauber, wie sie sein sollten. Lange hatte ich dieses Gefühl. Aber kein Mensch machte mir Vorwürfe. Bloß ich wagte nicht, etwas zu berühren, denn ich fürchtete, auf den Gegenständen eine Spur zu hinterlassen. Ihre Speisen wagte ich auch nicht zu berühren. Weißt du, wie wenn sich die Ärzte dünne Gaze, eine Art Maulkorb vorbinden, wenn sie operieren, weil ihr Atem ansteckend sein könnte. Auf die Art hielt ich den Atem an, wenn ich mich über ihre Gegenstände beugte, über die Gläser, aus denen sie tranken, über die Kissen, auf denen sie schliefen. Ja, lach mich ruhig aus, aber sogar wenn ich hinter ihnen her die Kloschüssel putzte, achtete ich darauf, auf dem schönen weißen Porzellan keine Abdrücke zu hinterlassen. Solche Ängste hatte ich lange.

Ich sehe schon, was du denkst. Du denkst, meine Unruhe habe sich bestimmt gelegt, als sich mein Schicksal wendete, als ich die Dame jenes Hauses wurde. Nein, mein Kleiner, da täuschst du dich. Es hörte nicht auf. Das Schicksal wendete sich zwar, aber ich war genau gleich unruhig wie früher als Mädchen für alles. In dem Haus war ich nie ruhig und auch nie glücklich.

Warum? Wenn ich doch dort alles bekommen habe, alles Schlechte und alles Gute? Jede Kränkung und jede Befriedigung?

Sehr schwierige Frage, mein Herz. Das mit der Befriedigung, weißt du... Manchmal denke ich, das sei unter den Menschen das größte Problem.

Gib mal das Photo her. Ich habe es schon lange nicht mehr gesehen... Ja, das war er, mein Mann. Der andere? Der mit dem Künstlergesicht?... Mag sein, daß er ein Künstler war, wer weiß. Vielleicht war er aber doch kein richtiger Künstler. Er war kein Künstler von Kopf bis Fuß wie zum Beispiel du. Sieht man auch auf dem Bild. Er hat immer so spöttisch und ernst dreingesehen, als glaubte er an gar nichts, an nichts und niemand, auch an sich selbst nicht, auch daran nicht, daß er ein Künstler wäre. Er wirkt ein bißchen ausgemergelt auf diesem Bild, man sieht ihm das Alter an. Er hat gesagt, er sehe aus wie nach dem Gebrauch. Das Bild stammt aus dem letzten Kriegsjahr, ich habe es zwischen zwei Bombenangriffen gemacht. Er saß am Fenster und las und merkte gar nicht, daß ich ihn aufnahm. Er hatte es nicht gern, wenn man ihn photographierte. Er wollte auch nicht gezeichnet werden. Und er mochte es nicht, wenn man ihm beim Lesen zusah. Angesprochen werden, wenn er schwieg, wollte er auch nicht. Er liebte es nicht, ja genau, er liebte es nicht, daß man ihn liebte. Was fragst du?... Ob er mich geliebt hat? Nein, mein Schatz, mich hat er auch nicht geliebt. Bloß geduldet, eine Weile, in dem Zimmer, das auf dem Bild zum Teil sichtbar ist. Dieses Bücherregal und diese vielen Bücher wurden auch zerstört, kurz nachdem ich das Bild gemacht hatte. Das ganze Zimmer. Das ganze Haus, wo wir zwischen zwei Bombenangriffen im vierten Stock saßen, in jenem Zimmer. Alles, was du auf dem Bild siehst, ist draufgegangen.

Trink deinen Kaffee, rauch deine Zigaretten und halt den Mund.

Entschuldige, mein Herz. Ich werde immer nervös, wenn ich davon anfange. Wir haben so einiges mitgemacht. Wir, die in Budapest die Belagerung durchlebt haben und all das, was vorher und nachher war. Eine Gnade Gottes, daß du das auf dem Land hinter dich gebracht hast. Du bist eben ein kluger, ein wunderbarer Mensch.

Ja, im Komitat Zala war es besser, so viel ist sicher. Wir hingegen, die in den Budapester Kellern hockten und auf die Bomben warteten, wir hatten Schiß. Es war auch klug, daß du dich erst im Winter siebenundvierzig nach Budapest durchgeschummelt hast, als es schon eine Regierung gab und die Bar geöffnet wurde. Kann mir vorstellen, daß sie dich mit offenen Armen empfangen haben. Aber rede mit niemandem darüber. Es gibt viele schlechte Menschen, am Ende heißt es noch, du hättest dich nicht umsonst bis siebenundvierzig in Zala geduckt ... Schon gut, schon gut, ich sage nichts mehr.

Dieser Mann, diese Art Künstler, hat einmal gesagt, alle, die die Belagerung erlebt haben, seien durchgedreht. Und jetzt lebten wir auf der Welt wie die Verrückten in der Klapsmühle.

Wer das war, dieser sogenannte Künstler? Na, Schlagzeuger war er nicht. Es gibt nur einen Schlagzeuger auf der Welt, und das bist du. Er hatte keine italienische Arbeitsbewilligung, weißt du, er hatte eine Arbeit, für die man keine Bewilligung braucht. Eine Zeitlang schrieb er Bücher. Du mußt die Stirn nicht runzeln, ich weiß, daß du Bücher nicht magst. Ich kann es gar nicht sehen, wenn deine wunderschöne Stirn gerunzelt ist. Zerbrich dir nicht den Kopf, du kennst seinen Namen sowieso nicht. Was er geschrieben hat? ... Texte? ... Liedertexte, wie solche in der Bar, wo du am Schlagzeug sitzt? ... Nein, ich glaube, so was hat er nicht geschrieben. Als ich ihn kennenlernte, da war er zwar fast schon bereit, für die Kaffeehaus-Chanteusen Texte zu schreiben, wenn man ihn darum gebeten hätte. Weil ihn da das Schreiben nicht mehr interessierte. Vielleicht hätte er auch Reklametexte geschrieben oder Flugblätter. So sehr verachtete er da schon das Schreiben, das gedruckte Wort. Auch das, was er selbst geschrieben hatte, und überhaupt alles und alle. Ich weiß nicht genau warum, aber ich habe so eine Ahnung. Einmal hat er gesagt, er verstehe die Leute, die Bücher verbrennen, denn kein einziges Buch habe den Menschen helfen können.

Ob er verrückt war? ... Siehst du, daran habe ich noch gar nicht gedacht. Wie klug du bist!

Willst du hören, wie es damals war, im vornehmen Haus, wo ich Dienstmädchen war? Gut, dir erzähle ich auch das. Aber hör mir gut zu, denn ich erzähle kein Märchen, sondern Geschichte – wie im Geschichtsbuch in der Schule. Ich weiß, das Geschriebene und die Schule sind nicht deine Sache. Deshalb gib jetzt acht. Denn was ich erzähle, existiert auf der Welt nicht mehr. So wie es die alten Ungarn nicht mehr gibt, die zu Pferd durch die Gegend zogen und das Fleisch unter dem Sattel mürbe ritten. Auch meine Herrschaft gehörte zu den geschichtlichen Figuren, wie Árpád und die sieben Stammesfürsten, falls du dich von deiner Dorfschule her noch erinnerst... Ich will mich neben dich aufs Bett setzen. Gib mir eine Zigarette. Danke.

Also, ich möchte dir erklären, warum ich mich in dem vornehmen Haus nicht wohl fühlte. Obwohl sie wirklich gut zu mir waren. Die alte Gnädige behandelte mich wie eine Waise. Wie eine arme kleine Seele, eine heruntergekommene Verwandte, die zu ihnen, den Reichen, gekommen ist. Und die wohltätige Familie tut alles, um die Zuzüglerin ihre klägliche Herkunft nicht spüren zu lassen. Das machte mich vielleicht am meisten wütend, diese Güte.

Mit dem alten Herrn ging es eher. Weil er gemein war. Er war der einzige in der Familie, der zu mir nie nett war. Nie nannte er mich Juditchen. Er machte mir auch nie billige Geschenke, abgelegte Sachen, wie die alte Gnädige und der junge Herr, der mich später geheiratet und mir den Titel »Gnädige« geschenkt hat, so wie die alte Frau ihren räudigen Winterpelz. Nicht nur Gnädige hieß ich, sondern auch hochwohlgeboren, wie sich mein Mann selbst nie nennen ließ. Man mußte zu ihm Herr Doktor sagen. Aber mich haben die Dienstboten dann doch hochwohlgeboren genannt. Und mein Mann sagte nichts, sondern ließ es zu und schien sich darüber zu amüsieren, daß andere solche Torheiten noch ernst nahmen.

Der alte Herr war anders. Er ließ die Titelei zu, denn er war ein praktischer Mensch und wußte, daß die meisten Leute nicht nur habgierig sind, sondern auch eitel und dumm. Der Alte bat nie um etwas. Er gab Befehle. Wenn ich etwas falsch machte, fuhr er mich an, daß mir vor Schreck die Schüssel aus der Hand fiel. Wenn er mich ansah, brach mir der Angstschweiß aus. Er blickte immer drein wie die Bronzestatuen hier in Italien auf den Plätzen, du weißt doch, die Statuen vom Anfang dieses Jahrhunderts, als es schon die Bürger waren, die in Bronze gegossen wurden, Typen mit Schmerbauch und Gehrock und schrumpeligen Hosen, Patrioten, die nichts anderes taten, als am Morgen aufzustehen und bis zum Abend patriotisch zu sein. Auch der Alte hatte so einen Bronzeblick. Für ihn war ich Luft oder zumindest kein Mensch, sondern bloß Bestandteil einer Maschine. Wenn ich ihm morgens den Orangensaft ins Zimmer brachte – denn die haben so komisch gelebt, haben den Tag mit Orangensaft begonnen, und dann, vor dem Morgenturnen und der Massage, tranken sie einen Tee, und erst später frühstückten sie, im Eßzimmer, wo sie dann tüchtig zulangten und so feierlich waren wie die Leute bei uns auf dem Dorf in der Ostermesse –, wenn ich ihm also den Orangensaft brachte, wagte ich nie, zum Bett zu schielen, wo der Alte lag und bei angezündeter Lampe las. Ihm in die Augen zu blicken, wagte ich schon gar nicht.

Der Alte war zu jener Zeit noch gar nicht so alt. Und jetzt will ich dir auch erzählen, daß er mich, wenn ich ihm im dunklen Entree in den Mantel half, zuweilen in den Hintern kniff oder mich am Ohr zog. Unmißverständliche Zeichen, daß ich ihm gefiel und daß er nur deshalb nicht etwas mit mir anfing, weil er ein Mann von Geschmack war, für den es unter seiner Würde gewesen wäre, mit einem Dienstboten ein Verhältnis zu haben. Aber ich, das Dienstmädchen, dachte überhaupt nicht so. Hätte der Alte darauf beharrt, hätte ich wahrscheinlich gehorcht. Lustlos zwar, aber ich hätte das Gefühl gehabt, ich dürfe mich nicht widersetzen, wenn ein so mächtiger, strenger Mann etwas von mir wollte. Wahrscheinlich dachte er das auch und wäre höchst erstaunt gewesen, wenn ich nicht gehorcht hätte.

Aber so weit ist es nie gekommen. Er war der Herr, das war alles, und es geschah, was er wollte. Nicht im ärgsten Fieberwahn wäre es ihm eingefallen, daß man mich auch heiraten konnte. Und hätte er mit mir ins Bett gewollt, wäre es für ihn überhaupt keine Frage gewesen, ob er das dürfe. Deshalb bediente ich den Alten viel lieber. Ich war jung und gesund, ich spürte und roch instinktiv, was gesund war, und ich mied alles Kranke. Der Alte war noch gesund. Seine Frau und sein Sohn, ja, der, welcher mich später geheiratet hat, die waren schon krank. Das wußte ich damals nicht mit dem Verstand, aber ich ahnte es.

Denn alles in dem schönen Haus war gefährlich. Es war wie in dem Krankenhaus, wo ich einmal als Kind gewesen war. Ein großes Erlebnis, vielleicht das schönste, reichste meiner Kindheit. Ein Hund hatte mich in die Wade gebissen, und der Kreisarzt wollte nicht, daß ich in der Grube blieb und man mir die Wunde mit Lumpen verband. Er schickte einen Gendarmen, und ich mußte ins Krankenhaus gehen.

Es war ein altes Provinzkrankenhaus, aber mir kam es vor wie ein Märchenschloß.

Alles dort war interessant und beängstigend. Schon der Geruch, jener ländliche Krankenhausgeruch, war aufregend. Und auch anziehend, weil es neu war, anders als der Geruch in der Grube. Man behandelte mich gegen Tollwut, ich bekam schmerzhafte Spritzen, aber das kümmerte mich nicht groß. Tag und Nacht beobachtete ich, was in dem Krankenhaussaal, wo alle Arten von Kranken lagen, vor sich ging. Später habe ich in Paris im

Museum einen schönen Stich gesehen, ein französisches Hospital aus der Revolutionszeit, ein Saal mit Spitzbögen, wo auf den Betten zerlumpte Gestalten hockten. So unwahrscheinlich war auch dieses Krankenhaus, wo ich die schönsten Tage meiner Kindheit verbracht habe, während man befürchtete, ich würde die Tollwut bekommen.

Aber ich bekam sie nicht, jedenfalls nicht damals und nicht in der lehrbuchmäßigen Form. Aber es ist schon möglich, daß in mir etwas Gift von der Tollwut übriggeblieben ist. Später habe ich das manchmal gedacht. Es heißt, die Tollwütigen seien immer durstig, und gleichzeitig sei ihnen das Wasser zuwider. Ich fühlte etwas Ähnliches, als sich mein Schicksal schon gewendet hatte. Ich verspürte mein ganzes Leben lang großen Durst, aber als ich die Möglichkeit hatte, meinen Durst zu löschen, war es mir ekelhaft. Keine Angst, ich beiße dich nicht.

Also, an dieses Krankenhaus dachte ich, als ich in das schöne Haus kam.

Der Garten war nicht groß, aber duftend wie eine Drogerie in der Provinz. Sie hatten aus dem Ausland spezielle Gräser kommen lassen. Denn die ließen alles aus dem Ausland kommen, bis hin zum Klopapier.

Schau nicht so schief und ungläubig. Die haben ihre Einkäufe nie so gemacht wie gewöhnliche Sterbliche, sondern bloß ihre Lieferanten angerufen, und die haben dann alles besorgt, das Fleisch für die Küche, die Keimlinge für den Garten, die neuen Schallplatten, die Aktien, die Bücher, das Duftsalz fürs Badewasser, die Essenzen, mit denen sie sich nach dem Waschen einrieben, die Seifen und Pomaden, die so traumhaft und aufregend und zum Rasendwerden süß rochen, daß mir ganz komisch wurde und ich gleichzeitig am liebsten vor Rührung geweint hätte, wenn ich das Badezimmer aufräumte und das alles noch in der Luft lag.

Die Reichen sind sehr seltsam, mein Schatz. Schau, auch ich war eine Zeitlang so etwas wie reich. Morgens wusch mir eine Zofe den Rücken, und ich hatte einen Wagen, ein Coupé mit Chauffeur. Und einen offenen Sportwagen hatte ich auch, und ich sauste darin umher. Und es war mir überhaupt nicht peinlich, kannst du mir glauben. Ich spielte nicht die Verschämte, sondern stopfte meine Handtasche voll. Es gab Momente, da stellte ich mir vor, ich sei reich. Doch jetzt weiß ich, daß ich nie, keinen Augenblick, richtig reich war. Ich besaß bloß Schmuck und Geld, ein Konto auf der Bank. Das hatte ich alles von ihnen, den Reichen, bekommen. Oder ich hatte es ihnen weggenommen, sobald sich die Möglichkeit ergab, denn ich war ein kluges Mädchen, ich hatte in der Grube gelernt, daß man fleißig sein und alles aufheben, beschnuppern, anbeißen, verstecken soll, was die anderen wegwerfen, den löchrigen Emailtopf genauso wie den Brillantring. Man kann nie fleißig genug sein, das hatte ich schon als kleines Mädchen gelernt.

Jetzt, wo die Regentage gekommen sind, frage ich mich manchmal, ob ich fleißig und aufmerksam genug gewesen bin. Gewissensbisse habe ich keine. Ich frage mich vielmehr, ob ich nicht etwas dort vergessen habe. Zum Beispiel den Ring, den du gestern verkauft hast – sehr gut hast du das gemacht, mein Süßer, na, ich brauch's ja gar nicht zu sagen, niemand kann so gut Schmuck verkaufen wie du –, den Ring hatte die alte Gnädige getragen. Sie hatte ihn von ihrem Mann zur silbernen Hochzeit bekommen. Ich habe den Ring zufällig in einer Schublade gefunden, als die Alte gestorben war. Da war ich bereits selbst Dame des Hauses. Ich streifte mir den Ring über den Finger und betrachtete ihn. Und da kam mir in den Sinn, wie ich viele Jahre zuvor beim Reinemachen, während die alte Gnädige im Badezimmer zwischen ihren Tiegeln und Fläschchen kramte, auf ihrem Boudoirtisch diesen altmodischen dicken Brillantring gefunden hatte. Und auch damals hatte ich ihn übergestreift und betrachtet, aber so aufgeregt und zitternd, daß ich ihn rasch wieder auf den Tisch warf und aufs Klo rannte, weil ich auf einmal Bauchkrämpfe hatte. So sehr hatte mich der Ring aufgeregt. Als ich später, nach dem Tod der Alten, den Ring wiederfand, sagte ich meinem Mann nichts, sondern steckte ihn einfach in die Tasche. Das war kein Diebstahl, mein Mann schenkte mir sowieso alles Glitzerzeug, das seiner Mutter gehört hatte. Aber es tat mir gut, dieses eine Stück, das die Alte immer so stolz getragen hatte, ohne sein Wissen einzustecken. Und ich habe den Ring gut aufbewahrt, bis gestern, als du ihn verkauft hast.

Was lachst du? Du glaubst nicht, daß sie auch das Klopapier aus dem Ausland kommen ließen? Aber schau, da waren vier Badezimmer im Haus, eins für die Frau, mit blaßgrünen Kacheln, eins für den jungen Herrn, mit gelben Kacheln, und eins für den Alten, und das war dunkelblau. Für jedes der Badezimmer ließen sie aus Amerika Klopapier in der Farbe der Kacheln kommen. In Amerika gibt's alles, die haben eine riesige Industrie und einen Haufen Millionäre. Da würde ich schon gern noch hinfahren. Ich habe gehört, daß mein Mann, der erste, der richtige, auch dorthin gegangen ist, als er sich nach dem Krieg einen Stoß gab und der Volksdemokratie den Rücken kehrte. Aber ihm möchte ich nicht mehr begegnen. Einfach so. Weil ich glaube, daß es das gibt, daß zwei Menschen einander nichts mehr zu sagen haben.

Das ist aber auch nicht sicher. Mag sein, daß es ein Gespräch gibt, das kein Ende hat... Na schön, ich erzähle weiter.

Auch die Bediensteten hatten ein Badezimmer, aber das war bloß weiß gekachelt. Und das Papier, das wir benutzten, war bloß weißes Papier, ein bißchen rauh. In dem Haus herrschte große Ordnung.

Der Alte war die Triebfeder dieser Ordnung. Denn alles tickte da wie in der feinen Damenuhr, die du vor zwei Wochen verkauft hast. Das Personal stand um sechs Uhr auf. Schon auf das Reinemachen mußten wir uns vorbereiten wie aufs Hochamt. Da waren die Besen, Bürsten, Staublappen, die feinen Leinenstücke für die Fenster, die Wichsen und Wachse fürs Parkett und die Möbel, edle Fette, die wie aus dem Schönheitssalon kamen. Dann all die brummenden, aufregenden Maschinen, der Staubsauger, der nicht nur Staub saugte, sondern die Teppiche auch klopfte, die Bohnermaschine, die das Parkett so glatt wichsen konnte, daß ich mich während der Arbeit manchmal darüberbeugte und mich spiegelte, so wie jenes Schwuchtelchen, der Narziß, der im Teich sein eigenes Gesicht anhimmelt...

Und für das Reinemachen kostümierten wir uns jeden Morgen wie die Schauspieler für die Vorstellung. Der Diener zog eine Jacke an, die aussah wie ein gewendetes Jackett. Die Köchin band sich ein Kopftuch um und zog eine weiße Mantelschürze an, in der sie einer Operationsschwester glich, und ich setzte mir schon am frühen Morgen ein Häubchen auf, so daß ich aussah wie die Unschuld vom Land im Volkstheater. Und es war klar, daß sie mich nicht nur zu Dekorationszwecken in dieses Kostüm steckten, sondern auch aus Gründen der Hygiene, weil sie mir nicht trauten, weil sie fürchteten, ich sei voller Bazillen. Das sagten sie mir natürlich nicht. Vielleicht dachten sie auch nicht direkt daran. Bloß schützten sie sich eben, gegen alles und alle. Das war ihre Natur. Sie waren äußerst mißtrauisch. Sie schützten sich gegen die Bazillen, gegen die Diebe, gegen Hitze und Kälte, gegen den Staub und den Durchzug. Sie schützten sich gegen den Verbrauch und den Verfall und den Mottenfraß. Alles wurde ewig geschützt, ihre Zähne und die Bezüge der Möbel und die Aktien und die Gedanken, die sie geerbt oder sich aus Büchern geliehen hatten. Das alles wußte ich zwar nicht mit dem Verstand. Aber so viel hatte ich vom ersten Augenblick an begriffen, daß sie sich auch vor mir schützten, denn es konnte ja sein, daß ich ansteckend war.

Wieso eigentlich? Ich war jung und kerngesund. Und doch ließen sie mich auch durch den Arzt untersuchen. Es war eine ekelhafte Angelegenheit, und auch dem Arzt schien sie irgendwie peinlich. Ihr Hausarzt war ein alter Mann, und er bemühte sich, die heikle Untersuchung scherzhaft hinter sich zu bringen. Aber ich merkte, daß er von einem ärztlichen oder noch mehr von einem hausärztlichen Standpunkt die Sache schon richtig fand. Da war ein junger Herr im Haus, es war zu befürchten, daß er früher oder später ein Verhältnis mit mir anfing, mit mir, dem Küchenmädchen aus der Grube. Und da hätte er von mir die Tuberkulose oder den Tripper bekommen können. Und doch fühlte ich auch, daß sich der kluge alte Mann für diese Vorsicht und Voraussicht schämte. Aber ich war nicht krank, und so duldeten sie mich im Haus wie einen

Rassehund, den man nicht zu impfen braucht. Und der junge Herr las bei mir keine Krankheit auf. Nur nahm er mich eines Tages, viel später, zur Frau. An diese Gefahr, an diese unerwartete Ansteckung hatte niemand gedacht. Wahrscheinlich nicht einmal der Hausarzt. Man ist nie vorsichtig genug, mein Schatz. Ich glaube, wenn ihnen eingefallen wäre, daß es auch derartige Ansteckungen gibt, hätte sie der Schlag getroffen, jedenfalls den alten Herrn.

Die alte Frau war anders. Die hatte um anderes Angst. Nicht um ihren Mann, nicht um ihren Sohn, nicht um das Vermögen. Sie hatte um das Ganze Angst. Weißt du, für sie war die Familie, die Fabrik, die palastartige Wohnung, die ganze Herrlichkeit wie eine seltene Antiquität, von der es nur noch ein Exemplar gibt. Wie eine chinesische Vase, die sehr viel wert ist, Millionen vielleicht. Und wenn sie zerbricht, kann man sie nicht ersetzen. Das Ganze, ihr Leben, wer sie waren und wie sie lebten, war für sie ein kostbares Kunstwerk. Manchmal denke ich, daß diese Angst gar nicht so dumm war. Denn da ist etwas untergegangen, das nicht wiederkommt.

Ob sie verrückt war? Na klar, die waren alle verrückt. Nur der alte Herr nicht. Aber alle anderen, die im Haus lebten, wir auch, das Personal, fast hätte ich gesagt, das Pflegepersonal, auch wir wurden allmählich verrückt. Du weißt ja, wie in der Klapsmühle die Pfleger, die Assistenzärzte, der Oberarzt, die sich alle mit der Zeit an dem unsichtbaren schleichenden Gift anstecken, das die Verrücktheit ist. Weil es sich ausbreitet und wuchert im Krankensaal, in dem die Verrückten wohnen, weil es alle vergiftet, auch wenn es von keinem Instrument entdeckt werden kann. Wer als Gesunder unter die Verrückten gerät, wird langsam auch verrückt. Auch wir waren nicht normal, wir, die sie bedienten, fütterten, wuschen, der Diener, die Köchin, der Chauffeur und ich. Wir waren die vom inneren Dienst, wir lasen als erste die Verrücktheit auf. Wir äfften ihre Art nach, spöttisch, aber trotzdem ehrfürchtig. Wir bemühten uns, so zu leben, uns so zu kleiden und zu benehmen wie sie. Auch wir boten einander beim Essen in der Küche mit gewählten Worten und feinen Gesten die Speisen an, so wie wir es drinnen im Eßzimmer gesehen hatten. Auch wir sagten, wenn wir einen Teller zerbrachen: »Ich bin nervös. Ich habe die Migräne.« Meine arme Mutter, die sechs Kinder geboren hatte, klagte nie über die Migräne. Wahrscheinlich, weil sie keinen Schimmer hatte, was Migräne ist. Ich hingegen litt bereits an der Migräne, denn ich hatte die Dinge schnell raus, und wenn ich in der Küche aus Ungeschicklichkeit einen Teller zerbrach, preßte ich mir die Hände an die Schläfen, blickte die Köchin leidend an und sagte: »Offenbar weht Südwind…« Und wir grinsten einander nicht an, die Köchin und ich, wir lachten einander nicht aus, denn jetzt durften auch wir uns die Migräne gestatten. Ich veränderte mich rasch. Nicht nur wurden meine Hände weißer, sondern ich wurde auch innerlich blaß. Als mich meine Mutter einmal besuchte, es war im dritten Jahr meiner Anstellung in jenem Haus, da begann sie zu weinen. Aber nicht vor Freude. Sondern vor Schreck, als ob mir eine zweite Nase gewachsen wäre.

Die Hausbewohner waren also verrückt, aber sie waren von der Art, die tagsüber freundlich plaudert, während der Arbeitszeit im Büro alles erledigt, angenehm lächelt, sich einwandfrei nach allen Seiten verbeugt und dann plötzlich etwas Unanständiges sagt oder mit der Schere den Arzt in die Brust sticht. Weißt du, woran man merkte, daß sie verrückt waren? Daran, daß sie so steif waren. Steife Bewegungen, steife Worte. An ihren Bewegungen war keine Biegsamkeit zu spüren, keine Weichheit und Natürlichkeit wie bei den Gesunden. Sie lächelten oder lachten, aber wie die Schauspieler, die in langer Vorbereitung und Übung ihre Lippen auf Lächeln trimmen. Sie sprachen leise, besonders, wenn sie höllisch wütend waren. Da redeten sie ganz leise, bewegten die Lippen kaum, zischelten bloß. Ich habe in dem Haus nie ein lautes Wort, nie einen Streit gehört. Nur der Alte knurrte manchmal, aber auch er war angekränkelt, denn er senkte die Stimme gleich, verschluckte die spontanen, wütenden Flüche.

Sie verbeugten sich voreinander, sogar im Sitzen, wie die Trapezkünstler im Zirkus, wenn sie auf der Schaukel sitzen und sich für den Applaus bedanken.

Während des Essens boten sie einander die Speisen an, als wären sie bei fremden Leuten zu Gast. Bitte sehr, mein Lieber, womit darf ich dir noch dienen, Teuerste, so ging das. Ich brauchte eine Weile, aber dann gewöhnte ich mich daran.

Auch an das Klopfen mußte man sich gewöhnen. Weißt du, die traten nie ohne anzuklopfen zueinander ins Zimmer. Sie lebten unter einem Dach und doch so weit voneinander entfernt, als wären unsichtbare Landesgrenzen zwischen den Schlafzimmern. Die alte Frau schlief im Erdgeschoß. Der alte Herr im ersten Stock. Der junge Herr, mein Mann, in der Mansarde. Für ihn war eine eigene Treppe zu seinem Reich gebaut worden, so wie er auch ein eigenes Auto und später einen eigenen Diener hatte. Sie paßten sehr auf, daß sie einander nicht in die Quere kamen. Und wenn wir sie in der Küche nachahmten, war das kein Spott. In den ersten ein, zwei Jahren mußte ich vor Verblüffung manchmal doch noch lachen. Aber als ich die Empörung der älteren Bediensteten sah, wie wenn ich mich an etwas Heiligem vergangen hätte, da hörte ich gleich damit auf und schämte mich. Ich begriff, daß es da nichts zu lachen gab. Die Verrücktheit ist nie lächerlich.

Aber es gab noch mehr, anderes als die schlichte Verrücktheit. Was das war, habe ich nur langsam verstanden. Was bewahrten die mit einer solchen Sorgfalt auf, mit ihrer verkrampften Reinlichkeit, ihren Krankenhausregeln, mit ihren Manieren, ihren Jalieber, Gewißdochliebste? Nicht ihr Geld, oder nicht nur das. Denn auch mit dem Geld war das eine andere Sache als bei uns, die nicht hineingeboren wurden. Die schützten und bewahrten noch etwas anderes. Lange verstand ich es nicht. Vielleicht hätte ich es nie verstanden, wenn ich nicht eines Tages diesem Menschen begegnet wäre, dem auf dem Bild vorhin. Ja, dem sogenannten Künstler. Der hat es mir erklärt.

Er hat gesagt, die leben nicht für etwas, sondern gegen etwas. Mehr hat er nicht gesagt. Ich sehe, du verstehst das nicht. Aber ich verstehe es heute.

Wenn ich alles erzähle, wirst du es vielleicht auch verstehen. Aber meinetwegen kannst du auch einschlafen dabei.

Also, ich war bei den Gerüchen, daß in dem Haus alles roch wie im Krankenhaus, dem großen Erlebnis meiner Kindheit. So ein Sauberkeitsgeruch, kein natürlicher Geruch. Schon die viele Wichse, die wir für das Parkett und die Möbel verwendeten, und das chemische Zeug, mit dem wir die Fenster, die Teppiche, das Silber, die Kupfergegenstände putzten und polierten, das alles war nicht natürlich. Wer in das Haus kam, und erst noch so ein armes Ding wie ich, begann gleich zu schnüffeln, weil ihm die vielen künstlichen Gerüche die Luft nahmen. So wie im Krankenhaus der Geruch von Karbol und Jodoform alles durchzieht, so lag hier in den Zimmern der Geruch der vielen Putzmittel und dazu der Duft der ausländischen Zigarren, der ägyptischen Zigaretten, der teuren Liköre und der Parfums der Gäste. Alles war durchtränkt davon, die Möbel, die Vorhänge, die Gegenstände.

Die alte Frau hatte einen ganz speziellen Reinlichkeitswahn. Der Diener und die Köchin und ich genügten ihr nicht. Monatlich einmal mußten Putzfachleute her, und die traten an wie die Feuerwehr, mit Leitern und merkwürdigen Maschinen, und wuschen, scheuerten und bohnerten noch einmal alles. Es kam auch ein Fensterreiniger, der keine andere Aufgabe hatte, als die Fenster, die wir schon einmal geputzt hatten, noch einmal zu waschen und blankzureiben. Die Waschküche war wie ein Operationssaal, wo man die Bazillen mit dem Strahl blauer Lampen vertreibt. Aber sie hatte auch etwas Erhabenes, diese Waschküche, wie die Aufbahrungshallen in den teuren Beerdigungsinstituten der Innenstadt. Ich trat immer mit Ehrfurcht ein, will sagen, wenn die Gnädige erlaubte, daß ich der Waschfrau half, die die Wäsche so akkurat behandelte wie die Leichenwäscherin auf dem Land die lieben Verblichenen. Du kannst dir denken, daß man mir, dem Trampel, eine so feine, so viel Fachkenntnis erfordernde Arbeit wie die große Wäsche nicht anvertraute. Dafür kam eigens eine Waschfrau ins Haus, die alle drei Wochen von der Gnädigen mittels einer Postkarte aufgerufen wurde, sich zu freuen und bereitzumachen, denn es warte die schmutzige Wäsche. Und sie kam, und zwar gern. Ich durfte ihr nur beim Auswringen und Bügeln und Mangeln der feinen Unterwäsche, der Damasttischtücher, der dicken Leintücher und Überzüge helfen. Doch eines Tages erschien die herbeizitierte Waschfrau nicht. Statt dessen kam eine Postkarte von ihrer Tochter. Ich erinnere mich an jedes Wort, denn ich brachte die Post hinauf, und natürlich las ich die Karte. Die Tochter der Waschfrau schrieb: »Liebe geehrte gnädige Frau, die Mutter kann nicht waschen kommen, weil sie gestorben ist.« Und darunter stand: »Es küßt die Hand Rózsika.« Ich erinnere mich an das Gesicht der Gnädigen, wie sie die Stirn runzelte, als sie die Karte las, und ärgerlich den Kopf schüttelte. Aber sie sagte nichts. Da habe ich mich gemeldet, und eine Zeitlang durfte ich die Wäsche machen, bis sie eine neue Waschfrau gefunden hatten, die vom Fach war und noch lebte.

Denn alles im Haus wurde von Fachleuten erledigt. Das war auch so ein Lieblingswort von ihnen, Fachleute. Ging die Klingel kaputt, wurde sie nicht vom Diener repariert, sondern sie ließen einen Fachmann kommen. Nur den Fachleuten trauten sie. Es kam jeweils ein feierlicher Typ ins Haus, auf dem Kopf eine Melone, wie ein Universitätsprofessor, den man zum Konsilium holt. Das war der Hühneraugenschneider. Aber nicht etwa von der gewöhnlichen Sorte, zu der unsereins irgendwo in der Stadt geht und ihm die Füße entgegenstreckt, damit er die Hühneraugen oder die Hornhaut wegschnipselt. Keine Spur. Ein Feld-Wald-und-Wiesen-Hühneraugenschneider wäre denen nicht ins Haus gekommen. Der da hatte eine Visitenkarte und einen Eintrag im Telephonbuch: »Schweizer Fußpfleger« stand da. Er kam monatlich einmal ins Haus, trug immer Schwarz und überreichte beim Eintreffen seine Melone und seine Handschuhe so feierlich, daß ich ihm beinahe die Hand geküßt hätte. Meine Füße hatten Erfrierungen, weißt du, von den kalten Wintern in der Nyírség, und ich hatte immer Blasen daran und eingewachsene Nägel, und das alles tat manchmal so weh, daß ich kaum laufen konnte. Aber ich hätte nicht im Traum daran gedacht, daß sich dieser Fußkünstler auch einmal mir zuwenden könnte. Er hatte eine Tasche bei sich wie die Ärzte. Und zog einen weißen Umhang an, wusch sich im Badezimmer sorgfältig die Hände, nahm aus seiner Tasche ein elektrisches Gerät, so etwas wie einen Zahnbohrer, setzte sich zu Füßen der Gnädigen oder des alten Herrn oder meines Mannes und begann, mit dem Gerät die edlen Hornhäute abzuschälen. Das war der Hühneraugenschneider. Ich kann dir sagen, mein Schatz, daß es einer der schönsten Augenblicke meines Lebens war, als ich, jetzt schon Herrin, dem Zimmermädchen den Befehl gab, den Schweizer Fußpfleger anzurufen, weil ich meine gnädigen Hühneraugen behandelt zu haben wünschte. Das Leben bringt alles, man braucht nur zu warten.

Aber das war nicht der einzige Fachmann, der ins Haus kam. Es gab noch viele Programmpunkte, nachdem ich dem alten Herrn den Orangensaft gebracht hatte. Er lag im Bett und las bei Lampenlicht eine englische Zeitung. Die ungarischen Zeitungen, von denen auch eine ganze Anzahl ins Haus kam, lasen eher nur wir, die Bediensteten, in der Küche oder auf dem Klo, wenn uns langweilig war. Die alte Frau las eine deutsche Zeitung, der Alte eine englische, aber doch eigentlich nur die Seiten mit den langen Zahlenreihen, die Kurse der ausländischen Börsen, denn er konnte gar nicht gut Englisch, sondern ihn interessierten die Zahlen. Der Junge las die deutschen und französischen Blätter durcheinander, aber doch eher nur die Überschriften, wie mir schien. Offenbar hatten sie das Gefühl, diese Blätter wüßten mehr als unsere Zeitungen. Auch das machte mir großen Eindruck.

Und dann nach dem Orangensaft, wenn es nicht gerade der Tag des Fußpflegers war, kam zu der Gnädigen die Knetfrau. Eine freche junge Frau mit Brille. Ich wußte, daß sie stahl, daß im Badezimmer das eine oder andere der feinen Schönheitsmittel in ihre Taschen wanderte. Aber sie stahl auch Gebäck und Südfrüchte, die von einer Abendgesellschaft her noch im Salon standen, rasch stopfte sie sich irgendwelche Delikatessen ins Maul, nicht weil sie Hunger hatte, sondern weil sie dem Haus etwas zuleide tun wollte. Dann trat sie mit unschuldiger Miene bei der Gnädigen ein und walkte sie tüchtig durch.

Auch zu den Herren kam ein Kneter, und den nannten sie so: der schwedische Turnlehrer. Mit dem turnten sie ein bißchen, in Badehosen, vor dem Frühstück. Dann ließ der Turnlehrer das Bad einlaufen und krempelte die Ärmel hoch, um der Reihe nach meinen Mann und den Alten mit Kannen von heißem und kaltem Wasser zu begießen. Ich sehe schon, du verstehst nicht, wozu. Mein Süßer, du mußt noch viel lernen. Das mit dem heißen und kalten Wasser war für den Blutkreislauf, der mußte angeregt werden, sonst hätten sie das Tagewerk nicht so frisch und munter in Angriff nehmen können. Es herrschten eben große Ordnung und Wissenschaftlichkeit in allem.

Sommers kam dreimal in der Woche vor dem Frühstück der Trainer, mit dem sie im Garten Tennis spielten. Das war ein älterer Herr, grauhaarig und sehr elegant. Ich stand heimlich am Fenster des Dienstbotenzimmers und sah ihnen zu. Und mußte vor Rührung fast weinen, so herzerweichend schön war der Anblick, wie der alte Herr und der Trainer vornehm Tennis spielten, als machten sie mit Bällen statt mit Wörtern Konversation. Der alte Herr war ein muskulöser, sonnengebräunter Mann. Auch im Winter, denn während der Siesta nach dem Essen ließ er sich von einer Quarzlampe, von einer künstlichen Sonne, bestrahlen. Vielleicht brauchte er diese Gesichtsfarbe, um im Geschäftsleben würdiger daherzukommen, ich weiß es nicht, es könnte aber sein. Noch im Alter spielte er Tennis, wie der König von Schweden. Die weiße Hose und der weiße Pullover standen ihm hervorragend. Nach dem Tennis duschten sie. Dafür hatten sie im Untergeschoß eine eigene Dusche, in einem Turnraum mit Korkfußboden und Kacheln an den Wänden, wo auch allerlei Geräte herumstanden, eine Sprossenwand und so ein Idiotenboot, weißt du, das nur aus einem Sitz und Rudern besteht. Damit übten sie das Rudern, wenn das Wetter schlecht war und sie nicht ins Klubhaus konnten, um auf der Donau Skiff zu fahren.

Dann zogen, je nach Tag, der Schweizer Fußpfleger oder der Kneter oder der schwedische Turnlehrer oder der Trainer ab. Und dann kam das Ankleiden.

Ich sah bei allem zu, so wie der Wandergesell auf dem Jahrmarkt die im Zelt ausgestellten schönen bunten Heiligenbilder anstarrt. Etwas Unfaßliches war in alldem, etwas Überirdisches, gar nicht mehr nach Menschenmaß. So ein Gefühl hatte ich in den ersten Jahren.

Leider durfte ich während des Frühstücks nicht ins Zimmer, denn das war eine große Zeremonie. Es brauchte eine geraume Weile, bis auch ich dabei ministrieren durfte. Natürlich hätten sie sich niemals zerzaust und im Schlafrock an den Tisch gesetzt. Sie waren herausgeputzt wie zu einer Hochzeit. Da hatten sie schon geturnt, geduscht, gebadet, und der Diener hatte den Alten und meinen Mann rasiert. Sie hatten kurz die deutschen und englischen und französischen Zeitungen überflogen. Während des Rasierens hörten sie auch Radio, aber nicht die Nachrichten, weil sie Angst hatten, sie könnten eventuell etwas hören, das ihre gute Morgenlaune verdarb. Nein, sie hörten prikkelnde Tanzmusik, solche Jubeltrubelmelodien, die ihre Gemüter aufheiterten und ihnen Schwung verliehen für die verantwortungsvollen Aufgaben des Tages.

Nach dem Frühstück machten sie sich zum Ausgehen zurecht. Der Alte hatte ein Garderobenzimmer mit Einbauschränken. Natürlich hatte auch die Gnädige ein solches Zimmer und mein Mann auch. Dort bewahrten sie ihre Kleider auf, für alle Jahreszeiten, für sämtliche Gelegenheiten, in speziellen Hüllen und in Kampfer, so wie man Meßgewänder aufbewahrt. Aber sie hatten auch gewöhnliche Schränke für ihre Alltagskleider, da hing und lag alles bereit, was sie in der Eile vielleicht brauchen würden. Jetzt, wo ich davon rede, habe ich wieder den Geruch dieser Schränke in der Nase. Sie ließen aus England ein Mittel kommen, das aussah wie ein Stück Zucker, aber wenn man daran roch, war es wie ein Heuhaufen. Mit so einem künstlichen Heugeruch stopfte die Gnädige Schränke und Schubladen voll.

Und sie hatten nicht bloß Kleiderschränke und Schuhschränke – ach, war das ein Fest, besser als das Ausgehen am Sonntag, als ich endlich an die Schuhschränke durfte und all die Schuhpflegemittel fand und mich dann über die Schuhe hermachte, ohne Spucke, sondern mit all den ausgezeichneten Putzmitteln und den weichen Tüchern und

Bürsten, bis das Leder glänzte, was es hielt – also nicht nur die Kleider und die Schuhe hatten ihre eigenen Schränke, sondern auch die Wäsche, alles nach Art und Qualität sortiert. Herrjesus, was für Unterhemden, Unterhosen! Ich glaube, ich habe mich in meinen Mann verliebt, als ich zum erstenmal seine Batistunterhosen bügelte. Unterhosen mit Monogramm, weiß der Himmel, wozu. Und irgendwo in der Nähe des Bauchnabels, über dem Monogramm, die Adelskrone. Denn das waren Adelige, falls du es bis jetzt nicht wußtest, die hatten in den Unterhosen, Hemden, Taschentüchern eine Adelskrone eingestickt. Der Alte war zu Friedenszeiten obendrein auch Hofrat, nicht einfach nur Regierungsrat wie sein Sohn. Da war irgendwie ein großer Unterschied, eine höhere Stufe, wie zwischen Baron und Graf.

Dann gab es die Handschuhfächer mit den verschiedenen Handschuhen in einer irrsinnigen Ordnung, wie Heringe in der Büchse. Handschuhe für die Stadt, für die Jagd, fürs Autofahren, graue, gelbe, weiße, aus Wildleder, aus Schweinsleder und pelzgefütterte für den Winter. Und die Glacéhandschuhe für die großen Anlässe. Und die schwarzen Trauerhandschuhe, die sie bei den Beerdigungen trugen, wenn jemand hochfeierlich verloch wurde. Dann die taubengrauen weichen Handschuhe, die sie zu Abendanzug und Zylinder trugen. Aber die zogen sie nie an, sondern trugen sie nur in der Hand wie die Könige das Zepter. Na ja, die Handschuhe.

Dann die Strickwaren, all die Pullover, mit Ärmeln und ohne Ärmel, lange, kurze, dicke, dünne, in allen Farben und Arten. Es gab solche, die sie abends trugen, ohne Jackett, wenn sie sich im Herbst ganz sportlich an den Kamin setzten und Pfeife rauchten. Der Diener legte

Tannenzweige aufs Feuer, damit alles perfekt sei, wie in den englischen Illustrierten auf den Schnapsreklamen, auf denen mit dem Lord, der freundlich lächelnd vor dem Kamin die Pfeife raucht und seine tägliche Ration Schnaps schon intus hat.

Dann hatten sie cremefarbene Pullover für die Trappenjagd, bei der sie Tirolerhütchen mit Gamsbart trugen. Und mein Mann hatte auch Frühlings- und Sommerpullover. Und natürlich die farbigen, dicken Pullover für den Wintersport. Und dann solche, mit denen er ins Büro ging, und solche … Aber ich kann gar nicht alle aufzählen.

Und zu alldem der Heugeruch. Als ich zum erstenmal im Bett meines Mannes lag, kam mir dieser Geruch hoch, dieser pervers-raffinierte Männergeruch, den ich von viel früher kannte, als ich seine Unterhosen bügelte und seinen Wäscheschrank in Ordnung hielt. Und ich war so glücklich, daß mir vor Aufregung, vor Überwältigung schlecht wurde. Denn weißt du, auch sein Körper hatte diesen Heugeruch, denn er benutzte auch eine solche Seife. Und das Toilettenwasser, mit dem ihm der Diener nach dem Rasieren das Gesicht einstrich, und auch sein Haarwasser hatten diesen Heugeruch. Er war ganz leicht, wie ein Hauch. Und doch erhebend und erregend. Wahrscheinlich ist mir deshalb schlecht geworden, als ich zum erstenmal in seinem Bett lag und er mich umarmte. Da war ich schon seine Frau. Die andere, die erste war weggegangen. Warum? … Du meinst, auch sie habe diesen Geruch, diesen Menschen nicht ertragen? … Ich weiß es nicht. Niemand ist so klug, daß er sagen könnte, warum sich Frauen und Männer zusammentun und warum sie dann auseinandergehen. Ich weiß nur, daß es in der ersten Nacht, die ich im Bett meines Mannes verbrachte, so war, als läge ich gar nicht neben einem Menschen, sondern neben einem künstlichen Geruch. Deshalb drehte sich mir der Magen um, wegen dieser Fremdheit. Dann habe ich mich daran gewöhnt. Später wurde mir nicht mehr schlecht, wenn er zu mir sprach oder wir uns umarmten. Man gewöhnt sich an alles, sogar an das Glück und den Reichtum.

Doch vom Reichtum kann ich dir gar nicht alles erzählen, obwohl ich sehe, daß deine Augen blitzen und es dich interessiert, was ich unter den Reichen gelernt habe. Na, interessant war es schon. Wie eine Reise in einem fremden Land, wo die Menschen anders wohnen, anders essen, anders geboren werden und anders sterben.

Und doch ist es hier in diesem Hotel besser, hier mit dir. Du kommst mir bekannter vor. Und alles, was mit dir und um dich herum ist, hat was Vertrautes. Ja, auch dein Geruch ist vertrauenerweckender. In dieser stinkigen Maschinenwelt, die man Zivilisation nennt, vermögen die Menschen gar nicht mehr zu riechen, es heißt, ihre Nasen seien verkümmert. Aber ich bin noch zwischen Tieren geboren, und ich habe den Geruchssinn geschenkt bekommen, den die Reichen nicht mehr haben. Meine Herrschaft kannte ihren eigenen Geruch nicht mehr. Auch deshalb mochte ich sie nicht. Ich habe sie einfach nur bedient, erst in der Küche, dann im Salon und zuletzt im Bett. Immer nur bedient. Dich aber liebe ich, weil dein Geruch vertraut ist. Gib mir einen Kuß. Danke.

Ich kann dir vom Reichtum nicht alles erzählen, weil es darüber Tag würde, nicht nur einmal, sondern tausendundeinmal, wie im Märchen. Ich könnte nächte- und jahrelang erzählen. Deshalb will ich gar nicht davon anfangen, was in ihren Schränken und Schubladen noch alles war, wie viele Klamotten, wie im Theater, für jede Rolle, für jeden Augenblick des Lebens. Das läßt sich nicht aufzählen. Ich will dir lieber davon berichten, was in ihren Seelen war. Wenn es dich interessiert. Ja, doch, ich weiß, es interessiert dich. Also, hör zu.

Nach einer Zeit begriff ich, daß sie die vielen Schätze und Kinkerlitzchen, die sie in ihren Zimmern und Schränken aufgehäuft hatten, in Wirklichkeit gar nicht brauchten. Sie wühlten zuweilen ein bißchen darin herum, aber eigentlich war es ihnen ziemlich egal, ob man diese Gegenstände gebrauchen konnte und wozu sie dienten. Auch der Alte hatte eine Garderobe wie ein gedienter Charakterdarsteller. Aber er schlief im Nachthemd, er hatte Hosenträger, und morgens kam er mit einer Schnurrbartbinde aus dem Bad, und er hatte auch eine Schnurrbartbürste, mit Brillantine drauf und einem kleinen Spiegel auf der Rückseite. Morgens spazierte er am liebsten in einem abgewetzten Schlafrock in seinem Zimmer herum, obwohl er im Schrank ein halbes Dutzend seidene Morgenmäntel hängen hatte, »dressing gowns«, die er von der Gnädigen zu Weihnachten oder zum Namenstag bekam.

Der Alte murrte manchmal, aber alles in allem fand er sich brav damit ab, daß sich vieles nicht ändern ließ. Er scheffelte Geld, leitete die Fabrik, paßte sich der Rolle an, die er zum Teil selbst erfunden und zum Teil geerbt hatte, aber insgeheim hätte er am liebsten in einer nahen Wirtschaft gekegelt und Gespritzten getrunken. Doch er war klug und wußte, daß man nicht nur Dinge schuf, sondern von ihnen auch geschaffen wurde. Der Bursche da, weißt du, der Künstlerartige, hat einmal gesagt, alles stülpe sich um, und der Mensch sei nie frei, denn auch von dem, was er schaffe, werde er gefesselt. Der Alte hatte also die Fabrik und den Reichtum geschaffen und sich damit abgefunden, daß ihn das alles festnagelte und es kein Entrinnen gab. Deshalb ging er nachmittags nicht kegeln, sondern spielte im Millionärsklub mit saurer Miene Bridge.

Der alte Mann hatte eine bittere, spöttische Klugheit, die ich nicht vergessen kann. Wenn ich ihm morgens auf einem Silbertablett den Orangensaft reichte, schaute er von seiner englischen Zeitung auf, schob sich die Brille auf die Stirn und griff mit einer kurzsichtigen Bewegung nach dem Glas. Doch um seinen Schnurrbart herum war irgendwie ein spöttisches Grinsen, wie wenn man eine Medizin schluckt, an die man gar nicht glaubt. Und mit dem gleichen Grinsen zog er sich an. Um seinen Schnurrbart herum war da etwas. Denn der Mann hatte noch einen Schnurrbart wie Franz Joseph, du weißt ja, so einen monarchistischen k. u. k. Schnauz. Der ganze Mann stammte noch aus einer anderen Welt, aus jener wahren Friedenszeit, als die Herren echte Herren und die Dienstboten echte Dienstboten waren. Und die Großunternehmer hatten fünfzig Millionen Menschen im Auge, wenn sie ihre Dampfmaschinen oder zeitgemäßen Kochherde herstellten. Aus dieser Welt stammte der Alte, und diese neue, diese Miniwelt war ihm offensichtlich zu eng. Ich denke natürlich an die Welt nach dem kleinen Weltkrieg, wenn ich das sage.

Er grinste spöttisch, und dieser selbstverächtliche, weltverlachende Zug war um seinen Schnurrbart herum sichtbar. War da, wenn er sich anzog, wenn er Tennis spielte, wenn er sich zum Frühstück setzte, wenn er der Gnädigen die Hand küßte und höflich Konversation machte. Immer so, als verachte er das alles. Das gefiel mir an ihm.

Ich begriff, daß der ganze Plunder, mit dem sie ihr Haus vollstopften, eine fixe Idee war. Wie wenn einer nervenkrank ist und zwanghaft bestimmte Dinge tut, zum Beispiel sich täglich fünfzigmal die Hände wäscht. Auf die Art kauften sie sich Kleider und Unterwäsche und Handschuhe und Krawatten. Ja, jetzt fallen mir die Krawatten ein, mit denen ich viel Mühe hatte. Ich mußte sie alle in Ordnung halten. Na, ein paar Krawatten hatten die! Es gibt keine Farbschattierung, in der nicht ein Lang- oder Querbinder im Schrank gehangen hätte, nach Farben geordnet. Wahrscheinlich waren da auch ultraviolette Krawatten, nicht ausgeschlossen.

Und gleichzeitig zog sich niemand schlichter und abgetönter an als mein Mann. Nie trug er irgend etwas Auffälliges. Nie hättest du an ihm eine schreiende Krawatte gesehen. Er zog sich bürgerlich an, wie man so sagt. Ich habe einmal gehört, wie der Alte leise zu seinem Sohn sagte: »Schau den an, wie ein Gentry.« Und er zeigte auf einen Menschen mit Schnürpelz und Jägerhut. Sie mieden alle, die nicht bürgerlich waren, bürgerlich nach ihren Begriffen, also so, daß man nach unten niemandem etwas schuldet und nach oben von niemandem abhängt. Mein Mann trug irgendwie immer das gleiche, einen Anzug aus festem dunkelgrauem Stoff. Und dazu eine dunkle Krawatte ohne Muster. Natürlich zog auch er je nach Jahreszeit und häuslichem oder gesellschaftlichem Anlaß was anderes an. Auch er besaß ja seine drei Dutzend Anzüge und Schuhe und den ganzen dazugehörigen Kram. Aber wenn ich ihn vor mir sehe – ich erinnere mich selten an ihn, im Traum manchmal, und da schaut er mich immer an, als sei er irgendwie erbost, und das verstehe ich nicht –, also, ich sehe ihn immer in dem ernsten dunklen Zweireiher vor mir, als trüge er eine Uniform.

Und auch der Alte machte den Eindruck, als trüge er immer einen altmodischen Hausmantel, der den Bauch großzügig verdeckt. Es war nicht wirklich so, aber man hätte es meinen können. Sie paßten sehr auf, daß an ihnen und in ihrer Lebensweise und Umgebung nichts vom Gedämpften, Zurückhaltenden abwich. Die wußten, was Geld war, schon der Großvater war reich. Die brauchten das Reichsein nicht erst zu lernen, wie heutzutage die aufgestiegenen Knilche, die morgens am liebsten mit dem Zylinder auf dem Kopf in den nagelneuen amerikanischen Wagen steigen. Alles an ihnen war ruhig, auch die Farbe der Krawatte. Nur nach innen, im Verborgenen, konnten sie nicht genug bekommen. Vollständigkeit, das war ihre Manie. Deshalb hingen in den Schränken die unzähligen Kleider, daher die vielen überflüssigen Schuhe, Krawatten, Unterhosen. Mein Mann kümmerte sich überhaupt nicht um die Mode, er hatte im Blut, was geschmackvoll ist und was nicht. Der Alte hingegen war da nicht so sicher, kannte sich in der herrschaftlichen Üppigkeit noch nicht ganz aus. In seinem Kleiderschrank hing innen an der Tür ein gedrucktes Blatt, wo auf englisch geschrieben stand, in welcher Jahreszeit zu welchem Anzug welche Krawatte zu tragen sei. Zum Beispiel an einem regnerischen Apriltag zum dunkelblauen Anzug eine schwarze Krawatte mit hellblauen Streifen, und so weiter. Es ist sehr schwer, reich zu sein.

Und auch ich mußte lernen, was Reichtum ist, und tat es mit Fleiß und Ehrfurcht, büffelte den Reichtum wie auf der Gutsschule den Katechismus.

Und dann habe ich begriffen, daß sie nicht wirklich

dieses oder jenes Kleid, diese oder jene Krawatte brauchten, sondern etwas anderes. Die Vollständigkeit. Das war ihre Leidenschaft. Deshalb waren sie verrückt, aus diesem Wunsch, daß alles vollständig sei. Offenbar ist das der Fimmel der Reichen. Die brauchen nicht Kleider, sondern eine Kleidersammlung. Und eine einzige Kleidersammlung genügt nicht. Wenn im Haushalt mehrere Personen leben, dann müssen auch mehrere Kleidersammlungen her. Nicht zwecks Gebrauch, sondern damit man hat, was man hat.

Schau, zum Beispiel habe ich eines Tages entdeckt, daß es im zweiten Stock der Villa, über der großen Terrasse, ein geschlossenes Zimmer gab, mit einem kleinen Balkon. Ein Zimmer, das nie benutzt wurde. Das war früher einmal das Kinderzimmer gewesen. Mein Mann hatte als Kind da drin gewohnt. Jahrzehntelang betrat nur das Personal das Zimmer. Aber auch wir nur einmal im Jahr, zum Reinemachen. Hinter heruntergelassenen Läden, hinter der abgeschlossenen Tür schlummerte da alles, was zur Kindheit meines Mannes gehört hatte. Wie in einem Museum mit den Gebrauchsgegenständen und Kleidern einer vergangenen Zeit. Mir wurde es ganz eng ums Herz, als ich zum erstenmal dieses Zimmer betrat. Es war im Frühling, und ich sollte hier reinemachen. Der Linoleumfußboden roch noch immer säuerlich nach den Desinfektionsmitteln, mit dem alles hier, in diesem hygienischen Verschlag, übergossen wurde, einst, als hier ein Kind gelebt und gespielt und über Bauchweh geklagt hatte. An die weiße Wand hatte ein Künstler bunte Bilder gemalt, Tiere, Märchenfiguren, Schneewittchen und die sieben Zwerge. Die Möbel waren hellgrün gestrichen, ein Kunstwerk von einem Kinderbett, ein Wunder von einer Kinderwaage, und ringsum an den Wänden Regale mit phänomenalen Spielsachen, Teddybären, Bauklötzen, elektrischen Eisenbahnen, Bilderbüchern, alles in krampfhafter Ordnung wie in einer Ausstellung.

Es wurde mir, wie gesagt, ganz eng ums Herz, als ich das alles erblickte, und ich beeilte mich, das Fenster zu öffnen, den Rolladen hochzuziehen, um Luft zu bekommen. Ich kann gar nicht sagen, was ich fühlte, als ich zum erstenmal das Zimmer betrat, in dem mein Mann ein Kind gewesen war. Ich schwör's dir, ich dachte nicht an die Grube meiner Kindheit. So schlecht war es dort gar nicht gewesen, na ja, gut auch nicht. Es war etwas anderes, wie alles Wirkliche. Die Grube war wirklich gewesen. Die Armut ist für ein Kind nicht so, wie es sich die Erwachsenen vorstellen, die nie richtig arm gewesen sind. Für ein Kind hat die Armut immer auch ihre lustigen Seiten, sie bedeutet nicht nur Elend. Einem Kind ist auch der Dreck recht, in dem man toben und sich wälzen kann. Und man braucht sich die Hände nicht zu waschen, wozu auch. Nur für die Erwachsenen ist die Armut schlimm, sehr sogar. Schlimmer als alles, als die Räude oder die Diphtherie. Als ich in dem Zimmer stand, beneidete ich meinen Mann nicht. Er tat mir eher leid, weil er als Kind in diesem sterilen Raum hatte wohnen müssen. Ich spürte, daß ein Mensch, den man hier und auf diese Art erzogen hatte, kein vollständiger, ganzer Mensch sein konnte. Sondern nur etwas Menschenähnliches. Das war mein Gefühl.

Es war ja auch so perfekt, dieses Kinderzimmer. Konnte gar nicht perfekter sein. Auch eine vollständige Sammlung. Irgendwo in ihrer Seele hatten sie wahrscheinlich auch die Sammlung der fixen Ideen, hübsch in Naphthalin eingelegt. Denn von allem hatten sie mehr als nötig, zwei Autos, zwei Grammophone, in der Küche zwei Eismaschinen, mehrere Radios, mehrere Ferngläser, nämlich einen Gucker im Etui, mit dem sie ins Theater gingen, wunderschön emailliert, dann einen Feldstecher für die Pferderennen und einen, den sie sich umhängten, wenn sie an Deck eines Ozeandampfers den Sonnenuntergang bewunderten. Mag sein, daß sie auch noch einen Extragucker hatten, um die Bergeshöhen anzustaunen, und einen für den Morgen und einen für den Abend und einen für den Vogelflug. Die kauften alles, damit die Vollständigkeit noch vollständiger wurde.

Sie wurden zwar vom Diener rasiert, aber mein Mann hatte im Bad auch ein halbes Dutzend Handrasierer, die neuesten und allerneuesten Modelle. Und in einer Wildlederhülle noch eine Menge Rasiermesser schwedischer, amerikanischer und englischer Herkunft, obwohl er sich nie mit dem Messer rasierte. Und das gleiche mit dem Feuerzeug. Mein Mann kaufte sich eins nach dem andern, warf sie dann in eine Schublade, wo sie vor sich hin rosteten, denn am liebsten benutzte er gewöhnliche Streichhölzer. Eines Tages kam er mit einem elektrischen Rasierapparat nach Hause, aber auch den rührte er danach nicht mehr an. Wenn er fürs Grammophon Schallplatten kaufte, mußte es immer eine Serie sein, sämtliche Werke eines großen Komponisten, den ganzen Wagner oder den ganzen Bach, in allen Einspielungen. Darauf kam es an, daß der ganze, vollständige Bach im Schrank stand, verstehst du?

Und die Bücher. Der Buchhändler wartete gar nicht ab, daß sie sich zu einem Kauf entschlossen, sondern sandte ihnen alle neuen Bücher ins Haus, von denen er annehmen konnte, daß sie vielleicht einmal darin blätterten. Der Diener hatte den Auftrag, die Seiten aufzuschneiden und die Bücher dann ungelesen auf die Regale zu stellen. Sie lasen zwar schon, klar lasen sie. Der Alte las Fachbücher und Reisebeschreibungen. Mein Mann war sehr gebildet, der las sogar Gedichte. Doch die vielen Bücher, die ihnen der Buchhändler unter dem Vorwand der Höflichkeit andrehte, hätte kein Mensch lesen können, dafür hätte ein einziges Leben gar nicht gereicht. Trotzdem schickten sie die Bücher nicht zurück, sie hatten das Gefühl, sie dürften das nicht, weil man die Literatur fördern muß. Und dazu fortwährend eine Beunruhigung, die Bücherreihen könnten nicht vollständig sein, oder, Gott bewahre, es könnte irgendwo einen schöneren Roman geben als den, den sie sich gerade aus Berlin hatten kommen lassen. Sie waren in ewiger Angst, es könnte ein Gegenstand ins Haus kommen, der zu keiner Serie gehörte, der ein Muster ohne Wert war.

Alles, alles war vollkommen und vollständig bei ihnen. Bloß ihr Leben nicht.

Was fehlte? Die Ruhe. Du, die hatten keinen ruhigen Augenblick. Obwohl sie nach einem genauen Stundenplan lebten und im Haus und in ihrem Leben tiefe Stille herrschte. Nie ein lautes Wort. Nie etwas Unerwartetes. Alles war berechnet, alles vorausgesehen, die Wirtschaftslage, die Masern, das Wetter, alle Wendungen des Lebens, sogar der Tod. Trotzdem waren sie nicht ruhig. Vielleicht wären sie zur Ruhe gekommen, wenn sie sich einmal entschlossen hätten, nicht so abgezirkelt zu leben. Aber dafür fehlte ihnen der Mumm. Offenbar braucht es Mut, einfach so in den Tag hineinzuleben, ohne Stundenplan und Requisiten. Einfach jede Stunde, jede Minute zu leben und nichts zu erwarten. Nur zu sein. Na, die jedenfalls konnten das nicht. Sie konnten aufstehen, großartig wie zu alter Zeit die Könige, denen der ganze Hof zusah, wie sie sich den Mund spülten. Sie konnten frühstücken, so umständlich, wie der Papst hier in Rom die Messe feiert, in der Kapelle, die mit nackten Figuren ausgemalt ist... Ich war letzthin dort, und da ist mir die Morgenzeremonie meiner alten Herrschaft eingefallen.

Und nach dem feierlichen Frühstück gingen sie ihrem nutzbringenden Leben nach. Stellten bis zum Abend prima Maschinen her und verkauften sie alle. Dann erfanden sie neue Maschinen. Und zwischendurch führten sie Gespräche. Abends kehrten sie müde heim, nachdem sie den ganzen Tag nützlich, gebildet, ordentlich und anständig gewesen waren. Das ist höllisch anstrengend. Du bist ein Künstler, du weißt nicht, wie anstrengend es ist, wenn man schon am frühen Morgen weiß, was man bis Mitternacht tun wird. Du lebst einfach, wie es dir deine Künstlernatur eingibt, und weißt nicht, was dir einfallen wird, wenn du am Schlagzeug sitzt und dich das Künstlertum und der Rhythmus packen und du die Schlegel in die Luft wirfst, weil der Saxophonist in Schwung geraten ist und du ihm am Schlagzeug antwortest. Du bist ein Künstler, du bist spontan. Die aber, meine alte Herrschaft, die war anders. Was sie schufen, verteidigten sie mit Krallen und Zähnen. Und sie schufen nicht nur in der Fabrik, sondern auch beim Frühstück und beim Mittagessen. Sie schufen das, was sie Bildung nannten, auch wenn sie nur lächelten oder sich diskret die Nase putzten. Es war ihnen sehr wichtig zu bewahren, was sie mit der Arbeit und den Manieren, mit ihrem ganzen Leben, geschaffen hatten, ja, das Bewahren war wichtiger als das Schaffen.

Sie schienen gleichzeitig mehrere Leben zu leben. Gleichzeitig das Leben der Väter und der Söhne. Schienen gar nicht separate, einmalige, nie wiederkehrende Persönlichkeiten zu sein, sondern bloß ein Ruck in einem langen Leben, das nicht von einem einzelnen, sondern von der Familie, der bürgerlichen Familie gelebt wird. Deshalb hüteten sie die Photographien, die Gruppenaufnahmen, als wären es berühmte Gemälde. Das Vermählungsphoto von Großmama und Großpapa. Das Bild des pleite gegangenen Onkels im Gehrock oder mit dem Strohhut auf dem Kopf. Die Aufnahme einer glücklichen oder unglücklichen, jedenfalls lächelnden Tante mit Sonnenschirm und Schleierhut. Das waren alles sie selbst, eine sich langsam entwickelnde und langsam vergehende Person, die bürgerliche Familie. Mir war das sehr fremd. Für mich war die Familie eine Notwendigkeit, ein Zwang. Für sie war sie eine Aufgabe.

So waren die also. Und da sie in die Ferne blickten und in langen Zeitabständen rechneten, waren sie nie ruhig. Ruhig ist nur, wer im Augenblick lebt. So wie nur der Atheist den Tod nicht fürchtet, weil er nicht an Gott glaubt. Du glaubst an Gott? Was brummst du da? Aha, du glaubst an Gott, und wie... Ich habe nur einen Menschen gesehen, von dem ich sicher weiß, daß er den Tod nicht fürchtete. Ja, der Künstlerartige. Der glaubte nicht an Gott, deshalb hatte er vor nichts Angst, weder vor dem Tod noch vor dem Leben. Die Gläubigen haben eine Riesenangst vor dem Tod, die klammern sich an alles, was die Religionen versprechen, weil sie glauben, daß es nach dem Tod ein Leben und eine Vergeltung gibt. Der Künstlerartige hingegen hatte keine Angst. Er hat gesagt, falls es Gott gibt, könne der nicht so grausam sein, den Menschen ein ewiges Leben zu geben. Ja klar, die spinnen alle, diese sogenannten Künstler. Doch die Bürger hatten Angst vor dem Tod, so wie vor dem Leben auch. Deshalb waren sie gläubig und sparsam und maßvoll. Weil sie Angst hatten.

Ich sehe dir an, daß du das nicht verstehst. Sie verstanden es vielleicht mit dem Kopf, aber mit dem Herzen verstanden sie es auch nicht. Ihre Herzen waren in einer ewigen Unruhe. Sie hatten Angst, daß die ganze Rechnerei und Planerei und Ordnerei nichts nützte, daß eines Tages etwas zu Ende sein würde. Was? Die Familie? Die Fabrik? Das Vermögen? Nein, diese Leute wußten schon, daß ihre Angst nicht so einfach war. Sie hatten Angst, sie würden eines Tages ermüden und das Ganze nicht mehr zusammenhalten. Du weißt, wie der Mechaniker hier gesagt hat, als wir ihm unsere alte Klappermühle brachten, damit er nachsah, was nicht stimmte. Weißt du noch, er hat gesagt, der Wagen fahre schon, der Motor sei nicht kaputt, bloß sei da eine Materialermüdung. Davor hatte sie Angst, meine Herrschaft, vor einer Materialermüdung, daß sie das Ganze nicht mehr zusammenhalten könnten und es dann mit ihrer Kultur vorbei wäre.

Na, jetzt höre ich auf. Das hätte sowieso kein Ende. Denk dir doch, was die in ihren Schubladen und Panzerschränken, wo sie Dokumente und Aktien und den Schmuck aufbewahrten, sonst noch für Geheimnisse hatten. Du zuckst mit den Schultern? Aber mein Lieber, Süßer, die Dinge verhalten sich nicht so, wie wir Proleten das glauben. Die Reichen sind sehr seltsam. Wahrscheinlich haben sie auch in ihrer Seele ein Fach, wo sie etwas aufbewahren. Den Schlüssel zu diesem unsichtbaren Safe hätte ich gern gestohlen, hätte gern gesehen, was da drin ist. Die Reichen sind irgendwie auch dann noch reich, wenn man ihnen alles genommen hat. Ich habe nach der Belagerung die Reichen gesehen, wie sie aus den Kellern heraufkrochen, hier die Christen, dort die Juden, die irgendwie mit heiler Haut davongekommen waren, und alle bis aufs Hemd ausgeplündert, ihre Häuser zerbombt, ihre Geschäfte ruiniert, vom Krieg und von dem, was nachher kam, also diese total heruntergekommenen Reichen wohnten nach einigen Monaten wieder in Villen, und die Frauen saßen im Blaufuchs und mit Blumen am Ausschnitt im Gerbeaud. Wie sie das machten? Keine Ahnung. Aber sicher ist, daß sie so lebten wie vor dem Krieg. Genau so, mit all den Ansprüchen, was das Essen und die Kleider betrifft. Und als der erste Zug ins Ausland fuhr und sie von der russischen Platzkommandantur die Erlaubnis zum Reisen bekommen hatten, da beklagten sie sich, daß im Schlafwagen, der sie zum Einkaufen nach Zürich oder nach Paris brachte, nur noch das obere Bett frei war. Verstehst du? Offenbar ist das Reichsein ein Zustand wie die Gesundheit oder die Krankheit. Entweder jemand ist reich, und dann ist er es komischerweise immer, oder er ist es nicht, und dann mag er Geld haben wie Heu, er ist doch kein echter Reicher. Man muß, scheint es, auch daran glauben, daß man wirklich reich ist. So wie die Heiligen oder die Revolutionäre daran glauben, daß sie anders sind. Und man muß ohne Gewissensbisse reich sein, sonst geht es nicht. Der falsche Reiche, der augenverdrehend an die Armen denkt, wenn er Beefsteak ißt und Champagner trinkt, wird am Schluß den kürzeren ziehen, denn er ist nicht ehrlich und aus voller Überzeugung reich, sondern feige und duckmäuserisch. Man muß unerbittlich reich sein. Man kann wohltätig sein, aber das ist bloß ein Feigenblatt. Hör zu, mein Schatz. Ich hoffe, daß du, wenn ich eines Tages nicht mehr sein werde und du eine triffst, der mehr Schmuck geblieben ist als mir, daß du dann nicht sentimental sein wirst. Sei mir nicht böse. Ich sage, was ich denke. Gib mir dein Künstlerhändchen, daß ich es mir ans Herz drücke. Spürst du es? Es schlägt für dich, den Proleten. Na siehst du.

Es genügt, daß ich ein kluges Mädchen war und den Reichtum bald in- und auswendig gelernt hatte. Ich war lange Dienstmädchen bei ihnen und habe das Geheimnis erfahren. Dann habe ich sie aber eines Tages sitzenlassen, weil mir die Warterei verleidet war. Worauf ich wartete? Na eben, daß mein Mann Lust bekomme auf mich. Was schaust du so? Ich habe gut gewartet, mit List und Kraft.

Ja, schau dir das Photo an, schau es gut an. Ich habe es aufbewahrt, weil ich es beim Photographen für Geld gekauft hatte, als ich noch Dienstmädchen war und er mit seiner ersten Frau lebte.

Ich will dir das Kissen zurechtrücken, damit du bequem liegst. Streck dich schön aus. Du sollst dich immer ausruhen, wenn du bei mir bist, mein Goldschatz. Ich will, daß du dich wohl fühlst bei mir. Es ist anstrengend genug, was du in der Bar tust, am Schlagzeug. Hier in meinem Bett sollst du nichts anderes tun als mich lieben und dich dann ausruhen.

Ob ich das auch zu meinem Mann gesagt habe? Nein, mein Herz. Ich wollte nicht, daß er sich wohl fühle, wenn er in meinem Bett lag. Gerade das war das Problem. Irgendwie konnte ich mich nicht entschließen zu wollen, daß er sich wohl fühle mit mir. Obwohl der Arme wirklich alles dafür getan, jedes Opfer gebracht hatte. Er hatte mit seiner Familie, seiner Gesellschaft, seinen Gewohnheiten gebrochen. Er war richtiggehend ausgewandert zu mir, wie ein pleite gegangener Kavalier, der sich nach Übersee absetzt. Vielleicht habe ich gerade deshalb nie in Frieden mit ihm leben können, weil er bei mir nicht zu Hause war. Er lebte mit mir die ganze Zeit wie jemand, der nach dem interessanten, würzig-warmen Brasilien ausgewandert ist und dort eine Einheimische geheiratet hat. Und sich in der fremden Welt fragt, wie er denn eigentlich hierhergeraten sei. Und wenn er mit der Einheimischen zusammen ist, denkt er an anderes. An seine Heimat? Vielleicht. Das ging mir auf die Nerven. Deshalb wollte ich nicht, daß er es zu gemütlich habe, wenn er mit mir zusammen war, bei Tisch oder im Bett.

Was das für eine Heimat gewesen sein kann, an die er gedacht hat? Die erste Frau? Ich glaube nicht. Weißt du, die Art von Heimat, die richtige, ist auf keiner Landkarte. Und in ihr sind sehr viele Dinge. Nicht nur Schönes und Gutes, sondern auch Böses und Gemeines. Diese Lektion lernen wir jetzt auch, da wir keine Heimat mehr haben. Glaub ja nicht, daß wir wieder eine Heimat haben werden, wenn wir einmal zu Besuch oder sonstwie nach Hause fahren. Es wird ein Wiedersehen geben und Gerührtheit, und die einen werden Herzkrämpfe bekommen, die anderen groß angeben, den fremden Paß und die Travellerschecks zücken. Doch die Heimat, an die man in der Fremde gedacht hat, die wird es nicht mehr geben. Träumst du noch von Zala? Ich träume manchmal auch von der Nyírség, aber dann erwache ich immer mit Kopfschmerzen. Offensichtlich ist die Heimat nicht nur eine Gegend, eine Stadt, ein Haus und Menschen, sondern ein Gefühl. Was sagst du? Ob es ewige Gefühle gibt?

Nein, mein Schatz, das glaube ich nicht. Du weißt ja, daß ich dich anbete, aber wenn ich dich eines Tages nicht mehr anbete, weil du mich betrügst oder Leine ziehst – unmöglich, gelt? –, also, wenn es doch so wäre, dann glaub nicht, mir würde schwach, wenn ich dich irgendwann mal wiedersähe. Wir würden dann freundlich plaudern, aber *davon* nicht mehr, weil *das* vorbei wäre, aus und Amen. Sei nicht traurig. Die Heimat gibt's nur einmal im Leben, so wie die Liebe, die richtige Liebe auch. Und die Heimat vergeht, so wie auch die richtige Liebe vergeht. Das ist schon recht so, denn sonst hielte man es gar nicht aus.

Die erste Frau meines Mannes, ach ja, das war eine Feine, Vornehme. Sie war sehr schön, sehr diszipliniert. Darum beneidete ich sie am meisten, um ihre Disziplin. Das kann man, glaube ich, gar nicht lernen, man wird damit geboren. Vielleicht ist alles, was die Reichen so ehrfürchtig vollführen, gar nichts anderes als Disziplin. Jede Zelle ihres Körpers war diszipliniert. Ich haßte sie dafür, und mein Mann wußte das. Die erste Frau war gebildet und diszipliniert, und mein Mann ließ sie eines Tages genau aus diesem Grund sitzen, denn er hatte genug davon. Ich war für ihn nicht nur eine Frau, sondern eine große Prüfung, das Abenteuer, das wilde Tier und gleichzeitig die Jagdgefährtin, das Ungezügelte und Unerlaubte. Versteh's der Geier. Ich hole einen Cognac, den dreisternigen, ja? Das viele Reden macht mich durstig.

Trink, mein Süßer. Ja, ich werde auch so trinken, ich werde die Lippen an die Stelle legen, wo deine Lippen das Glas berührt haben. Was für wunderbare, zärtliche Einfälle du hast. Ich könnte weinen, wenn du solche Ideen hast. Wie machst du das bloß? Na schön, der Einfall ist vielleicht nicht ganz neu, kann ja sein, daß andere Liebespaare auch schon darauf gekommen sind, aber für mich ist es trotzdem ein großes Geschenk.

Da, jetzt habe ich nach dir getrunken. Siehst du, mein Mann hat mich nie mit solchen Zärtlichkeiten beschenkt. Nie haben wir aus demselben Glas getrunken und uns dabei in die Augen geschaut. Der hat eher einen Ring gekauft, wenn er mir eine Freude machen wollte. Ja, zum Beispiel den schönen Ring mit dem Türkis, der dir letzthin so gefallen hat. Er war eben ein Langweiler. Was sagst du, mein Herz?... Gut, ich gebe ihn dir, damit du ihn durch deinen hervorragenden Experten schätzen lassen kannst. Es soll alles geschehen, wie du es willst.

Ich soll noch von den Reichen erzählen? Alles kann man von denen nicht erzählen. Ich habe jahrelang wie eine Schlafwandlerin unter ihnen gelebt. Verstört und mondsüchtig. Ich wußte nie, was ich falsch machen würde, wenn ich sie anredete oder wenn ich schwieg oder etwas in die Hand nahm. Sie schalten mich nicht, o nein. Vielmehr belehrten sie mich, nachsichtig und rücksichtsvoll, so wie der Straßensänger hier, der einem Affen beigebracht hat, ihm auf die Schulter zu springen und sich dort zu produzieren. Aber sie belehrten mich auch wie einen Krüppel, der weder gehen noch irgend etwas richtig tun kann. Denn als ich zu ihnen kam, war ich genau das, ein Krüppel. Ich konnte nichts. Weder gehen, wie sie es verstanden, noch grüßen, noch sprechen, vom Essen gar nicht zu reden. Ich hatte keinen Dunst, wie man richtig ißt. Ich glaube, damals konnte ich nicht einmal schweigen, so richtig gezielt und bösartig. Ich hielt einfach den Mund. Doch dann lernte ich der Reihe nach die Lektionen, die sie mir aufgegeben hatten. Lernte schnell und fleißig. Am Ende waren sie erstaunt, wie rasch und wieviel ich gelernt hatte.

So erstaunt, daß sie nach Luft schnappten. Ich will mich nicht rühmen, aber ich glaube, sie waren verblüfft, als ich eines Tages das Examen ablegte.

Zum Beispiel das Mausoleumexamen. Ach Herrje, das Mausoleum. Weißt du, es war so, daß alle die Herrschaft bestahlen. Die Köchin machte ihr Geld beim Einkaufen, der Diener ließ die Wein- und Zigarrenhändler höhere Rechnungen ausstellen, der Chauffeur stahl und verkaufte Benzin. Das war alles natürlich, die Herrschaft wußte es, es gehörte zur Hausordnung. Ich selbst stahl nicht, weil ich bloß Mädchen für alles war und also nichts zum Stehlen fand. Später aber, als ich schon die Gnädige war, kam mir alles in den Sinn, was ich in den unteren Rängen, in der Küche gesehen hatte, und das Mausoleum war eine Versuchung, der ich nicht widerstehen konnte.

Denn eines Tages fällt meinem Mann, diesem wahren Gentleman, plötzlich auf, daß das Leben nicht vollständig ist, da die Familie auf dem Friedhof von Buda kein Grabgewölbe hat. Seine Eltern, die alte Gnädige und der alte Herr, waren noch altmodische Tote, die unter einer gewöhnlichen Marmortafel zu Staub wurden, ohne Grabgewölbe. Als meinem Mann dieses Versäumnis auffiel, wurde ihm ganz düster zumute. Doch dann gab er sich einen Ruck, und wir begannen emsig umherzurennen. Ich hatte den Auftrag, mit dem Grabplaner und dem Maurer zu verhandeln, damit für die Alten ein schönes Gewölbe gebaut werde. Zu jener Zeit besaßen wir mehrere Autos, eine Stadtwohnung für den Winter, ein Haus im Grünen und ein Schlößchen in der Balatongegend, auf einem Landgut, das nach irgendeinem Tauschgeschäft an meinem Mann hängengeblieben war. Wir konnten uns nicht über Wohnungsmangel beklagen.

Aber ein Grabgewölbe hatten wir noch nicht. Wir beeilten uns, diesen peinlichen Mangel zu beheben. Natürlich konnten wir die Arbeit nicht einem gewöhnlichen Architekten anvertrauen. Mein Mann recherchierte, bis er den besten Grabgewölbe-Experten der Stadt gefunden hatte. Wir ließen aus England und Italien Pläne kommen, Bücher mit dickem, glänzendem Papier. Man würde nicht glauben, wie reichhaltig die Grabgewölbe-Fachliteratur ist. Denn einfach so mir nichts, dir nichts sterben und begraben werden, das kann jeder. Aber eben, die Herren leben anders und sterben anders. Und so wählten wir mit Hilfe der Fachleute ein Modell aus und ließen ein wunderschönes, luftiges, geräumiges, trockenes Grabgewölbe mit Kuppel bauen. Ich weinte, als ich es zum erstenmal von innen sah, denn ich mußte einen Augenblick an die Grube in der Nyírség denken. Na, in dem Gewölbe war mehr Platz. Vorsichtshalber hatte man den Raum für sechs Liegeplätze berechnet, für die beiden Alten, für meinen Mann und dann noch für drei Personen, weiß der Kukkuck für wen, vielleicht für die toten Besucher, ich meine, falls einer tot umfiel und man ihn gleich bestatten mußte. Ich sah mir die drei Extragrabstätten an und sagte zu meinem Mann, lieber sollen mich die Hunde verscharren, als daß ich mich je in ihre Krypta legen würde. Du hättest sehen sollen, wie er gelacht hat.

Wir waren also für alle Eventualitäten gerüstet. Selbstverständlich gab es in der Krypta auch elektrisches Licht, zweierlei, ein blaues und ein weißes. Als alles fertig war, ließen wir den Priester kommen, damit er diese Luxustotenbehausung einsegne. Da fehlte nichts, mein Lieber. Weder die Goldbuchstaben über dem Eingang noch, diskret und klein, das Adelswappen der Familie, du weißt ja, so wie auf ihren Unterhosen. Und dann gab es einen Vorplatz mit Blumen und einen Säulengang, so eine Art Entree mit einer Marmorbank für die Besucher, für den Fall, daß sie sich noch ein bißchen hinsetzen wollten, bevor sie starben. Und es führte eine verzierte Eisentür zum Salon, wo die Alten hingelegt wurden. Das war ein Grabgewölbe, das nicht einfach für ein paar Jahre gedacht war, obwohl jetzt die Reichen sogar aus ihren Gräbern hinausgeschmissen worden sind, sondern für die Zeit bis zum Jüngsten Tag, da die edlen Leichen zum Klang der Trompeten aus ihren Mausoleen hinauswandeln würden. Achttausend Pengő habe ich an dem Grabgewölbe verdient, mehr ließ sich aus dem Architekten nicht herausholen. Ich hatte ein Kontokorrent auf der Bank, dort zahlte ich dummerweise diesen kleinen Extraverdienst ein, und eines Tages hat mein Mann zufällig den Brief der Bank gefunden, die mich über die Vermehrung meines bescheidenen Ersparten informierte. Nein, er hat nichts gesagt, wo denkst du hin? Natürlich nicht. Aber es machte ihm schon zu schaffen, das sah man ihm an. Er fand, ein Familienmitglied dürfe am Grabmal der Eltern nichts verdienen. Verstehst du das? Ich auch nicht, noch heute nicht. Ich erzähle es nur, damit du siehst, wie komisch die Reichen sind.

Und noch etwas will ich erzählen. Ich hatte mich an alles gewöhnt, ertrug alles, ohne zu mucken. Aber eine Gewohnheit hatten sie, die ertrug ich nicht. Mir wird heute noch fast schlecht, wenn ich daran denke. Ich ertrag's nicht, und basta. Ich habe in den letzten Jahren so einiges erlebt, und die Lektionen sind noch nicht zu Ende. Aber jetzt ertrage ich schon alles ohne Widerrede. Du wirst sehen, am Ende finde ich mich sogar mit dem Altwerden ab. Doch jene eine Gewohnheit ertrug ich nicht. Wenn ich daran denke, wird mir ganz heiß vor Wut.

Du denkst ans Bett? Ja, aber nicht so, wie du dir das vorstellst. Es hing zwar mit dem Bett zusammen, aber anders. Es ging um ihre Nachthemden und ihre Pyjamas.

Ich sehe, du verstehst nicht. Es ist auch nicht leicht, das zu erklären. Denn schau, ich bewunderte ja alles in dem Haus, das farbige Klopapier und den Schweizer Fußpfleger, alles machte mir Eindruck. Ich verstand auch, daß so außergewöhnliche Leute nicht nach einer gewöhnlichen Ordnung essen konnten. Daß man ihnen anders servieren, andere Speisen kochen mußte, weil sie vielleicht ein anderes Verdauungssystem hatten. Das mit der Verdauung weiß ich nicht so genau, aber jedenfalls funktionierte sie bei denen anders als bei uns gewöhnlichen Leuten. Fortwährend nahmen sie irgendwelche Abführmittel ein, hantierten mit geheimnisvollen Einläufen. Alles höchst rätselhaft.

Also, ich konnte nur staunen, manchmal mit offenem Mund, manchmal mit Gänsehaut. Offenbar ist die Bildung nicht nur in den Museen zu finden, sondern auch im Badezimmer solcher Leute und in der Küche, wo für sie gekocht wird. Die haben noch im Keller während der Belagerung anders gelebt, ob du's glaubst oder nicht. Denn alle ernährten sich nur noch von Bohnen und Erbsen, während diese Leute ausländische Konservendosen öffneten, Straßburger Gänseleber und so. Ich habe im Keller drei Wochen lang eine Frau vor Augen gehabt, die Frau eines ehemaligen Ministers, der sich vor den Russen in den Westen abgesetzt hatte, während sie dageblieben war, und diese Frau hat im Keller, unter den Bomben, noch immer ihre Schlankheitskur gemacht. Die paßte auf ihre Figur auf, brutzelte sich in italienischem Olivenöl irgendeine köstliche Schuhsohle, weil sie fürchtete, sie würde dick von all dem Zeug, das die Leute in ihrer Angst und Verwirrung in sich hineinstopften. Wenn mir das in den Sinn kommt, muß ich immer denken, was für eine merkwürdige Sache doch die Bildung ist.

Hier in Rom liegen die wunderbaren Statuen, Bilder und edlen Stoffe so herum wie bei uns in den Altwarenhandlungen der ganze Abfall der vergangenen Welt. Aber vielleicht sind hier diese vielen schönen Dinge nur ein Teil der Bildung. Vielleicht ist auch das Bildung, wenn sich die Reichen nach komplizierten Rezepten mit Butter und Öl Gerichte zubereiten lassen, die ein Arzt für sie zusammengestellt hat, als ernährten sie sich nicht nur mit den Zähnen und dem Magen, sondern als müßte für ihre Leber eine eigene Suppe gekocht werden, ein besonderes Fleisch für ihr Herz, ein spezieller Salat für ihre Galle, eine Mehlspeise mit Rosinen für ihre Bauchspeicheldrüse. Und nach dem Essen zogen sie sich mit ihren rätselhaften Verdauungsorganen in aller Stille zum Verdauen zurück. Das war eben auch Kultur. Ich verstand das und hieß es von ganzem Herzen gut. Bloß das mit den Nachthemden und den Pyjamas, das begriff ich nie. Und konnte mich auch nie damit abfinden. Der Teufel hole den, der das erfunden hat!

Werd nicht ungeduldig, ich erzähl's ja. Das Nachthemd mußte man auf dem Bett zurechtlegen, indem man es faltete, den unteren Teil auf den Rücken des oberen, und die Ärmel ausbreitete. Verstehst du? Das Nachthemd oder die Pyjamajacke sahen dann aus wie ein Araber, der beim Beten auf dem Gesicht liegt und die Arme ausstreckt. Warum sie das so haben wollten, weiß ich nicht. Vielleicht, weil man das Ding so bequemer anziehen konnte, mit einer Bewegung weniger, man mußte bloß von hinten hineinschlüpfen, und schon war die Nachtgewandung perfekt, sie brauchten sich nicht mit Ziehen und Zerren anzustrengen, bevor sie sich zur Ruhe begaben. Aber mich regte diese übertriebene Voraussicht tödlich auf. Diesen Fimmel ertrug ich einfach nicht. Mir zitterte immer die Hand vor Wut und Widerwillen, wenn ich ihre Betten machte und ihre Nachtgewänder zurechtlegte, wie es mich der Diener gelehrt hatte.

Siehst du, so komisch ist man. Sogar auch dann, wenn man nicht reich zur Welt gekommen ist. Jeder wird irgendwann kopfscheu, jedem geht einmal etwas über die Hutschnur. Sogar der Arme, der lange alles erträgt, ehrfürchtig und hilflos die Welt nimmt, wie sie ist. Bei mir war es der Augenblick, wenn ich am Abend die dressierten Nachthemden zurechtlegen mußte, und ich begriff plötzlich, wie es geschehen kann, daß Menschen, einzelne Personen oder ganze Völker, eines Tages zu schreien beginnen, so gehe es nicht weiter, man müsse etwas verändern. Und dann stürmen sie auf die Straße und schlagen alles kurz und klein, aber das ist nur noch Theater. Die richtige Revolution, weißt du, die hat schon vorher stattgefunden, im stillen, in den Menschen drin. Schau mich nicht so belämmert an, mein Schönster.

Kann ja sein, daß ich Blödsinn zusammenrede. Aber man braucht nicht in allem, was die Menschen tun und sagen, einen Sinn zu suchen. Meinst du, es sei vernünftig und logisch, daß ich jetzt hier mit dir im Bett liege? Du verstehst nicht, mein Herz? Macht nichts. Schweig und liebe mich. Das ist die Logik zwischen uns beiden.

Das war also die Sache mit den Nachthemden. Ich haßte sie dafür. Aber was konnte ich tun? Sie waren eben stärker. Die Höherstehenden kann man hassen, man kann für sie schwärmen, aber verleugnen kann man sie nicht. Eine Zeitlang schwärmte ich für sie. Dann begann ich sie zu fürchten. Dann haßte ich sie. So sehr, daß ich mich als Reiche zu ihnen gesellte, ihre Kleider anzog, mich ins Bett legte, wo sie lagen, auf meine Figur aufzupassen begann und am Ende auch schon Abführmittel nahm. Ich haßte sie nicht, weil sie reich waren und ich arm, versteh mich nicht falsch. Ich möchte, daß endlich jemand diese Arm-reich-Geschichte versteht.

Denn davon wird in den Zeitungen und auf den Volksversammlungen so viel geschrieben und geredet. Ja, sogar im Kino geht es darum, wie ich letzthin begriffen habe, als ich die Wochenschau sah. Alle reden davon, ich weiß gar nicht, was die Menschen haben. Wahrscheinlich fühlen sie sich insgesamt nicht wohl, deshalb reden sie dauernd von den Reichen und von den Armen, von den Amerikanern und den Russen. Davon verstehe ich nichts. Es heißt ja auch, am Ende komme die große Revolution, und die Russen und überhaupt die Armen werden gewinnen. Doch letzthin hat nachts in der Bar ein vornehmer Mensch – ich glaube, ein Südamerikaner, von dem es heißt, er habe sogar in seinem künstlichen Gebiß Heroin versteckt –, der hat gesagt, das sei aber ein Irrtum, und die Amerikaner werden gewinnen, weil sie mehr Geld haben.

Das hat mir zu denken gegeben. Auch der Saxophonist hat gesagt, am Schluß werden es die Amerikaner sein, die ein riesiges Loch in die Erde graben, es mit Atombomben füllen, und dann stiehlt sich der kleine bebrillte Typ, der jetzt Präsident ist, mit einem brennenden Streichholz hin, hält es an die Zündschnur einer Bombe, und dann fliegt alles in die Luft. Wenn man das hört, denkt man zuerst, was ist das für ein Riesenquatsch. Aber ich kann über solche Dinge nicht mehr lachen. Ich habe vieles gesehen, was noch kurz zuvor genauso unsinnig schien, und dann war es doch plötzlich Wirklichkeit. Ja, überhaupt scheint mir: je größer der Blödsinn, den die Leute reden, um so sicherer kann man sein, daß er eines Tages eintritt.

Na gut, es stimmt nicht immer alles. Ich werde zum Beispiel nie vergessen, was bei uns in Budapest die Leute am Ende des Krieges schwatzten. Die Deutschen stellten nämlich eines Tages das Donauufer in Buda mit Kanonen voll. Sie brachen den Asphalt auf und gruben vor den Brücken riesige Kanonen und Maschinengewehre ein, auf der ganzen Länge des schönen kastanienbestandenen Donauufers von Buda. Die Menschen schauten bei alldem mit saurer Miene zu, aber es gab Schlaumeier, die zu wissen meinten, es werde in Budapest keine Belagerung geben, denn diese vielen schauerlichen Waffen, die großen Geschütze vor den Brücken und die Sprengladungen an den Brückenpfeilern, das seien alles bloß Attrappen, man wolle so die Russen täuschen, aber in Wirklichkeit wolle man nicht kämpfen. Solches wurde geredet. Na, das Täuschungsmanöver ist jedenfalls nicht gelungen. Eines Tages sind die Russen am Donauufer angelangt und haben alles über den Haufen geschossen, die Kanonen inklusive. Deshalb mag es ja sein, daß nicht stimmt, was der Südamerikaner und der Saxophonist gesagt haben, und doch habe ich Angst, daß es am Ende so kommen wird, gerade weil es dermaßen unwahrscheinlich klingt.

Es hat mir vor allem zu denken gegeben, daß der Südamerikaner gesagt hat, am Ende machen die Amerikaner etwas Entscheidendes, weil sie reich sind. Davon verstehe ich etwas, vom Reichtum. Meine Erfahrung ist, daß man sich mit den Reichen höllisch in acht nehmen muß, weil sie unglaublich schlau sind. Und stark. Weiß Gott, warum. Sicher ist nur, daß es nicht leicht ist mit ihnen. Das sieht man schon an der Sache mit den Nachthemden. Wem man das Nachthemd so zurechtlegen muß, der ist kein gewöhnlicher Mensch. Der weiß, was er will, Tag und Nacht weiß er das, und der Arme tut gut daran, sich zu bekreuzigen, wenn er ihnen begegnet. Aber ich muß immer wieder sagen, daß ich da an die echten Reichen denke und nicht an die Leute, die bloß Geld haben. Die sind nicht so gefährlich. Die zeigen ihr Geld her wie die Kinder ihre Glasmurmelsammlung. Und genauso rollt ihnen das Geld auch wieder davon.

Mein Mann war ein echter Reicher und wahrscheinlich deshalb immer so sorgenvoll.

Gib mir noch ein Gläschen, nur einen Fingerbreit. Nein, laß doch, mein Schatz, jetzt trinke ich nicht nach dir. Man soll die wunderbaren Einfälle nicht wiederholen, denn sie verbrauchen sich und verlieren ihren Zauber. Sei mir nicht böse.

Und dränge mich nicht. Ich kann nur der Reihe nach erzählen.

Also, mein Mann war die ganze Zeit gekränkt. Ich verstand das nie, denn ich war ja eine Arme gewesen. Und zwischen den echten Armen und den echten großen Herren gibt es eine Art Komplizität, denn weder die einen noch die anderen kann man wirklich kränken. Meinen Vater, den barfüßigen Landarbeiter, genausowenig wie Ferenc Rákóczi II. Mein Mann hingegen schämte sich für das viele Geld, er hätte es niemals herumgezeigt. Am liebsten hätte er eine Verkleidung getragen, damit man ihm den Reichtum nicht ansah. Und er hatte so feine Manieren, er war so still und so beängstigend höflich, daß man ihn mit Worten oder Taten gar nicht beleidigen konnte, denn das perlte von ihm ab wie der Wassertropfen vom Gänsegefieder. Nein, beleidigen konnte nur er sich selbst. Doch diese Neigung wurde immer mächtiger in ihm wie eine krankhafte, böse Leidenschaft.

Später, als er zu ahnen begann, daß ihm etwas fehlte, verlor er die Beherrschung wie ein Schwerkranker, der eines Tages den berühmten Ärzten und Wissenschaftlern nicht mehr glaubt, sondern zur Quacksalberin rennt, weil die vielleicht noch helfen kann. Auf diese Art kam er zu mir, von seiner Frau und seinem alten Leben. Er dachte, für ihn sei ich die Quacksalberin. Aber ich konnte ihm keine heilenden Kräuter kochen.

Gib mal das Photo her, ich will es mir noch einmal anschauen. Ja, so hat er ausgesehen, vor fünfzehn Jahren.

Habe ich schon erzählt, daß ich das Bild lange um den Hals trug? In einem kleinen Medaillon, an einem violetten Band? Weißt du, warum? Weil ich Geld ausgegeben hatte dafür. Da war ich noch Dienstmädchen, ich hatte es von meinem Verdienst gekauft, deshalb hielt ich es in Ehren. Mein Mann hat nie verstanden, was für eine große Sache das ist, wenn Leute meines Schlags Geld ausgeben für etwas nicht Lebensnotwendiges. Ich meine, richtiges Geld, ein paar Pengő vom Salär oder von einem Trinkgeld. Später warf ich mit dem Geld, den Tausendern meines Mannes, um mich wie als Dienstmädchen beim Hühnerrupfen mit den Federn. Das war für mich kein Geld. Doch als ich dieses Bild kaufte, klopfte mir das Herz, denn ich war arm und hatte das Gefühl, es sei eine Sünde, für so etwas Geld auszugeben. Dieses Photo war damals sündhafter Luxus für mich. Trotzdem ging ich heimlich zum berühmten Photographen in der Innenstadt und zahlte den vollen Preis, ohne zu feilschen. Der Photograph lachte und gab das Bild billig her. Das war das einzige Opfer, das ich je für meinen Mann gebracht habe.

Er war hochgewachsen, fünf Zentimeter größer als ich, und sein Gewicht blieb immer gleich. Er regelte seinen Körper genauso wie seine Worte, seine Art zu reden. Winters nahm er zwei Kilo zu, aber im Mai war er die wieder los, und so blieb er dann bis Weihnachten. Glaub ja nicht, er habe Diät gehalten, so was kam bei ihm nicht in Frage. Nur ging er mit seinem Körper um wie mit einem Angestellten, er verfügte über ihn.

Er verfügte auch über seine Augen und seinen Mund. Seine Augen lachten separat, und sein Mund lachte separat, so wie es gerade erforderlich war. Nur lachte nie alles miteinander. Nicht so wie du, mein Einziger, nicht so, wie du gestern gelacht hast, fröhlich und frei, mit lachenden Augen und lachendem Mund, als du mir sagtest, was für ein tolles Geschäft du mit dem Ring gemacht hast.

So etwas konnte er eben nicht. Ich habe mit ihm zusammengelebt, als seine Frau und, natürlich in viel größerer Intimität, als sein Dienstmädchen, aber so richtig aus voller Kehle habe ich ihn nie lachen hören.

Er lächelte eher nur. Als ich in London den mit allen Wassern gewaschenen Griechen kennenlernte, der mir dann allerlei beibrachte – nein, löchere mich jetzt nicht, ich kann nicht auch noch erzählen, was der mir beigebracht hat, sonst wird es Tag –, also, dieser Grieche hat gesagt, ich solle unter den Engländern darauf achten, daß ich in Gesellschaft nie lache, denn das sei ordinär. Ich solle immer nur lächeln. Ich sage es dir, weil ich möchte, daß du alles weißt, was dir im Leben noch nützlich sein kann.

Mein Mann konnte hervorragend lächeln. Ich hätte ihn manchmal für dieses Lächeln am liebsten vergiftet. Als ob er es irgendwo gelernt hätte. Auf einer geheimen Universität für die Reichen. Er lächelte zum Beispiel auch, wenn er hereingelegt wurde. Ich stellte ihn manchmal auf die Probe. Legte ihn auch herein und beobachtete ihn. Sogar im Bett tat ich das. Das war nicht immer ungefährlich. Man weiß ja nie, wie einer reagiert, der im Bett hereingelegt wird.

Damals erregte mich diese Gefahr. Ich dachte, eines Tages holt er in der Küche ein Messer und schlitzt mir den Bauch auf wie einem Schlachtschwein. Das war natürlich nur ein Traum, ein sogenannter Wunschtraum. Das Wort hatte ich von einem Arzt gelernt, zu dem ich eine Zeitlang ging, weil ich die Mode nachäffte, weil ich reich war und es mir leisten konnte, seelische Probleme zu haben. Der Arzt kassierte fünfzig Pengő für die Stunde. Für dieses Geld durfte ich mich in seinem Sprechzimmer auf eine Couch legen und ihm meine Träume und alle Schweinereien erzählen, die mir einfielen. Andere Männer bezahlen dafür, daß sich eine Frau auf die Couch legt und Schweinereien redet. Aber den bezahlte ich und lernte von ihm Wörter wie Wunschtraum und Verdrängung.

Doch zu lächeln habe ich nie gelernt. Dafür braucht es offenbar noch mehr. Vielleicht hatte schon der Großvater dieser Leute zu lächeln gewußt. Das haßte ich auch, so wie den Blödsinn mit den Nachthemden, ich haßte ihr Lächeln. Denn als ich meinen Mann im Bett hereinlegte –

ich tat, als hätte ich Spaß an der Sache, aber das stimmte nicht – und er das spürte, da zückte er keinen Dolch, sondern er lächelte. Er saß im großen Doppelbett, zerzaust, muskulös, sportlich und ein bißchen nach Heu riechend, und er blickte mich starr und glasig an. Und lächelte dazu. Ich hätte vor ohnmächtiger Wut am liebsten geweint. Als er später das zerbombte Haus sah, oder noch später, als er aus seinem Vermögen und seiner Fabrik hinausbefördert wurde, da hat er bestimmt auch so gelächelt.

Das ist eine der großen Gemeinheiten, die es unter den Menschen geben kann, dieses herrschaftliche Lächeln. Die wahre Sünde der Reichen. Die man nicht vergeben kann. Denn ich verstehe es, wenn jemand schlägt und mordet, um sich zu wehren. Aber wenn einer nur schweigt und lächelt, was kann man da noch machen? Alles war zuwenig, was ich, eine Frau, die aus der Grube hervorgekrochen kam und dann seinen Weg kreuzte, gegen ihn erfinden konnte. Alles, was ihm die Welt antun konnte, war zuwenig. Das Lächeln hätte man ihm nehmen sollen. Warum wissen das die berühmten Revolutionäre nicht? Denn die Aktien und Edelsteine wachsen unter den Händen der Reichen immer wieder hervor, auch dann noch, wenn sie alles verloren haben. Selbst wenn man sie bis auf die Haut auszieht, bleibt ihnen ein geheimnisvolles Vermögen, das keine irdische Macht wegnehmen kann. Ja, wenn so ein echter Reicher, der fünfzigtausend Morgen Land besessen hat oder eine Fabrik mit zweitausend Arbeitern, wenn der alles verliert, ist er immer noch reicher als ein Armer, dem es gerade gutgeht.

Wie sie das machen? Ich weiß es nicht. Schau, ich habe zu einer Zeit gelebt, als für die Reichen ein übler Wind blies, als alles und alle gegen sie verschworen waren. Es wurde ihnen das ganze Hab und Gut der Reihe nach weggenommen, nach ausgeklügelten Plänen. Das ganze sichtbare Vermögen. Und dann, schlau und raffiniert, auch das unsichtbare. Und trotzdem, diese Leute sind doch wohlhabend geblieben.

Ich starrte das alles mit offenem Mund an und empörte mich nicht. Spottete nicht, wie hätte ich auch spotten können. Ich will jetzt nicht das große Klagelied über die Armen und die Reichen anstimmen. Versteh mich nicht falsch. Ich weiß, es würde gut klingen, wenn ich jetzt im Morgengrauen zu schreien anfinge, wie sehr ich die Reichen gehaßt habe, wegen ihres Geldes, wegen ihrer Macht. Ich empfand Haß, das schon, aber nicht gegen ihren Reichtum. Vielmehr hatte ich Angst vor ihnen, eine ehrfürchtige Angst, so wie der Wilde vor Blitz und Donner. Ich war ihnen böse, aber so, wie die Menschen früher den Göttern böse waren. Du weißt doch, die kleinen, dicken, menschengestaltigen Götter, die das Maul aufreißen und links und rechts Frauen bespringen und sich überhaupt in die ganze menschliche Unordnung einmischen, sich in die Betten legen und in die Töpfe hineinlangen und sich benehmen wie die Menschen. Und sie sind trotzdem keine Menschen, sondern Götter, mittlere, menschenartige Hilfsgötter.

Mit einem solchen Gefühl dachte ich also an die Reichen. Ich war keine aufständische Proletarierin, keine klassenbewußte Arbeiterin, nicht die Spur. Ich war von so tief unten gekommen, daß ich mehr wußte, als was die Volksredner, auf ihren Fässern stehend, erzählen. Ich wußte, daß es keine Gerechtigkeit gibt und nie geben wird. Wenn irgendwo eine Ungerechtigkeit aufgehoben wird, tritt an ihre Stelle eine andere. Und dann war es auch so, daß ich eine Frau war und schön und dorthin strebte, wo die Sonne schien. Ist das ein Verbrechen, sag? Kann sein, daß die Revolutionäre, die davon leben, daß sie versprechen, es werde alles gut, sofern sie das existierende Schlechte durch etwas ersetzen können, das auf andere Art schlecht ist, also, kann sein, daß die mich dafür verachten würden. Aber zu dir will ich ehrlich sein. Dir will ich alles geben, was ich noch habe, nicht nur den Schmuck. Und so will ich dir gestehen, daß ich die Reichen haßte, weil ich ihnen nur ihr Geld wegnehmen konnte. Das andere, das genauso den Sinn und das Geheimnis des Reichseins ausmachte, das genauso der unheimliche Zauber ihres Andersseins war, das Andere gaben sie nicht her. Das haben sie so gut versteckt, daß kein Revolutionär es aufspüren kann. Besser versteckt als ihre Kostbarkeiten in den Panzerschränken ausländischer Banken.

Sie gaben nicht her, daß sie plötzlich, ohne Übergang, das Thema wechseln konnten, auch wenn etwas gerade schmerzlich aktuell war. Wenn mir das Herz vor Erregung klopfte, weil ich wütend war oder verliebt oder weil sie mich verletzt hatten. Wenn ich ein Unrecht sah und am liebsten vor Empörung geschrien hätte. Da blieben sie ruhig und lächelten. Ich kann es gar nicht mit Worten schildern. Irgendwie kann man das nie, wenn es um die wichtigen Dinge des Lebens geht. Vielleicht vermag es die Musik, ich weiß es nicht. Oder eine liebevolle Berührung. Halt still. Mein anderer Freund da, der hat am Ende nicht ohne Grund immer nur Wörterbücher gelesen. Der suchte ein Wort. Hat es aber nicht gefunden.

Du brauchst also nicht überrascht zu sein, daß ich es auch nicht mit passenden Worten erzählen kann. Ich rede einfach so daher.

Gib mal das Photo. Ja, so hat er ausgesehen, mein Mann, als ich ihn kennenlernte. Als ich ihn zum letztenmal gesehen habe, nach der Belagerung, da war er auch so. Er hatte sich nur so verändert wie ein teurer Gegenstand durch den Gebrauch: war ein bißchen glänzender, glatter, polierter.

Hol's der Teufel, vielleicht ist es doch besser, ich gebe mir einen Ruck und versuche, die richtigen Worte zu finden. Ich will beim Ende anfangen, dann verstehst du's vielleicht, auch wenn ich den Anfang weglasse.

Sein Kreuz war es, daß er ein Bürgerlicher war. Für die Roten ist das ein gemeiner, fetter Kerl, der den ganzen Tag auf die Aktienkurse lauert und unterdessen die Arbeiter quält. Auch ich habe mir das irgendwie so vorgestellt, bevor ich in ihre Nähe geriet. Aber später habe ich begriffen, daß dieser ganze Jux mit Klassenkampf und Bürgerlichkeit nicht so läuft, wie man das uns, den Proleten, weismachen wollte.

Dieser Mensch hatte die fixe Idee, daß der Bürgerliche eine Rolle habe in der Welt, nicht nur als Unternehmer oder als Nachahmer von denen, die früher mächtig waren. Er dachte, er als Bürgerlicher würde irgendwie die Welt in Ordnung bringen, die Herren wären dann nicht mehr so sehr Herren, und die Proleten wären nicht mehr so sehr eine Bettlergesellschaft. Er dachte, irgendwie würden alle zu Bürgerlichen, die einen nach unten, die anderen nach oben, solange er, der Bürgerliche, an seinem Platz blieb in einer Welt, in der alles kopfstand. Eines Tages sprach er mich an. Er sagte, er wolle mich, das Dienstmädchen, heiraten.

Ich verstand nicht genau, was er da redete, aber ich

haßte ihn in dem Augenblick so, daß ich ihm am liebsten ins Gesicht gespuckt hätte. Es war Weihnachten, ich kniete vor dem Kamin, um das Feuer anzuzünden. Ich hatte das Gefühl, das sei die größte Beleidigung, die mir je widerfahren war. Der will mich kaufen wie einen seltenen Hund, so fühlte ich. Ich sagte ihm, er solle sich packen.

Na, da hat er mich auch nicht geheiratet. Und später hat er jene feine Dame geheiratet. Sie hatten auch ein Kind, und das ist gestorben. Auch der alte Herr ist gestorben, und das tat mir leid. Nachdem er gestorben war, verwandelte sich das Haus in ein Museum, das hin und wieder besucht wurde. Ich hätte nicht gestaunt, wenn am Sonntagvormittag Schulkinder geklingelt hätten, zwecks Besichtigung der Villa. Mein Mann lebte da mit seiner Frau schon in einem anderen Haus. Sie waren oft auf Reisen. Und ich blieb bei der alten Gnädigen. Die war nicht dumm. Ich fürchtete sie, hatte sie aber auch gern. In ihr flackerte noch etwas vom Wissen der Frauen alter Zeit. Sie kannte Rezepte zur Heilung der Leber oder der Nieren. Sie wußte auch von mir und ihrem Sohn, ohne daß man es ihr zu sagen brauchte. Sie wußte von unserem langen Ringen, so wie nur eine Frau von den Dingen Wind zu bekommen vermag. Wie Radarantennen fangen wir das Geheimnis des Mannes, der uns nahesteht.

So wußte sie, daß ihr Sohn hoffnungslos einsam war, weil die Welt, zu der er mit Haut und Haar gehörte, im Wachzustand, in seinen Träumen und Erinnerungen, ihn nicht mehr schützen konnte. Denn diese Welt war dabei, sich aufzulösen wie die alten Stoffe, die man für nichts mehr gebrauchen kann, weder als Zierdecke noch als Scheuerlappen. Weil ihr Sohn nicht mehr angriff, sondern sich nur noch verteidigte. Und wer das tut, der lebt nicht mehr, der existiert bloß noch. Mit dem Instinkt der vorzeitlichen Jägerin und Sammlerin hatte die alte Frau diese heimliche Gefahr gleich gespürt. Und sie hütete das Geheimnis so, wie man in einer Familie von einer Erbkrankheit weiß, die man nicht erwähnen darf, weil wichtige Interessen es verbieten.

Was schaust du mich an? Ja, klar, ich bin auch nervös, nicht nur die Herrschaft. Und ich bin es nicht erst unter ihnen geworden. Ich war es schon zu Hause, in der Grube, oder was immer ich zu Hause nennen soll. Wenn ich die Wörter »Zuhause« oder »Familie« ausspreche, sehe ich nichts, sondern rieche nur etwas. Den Geruch von Erde, Schlamm, Mäusen und Menschen. Und über allem einen anderen Geruch, der auch über meiner halb tierischen, halb menschlichen Kindheit schwebte, der vom Regen nasse, nach Pilzen riechende Wald, der Geschmack des Sonnenlichts in der hellblauen Luft, ein Geschmack, wie wenn man einen Metallgegenstand mit der Zungenspitze berührt. Ich war ein nervöses Kind, ich gebe es ja zu. Auch wir können es sein, nicht nur die Reichen.

Aber ich will dir vom Ende erzählen, vom Augenblick, als ich meinen Mann zum letztenmal gesehen habe. Denn so genau, wie ich weiß, daß ich jetzt im Morgengrauen hier mit dir in einem Hotelzimmer sitze, weiß ich auch, daß ich ihn da zum letztenmal gesehen habe.

Wart mal, trinken wir jetzt keinen Cognac mehr. Besser einen Kaffee. Komm, leg mir die Hand aufs Herz. Ja, es klopft stark. Tut es immer in der Morgenfrühe. Aber jetzt nicht wegen des Kaffees und der Zigaretten und auch nicht, weil ich mit dir zusammen bin. Es klopft so stark, weil mir jener Augenblick eingefallen ist.

Glaub bloß nicht, es sei wegen der Sehnsucht. In diesem Herzklopfen ist nichts so Kinomäßiges. Ich habe ja schon gesagt, daß ich ihn nie geliebt habe. Es gab eine Zeit, da ich in ihn verliebt war, aber nur so lange, wie ich nicht mit ihm lebte. Beides zusammen geht nicht, weißt du.

Dann ist alles so gekommen, wie ich es in meinem verrückten, verliebten Kopf ausgedacht hatte. Die alte Frau starb, ich ging nach London. Zeig mal das andere Bild da. Na, das war ein Grieche, wie er im Buche steht. Er unterrichtete Gesang, in Soho. Ein großer Schlawiner, der seine feurigen dunklen Augen so wunderbar verdrehen, der so wunderbar flüstern und schwören und ekstatisch schielen konnte wie hier in der Oper der neapolitanische Tenor, den wir letzthin gesehen haben.

Ich war damals in London sehr allein. Weißt du, in dieser englischen Steinwüste ist alles so unbarmherzig groß. Auch die Langeweile ist unbarmherzig. Nur haben die Engländer ihre Art von Langweile gelernt, sie verstehen sich darauf. Ich war als Dienstmädchen gekommen. Doch in dem Haus in London, wo ich eine Anstellung fand – damals war ausländisches Personal in London so gefragt wie früher die Mohrensklaven… es gibt eine alte Stadt, Liverpool, von der man sagt, sie sei auf Negerschädeln gebaut –, na ja, jedenfalls hielt ich es in dem großen Haus nicht lange aus, denn in London ist es was ganz anderes, Dienstmädchen zu sein, als bei uns zu Hause. Besser, aber auch schlechter. Nicht die Arbeit. Daß man auch dort arbeiten mußte, störte mich nicht. Ihre Sprache konnte ich nur radebrechen, das war schon ein größeres Problem. Aber am meisten bedrückte mich, daß ich in dem Haus gar nicht Dienstmädchen war, sondern ein Apparat. Und nicht etwa ein englischer Haushaltsapparat, sondern ein

Apparat in einem Großbetrieb, wo sie sich mit Import beschäftigten. Ich war eine Importware. Und obendrein war ich gar nicht bei einer richtigen englischen Familie in Anstellung, sondern bei reichen Einwanderern, Juden aus Deutschland. Sie waren vor Hitler nach England geflohen, der Hausherr war Fabrikant von dicker Baumwollunterwäsche, die er der Armee verkaufte. Er war so gründlich ein deutscher Jude, daß er mindestens so deutsch wie jüdisch war. Er trug das Haar unten ausrasiert, und ich glaube – ich bin nicht ganz sicher, aber es kann sein –, daß er sich von einem Chirurgen Schmisse ins Gesicht hatte applizieren lassen, um so schneidig auszusehen wie ein deutscher Korpsstudent. So kam es mir jedenfalls vor, wenn ich mir hin und wieder ein bißchen sein Gesicht anguckte.

Aber es waren anständige Leute, und sie spielten so krampfhaft und begeistert die Engländer, wie es die echten Engländer damals nicht mehr konnten und auch gar nicht mochten. Wir lebten in einem der grünen Stadtviertel in einem schönen Haus. Die Herrschaften waren zu viert, wir, das Personal, zu fünft plus eine Zugehfrau. Ich war die Türöffnerin. Es gab einen Diener und eine Köchin, wie zu Hause. Und auch ein Küchenmädchen und einen Chauffeur. Das alles fand ich in Ordnung. In den alten englischen Familien gab es damals kein so zeremoniöses Personal mehr. Die großen Häuser waren verkauft und umgebaut worden, und nur in den wenigen Familien, wo man noch die herrschaftlichen Gebräuche pflegte, hielt man sich die vorgeschriebene Anzahl von Angestellten. Das Küchenmädchen hätte niemals einen Handgriff von meinen Pflichten übernommen. Und der Diener hätte sich eher die Hände abgehackt, als der Köchin zu helfen.

Wir waren alle nur auf eine Arbeit eingestellt und tickten vor uns hin. Und weißt du, was das Beunruhigende war? Daß ich nie wußte, in welchem Gehäuse wir so tickten, in welchem Mechanismus. War es eine feine Schweizer Uhr, oder war es eine Höllenmaschine? Da war etwas Unheimliches in dieser vornehmen, stillen englischen Lebensart. Weißt du, auch die lächelten die ganze Zeit, wie in den englischen Kriminalromanen, wo sich der Mörder und das Opfer gepflegt darüber unterhalten, daß der eine den anderen umzubringen gedenkt. Und dazu lächeln sie. Das war langweilig. Ich ertrug diese geheizte, geschrubbte englische Langeweile schlecht. Und weder in der Küche noch im Salon wußte ich, ob ich an der richtigen Stelle lachte. Im Salon lachte ich selbstverständlich nur innerlich, denn ich durfte ja nicht lachen, wenn sie, die Engländer spielenden Herrschaften, sich Witze erzählten. Aber auch in der Küche wußte ich nie, ob ich an passender Stelle lachte. Denn sie hatten es mit dem Humor. Der Diener war auf ein Witzblatt abonniert, und während des Mittagessens las er die Witze vor, die mir eher plump als lustig vorkamen. Und dann lachten sie alle wie verrückt, die Köchin, der Chauffeur, das Küchenmädchen und der Diener. Und zwischendurch schielten sie zu mir herüber, um zu sehen, ob ich auch lachte, ob ich den tollen englischen Humor verstand.

Ich begriff aber meistens nur so viel, daß sie mich auf die Schippe nahmen und gar nicht über die Witze lachten, sondern über mich. Denn die Engländer sind fast so unverständlich wie die Reichen. Man muß sehr aufpassen, denn sie lächeln immer, auch wenn sie was ganz Gemeines denken. Und manchmal glotzen sie einen so dumm an, als könnten sie nicht bis drei zählen. Aber sie sind gar nicht dumm, und zählen können sie hervorragend, besonders, wenn sie einen hereinlegen wollen.

Ich, die Fremde, die weiße Negerin, wurde von den englischen Dienstboten natürlich zutiefst verachtet. Aber vielleicht nicht ganz so sehr, wie sie die eingewanderte Herrschaft, die reichen deutschen Juden, verachteten. Mich verachteten sie barmherzig. Und sie bemitleideten mich vielleicht auch, weil ich die Witze aus dem *Punch* nicht verstand.

Ich lebte einfach unter ihnen, so gut es ging. Und wartete, denn was anderes konnte ich nicht tun.

Worauf ich wartete? Auf den Lohengrin, der eines Tages alles stehen- und liegenläßt, um mich zu holen? Auf den Mann, der damals noch mit einer anderen Frau lebte, mit einer reichen? Ich wußte, daß meine Zeit kommen würde und daß ich nur zu warten brauchte.

Aber ich wußte auch, daß sich dieser Mann niemals von sich aus rühren würde. Daß ich ihn nach einer Weile würde holen müssen, ihn am Schopf packen und ihn aus seinem Leben herausziehen wie den Erstickenden aus dem Sumpf.

An einem Sonntagnachmittag lernte ich in Soho den Griechen kennen. Ich habe nie herausbekommen, womit er sich eigentlich beschäftigte. Er sagte, er sei Unternehmer. Er hatte verdächtig viel Geld, hielt sich auch ein Auto, was damals seltener war als heute. Und nachts spielte er in den Clubs Karten. Ich glaube, seine Beschäftigung bestand ganz einfach darin, daß er ein Südländer war. Die Engländer staunten nicht, wenn einer in England davon lebte, daß er Südländer war. Sie lächelten freundlich, nickten mit dem Kopf und wußten alles von uns, den Ausländern. Und sie schwiegen. Jaulten nur kurz auf, wenn jemand ihre sogenannten guten Manieren verletzt hatte. Von denen man nie wirklich wußte, worin sie bestanden.

Mein Grieche trippelte immer auf einer Grenzlinie zwischen ihnen hindurch. Er wurde nie festgenommen, aber wenn ich mit ihm in einem Lokal oder einem vornehmen Restaurant saß, blickte er immer zur Tür, als erwartete er, daß die Bullen auftauchten. Ja, der spitzte schon die Ohren. Na, steck das Bild wieder an seinen Platz. Was ich von ihm gelernt habe? Singen habe ich gelernt. Er hat entdeckt, daß ich eine Stimme habe. Ja, du hast schon recht, ich habe noch anderes von ihm gelernt. Ach, hör schon auf! Ich sag's doch, er war ein Südländer. Vergessen wir den Griechen.

Unterbrich mich nicht. Du weißt ja, daß ich nur den Schluß erzählen will. Den Schluß wovon? Na eben, daß alles umsonst war, weil ich insgeheim meinen Mann haßte. Aber angebetet habe ich ihn auch, wie eine Irre.


Ich habe das in dem Augenblick verstanden, als er mir nach der Belagerung auf einer Brücke entgegenkam. Wie einfach das klingt. Jetzt habe ich es ausgesprochen, und siehst du, es passiert nichts. Du liegst hier in Rom im Hotelzimmer im Bett, wir paffen amerikanische Zigaretten, in der türkischen Kanne duftet der Kaffee, es wird allmählich hell, du stützt dich auf einen Unterarm und schaust mich an. Dein prachtvolles Brillantinehaar fällt dir in die Stirn. Und du wartest darauf, daß ich weiter erzähle. So wundersam wandelt sich alles im Leben. Also, ich ging nach der Belagerung über die Brücke, und da kam mir auf einmal mein Mann entgegen. Das ist alles. So einfach ist das.

Jetzt, wo ich es ausgesprochen habe, staune ich selbst, was alles in einem Satz Platz hat. Zum Beispiel sagt man »nach der Belagerung«. Das sagt man einfach so, obwohl es in Wirklichkeit nicht ganz so einfach war. Du mußt wissen, daß es damals, gegen Ende Februar, in Transdanubien noch krachte und polterte. Es war noch Krieg, Dörfer und Städte brannten, Menschen kamen um. Doch in Pest und Buda lebten wir schon beinahe so, wie man in einer Stadt eben lebt. Na ja, wir lebten auch so wie vor Urzeiten die Nomaden oder wie die Zigeuner. Gegen Mitte Februar war auch noch der letzte Nazi aus Pest und Buda rausgeprügelt worden, und dann entfernte sich die Front mit leiser werdendem Dröhnen, jeden Tag hörte man den Donner von weiter weg. Die Leute krochen aus den Kellern heraus.

Du in deinem friedlichen Zala hast natürlich glauben können, wir, die in Budapest steckengeblieben waren, seien alle durchgedreht. Du hast schon recht, wenn jemand von außen sah, was in jenen Wochen und Monaten nach der Belagerung geschah, dann mußte er so was denken. Wie hätte er nachvollziehen können, was wir fühlten, was wir redeten, nachdem wir aus dieser Hölle auferstanden waren. Aus der Schande und dem Schrecken. Aus dem Gestank, in dem wir wochenlang geschmort hatten. Wir krochen aus dem Dreck hervor, aus dem Dunst ungewaschener Körper, aus der Unreinheit aufeinandergepferchter Leiber. Es verwirrt sich vieles, wenn ich an diese Zeit denke. Weißt du, wie wenn ein Film reißt, auf einmal ist ein Loch in der Geschichte, und die Zuschauer zwinkern geblendet vor dem grell zuckenden Weiß der Leinwand.

Die Häuser rauchten noch, als wäre ganz Buda, das ganze alte Stadtviertel, die Burg, das Zierstück der Stadt, ein einziger Scheiterhaufen. Ich selbst war in Buda an dem Tag. Die Belagerung hatte ich nicht in meinem Keller durchgemacht, denn das Haus hatte schon im Sommer einen Treffer abbekommen. Ich war in ein Hotel in Buda umgezogen, und später, als die russischen Truppen schon die ganze Stadt umzingelt hatten, ging ich zu einem Bekannten und wohnte dort. Was für ein Bekannter? Frag mich jetzt nicht aus. Ich erzähle es dann schon, der Reihe nach.

Damals war es nicht schwer, in Budapest eine Unterkunft zu finden. Alle schliefen möglichst nicht zu Hause, sondern irgendwo auswärts. Auch Leute, die ruhigen Gewissens zu Hause hätten bleiben können, aber da war so ein unwirkliches Gefühl, man spürte, daß der große Karneval bald zu Ende war, und so spielten alle, daß sie Angst hatten, daß sie sich verstecken mußten, als wäre irgendwer speziell hinter ihnen her. Alle schienen sich verkleidet zu haben. Als nähme eine ganze Gesellschaft an einem Hexensabbat teil.

Als hätte sich, man könnte es auch so sagen, diese Gesellschaft mit dem vielen Alkohol vollaufen lassen, den die Nazis in den Kellern, in den Lagern der großen Hotels und Restaurants gefunden und dann zurückgelassen hatten, weil sie Leine ziehen mußten, Richtung Westen. Es war so, wie man es von den großen Flugzeug- oder Schiffsunfällen sagt, wenn es die Reisenden auf eine unbewohnte Insel oder auf einen Berggipfel verschlägt, und es vergehen drei Tage, vier Tage, und die Vorräte schwinden. Und die Leute, bessere Damen und Herren, beginnen einander prüfend anzuschauen, um zu sehen, in wen man hineinbeißen könnte. So wie in dem Film, wo der kleine Schauspieler, der Chaplin, in Alaska von einem mordsgroßen Goldgräber umhergejagt wird, weil der das kleine Männchen fressen will. Es war etwas Irres im Blick der Menschen, wenn sie etwas ansahen oder davon sprachen, daß man da und da noch etwas zu essen bekam. Denn wie die Schiffbrüchigen auf der Insel hatten sie beschlossen, den Schiffbruch zu überleben, koste es, was es wolle, und sei es auch um den Preis der Menschenfresserei. Und so sammelten und horteten sie, was sie gerade fanden.

Nach der Belagerung habe ich gesehen, was Wirklichkeit ist. Als hätte man mir die Augen gewaltsam geöffnet. Einen Moment lang stockte mir der Atem, so interessant war das, was ich sah.

Die Häuser auf dem Burghügel brannten noch, als wir aus den Kellern krochen. Die Frauen hatten sich als Greisinnen zurechtgemacht, zerlumpt und schmutzig, weil sie glaubten, so würden sie von den Russen verschont. Aus unseren Kleidern und Körpern strömte der Geruch des Todes, der Leichengeruch der Keller. Hin und wieder ging eine der Bomben hoch, die überall an den Straßenrändern lagen. Ich lief mitten auf der breiten Straße, zwischen Leichen, Schutt, kaputten Panzern und den wackligen Skeletten abgestürzter Jagdflugzeuge. Ich war durch das Krisztina-Stadtviertel in Richtung Vérmező unterwegs. Ein bißchen schwankend im vorfrühlingshaften Sonnenschein, im Gefühl, noch zu leben. Aber ich stapfte los wie Tausende von Menschen auch, denn es gab schon eine in aller Eile zusammengetakelte Brücke über die Donau. Eine bucklige Angelegenheit wie der Rücken eines Dromedars. Die Schergen der russischen Militärpolizei hatten links und rechts Leute eingefangen, die dann die Brücke bauen mußten. So konnte man wieder von Buda nach Pest gelangen. Auch ich trabte, so schnell ich konnte, denn ich wollte möglichst rasch in Pest sein. Ich konnte es kaum erwarten. Was? Unsere alte Wohnung wiederzusehen? Keine Spur. Ich will dir sagen, was ich nicht erwarten konnte. Am ersten Morgen, als es wieder eine Brücke gab, eilte ich nach Pest hinüber, weil ich Nagellackentferner kaufen wollte, in der alten Drogerie.

Was starrst du mich an? Es war genau so, wie ich es dir sage. Buda stand noch in Flammen. In Pest hingen den Häusern die Eingeweide heraus. Doch in den Wochen, in denen wir im Keller eines Budaer Mietshauses faulten, Männer, Frauen und Kinder, alle dreckig, denn Wasser gab es keins, in diesen zwei Wochen quälte mich nichts so sehr, wie daß ich vergessen hatte, den Nagellackentferner mitzunehmen. Als nach dem letzten Sirenengeheul die Belagerung begonnen hatte, war ich mit karmesinroten Fingernägeln in den Keller gestiegen. Und dann saß ich wochenlang mit roten Nägeln dort, bis Buda fiel. Und bis der Lack zum Teil abgesplittert war.

Denn weißt du, zu jener Zeit hatte ich auch schon rote Nägel wie die Glamourfrauen. Ein Mann versteht das nicht. Die ganze Belagerung hindurch regte es mich tödlich auf, daß ich nicht wußte, wann ich endlich wieder nach Pest hinüberlaufen konnte, in die Drogerie, wo man noch den guten alten Nagellackentferner aus der Friedenszeit bekam.

Der Seelenforscher, dem ich jedesmal fünfzig Pengő bezahlte, um mich auf seine Couch zu legen, der hätte bestimmt gesagt, daß ich gar nicht den Lack entfernen wollte, sondern den Schmutz meines Lebens von vor der Belagerung. Vielleicht. Jedenfalls wußte ich nur, daß meine Nägel nicht mehr rot, sondern dreckig waren und daß sich das so rasch wie möglich ändern mußte. Deshalb hetzte ich gleich am ersten Tag über die Brücke.

Als ich in die Straße kam, in der unsere Wohnung gewesen war, lief auf dem Gehsteig eine bekannte Gestalt. Es war der Spengler, ein Alteingesessener in dem Stadtteil, ein anständiger älterer Mann. Wie viele andere hatte auch er sich einen grauen Bart wachsen lassen, um auszusehen wie ein Tattergreis, damit ihn die Russen nicht zur Zwangsarbeit abtransportierten. Der Alte schleppte ein großes Paket. Ich freute mich, als ich ihn erkannte. Und auf einmal hörte ich, wie er einem Schlosser, der auf der anderen Straßenseite in einem Trümmerhaus wohnte, zurief: »Jenő, lauf ins Zentralwarenhaus, da gibt's noch was zu holen.«

Und der Schlosser, ein langer, dünner Mensch, rief krächzend und begeistert zurück: »Gut, daß du's sagst, ich gehe gleich.«

Ich stand am Rand des Vérmező und blickte ihnen lange nach. Und sah so auch den versoffenen alten Bulgaren, der winters das Holz in die Herrschaftshäuser brachte. Jetzt trat er aus einem Trümmerhaus und hielt sorglich und vorsichtig, so wie der Priester beim feierlichen Umgang das Allerheiligste, einen goldgerahmten Spiegel in die Höhe. Der Spiegel blitzte im funkelnden Vorfrühlingslicht. Das alte Männchen schritt mit dem Spiegel in den Händen so ehrfürchtig, als hätte er an seinem Lebensende von den Feen doch noch das Geschenk erhalten, nach dem er sich von Kindheit an gesehnt hatte. Es war offensichtlich, daß der gute Bulgare den Spiegel soeben gestohlen hatte. Er schritt zwischen den Trümmern dahin, als wäre auf der Welt endlich der große Jubeltag angebrochen und er wäre einer der Gefeierten dieser zauberhaften, geheimnisvollen Festlichkeit. Er, der Bulgare mit dem gestohlenen Spiegel.

Ich rieb mir die Augen und blickte auch ihm einen Moment lang nach. Dann ging ich instinktiv auf das Trümmerhaus zu, aus dem der Alte getreten war. Das Tor war noch ganz, aber anstelle der Treppe führte ein Schutthügel in den ersten Stock hinauf. Später hörte ich, daß dieses alte Budaer Haus mehr als dreißig Treffer von Bomben, Minen und Granaten erhalten hatte. Auch hier wohnten Bekannte, zum Beispiel im ersten Stock der pensionierte Kurienrichter und seine Frau, mit denen wir manchmal bei Auguszt, der alten Konditorei in Buda, Kaffee getrunken hatten. Das Krisztina-Viertel war schon immer eher wie eine österreichische Kleinstadt gewesen, es glich keinem anderen Stadtteil von Budapest. Ureinwohner und Neuzuzügler lebten hier in familiärer Vertraulichkeit, in einer stillen Verschwörung, die weder Ziel noch Zweck hatte, sondern nur bedeutete, daß hier alle zu derselben Klasse gehörten, nämlich zu dem Bürgertum, das es dank Pension oder dank friedlicher Kleinarbeit zu einem bescheidenen Wohlstand gebracht hatte. Und wen es aus einer unteren Schicht hierher verschlagen hatte, der schaute den Ureinwohnern das Benehmen ab, war anständig und bescheiden. So der Schlosser, so der Spengler. Das war eine einzige große Familie im Krisztina-Viertel, bieder, brav, rechtschaffen.

Mir klang der Ruf des Spenglers noch im Ohr, dieser verschworene, ganovenhafte Schrei. Ich kletterte über den Schutthaufen in den ersten Stock hinauf und fand mich in der Wohnung des Kurienrichters wieder, im mittleren Zimmer, dem Salon. Ich kannte ihn, wir waren hier einmal zum Tee eingeladen gewesen. Die Decke des Zimmers fehlte, eine Bombe hatte das Hausdach zertrümmert, und alles war von oben hierher durchgebrochen, Dachbalken, Ziegel, Fensterrahmen, eine Tür, Brick und Mörtel, und dann die Teile verstümmelter Möbel, ein Empiretischbein, die Frontseite eines Maria-Theresia-Schranks, Bestandteile von Vitrinen und Lampen.

Unter dem ganzen Schutt schaute ein Zipfel des Orientteppichs hervor. Und auch eine Photographie des alten Kurienrichters lag auf diesem Haufen. Ein Bild im Silberrahmen, der Alte im Gehrock, mit pomadisiertem Haar. Ich schaute es mit Ehrfurcht an, es hatte etwas von einem Heiligenbild. Doch dann schob ich das Bild mit der Schuhspitze beiseite. Das Zimmer mit seinen Trümmern aus verschiedenen Wohnungen sah aus wie der Abfallhaufen der ganzen Geschichte. Die Bewohner waren noch nicht aus dem Keller aufgetaucht, oder vielleicht waren sie dort umgekommen. Ich wollte mich schon ans Hinuntersteigen machen, als ich merkte, daß ich nicht allein war.

Durch die Öffnung, die in einer kaputten Wand in den Nebenraum führte, kroch ein Mensch daher, in einer Hand eine Schachtel mit Silberbesteck. Er grüßte mich ohne Verlegenheit, so höflich, als käme er auf Besuch. Der Nebenraum war das Eßzimmer des Kurienrichters, von dort kam der liebe Gast gekrochen. Es war ein Beamter, den ich vom Sehen kannte, auch er wohnte im Krisztina-Viertel, ein rechtschaffener Bürger. »Die Bücher«, sagte er bedauernd, »wie schade um die Bücher.« Wir stiegen gemeinsam ins Erdgeschoß hinunter, ich half ihm die Schachtel tragen. Dabei plauderten wir locker. Er sagte, eigentlich sei er wegen der Bücher gekommen, der alte Richter habe eine große Bibliothek gehabt, Belletristik und juristische Werke, alles gebunden, und er liebe Bücher sehr. Deshalb habe er gedacht, er wolle »die Bibliothek retten«. Bedauerlicherweise habe er es nicht tun können, denn auch im Nebenzimmer sei die Decke eingebrochen, und die Bücher seien durchnäßt, ein einziger Brei wie in einer Papierfabrik. Das Silberbesteck erwähnte er nicht, das hatte er nebenbei aufgelesen.

Plaudernd, auf Händen und Füßen, rutschten wir über den Schutthaufen hinunter. Galant zeigte mir der Beamte den Weg, hielt mich zuweilen am Ellenbogen fest und half mir über schwierige Stellen hinweg. Beim Tor verabschiedeten wir uns. Der Ureinwohner zog befriedigt ab, das Silberbesteck unter dem Arm.

Der Beamte, der Bulgare, der Spengler und der Schlosser, sie alle arbeiteten in eigener Regie, weißt du, wie die Leute, die man später die Privaten nannte. Sie hatten sich ausgedacht, sie würden schon mal retten, was den Nazis und den Pfeilkreuzlern und den Russen und den heimlich wieder aufgetauchten einheimischen Kommunisten entgangen war. Sie hielten es für eine patriotische Pflicht, die Hände auf alles Greifbare zu legen, und so begannen sie eben zu »retten«. Und retteten nicht nur das Eigene, sondern auch den Besitz von anderen Leuten. Von diesen Rettern wimmelte es nicht gerade, aber sie fielen durch ihren Fleiß auf. Und wir anderen neun oder mehr Millionen, das sogenannte Volk, nicht wahr, wir sahen eine Weile in einer Art Benommenheit zu, wie die da im Namen des Volkes alles zusammenstahlen. Zuvor hatten schon die Pfeilkreuzler wochenlang ihre Raubzüge gemacht. Es war wie eine Epidemie. Den Juden hatte man alles geraubt, die Wohnung, den Grundbesitz, das Geschäft, die Fabrik, die Apotheke, dann die Arbeit und schließlich das Leben. Das war keine Amateurarbeit, sondern ein Großunternehmen. Dann kamen die Russen. Auch die arbeiteten sich systematisch durch, von Haus zu Haus und von Wohnung zu Wohnung. Und mit ihnen kamen scharenweise die einheimischen Kommunisten, die in Moskau ausgebildet worden waren und wußten, wie man ein Volk bis aufs Mark aussaugt. Das Volk, das Volk. Weißt du, was das ist? Du und ich, waren wir das Volk? Denn jetzt, da fortwährend alles im Namen des Volkes geschieht, hat das Volk langsam genug. Ich weiß noch, wie verblüfft ich war, als mein Mann und ich einmal zur Erntezeit auf einem Landgut Ferien machten und das Bübchen des Hauses, ein blondgelocktes Herrensöhnchen, hereingerannt kam und begeistert schrie: »Mami, stell dir vor, die Mähmaschine hat einem Völkler die Finger abgeschnitten.« Wir lächelten, Kindermund, sagten wir nachsichtig. Aber jetzt, da alle Volk sind, sowohl die Herrschaft als auch wir anderen? Damals, in jenen Wochen, als die Kommunisten kamen und es Experten gab, die nicht einfach stahlen, sondern, wie sie sagten, die soziale Gerechtigkeit wiederherstellten, da fühlten wir uns, die Herrschaft und wir anderen, einander nahe wie noch nie. Weißt du, was soziale Gerechtigkeit ist? Das Volk wußte es nicht. Das glotzte nur erstaunt, als die Fortschrittlichen die neuen Gesetze brachten und erklärten, daß das, was dir gehört, nicht wirklich dir gehört, weil alles dem Staat gehört. Das verstanden wir nicht. Vielleicht verachtete das Volk nicht einmal die räuberischen Russen so sehr wie die emsigen Gerechtigkeitswiederhersteller, die da ein altes Gemälde, dort eine Spitzensammlung oder die Goldzähne eines unbekannten Großvaters retteten. Im Namen des Volkes. Man konnte nur staunen und angewidert ausspucken.

Na, jetzt habe ich mich heißgeredet. Gib mir das Kölnischwasser, ich will mir die Stirn befeuchten.

Du hast dich in deiner Provinz geduckt und also nicht wissen können, wie damals das Leben in Budapest war. Es gab noch gar nichts, und doch begann die Stadt, auf das Pfeifsignal eines Dämons oder einer Fee, auf einmal zu leben, wie im Märchen, wenn der böse Zauberer sich in Rauch auflöst und die gebannten, scheintoten Menschen sich wieder regen. Plötzlich tickt die Uhr wieder, und die Quelle rauscht. Der böse Geist, der Krieg, war verraucht, das Ungeheuer nach Westen gestampft. Und was von einer Stadt und einer Gesellschaft übrig war, begann mit heftiger, hartnäckiger Freude, mit zäher Schlauheit zu leben, als wäre nichts geschehen. In den Wochen, als es in Budapest keine einzige Brücke gab, fuhren die Leute mit Booten über die Donau, so wie in alter Zeit. Doch in den Tordurchgängen der Boulevards bekam man schon allerlei Eßwaren zu kaufen, auch Toilettenartikel, Kleider, Schuhe, alles, was du willst. Napoleon-Goldmünzen, Morphium, Schweinefett. Die Juden kamen aus ihren sternbeschmierten Häusern getaumelt, und ein, zwei Wochen später konnte man in Budapest, zwischen noch nicht abtransportierten Leichen und Pferdekadavern, in den Trümmern eingestürzter Häuser schon wieder um feine englische Stoffe, französisches Parfum, holländischen Schnaps und Schweizer Uhren feilschen. Ein einziges Anbieten und Handeln und Rufen. Die Juden waren mit den russischen Lastwagenfahrern im Geschäft, die aus allen Ecken des Landes die Waren brachten. Auch die Christen gerieten in Schwung, und es begann die Völkerwanderung. Wien und Preßburg waren da schon gefallen, und die Leute ergatterten sich bei den Russen eine Fahrgelegenheit nach Wien und brachten Schweinefett, Zigaretten und Autos heim.

Unsere Ohren waren noch halb taub von den Explosionen der überall verstreuten Minen und Bomben, aber in Pest waren schon die Eszpreszós geöffnet, wo es starken Bohnenkaffee zu trinken gab und wo nachmittags um fünf die Mädchen des József-Viertels mit den russischen Matrosen tanzten. Noch waren nicht alle Verwandten begraben, und vielerorts guckten die Füße der Toten aus den hastig ausgehobenen Straßengräbern hervor. Aber schon sah man Frauen in modischen Kleidern und in voller Bemalung, wie sie im Boot über die Donau hasteten, zum Rendezvous in der Junggesellenwohnung einer Hausruine. Man sah bürgerlich gekleidete Menschen, die gemächlich zum Kaffeehaus auf dem Boulevard spazierten, wo man zwei Wochen nach der Belagerung zum Mittagessen Kalbspörkölt bekam. Es gab schon wieder Klatsch und Tratsch und Maniküre.

Ich kann dir nicht beschreiben, was es für ein Gefühl war, zwei Wochen nach der Belagerung, im herben Gestank der rauchenden Häuser, in der von uniformierten russischen Räubern und gierigen Krimmatrosen wimmelnden Stadt in einer Drogerie um französisches Parfum zu feilschen.

Seither habe ich oft gedacht, und ich denke es noch heute, daß niemand verstehen kann, was mit uns geschehen ist. Wir sind alle vom jenseitigen Ufer zurückgekommen, aus der Totenwelt. Alles, was zur Welt des Gestern gehört hatte, war eingestürzt und kaputtgegangen. Jedenfalls glaubten wir, daß alles zu Ende war und etwas Neues begann.

Ein paar Wochen lang glaubten wir das.

Diese Wochen, die Zeit unmittelbar nach der Belagerung, waren schon ein Erlebnis. Dann ging auch diese Zeit vorbei. Aber stell dir vor, in jenen Wochen gab es keine Gesetze, gar nichts. Gräfinnen hockten am Rand des Gehsteigs und verkauften Krapfen. Ich sah eine halb wahnsinnige Jüdin, eine Bekannte, die den ganzen Tag mit irrem Blick ihre kleine Tochter suchte und jeden ausfragte, bis sie endlich erfuhr, daß das Kind von den Pfeilkreuzlern umgebracht und in die Donau geworfen worden war. Die Frau wollte es einfach nicht glauben. Man hatte das Gefühl, alle müßten wieder am Leben sein, alles werde jetzt irgendwie anders. Von diesem »anders« redeten die Menschen mit blitzenden Augen, so wie die Verliebten oder die Drogensüchtigen, die von der großen Befriedigung faseln. Und tatsächlich ist bald alles »anders« geworden, nämlich so, wie es vorher war. Aber das wußten wir da noch nicht.

Was stellte ich mir vor? Hoffte ich, daß wir von nun an besser, menschlicher sein würden? Nein, das nicht.

Vielmehr hofften wir in jenen Tagen, auch ich und alle, mit denen ich sprach, daß die Angst und das Leiden etwas aus uns herausgebrannt hätten wie Salpeter. Vielleicht hoffte ich auch, daß wir unsere Schwächen und schlechten Gewohnheiten vergessen hätten. Oder nein, wart mal. Ich will das erzählen, aber ehrlich.

Vielleicht hofften wir noch etwas anderes. Vielleicht hofften wir, die Zeit einer großen Unordnung sei gekommen, und alles würde so bleiben, bis ans Ende der Tage. Und es werde keine Polizisten und Schergen geben und keine Nobelbehausungen und kein Küßdiehand, kein Mein und Dein und Ewiglich-dir-verbunden. Sondern? Der große Rummel, das zum Himmel schreiende Nichts, in dem die Menschheit einfach umherspaziert, Krapfen frißt, sich vor den Aufräumarbeiten drückt und allem einen Tritt gibt, was sich bis dahin Rücksicht und Verpflichtung nannte. Doch das wagte niemand auszusprechen. Weißt du, da war etwas Höllisches, aber auch etwas Paradiesisches in jenen Tagen. Ein Leben wie vor dem Sündenfall.

Und dann sind wir eines Tages erwacht, gähnend, aber auch mit einem kalten Schauder, denn wir merkten, daß sich nichts geändert hatte. Wir merkten, daß es kein »anders« gibt. Man wird in die Hölle geworfen und dort gekocht, und wenn man eines Tages dank einer himmlischen Macht wieder heraufgeholt wird, macht man nach kurzem Blinzeln dort weiter, wo man aufgehört hat.

Ich hatte viel zu tun, denn die Tage bestanden aus einem emsigen Nichtstun, man mußte sich alles Lebensnotwendige mit eigenen Händen beschaffen. Man konnte nicht nach dem Stubenmädchen klingeln, bitte sehr, bringen Sie mir das und das, so wie die Herrschaft nach mir geklingelt hatte, und später auch ich, frech und schadenfroh, daß ich dran war, die Gnädige zu spielen. Es gab keine Klingeln, weil es keinen Strom gab, und es gab auch keine Wohnungen. Und aus den Wasserleitungen floß hin und wieder Wasser, aber meistens floß keins. Das war auch so etwas Interessantes, als wir das Wasser entdeckten. Auf den höheren Stockwerken floß es sowieso nicht, und wir mußten das Wasser zum Waschen aus dem Keller hochschleppen. Das Wasser zum Waschen und Kochen, ohne daß wir gewußt hätten, was wichtiger war. Wir, die feinen Damen, die noch ein Jahr zuvor Anfälle bekommen hatten, weil der Drogist die französischen

Badesalze für das morgendliche und das abendliche Bad nicht mehr beschaffen konnte. Und jetzt entdeckten wir, daß Körperreinigung nicht so wichtig war. Es ging uns auf, daß es wichtiger war, die wasserartige Flüssigkeit im Eimer, eine verdächtige Brühe, zum Kartoffelkochen zu verwenden. Und da wir jeden einzelnen Eimer Wasser persönlich in die oberen Stockwerke schleppen muß-ten, begriffen wir plötzlich, wie wertvoll das Wasser ist. So wertvoll, daß man es nicht zum Händewaschen ver-schwenden sollte, nicht einmal nach schmutziger Arbeit. Wir schminkten uns die Lippen, und das war unsere Kör-perpflege. Mir kam in den Sinn, daß sich zur Zeit der alten französischen Könige auch niemand regelmäßig wusch. Nicht einmal der König, der wurde vielmehr von Kopf bis Fuß mit Parfum bespritzt. Hättest du nicht geglaubt, was? Aber ich weiß es, ich habe es in einem Buch gelesen. Und trotzdem waren sie mächtig und vornehm. Bloß stan-ken sie.

Und doch hoffte ich immer noch auf etwas, wenn ich gerade Zeit hatte. Ich war nicht sauber, weder mein Hals noch meine Schuhe, denn ich mochte nicht für mich selbst das Dienstmädchen spielen, davon hatte ich mehr als genug, ich mochte keine Wassereimer nach oben schlep-pen. Lieber bettelte ich meine Freundinnen an, bei denen in der Küche das Wasser floß. Und machte dort ein biß-chen Katzenwäsche. Insgeheim genoß ich diesen Zustand. Ich glaube, auch die Heiklen, die klagten, das Schlimm-ste sei der Mangel an Reinlichkeit, auch die freuten sich. So wie die Kinder den Dreck lieben und sich am liebsten darin wälzen, so genoß diese in der Höllenlauge durch-gekochte Gesellschaft die Unordnung, den Schmutz, das Schlafen in fremden Küchen.

Nichts im Leben geschieht grundlos. Für unsere Sünden bekamen wir die Belagerung, für unsere Leiden aber bekamen wir zur Belohnung, daß wir ein paar Wochen lang unschuldig stinken durften wie Adam und Eva im Paradies. Und gut war auch, daß man nicht regelmäßig zu essen brauchte. Jeder aß dort, wo er gerade war, und gerade das, was er sich hatte ergattern können. Es gab zwei Tage, an denen ich nichts anderes aß als Kartoffelschalen. Am dritten Tag aß ich Krabbenfleisch aus der Konserve, in Fett eingelegte Schweinsrippen und zum Abschluß ein Schächtelchen Konfekt von Gerbeaud.

Und dann waren auf einmal die Schaufenster voller Eßwaren, und im Handumdrehen hatte ich vier Kilo aufgelesen. Und ich hatte wieder einen übersäuerten Magen und neue Sorgen, denn es war die Zeit gekommen, da ich einem Paß nachlaufen mußte. Und traurig war ich auch, denn ich hatte begriffen, daß alles hoffnungslos ist.

Die Liebe, sagst du? Was bist du für ein Engel. Nein, mein Herz, ich glaube, auch die Liebe vermag den Menschen nicht zu helfen. Und auch die Verliebtheit nicht. Der Künstlerartige sagte, im Wörterbuch seien diese zwei Wörter durcheinandergeraten. Der glaubte weder an die Liebe noch an die Verliebtheit. Er glaubte nur an die Leidenschaft und an die Barmherzigkeit. Aber auch das hilft nichts, denn es dauert nur einen Augenblick, die Barmherzigkeit sowohl wie die Liebe.

Dann lohne es sich nicht zu leben? Ich solle nicht mit den Schultern zucken? Schau, mein Goldjunge, wer von dort kommt, woher ich komme... Du kannst nicht verstehen, was ich sage, weil du ein Künstler bist. Du glaubst noch an etwas. An die Kunst, nicht wahr? Du hast recht, du bist heute der beste Schlagzeuger des Kontinents. Ich glaube nicht, daß es auf der Welt einen besseren Schlagzeuger gibt. Hör nicht zu, wenn dieser eklige Saxophonist behauptet, in Amerika gebe es Schlagzeuger, die gleichzeitig mit vier Schlegeln arbeiten und Bach und Händel trommeln können. Der ist doch bloß auf dein Talent neidisch, der will dich reizen. Ich weiß genau, daß es auf der Welt keinen Schlagzeuger gibt neben dir. Reich mir die Hand, daß ich sie küsse. Ja, diese feingliedrige Hand, mit der du die Synkopen rollen läßt wie Kleopatra die Perlen. Wart mal, ich will mir die Augen trocknen, ich bin ganz gerührt. Immer wenn ich deine Hand ansehe, muß ich weinen.

Mein Mann kam mir also auf der Brücke entgegen, denn eines Tages gab es wieder eine Brücke. Eine einzige. Aber was für eine! Du warst nicht dabei, als sie gebaut wurde, deshalb kannst du nicht wissen, was das für uns, die Bevölkerung der belagerten großen Stadt, bedeutete, als sich die Nachricht verbreitete, Budapest habe wieder eine Donaubrücke. Sie war in kürzester Zeit entstanden, schon zu Ende Winter konnten wir die Donau auf der Brücke überqueren. Sie war aus den Pfeilern und anderen Bestandteilen einer noch halbwegs vorhandenen Eisenbrücke zusammengetakelt worden. Ein bißchen bucklig zwar, aber sie trug auch Lastwagen. Und auch die Hunderttausende von Menschen, die wie eine Riesenraupe sich vorwärts bewegende Masse, die schon am frühen Morgen, als die Brücke geöffnet wurde, an beiden Ufern der Donau gewartet hatte.

Denn diese Brücke durfte man nicht einfach so betreten. Lange Menschenschlangen standen in Pest und in Buda und rückten dann langsam in Richtung der Brücke vor. Freudig erregt wie vor einem Hochzeitsfest. Jede Überquerung war ein Ereignis, auf das man stolz war. Später wurden noch andere und stärkere Brücken gebaut, und es gab auch Pontonbrücken. Ein Jahr später fuhren schon Taxis hin und her. Aber ich denke immer noch an die erste Brücke, an das Schlangestehen, an das langsame Vorrücken in der Menge, jeder von uns mit der Last der Erinnerung und einem Rucksack auf dem Rücken, von einem Ufer zum anderen. Als später die Auslandsungarn aus Amerika zu Besuch kamen und mit ihren prachtvollen Autos über die Eisenbrücken flitzten, hatte ich immer einen bitteren Geschmack im Mund, denn mich machte es traurig, wie gleichgültig diese Fremden unsere neuen Brücken benutzten. Sie waren von weither gekommen und hatten am Krieg nur eben geschnuppert, ihn aus der Distanz angeschaut wie im Kino. Sehr nett, sagten sie, wie ihr da lebt und auf euren Brücken hin und her fahrt.

Mir tat das Herz weh, wenn ich sie hörte. Was wißt ihr schon, dachte ich. Und ich begriff, daß jemand, der nicht hier gelebt hatte, der nicht bei uns gewesen war, auch nicht wissen konnte, was eine Million Menschen fühlten, als unsere wunderschönen alten Donaubrücken eine nach der anderen in die Luft flogen. Und was wir fühlten, als wir eines Tages wieder trockenen Fußes über den Fluß gehen konnten. Und nicht in einer Nußschale wie vor Jahrhunderten die Kuruzen und die Türken. Meinetwegen können die in Amerika noch so lange Brücken haben. Diese unsere Brücke bestand aus morschem Holz und Alteisen, und ich war unter den ersten, die sie benutzten. Genauer gesagt hatte mich die Menschenmasse, die in

392

kleinen Schritten vorrückte, zum Brückenaufgang geschoben, als ich auf der Gegenseite, aus der Richtung von Pest, meinen Mann erblickte, der soeben in Buda ankam.

Ich sprang aus der Reihe und rannte zu ihm, um ihn zu umarmen. Die Leute begannen gleich zu murren, denn ich behinderte die Bewegung der Masse.

Wart mal, ich will mir die Nase putzen. Was bist du für ein Lieber. Lachst mich nicht aus, sondern paßt auf wie ein kleiner Junge, der das Ende des schönen Märchens hören will.

Aber das war kein Märchen, mein Kleiner, und nichts hatte einen wirklichen Anfang und ein richtiges Ende. Alles rumpelte einfach vorwärts, in uns und um uns, die wir damals in Budapest lebten. Unser Leben hatte keine greifbaren Grenzen, keinen Rahmen. Die Grenzen schienen irgendwie weggewischt, und alles lief einfach ab, ins Uferlose. Noch heute geht es mir manchmal so, daß ich nicht weiß, wo Anfang und Ende der Dinge sind, die mit mir geschehen.

Jedenfalls hatte ich auch in jenem Augenblick dieses Gefühl, als ich von der einen Seite der Brücke auf die andere lief. Es war einfach eine Regung, ohne Berechnung, denn einen Augenblick zuvor hatte ich ja nicht einmal gewußt, ob der Mensch noch lebte, der früher einmal – weißt du, vor der Zeit, die man Geschichte nennt –, also viel früher einmal, mein Mann war. Das schien unglaublich weit zurückzuliegen. Die eigene Zeit mißt man ja nicht mit Uhrzeiger und Kalender. Niemand wußte damals von den anderen, ob sie noch lebten. Die Mütter wußten nicht, wo ihre Kinder waren, und Verlobte und Ehepaare trafen sich zufällig auf der Straße. Es war wie zu Urzeiten, als es weder Register noch Kataster, noch Hausnummern gab. Wir lebten und wohnten einfach irgendwie und irgendwo, wie wir wollten. In dieser großen Unordnung und diesem Zigeunertum war etwas seltsam Vertrautes. Vielleicht hatten die Menschen vor sehr langer Zeit so gelebt, als es noch keine Heimat, noch keine Nation gab, sondern bloß einen Stamm, eine streunend umherziehende Horde, mit Karren und Kind und Kegel, auf einer weglosen, ziellosen Wanderung. Kann ja sein, daß man sich unter dem Schutt, den die Erinnerung aufhäuft, noch an dieses nomadische Leben erinnert.

Aber nicht deswegen rannte ich zu ihm und umarmte ihn vor den Augen Tausender von Menschen.

In dem Augenblick – du lachst mich nicht aus, gelt? –, in dem Augenblick brach etwas in mir. Du kannst mir glauben, ich hatte mich zusammengenommen, hatte alles ertragen, die Belagerung und was vorher gewesen war, die Schrecken, die Bombardierungen, all die fürchterlichen Dinge. Gut, ich war damals nicht ganz allein. Die Monate, als der Krieg so wahnwitzig und trostlos ernst wurde, erlebte ich in Gesellschaft des Künstlerartigen. Versteh mich nicht falsch, ich lebte nicht mit ihm. Kann sein, daß er impotent war, ich weiß es nicht. Davon hat er nie geredet, aber wenn ein Mann und eine Frau in derselben Wohnung schlafen, liegt irgendwie ein Hauch von Verliebtheit in der Luft. In der Wohnung des glatzköpfigen Künstlers war kein Verliebtheitshauch. Hingegen hätte es mich nicht überrascht, wenn er eines Nachts über mich hergefallen wäre und mich mit beiden Händen gewürgt hätte. Ich schlief bei ihm, weil es fast jede Nacht Fliegeralarm gab und ich zwischendurch nicht nach Hause gekommen wäre. Und jetzt, viel später, da dieser

Mensch nicht mehr lebt, kommt es mir vor, als hätte ich bei jemandem geschlafen, der beschlossen hatte, sich die Welt abzugewöhnen. Sich alles abzugewöhnen, was für die Menschen irgendwie wichtig ist. Wie einer, der eine Entziehungskur macht, um sich eine berauschende, aber auch ekelhafte Leidenschaft abzugewöhnen, den Alkohol oder die Drogen oder die Eitelkeit.

Es ist schon so, daß ich mich damals bei ihm einschlich, in seine Wohnung und in sein Leben. Es gibt Einschleichdiebe, und es gibt auch Einschleichfrauen, die in einem unbeachteten Moment in das Leben eines Mannes treten und dort hastig zusammenraffen, was sie können, Erinnerungen, Eindrücke. Später haben sie keine Verwendung mehr dafür, und sie verkaufen, was sie sich unter den Nagel gerissen haben. Aber ich habe nichts verkauft, was ich von ihm bekommen hatte. Und jetzt spreche ich nur davon, weil ich möchte, daß du alles von mir weißt, bevor du mich verläßt. Oder ich dich. Also, er ließ es einfach zu, daß ich in seiner Nähe war, wann immer ich wollte, morgens oder nachts oder nachmittags. Bloß stören durfte ich ihn nicht. Es war verboten, etwas zu ihm zu sagen, wenn er las. Oder wenn er einfach vor einem Buch saß und schwieg. Sonst aber durfte ich in seiner Wohnung machen, was ich wollte. Denn es war eine Zeit, als von einem Augenblick zum anderen Bomben fallen konnten und man in der großen Stadt einfach so daherlebte, ziellos, zeitlos.

Schrecklich, sagst du? Wart mal, ich muß mir das überlegen. Ich weiß gar nicht. Es war eher eine Zeit, in der irgendwie etwas klargeworden war. Etwas, das man sonst nicht richtig durchdenkt, sondern lieber wegscheucht, war mit Händen zu greifen. Was? Na ja, daß das Ganze, weißt du, keinen Zweck hat, keinen Sinn. Und dann war da noch etwas anderes… Mit der Angst wurde man bald fertig, die schwitzte man heraus wie ein Fieber. Alles hatte sich verändert. Die Familie war keine richtige Familie mehr, der Beruf, die Arbeit zählten nicht mehr, die Verliebten liebten sich hastig, so wie ein Kind rasch etwas Süßes in sich hineinstopft, wenn die Erwachsenen gerade nicht gucken, und dann davonrennt, hinaus, auf die Straße, in die Unordnung, zum Spielen. Alles löste sich auf, die Wohnungen genauso wie die menschlichen Beziehungen. Manchmal hatte man noch das Gefühl, das Zuhause oder die Arbeit oder die Menschen gingen einen etwas an, man habe eine wirkliche, innere Beziehung zu alldem. Und dann kam ein Bombenangriff, und es stellte sich heraus, daß man zu den Dingen, die am Vortag noch wichtig waren, keine Beziehung mehr hatte.

Aber die Angriffe kamen nicht nur von den Bomben. Während die Sirenen heulten, während die deutschen Kommandos in ihren Autos umhersausten, mit geraubten Menschen und geplünderter Ware, und Armee-Einheiten sich von den Fronten zurückschleppten und ganze Scharen von Leuten mit planenbedeckten Fuhrwerken nach Zigeunerart flüchteten, fühlten alle, daß in dem ganzen Durcheinander noch etwas Zusätzliches geschah. Das Schlachtfeld war nicht mehr an einem anderen Ort, sondern auch in uns, in den Menschen, in dem, was vom zivilen Leben noch übrig war, in der Küche, im Schlafzimmer war auch Krieg. Etwas war explodiert. All das Träge und Faule, das die Menschen zusammengehalten hatte. Auf diese Art explodierte auch in mir etwas, als ich nach der Belagerung auf der buckligen Brücke meinen Mann erblickte.

Es explodierte diese Kinosache, die zwischen uns gewesen war. Diese ganze dumme, scheußliche Sache, wie die Story in einem billigen amerikanischen Film, wo der Generaldirektor die Tippmamsell heiratet. In dem Augenblick begriff ich, daß wir zwei gar nicht einander gesucht, sondern immer nur an dem Schuldgefühl herumgetastet hatten, das diesem Menschen die Haut kribblig machte. Er hatte dieses beunruhigende Gefühl irgendwie mit meiner Hilfe wegzuzaubern versucht. Was genau? Den Reichtum? Wollte er wissen, warum es auf der Welt Reiche und Arme gibt? Es ist alles Quatsch, was geschrieben und geredet wird, von den glatzköpfigen Weisen mit der Hornbrille, von den honigsüß salbadernden Priestern, von den haarigen, krächzenden Revolutionären. Es gibt nur eine entsetzliche Wahrheit, nämlich daß es auf Erden keine Gerechtigkeit gibt. Ob dieser Mann die Gerechtigkeit wollte? Und mich deshalb geheiratet hat? Hätte er nur meine Haut und mein Fleisch gewollt, dann hätte er das billiger haben können. Wenn er gegen die Welt, in die er hineingeboren war, rebellieren wollte, so wie die Kinder reicher Leute, die zu Revolutionären werden, weil ihnen vor Langeweile und Wohlstand nichts mehr einfällt, wenn er das gewollt hätte, dann hätte er auch andersherum rebellieren können, nicht auf so verdrehte Art wie mit mir. Wir verstehen das nicht, mein Süßer, wir, die von unten stammen, aus der Nyírség oder aus Zala. Sicher ist nur, daß er ein Herr war, aber anders als die mit den Wappen. Und er war auch auf eine andere Art bürgerlich als die Gnädigen und Hochwohlgeborenen, die sich eines Tages an den Platz der Adeligen drängten. Er war aus einem guten Holz geschnitzt, aus einem besseren als die meisten morschen Gestalten seiner Klasse.

Weißt du, er war von der Art, deren Ahnen Erdteile erobert hatten. Die waren in fernen Landen mit der Axt auf Urwälder losgegangen, hatten dazu liturgische Gesänge gebrüllt und waren durch wilde Gegenden gestampft, um die Eingeborenen auszurotten. Unter seinen Vorfahren gab es so einen Protestanten, der mit einem der ersten Schiffe nach Amerika fuhr. Er hatte außer einem Gebetbuch und einer Axt nichts auf die Reise mitgenommen. Darauf war mein Mann stolzer als auf alles, was sich die Familie später zulegte, die Fabrik und das viele Geld und den auf Hundehaut geschriebenen Adelsbrief.

Er war von einer guten Art, denn er beherrschte seinen Körper und seine Nerven. Sogar das Geld beherrschte er, und das ist am schwierigsten. Nur etwas konnte er nie unterdrücken, sein Schuldgefühl. Und wer Schuldgefühle hat, der will Rache. Dieser Mensch war ein Christ, aber nicht in der Bedeutung wie im Krieg, es war für ihn kein geschäftlicher Vorteil, Christ zu sein, so wie in der Nazizeit viele mit ihrem Taufschein fuchtelten, weil sie darauf spekulierten, daß etwas für sie abfiel, Beute oder schmutziges Geld. In jener Zeit war es ihm peinlich, Christ zu sein. Und doch war er ein Christ bis ins Mark hinein, so wie ein anderer nicht anders kann, als Künstler zu sein oder Alkoholiker.

Doch dieser Mensch wußte auch, daß Rache eine Sünde ist. Sämtliche Arten von Rache sind Sünde, und es gibt keine gerechte Rache. Nur zum Gerechtsein hat man ein Recht, zum gerechten Tun. Zur Rache hat niemand ein Recht. Und da er reich und ein Christ war und beides nicht unter einen Hut bringen, sich aber weder von dem einen noch von dem anderen lösen konnte, war er voller Schuldgefühle. Was schaust du mich an, als ob ich verrückt wäre?

Ich rede von ihm, meinem Mann. Der mir eines Tages entgegenkam, da es in Budapest wieder eine Brücke gab. Und dem ich vor aller Augen um den Hals fiel.

Er trat aus der Reihe, aber er rührte sich nicht. Er wehrte mich auch nicht ab. Keine Angst, er küßte mir angesichts all der Kirgisen und der zerlumpten, schlotternden Menschen nicht die Hand. Er hatte zu gute Manieren, um eine solche Geschmacklosigkeit zu begehen. Er stand einfach da und wartete, bis die peinliche Szene vorbei war. Stand ruhig da, und ich sah durch meine geschlossenen Augen hindurch sein Gesicht, so wie die Frauen das Gesicht des Kindes sehen, das noch in ihrem Bauch ist.

Doch in dem Augenblick, da ich mich krampfhaft an seinen Hals klammerte, geschah etwas. Der Geruch kam über mich, der Geruch meines Mannes... Jetzt paß gut auf.

In dem Augenblick begann ich zu zittern. Meine Knie schlotterten, ich hatte auf einmal wieder Bauchkrämpfe. Stell dir das vor: Der Mann, der mir auf der Brücke entgegenkam, stank nicht. Du kannst nicht verstehen, was ich sage, aber in jener Zeit hatten die menschlichen Körper irgendwie einen Aasgeruch, auch dann, wenn auf wundersame Art noch ein Stück Seife oder ein Toilettenwasser übriggeblieben war, in den Geheimfächern der Tasche, die man in den Keller oder in den Schutzraum mitgeschleppt hatte. Und auch dann, wenn es einem irgendwie gelungen war, sich zwischen zwei Bombenangriffen zu waschen. Denn der Geruch einer Stadtbelagerung läßt sich nicht mit ein bißchen Seifenschaum wegschrubben. Der Geruch der Kloaken, der Leichen, der Keller, des Erbrochenen, der Luftlosigkeit, der zusammengepferchten, in Todesangst schwitzenden Menschen, der körperlichen Bedürfnisse, der wild zusammengemischten Eßwaren. Das alles klebte damals an unserer Haut. Und wer nicht auf diese Art stank, roch penetrant nach Kölnischwasser und Patschuli, und das war noch schlimmer und ekelerregender als der natürliche Gestank.

Aber mein Mann stank nicht nach Patschuli. Ich roch an ihm, mit Tränen in den geschlossenen Augen, und begann zu zittern.

Er roch nach Heu! Wie an dem Tag, als wir uns scheiden ließen. Wie in der Nacht, als ich zum erstenmal in seinem Bett lag und mir von diesem herben Herrengeruch schlecht wurde. Dieser Mensch war auch jetzt so, am Körper und in der Kleidung und im Geruch, war wie damals, als ich ihn das letztemal gesehen hatte.

Ich ließ seinen Hals los und trocknete mir mit dem Handrücken die Augen. Mir war schwindlig. Ich nahm aus meiner Einkaufstasche ein Taschentuch hervor, dann einen kleinen Spiegel und einen Lippenstift. Keiner von uns beiden sagte etwas. Er stand und wartete, bis ich mein nasses, verschmiertes Gesicht irgendwie zurechtgemacht hatte. Ich wagte ihn erst wieder anzuschauen, nachdem ich mich im Spiegel davon überzeugt hatte, daß ich wieder halbwegs menschlich aussah.

Ich traute meinen Augen nicht. Weißt du, wer da vor mir stand, am Budaer Ende der zusammengezimmerten Brücke, in der Tausende von Menschen zählenden Schlange? In der verrauchten, verrotteten Stadt, in der es kaum ein Haus gab, das von den Einschüssen nicht pockennarbig war? Und kaum ein Fenster mit heilen Scheiben, und auch sonst nichts, keine Fahrzeuge, keine Polizei, keine Gesetze. Und wo sich die Menschen als

Bettler kleideten, auch dann, wenn es nicht nötig war, wo sie Greise oder zerlumpte Gestalten vorstellten und sich wilde Haartrachten zulegten und elend herumlungerten, um Mitleid zu erwecken. Wo Damen Lumpensäcke schleppten und mit Rucksäcken daherkrochen wie die keuchenden, dreckigen Pilger auf dem Dorfjahrmarkt. Mein Gatte stand vor mir. Genau der Mensch, dem ich sieben Jahre zuvor Unrecht getan hatte. Der eines Nachmittags, nachdem er begriffen hatte, daß ich für ihn weder die Geliebte noch die Ehefrau, sondern eine Feindin war, sich vor mich hinstellte und lächelnd und ruhig sagte: »Ich glaube, es wäre am besten, wir würden uns scheiden lassen.«

Er begann immer so, wenn er etwas Wichtiges sagen wollte: »Ich glaube...« oder: »Mir scheint...« Er hätte nie einfach so, Knall und Fall, gesagt, was er zu sagen hatte. Mein Vater, wenn der zum Beispiel die Nase voll hatte, begann immer so: »Herrgottsakramentnochmal.« Und dann schlug er zu. Mein Mann hingegen, wenn er es nicht mehr aushielt, machte immer zuerst höflich eine kleine Tür auf, einen unbestimmten halben Satz, durch den das Wichtige oder Verletzende seiner Aussage hinausschlüpfen konnte. Das hatte er im Internat in England gelernt. Auch das war ein Lieblingswort von ihm: »Ich fürchte...« Zum Beispiel sagte er eines Abends: »Ich fürchte, Mutter wird sterben.« Das tat sie dann auch, abends um sieben, sie war ja schon blau angelaufen, als der Arzt meinem Mann sagte, es bestehe keine Hoffnung mehr. Dieses »Ich fürchte« diente dazu, eine tragische Nachricht glattzustreichen, sich für den Schmerz unempfindlich zu machen. Andere würden in einem solchen Fall einfach sagen: »Mutter liegt im Sterben.« Er aber achtete immer darauf, das Unangenehme oder Traurige höflich mitzuteilen. Die sind so. Man wird sie nie ganz verstehen.

Auch jetzt paßte er auf. Sieben Jahre nach Beendigung unseres Privatkriegs. Also, er steht da, nach der Belagerung, am Brückenkopf, und sein erstes Wort ist: »Ich fürchte, wir sind hier im Weg.«

Er sagte es leise und lächelte dazu. Keine Frage, was mit mir sei, wie ich die Belagerung überlebt hätte, ob ich etwas brauchte. Nur der Hinweis, daß wir hier eventuell im Weg waren. Und er bedeutete, wir sollten ein bißchen weitergehen, in Richtung des Gellérthegy. Als wir auf einen leeren Platz kamen, blieb er stehen, blickte sich um und sagte: »Ich glaube, es wäre am besten, wenn wir uns hier hinsetzten.«

Er hatte recht, es war tatsächlich »am besten«. Er zeigte auf das Wrack eines Jagdflugzeugs, der Pilotensitz war heil geblieben, zwei Personen fanden in dem Flugzeugkadaver Platz. Ich sagte nichts und setzte mich gesittet auf den Sitz des russischen Piloten. Er setzte sich hinter mich. Aber vorher wischte er den Sitz mit der Hand ab. Dann zog er ein Taschentuch hervor und säuberte sich damit die Hand. Eine Weile saßen wir schweigend, ohne ein Wort. Die Sonne schien. Und eine große Stille lag über dem Platz, über den kaputten Flugzeugen und Autos und zerschossenen Kanonen.

Man hätte sich ja auch vorstellen können, daß ein Mann und eine Frau sich vielleicht ein paar Worte sagen, wenn sie sich nach der Belagerung von Budapest zum erstenmal wieder treffen. Zum Beispiel könnten sie feststellen, daß sie beide noch am Leben sind. »Ich fürchte« beziehungsweise »Ich glaube«, ja, auch das kann man sagen. Aber nicht einmal das. Und so saßen wir einfach vor der Felsengrotte, dem Eingang zum Sprudelbad gegenüber, und ich drehte mich zu ihm um.

Ich schaute ihn mir recht an, das kannst du mir glauben. Und es wurde mir seltsam zumute: Er war wie ein Traum, gleichzeitig Nebel und Wirklichkeit.

Laß gut sein, mein Süßer, ich bin nicht belämmert. Und auch kein sentimentaler Trampel, der zu heulen beginnt, weil er schlechte Nerven hat und von einem Wiedersehen gerührt ist. Mir war seltsam zumute, denn der Mensch, der neben mir saß, in den Trümmern der toten Großstadt, dieser Mensch war nicht aus Fleisch und Blut, sondern er war ein Gespenst.

So kommen Menschen nur im Traum vor. Nur der Traum vermag die Dinge so gespensterhaft, in einer Flüssigkeit, die feiner ist als Spiritus, aufzubewahren. So erschien mir mein Mann in jenem Augenblick. Stell dir vor, er war nicht zerlumpt. Ich weiß nicht mehr, ob er denselben dunkelgrauen Flanellzweireiher trug wie bei unserem letzten Treffen, als er glaubte, »es wäre am besten, wir würden uns scheiden lassen«. Ich konnte es nicht genau wissen, denn er besaß mehrere dieser dunkelgrauen Anzüge, aber jedenfalls war es der gleiche Schnitt, und auch dieser war von dem Schneider genäht worden, der schon für seinen Vater gearbeitet hatte.

Und auch an diesem Morgen trug er ein sauberes Hemd, nämlich ein cremefarbenes Batisthemd, und eine dunkelgraue Krawatte. Und an den Füßen hatte er schwarze Halbschuhe mit Doppelsohlen, die nagelneu schienen, ich weiß gar nicht, wie er es geschafft hatte, über die schmutzige Brücke zu kommen, ohne daß ein Staubkörnchen an seinen Schuhen hängenblieb. Natürlich wußte ich, daß die Schuhe nicht neu waren, sondern nur so aussahen, weil er sie wenig getragen hatte, einst gab es ja ein Dutzend solcher Paare im Schrank.

Von einer solchen Erscheinung sagt man, sie sähe aus wie aus dem Ei gepellt. Doch das Ei war die Leichengrube, in der wir damals alle verwesten. Aus dieser Grube war er herausgetreten. Keine Falte an seiner Kleidung. Den hellbeigen Regenmantel hatte er locker über den Arm gelegt, dieses lose, unanständig bequeme, aus doppelter englischer Popeline geschnittene Prachtstück, an das ich mich gut erinnerte, denn ich hatte Jahre zuvor das Paket aufgemacht, in dem es aus London gekommen war. Und viel später ging ich in London am Schaufenster der Firma vorüber, die diese Regenmäntel verkaufte, und mir klopfte das Herz, weil ich unter den ausgestellten Mänteln den des jungen Herrn erkannte. Und jetzt hatte er diesen Regenmantel über den Arm geworfen, ganz lässig, denn der vorfrühlingshafte Morgen war warm.

Handschuhe trug er selbstverständlich nicht, die zog er nur im härtesten Winter an. Ich schaute mir auch seine Hände an. Sie waren weiß und sauber, und seine Nägel waren so diskret manikürt, als müßten sie nie geschnitten werden.

Weißt du, was am seltsamsten war? Verglichen mit den gequälten, zerlumpten Massen, die sich über die Brücke schleppten, war dieser Mensch wie ein Aufrührer, und gleichzeitig war er fast unsichtbar. Man hätte ihn am liebsten geschüttelt und betastet, um zu wissen, ob er echt war. Stell dir vor, daß während der Französischen Revolution, in den Monaten des Terrors, als man in Paris auf die Aristokraten Jagd machte wie auf Spatzen, daß da auf der Straße in violettem Frack und gepuderter Perücke ein Marquis erscheint und freundlich den Karren zuwinkt, auf denen seine adeligen Freunde zum Schafott gefahren werden. Ungefähr so wirkte dieser Mann damals auf den Straßen von Budapest. Er war so anders als alles um ihn herum, als wäre er nicht aus dem Leben, aus einem Trümmerhaus hervorgetreten, sondern aus den Kulissen einer unsichtbaren Bühne, kostümiert für eine Rolle in einem historischen Stück, das nirgends mehr gespielt wurde.

Zwischen den rauchenden Trümmerkulissen war ein Mensch hervorgetreten, der sich nicht verändert hatte. Der weder von der Belagerung noch vom Elend berührt worden war. Ich begann, um ihn zu fürchten. Denn damals lebten wir in einer Atmosphäre von Wut und Rachsucht, die man nicht ungestraft reizte, an die man besser gar nicht rührte. Es waren die Wut und die Rachsucht des schlechten Gewissens, die die Münder schäumen, die Augen blitzen ließen. Die Menschen rackerten sich mit der täglichen Lebensmittelbeschaffung ab, keuchten einem Löffel Fett, einer Handvoll Mehl, einem Gramm Gold hinterher. Und zwischendurch schielten sie hinterhältig zu den anderen hin, denn ein jeder war verdächtig. Warum? Weil wir alle schuldig waren, so oder so. Weil wir etwas überlebt hatten, an dem andere gestorben waren.

Mein Mann hingegen saß ruhig da, als sei er unschuldig. Ich verstand das nicht.

Ich senkte den Blick und wußte nicht, was tun. Sollte ich ihn irgendwie ans Messer liefern? Aber er hatte überhaupt keine Schuld. Nie hatte er bei den Scheußlichkeiten mitgemacht, die in jener Zeit in der Stadt und dann im ganzen Land begangen wurden. Er hatte keinem Juden etwas angetan, niemanden verfolgt, der anders dachte, keine Wohnung eines Verschleppten ausgeraubt. Niemand konnte mit dem Finger auf ihn zeigen, denn er hatte keinen Brosamen vom Brot eines anderen gegessen, kein Leben gefährdet. Auch später habe ich nie gehört, daß ihn jemand angeklagt hätte. Er nahm am Plündern und Stehlen nicht teil. Vielmehr war er es, der gründlich ausgenommen wurde. In dem Augenblick, als ich ihm nach der Belagerung begegnete, war auch er schon ein Bettler. Später habe ich erfahren, daß ihm von dem ganzen Reichtum nichts geblieben war als ein Koffer voller Kleider. Und sein Ingenieursdiplom. Damit ist er ausgewandert, nach Amerika, wie es heißt. Vielleicht ist er jetzt dort Arbeiter in einer Fabrik. Ich weiß es nicht. Den Schmuck hatte er mir viel früher schon gegeben, als wir uns scheiden ließen. Siehst du, wie gut, daß der Schmuck übriggeblieben ist. Ich sag's nicht deswegen, ich weiß doch, daß du nicht mal im Traum an meinen Schmuck denkst. Du hilfst einfach, ihn zu verkaufen, weil du ein Lieber bist.

Was sagst du? ... Ja, es dämmert. Da sind die ersten Gemüsewagen. Es ist fünf Uhr vorbei. Sie fahren zum Fluß hinunter, auf den Markt.

Bist du nicht müde? Ich will dich zudecken. Es wird kühl.

Nein, ich friere nicht. Mir ist eher heiß. Laß nur, mein Herz, ich mache das Fenster zu.


Also, ich habe gesagt, daß ich ihn ansah und daß mir ganz komisch wurde, kalt und zittrig, mit Schweiß an den Handflächen. Denn ich sah, daß mich mein Exmann, dieser vornehme Herr, lächelnd betrachtete.

Aber glaub ja nicht, er habe überheblich oder spöttisch gelächelt. Sondern einfach so, wie wenn man höflich und gleichgültig auf einen Witz reagiert, der weder geistreich noch pikant ist, aber man hat eben Manieren und lächelt.

Bleich war er, das schon. Die Kellerluft sah man sogar ihm an. Aber er war doch nur auf die Art bleich wie jemand, der nach mehrwöchiger Krankheit zum erstenmal ins Freie geht. Er war um die Augen herum bleich. Und seine Lippen schienen blutleer. Sonst war er genauso wie immer, zum Beispiel morgens um zehn nach dem Rasieren. Aber vielleicht entstand dieser Eindruck wegen der Umgebung, von der er abstach wie ein Museumsstück, das aus dem Glaskasten genommen und in den Mief einer Kleinbürgerwohnung gestellt wird. Wie wenn du die Moses-Statue, die wir gestern in der dämmerigen Kirche gesehen haben, plötzlich im Salon eines Posthalters wiederfändest, zwischen zwei Buffets. Na ja, so ein Kunstwerk wie die Moses-Statue war mein Gatte nun nicht. Doch in dem Augenblick war er in seiner Art auch ein Kunstgegenstand, den es auf die Straße verschlagen hatte. Ein lächelnder Kunstgegenstand.

Puh, ist mir heiß geworden. Schau, ich habe ein ganz rotes Gesicht, das Blut ist mir zu Kopf gestiegen. Ich habe noch nie mit jemandem darüber geredet. Aber offensichtlich denke ich die ganze Zeit daran. Und wenn ich es ausspreche, überläuft es mich heiß.

Diesem da brauchte man die Füße nicht zu waschen, der wusch sie sich selbst, morgens im Keller, das kannst du mir glauben. Der brauchte keine Tröstung, keine frommen Sprüche, daß den Menschen das Heil winkt. Der hielt bis zu seinem Ende nur noch an einem einzigen fest, das den Sinn und den Schutz seines Lebens ausmachte, nämlich an der Höflichkeit, den guten Manieren, der Unnahbarkeit. Der war, als hätte man ihn mit Zement gefüllt. Und dieser Mensch, innen Zement, außen Fleisch und Blut, kam mir nicht einen Millimeter näher. Das Erdbeben, das Länder erschüttert und verschoben hatte, ihn hatte es innerlich nicht bewegt. Er sah mich an, und ich spürte, daß er eher gestorben wäre, als auch nur ein Wort zu sagen, das nicht mit »Ich glaube« oder »Mir scheint« begann. Falls er den Mund aufgemacht hätte, würde er bestimmt gefragt haben, wie es mir ging, ob ich etwas brauchte, ja, er wäre bestimmt bereit gewesen, mir seinen Mantel zu geben oder seine Armbanduhr, die ihm irgendein Russe aus Zerstreutheit gelassen hat. Er hätte alles lächelnd hergegeben, denn er war mir nicht mehr böse.

Jetzt gib acht. Ich sage dir etwas, und das habe ich noch nie jemandem gesagt. Es stimmt nicht, daß die Menschen nur egoistische Bestien sind. Sie sind auch bereit, einander zu helfen, das gibt es auch. Doch es sind nicht Güte oder Mitleid, die sie dazu anstacheln. Ich glaube, der Glatzkopf hat es richtig gesagt, er meinte, die Menschen seien manchmal gut, weil sie Hemmungen haben, das Schlechte zu tun. Zu mehr sei der Mensch nicht fähig. Es gebe auch solche, die aus Feigheit gut sind. So sagte es der Glatzkopf. Ich habe es noch nie jemandem weitererzählt. Nur dir, mein einziger Schatz.

Na, wir konnten natürlich nicht ewig dort bei der Felsengrotte sitzen bleiben. Nach einer Weile räusperte sich mein Gatte und sagte, »er glaube«, es wäre am besten, aufzustehen und noch ein bißchen zwischen den Villentrümmern des Gellérthegy spazierenzugehen, da doch das Wetter so schön sei. Er »fürchtete«, er würde in der nächsten Zeit nicht mehr viel Gelegenheit haben, mit mir zu plaudern. Er wollte sagen, in der verbleibenden Zeit des Lebens. Er sprach es nicht aus, das war auch nicht nötig, denn ich wußte selbst, daß wir uns zum letztenmal sahen.

Also begannen wir, über die sanft ansteigenden Straßen auf den Gellérthegy zu steigen, zwischen Kadavern und Ruinen.

Auf diese Art spazierten wir etwa eine Stunde lang. Ich weiß nicht, was mein Mann dachte, als ich auf den Hängen des Budaer Hügels neben ihm hertrottete. Er sprach ruhig, ohne Gefühle. Ich fragte ihn vorsichtig, wie er hierhergeraten, was ihm in dieser seltsamen Welt widerfahren war. Er sagte höflich, es sei den Umständen entsprechend alles in Ordnung. Er wollte sagen, er sei vollkommen pleite und er gehe als Arbeiter ins Ausland. In einer Kehre des langen Wegs blieb ich stehen und fragte ihn, wobei ich ihn nicht anzuschauen wagte, was er meine, wie sich die Welt entwickeln würde.

Auch er blieb stehen, schaute mich ernst an und dachte nach. Bevor er antwortete, dachte er immer nach, schöpfte gewissermaßen Atem. Er blickte mit seitwärts geneigtem Kopf auf mich, dann betrachtete er das Trümmerhaus, vor dem wir standen. Und er sagte: »Ich fürchte, es sind zu viele Menschen auf der Welt.«

Und als hätte er damit sämtliche Fragen beantwortet, machte er kehrt und begann in Richtung der Brücke wieder hinabzusteigen. Ich trabte eifrig neben ihm her und verstand nicht, was er gesagt hatte. Wieso zu viele Menschen? Gerade in der Zeit waren weiß Gott genug Leute umgekommen. Er sagte aber nichts mehr, sondern schritt kräftig aus, wie jemand, der es eilig hat. Ich begann mich zu fragen, ob er scherzte oder mich auf den Arm nahm. Mir fiel ein, daß er und der Künstlerartige manchmal gespielt hatten, sie seien halb verblödete Spießbürger, die alles, was sowieso schon klar war, noch einmal stolz und mit erhobenem Zeigefinger sagten. Jetzt, nachdem er feierlich festgestellt hatte, es gebe zu viele Menschen, kam mir der Verdacht, er mache sich lustig über mich. Denn im Grunde fand ich es ja auch, es gab zu viele Menschen, die in allen Richtungen wimmelten wie eine Naturkatastrophe, wie der Koloradokäfer in einem Kartoffelfeld. Deshalb fragte ich ihn etwas betupft: »Trotzdem, was wird aus Ihnen?«

Du mußt wissen, daß ich ihn immer siezte. Während er mich immer duzte. Ich hätte ihn nie zu duzen gewagt. Und er, der allen Sie sagte, seiner ersten Frau, seinen Eltern, seinen Freunden, und der in Gesellschaft nie der dummen, hochnäsigen Sitte folgte, nach der sich gleichgestellte Leute von der ersten Begegnung an duzten, um zu zeigen, daß sie alle zur sogenannten Oberschicht gehörten, gerade dieser Mensch duzte mich dauernd. Darüber sprachen wir nicht, es war zwischen uns einfach die Regel.

Er nahm sich die Brille ab, zog aus der Zigarrentasche ein sauberes Taschentuch hervor und putzte sorglich die Gläser. Als die Brille wieder auf seiner Nase saß, blickte er in Richtung der Brücke, wo die lange Menschenschlange kroch. Und sagte ruhig: »Ich gehe weg, denn hier bin ich einer zuviel.«

Seine grauen Augen blickten aufmerksam, er zuckte mit keiner Wimper.

Aber er sagte es nicht überheblich. Sondern sachlich, wie ein Arzt. Ich fragte nicht weiter, denn er hätte auch auf der Folterbank nichts mehr gesagt, das wußte ich. Wir machten uns auf den Weg zur Brücke, und dort verabschiedeten wir uns wortlos. Er ging am Donauufer weiter, in Richtung des Krisztina-Viertels. Ich stellte mich wieder in die Reihe und rückte langsam gegen die Brücke vor. Ich habe ihn noch einmal gesehen, wie er ohne Hut,

mit dem Regenmantel über dem Arm, langsam, aber ziel-
bewußt dahinschritt, weißt du, wie jemand, der genau
weiß, wohin er geht, nämlich ins Nichts. Danach wußte
ich, daß ich ihn nie wiedersehen würde. Das ist irgendwie
zum Wahnsinnigwerden, wenn man weiß, daß man jemanden nie mehr sehen wird.

Was er sagen wollte?... Vielleicht daß ein Mann nur so
lange lebt, wie er eine Rolle hat. Nachher lebt er nicht
mehr, sondern existiert bloß. Du kannst das nicht verstehen, denn du hast eine Rolle auf der Welt. Deine Rolle
ist es, mich zu lieben. Na, jetzt habe ich es gesagt. Schau
mich nicht so verschlagen an. Wenn uns jemand hörte,
wie wir hier, in einem Hotelzimmer in Rom, miteinander
plaudern, und es dämmert, du kommst gerade von der
Bar, ich tanze um dich herum wie eine Odaliske, also, ein
böser Mensch, der uns von draußen sähe, könnte glauben, wir hätten ein Gespräch unter Gaunern: Eine kleine
Schlampe, die den Sprung in die Oberschicht geschafft
hat, plaudert jetzt aus der Schule. Und der Liebhaber,
ein Halbseidener, spitzt die Ohren, weil er wissen will,
wie das Ding läuft bei den Herrschaften. So denkt man,
so böse ist die Welt. Runzle nicht deine wunderschöne
Stirn. Lach doch mal. Wir kennen ja die Wahrheit über
uns. Du bist kein Halbseidener, sondern ein geborener
Künstler und mein einziger Wohltäter, den ich anbete und
der mir für den Rest dieses lausigen Lebens hilft. Zum
Beispiel hilfst du mir, den Schmuck zu verkaufen, der mir
von meinem bösen Mann geblieben ist. So gut und barmherzig bist du. Und ich bin keine kleine Schlampe, war es
nicht einmal damals, als ich meinen Mann bestahl, wo ich
konnte. Denn ich wollte nicht den Reichtum, sondern die

Gerechtigkeit. Jetzt mußt du grinsen, was? Aber das wissen nur wir beide, du und ich.

Ja, nun, mein Gatte war eine andere Art Mensch. Ich blickte ihm nach, und mit einemmal stach mich die Neugier, ich hätte gern gewußt, wofür dieser Mensch lebte. Und warum er jetzt überflüssig geworden war und als Tuchfärber nach Australien ging oder nach Amerika als Spengler. War die Rolle, an die er geglaubt hatte, nicht eine lächerliche fixe Idee? Schau, ich lese keine Zeitungen. Höchstens wenn in großen Lettern verkündet wird, ein großes Tier sei umgebracht worden, oder das Filmsternchen lasse sich scheiden. Nur derartiges lese ich. Von der Politik verstehe ich nur so viel, daß keiner dem anderen traut und jeder posaunt, er wisse es besser. Ich schaute meinem Mann nach, und in dem Augenblick zog ein Trupp russischer Infanteristen an mir vorüber, mit geschulterten Gewehren und aufgestecktem Bajonett, hochgewachsene junge Männer, die nach Ungarn gekommen waren, weil jetzt auch hier alles anders werden sollte, anders als dazumal, als mein Mann noch meinte, er spiele eine Rolle in der Welt.

Ich schob mich mit der Menge über die Brücke, über der schmutziggelb strömenden spätwinterlichen Donau. Im Wasser schwammen Bretter, Wracks, Leichen. Keiner kümmerte sich darum, jeder blickte einfach vor sich hin, mit schwerem Rucksack, gebeugt, als wäre die ganze Menschheit zu einer trostlosen Pilgerfahrt aufgebrochen. Wie eine Menge armer Sünder, so zogen wir dahin. Und plötzlich schien es mir nicht mehr so wichtig, in die Királystraße zu gehen und den Fetzen Papiergeld gegen Nagellackentferner umzutauschen. Auf einmal wußte ich überhaupt nicht mehr, wohin ich gehen sollte. Die Begegnung hatte mich aus dem Geleise geworfen. Es stimmt zwar, daß ich diesen Mann nie geliebt habe, aber jetzt merkte ich mit Schrecken, daß ich ihm auch nicht mehr böse war, nicht so richtig nach Noten, wie man seinen Feind hassen sollte. Weißt du, es gibt auch den Moment zwischen zwei Menschen, wenn es keinen Wert mehr hat, einander böse zu sein. Und das ist ein sehr trauriger Moment.

Es wird Tag. Wie das Licht auf einmal heiß und sprudelnd ist. In Rom wird es irgendwie ohne Übergang taghell. Schau, die beiden Orangenbäume vor dem Fenster. An beiden sind genau zwei Orangen gewachsen. So verschrumpelte Dinger, wie alle hier in der Stadt. Wie alte Leute, bei denen die Gefühle zu Gedanken geworden sind.

Schmerzt dich das Licht nicht in den Augen? Ich mag den römischen Morgen, diese Helligkeit. Sie ist so plötzlich und strahlend wie eine junge Frau, die das Nachthemd abwirft und nackt ans Fenster tritt. Sie ist nicht schamlos, sondern einfach nackt.

Ich sei so poetisch? Ja, ist mir selbst auch schon aufgefallen, manchmal rede ich in Gleichnissen wie die Verseschmiede. Ich sehe schon, du denkst, alles, was ich da rede, hätte ich von ihm gelernt, vom glatzköpfigen Künstler. Na ja, wir Frauen machen so was, wir ahmen den Mann nach, der uns interessiert. Aber laß jetzt die Photos.

Die Straße ist noch leer. Hast du gemerkt, wie diese kleine Via Liguria auch tagsüber leer ist? Ich verstehe, daß er hier gewohnt hat. Wer? ... Na eben. Ja, der Glatzkopf. Rück ein bißchen zur Seite, ich will mich neben dich legen.

Gib mir das kleine Kissen. Und den Aschenbecher. Willst du schlafen?... Ich bin auch nicht müde. Laß uns einfach still so liegen. Das ist nicht schlecht, so zu liegen, an einem frühen Morgen in Rom, und an die Decke dieses alten Zimmers zu blicken. Wenn ich nachts um drei erwache und du von der Bar noch nicht zurück bist, liege ich oft so.

Ob der Glatzkopf in diesem Zimmer gewohnt hat? Weiß ich nicht, löchere mich nicht. Geh zum Portier hinunter, und frag ihn, wenn du es wissen willst.

Ja, kann sein, daß er in diesem Zimmer gewohnt hat.

Was ist? Ob ich seinetwegen gekommen bin? Du spinnst ja, was stellst du dir vor? Er war doch schon zwei Monate tot, als ich abreiste.

Was redest du da? Nein, ich habe letzthin im protestantischen Friedhof nicht sein Grab gesucht. Sondern das Grab eines Dichters, eines unglückseligen Engländers. Nur das ist an der Sache wahr, daß mir der Künstlerartige von diesen berühmten Gräbern erzählt hat. Aber er ist nicht dort begraben, sondern vor der Stadt auf einem billigen Friedhof. Er war ja auch kein Protestant wie der englische Dichter. Nein, auch kein Jude. Ich weiß nur, daß er nicht gläubig war.

Ja, jetzt blinzelst du und vermutest etwas. Du denkst, ich sei heimlich doch seine Geliebte gewesen und sei ihm deshalb hierher nachgereist. Tut mir leid, ich kann dir nicht mit einer pikanten Geschichte dienen. Zwischen uns war nichts. Um ihn herum war alles sehr einfach. Er war nicht so ein interessantes künstlerisches Gottesgeschöpf wie du, mein Herz. Er war eher wie ein Beamter oder ein pensionierter Professor.

Da war nichts Abenteuerliches, weder in ihm noch um

ihn herum. Die Frauen liefen ihm nicht nach. Sein Name stand nicht in den Zeitungen. Überhaupt, als ich ihn kennenlernte, war er nicht mehr im Gespräch. Früher, so hatte ich gehört, war er irgendwie berühmt gewesen. Doch in jener Zeit, gegen Kriegsende, krähte kein Hahn mehr nach ihm.

Glaub mir, ich weiß nichts Interessantes über diesen Mann zu berichten. Und ich habe auch nur ein einziges Bild von ihm. Er mochte es nicht, wenn man ihn photographierte. Manchmal kam er mir vor wie ein Verbrecher, der Angst hat, man würde auf einem Glas seine Fingerabdrücke finden, und der sich unter einem falschen Namen versteckt. Wenn an dem Mann etwas interessant war, so vielleicht nur die Tatsache, daß er sich mit jeder Faser seines Körpers gegen das Interessantsein wehrte. Aber lassen wir ihn.

Erpresse mich nicht.

Ich ertrage es nicht, wenn du mich auf diese Art erpreßt, so schmollend und drohend. Du willst, daß ich dir das auch noch gebe? So wie den Ring, wie die Dollars? Alles soll ich dir geben? Nichts willst du mir lassen? Wenn ich dir auch das noch gebe, bleibt mir gar nichts mehr. Wenn du mich dann sitzenläßt, bleibe ich mit leeren Händen zurück. Das willst du?

Na gut, ich erzähle es dir. Aber bilde dir bloß nicht ein, du seist der Stärkere. Ich bin einfach schwächer.

Es ist nicht leicht, davon zu erzählen. Als ob man ein Nichts erzählen müßte. Ich glaube, im Leben kann man nur das Etwas erzählen, ich meine, in diesem einfachen, alltäglichen Leben. Denn weißt du, es gibt Menschen, die nicht nur im Alltag leben, sondern auch anders, irgendwie in einer anderen Wirklichkeit. Diese Menschen können vielleicht auch das Nichts erzählen, und so spannend wie einen Kriminalroman. Dieser Mensch hat gesagt, alles sei Wirklichkeit. Nicht nur die Dinge, die man mit Händen greifen kann, sondern auch die Begriffe. Und wenn das Nichts ein Begriff war, so interessierte er sich eben für das Nichts. Er nahm es in die Hand, drehte es nach allen Seiten. Blinzle nicht, ich sehe schon, daß du das nicht begreifst. Ich begriff es auch nicht. Aber dann habe ich in seiner Gesellschaft irgendwie erlebt, wie in seinen Händen, in seinem Kopf das Nichts zu Wirklichkeit wurde, wie es wuchs und sich mit Bedeutung füllte. Das war sein Trick. Zerbrich dir nicht den Kopf. Das ist zu hoch für uns.

Wie er hieß?... Na, für die Welt hatte er schon eine Art Namen. Ehrlich gesagt, ich hatte früher nie ein Buch von ihm gelesen. Als ich ihn kennenlernte, dachte ich, er spiele mit mir, so wie er mit allem und allen spielte. Da habe ich mich in meiner Wut hingesetzt und doch eins seiner Bücher gelesen. Ob ich es verstanden habe? Im großen und ganzen schon. Er schrieb mit einfachen Worten, so wie man sie auch im Leben gebraucht. Er schrieb vom Brot und vom Wein und davon, was man essen und wie man spazieren und was man während des Spazierens denken soll. Es war wie ein Lehrbuch für leicht bedepperte Leute, die nicht wissen, wie man richtig lebt. Aber es war auch ein schlaues Buch, eine gespielte Natürlichkeit, doch hinter dem Herr-Lehrer-Ton grinste auch irgendwie eine verwegene Gleichgültigkeit. Als ob alles, das Buch und das Schreiben des Buchs und der Leser, der das Buch in den Händen hält und sich bemüht, es zu verstehen, und dabei ernst wird oder verträumt oder gerührt, als ob das alles von einem bösen Jungen im Hintergrund beobachtet würde, aus einer Ecke des Zimmers, zwischen den Seiten des Buchs hervor. Und dieser Junge grinst schadenfroh. So ein Gefühl hatte ich, als ich sein Buch las. Ich verstand jede Zeile, bloß das Ganze verstand ich nicht, denn es war mir nicht klar, was er eigentlich wollte. Und ich verstand nicht, warum er Bücher schrieb, wenn er nicht daran glaubte, weder an die Literatur noch an die Leser. Ich wurde wütend, als ich sein Buch las. Ich hab's auch nicht fertig gelesen, sondern wütend in eine Ecke geschmissen.

Später, als ich bei ihm lebte, habe ich ihm das auch gesagt. Er hörte mir ernst zu, wie ein Priester oder ein Erzieher. Dann nickte er und schob sich die goldgerahmte Brille in die Stirn. Und sagte verständnisvoll: »Eine Schande«, und er machte eine Handbewegung, als schmisse auch er entmutigt sämtliche Bücher der Welt in die Ecke. »Jawohl, Schmach und Schande.«

Dazu seufzte er traurig. Aber er hat nicht gesagt, was die Schande war. Die Literatur? Oder daß ich das Buch nicht verstand? Oder daß es etwas gibt, das man nicht schreiben kann? Ich wagte ihn nicht zu fragen. Denn mit den Wörtern ging er um wie der Apotheker mit den Giften. Wenn ich ihn nach der Bedeutung eines Wortes fragte, schaute er mich mißtrauisch an, genau wie ein Apotheker, wenn eine zerzauste, aufgewühlte Frau daherkommt und ein Schlafmittel verlangt, zum Beispiel Veronal. Nach seiner Meinung waren Wörter Gift. Ein bitteres Gift, das man nur stark verdünnt einnehmen durfte.

Worüber wir sprachen, fragst du. Ich versuche mich zu erinnern, was er zuweilen sagte. Nicht viel jedenfalls.

Einmal, während eines Bombenangriffs, als sich die Stadtbevölkerung in den Kellern duckte und auf den Tod wartete, sprach er davon, daß die Erde und die Menschen aus dem gleichen Stoff seien. Und er las die Formel vor, irgendwie fünfunddreißig harte und fünfundsechzig flüssige Stoffe. Er hatte es aus einem Schweizer Buch. Das fand er ganz toll. Er sprach so zufrieden, als wäre damit alles in Ordnung. Ringsum stürzten die Häuser ein, die Menschen rannten schreiend von einem Versteck zum anderen, aber das kümmerte ihn nicht. Er erzählte von einem Deutschen, der vor langer Zeit gelebt hat, vor hundert Jahren oder noch mehr. Es gibt hier in Rom ein Café, wo wir letzthin gesessen haben, das Greco, da habe der Deutsche verkehrt. Zerbrich dir nicht den Kopf, ich weiß seinen Namen auch nicht mehr. Der Glatzkopf sagte, dieser Deutsche habe geglaubt, die Pflanzen und die Tiere und die ganze Erde seien nach dem gleichen Muster gemacht. Verstehst du das? In jenen Wochen, als Budapest bombardiert wurde, las er so fieberhaft, als hätte er bis dahin etwas Wichtiges verpaßt. Als hätte er sein Leben lang auf der faulen Haut gelegen, und jetzt könnte er das Verpaßte nicht mehr nachholen, zum Beispiel das Geheimnis nicht erfahren, wie die Welt funktioniert. Und ich saß still in einer Ecke, sah ihm zu und lachte ihn aus. Er achtete nicht darauf, kümmerte sich um mich nicht mehr als um die Bomben.

Dieser Mann sagte mir immer Sie. Er war der einzige aus der Welt meines Mannes, aus der sogenannten Oberschicht, der mich auch in vertraulichen Situationen nicht duzte. Was sagst du? Dann sei er kein richtiger Gentleman gewesen? Er sei bloß ein Schriftsteller gewesen und kein Gentleman… Was bist du für ein Kluger. Du hast vielleicht recht, vielleicht gehörte er gar nicht wirklich zur Oberschicht, denn er sprach immer respektvoll zu mir.

Als ich noch Dienstmädchen war, hat mich mein Mann einmal zu ihm geschickt, damit er mich anschaute und prüfte. Ich ging hin, brav wie ein Lamm. So wie noch früher zu jenem Arzt, zu dem mich seine Familie geschickt hatte, weil sie sicher sein wollten, daß das neue Dienstmädchen nicht etwas einschleppte. Damals war für meinen Mann der Glatzköpfige der Arzt, bloß ging es nicht um meinen Körper, sondern um etwas anderes, darum, wie ich innen war. Der Schriftsteller war einverstanden, mich zu untersuchen, aber er empfing mich ziemlich verdrossen. Irgendwie verachtete er diese ganze Angelegenheit, diesen Seelenklinik-Stumpfsinn, auf den mein Mann in seiner Verlegenheit gekommen war. Er brummte etwas, als er mir öffnete, und dann mußte ich mich setzen, und er sagte nicht viel, sondern schaute mich bloß an.

Er sah die Personen, mit denen er sprach, sowieso nie an, sondern blickte immer anderswohin. Wie jemand, der ein schlechtes Gewissen hat und den direkten Blick meidet. Doch dann blitzten seine Augen plötzlich auf, und dann spürte man, daß dieser Mensch einen jetzt anschaute, einen persönlich. Und ganz stark. Man konnte sich seinem Blick nicht entziehen. Man konnte nichts machen, weder irgendwie hüsteln noch auf dem Sitz rumrutschen oder gleichgültig tun. Er schaute, wie wenn man berührt und in Besitz genommen wird. Wie ein Arzt, der sich mit dem Skalpell in der Hand über den Kranken beugt und gleich darauf mit eigenen Augen die Leber oder die Nieren sehen wird. Er schaute nicht oft so. Und nie lange. Offenbar vermochte er diesem Blick nur kurze Zeit Strom zu geben. Doch damals betrachtete er mich auf diese Art, mich, die fleischgewordene fixe Idee seines Freundes. Dann wandte er sich ab, und in seinen Augen erlosch der Strom. Er sagte: »Sie können gehen, Judit Áldozó.«

Ich bin gegangen. Und habe ihn dann zehn Jahre nicht wieder gesehen. Mein Mann und er trafen sich damals nicht mehr.

Ich habe nie etwas Genaues erfahren, aber ich vermute, daß dieser Mensch etwas mit der ersten Frau meines Mannes hatte. Als sie geschieden waren, reiste die Frau nach Rom. Eine Zeitlang lebte sie hier. Dann kehrte sie nach Budapest zurück und lebte dort ganz still, niemand hörte von ihr. Ein paar Monate vor Kriegsausbruch ist sie gestorben. Ganz plötzlich. Ein Blutpfropf stieg ihr ins Herz, und sie fiel tot um. Später hat man allerlei getratscht, wie das üblich ist, wenn ein noch junges Geschöpf stirbt, dem augenscheinlich nichts fehlt. Es hieß, sie habe sich umgebracht. Aber niemand wußte, warum die reiche, schöne Frau Selbstmord begangen haben sollte. Sie hatte eine schöne Wohnung, sie ging auf Reisen, war selten unter Leuten, lebte diskret. Ich habe ihr ein bißchen nachgeforscht, wie eine Frau das tut, wenn sie über einen Mann mit einer anderen Frau verbunden ist. Aber ich konnte nichts Sicheres herausbringen.

Doch über solche plötzlichen Tode weiß ich trotzdem etwas. Ich glaube den Ärzten nicht, auch wenn ich gleich zu ihnen laufe, es genügt, daß ich mich in den kleinen Finger geschnitten habe oder mir der Hals weh tut. Und doch glaube ich ihnen nicht, denn es gibt etwas, das nur wir Kranken wissen. Ich weiß zum Beispiel, daß der plötzliche Tod, wenn es keinerlei Vorzeichen gibt, wenn jemand kerngesund ist, trotzdem nicht unmöglich ist. Mein komischer Freund, der Schriftsteller und Quacksalber, wußte etwas darüber. In der Zeit, als ich ihn kennenlernte, fühlte ich mich manchmal so seltsam. Ich dachte fortwährend, na, jetzt ist Schluß, ich sterbe. Ich begegnete dem Glatzkopf in einem Schutzraum in Buda, abends um sechs, ganz unerwartet. Viele Hunderte von Menschen drängten sich in dem Felsengewölbe.

Es war wie eine Wallfahrt, wenn sich das Volk in Höhlen versammelt und Litaneien singt, weil in der Stadt die Pest* wütet. Er erkannte mich und winkte mir zu, ich solle mich neben ihn setzen. Ich saß also neben ihm und horchte auf die fernen, dumpfen Explosionen. Allmählich dämmerte mir, daß das der Mensch war, zu dem mich mein Mann geschickt hatte, zwecks Untersuchung. Nach einer Weile sagte er, ich solle aufstehen und mit ihm gehen.

Die Entwarnung war noch nicht gegeben worden, die enge Gasse auf der Burg war leer, wir spazierten in Todesstille. Wir gelangten zu der alten Konditorei, du kennst sie ja, das hundertjährige Lokal mit dem vornehmen Mobiliar. Hier traten wir ein.

Es war gespenstisch, wie ein Rendezvous im Jenseits. Die Besitzer der Konditorei und die Verkäuferin waren beim ersten Sirenenton in den Keller gerannt. Wir waren allein zwischen den Mahagonimöbeln, dem mit Tüll zugedeckten Kriegsgebäck, den verwelkten Cremeschnitten und den vertrockneten Meringen, den auf Glasregalen stehenden Flaschen mit Vanillelikör. Es war niemand da, niemand antwortete auf unseren Gruß.

Wir setzten uns und warteten. Sprachen aber noch immer nichts. Weit weg, auf der Seite von Pest, krachten die Fliegerabwehrkanonen, und die amerikanischen Bomben fielen mit dumpfem Dröhnen auf die Stadt. Eine schwarze Rauchwolke zog über die Burg, denn die Bomben hatten am anderen Ufer ein Öllager getroffen. Aber auch darauf achteten wir nicht.

Er spielte den Gastgeber, als wäre er zu Hause. Schenkte Likör in zwei Gläschen ein, plazierte auf einem Teller Nuß- und Cremeschnitten. Er bewegte sich so vertraut in der alten Konditorei, als wäre er hier ein Stammgast. Als er die Dinge vor mich hinstellte, fragte ich, ob er oft hierherkäme.

»Ich?« sagte er erstaunt, in der Hand das Likörglas. »Aber nein. Ich war vielleicht vor dreißig Jahren, zu meiner Studentenzeit, das letztemal hier. Nein«, sagte er bestimmt und blickte kopfschüttelnd um sich, »ich erinnere mich nicht genau, wann ich hier gewesen bin.«

Wir stießen an, aßen das Gebäck und plauderten. Als nach der Entwarnung die alte Besitzerin und die Verkäuferin aus dem Keller auftauchten, waren wir schon mitten in einer vertraulichen Unterhaltung. So begann unsere Bekanntschaft neu.

Ich war nicht überrascht von dieser Natürlichkeit. Auch später überraschte mich nichts, wenn ich bei ihm war. Er hätte sich splitternackt ausziehen und zu singen beginnen können wie die religiösen Spinner auf der Straße, auch das hätte mich nicht überrascht. Oder eines Tages mit Vollbart daherkommen und sagen, er sei eben auf dem Sinai gewesen und hätte mit dem Herrgott geredet, oder was immer ihm sonst noch eingefallen wäre, ich hätte in keinem Fall gestaunt.

Und so überraschte es mich auch nicht, daß er mich nicht beim Namen nannte und meinen Mann mit keinem Wort erwähnte. Er machte sich in der leeren Konditorei zu schaffen, und jedes Wort schien überflüssig, als wisse man das Wesentliche sowieso. Als wäre nichts langweiliger und unnötiger als der Versuch, einander zu erzählen, wer und was man war. Oder daß man die alten Geschichten kannte, zum Beispiel die Geschichte von der verstorbenen Frau. Oder die Geschichte unserer ersten Begegnung. Wir redeten, als wäre das Leben zwischen den Menschen nie etwas anderes als eine Zwiesprache, die der Tod nur für die Länge eines Atemzugs unterbricht.

Und so fragte er auch nicht, wie ich lebte und mit wem, sondern bloß, ob ich schon gefüllte Oliven gegessen hätte.

Zuerst dachte ich, er sei verrückt geworden. Ich sah ihm lange in die Augen, in dieses forschende, graugrüne ernste Augenpaar. Und auch er sah mich an, so aufmerksam, als hinge unser beider Leben von meiner Antwort ab.

Ich dachte nach, weil ich nichts Unrichtiges sagen wollte. Dann antwortete ich, doch ja, ich hätte welche gegessen. In London, in Soho, in einem kleinen italienischen Restaurant, wohin mich der Grieche mitgenommen hatte. Den Griechen hingegen erwähnte ich nicht, ich dachte, es sei nicht nötig, im Zusammenhang mit den Oliven auch von ihm zu reden.

»Dann ist es gut«, sagte er erleichtert.

Ich fragte schüchtern, warum das gut sei.

Er sagte rasch und streng: »Weil man sie nicht mehr bekommt. Man bekommt in Budapest überhaupt keine Oliven mehr. Früher bekam man sie noch in der Innenstadt, im Delikatessengeschäft von …«, und er nannte den Namen. »Aber gefüllte Oliven hat es hierzulande noch nie gegeben. Das rührt daher, daß Napoleon nur bis Raab gelangt ist.«

Er nickte und zündete sich eine Zigarette an, als hätte er nichts mehr zu sagen. An der Wand tickte eine alte Wiener Pendeluhr. Darauf horchte ich. Und auf die fernen, dumpfen Detonationen, die wie das Rülpsen eines vollgefressenen wilden Tiers waren. Ich dachte, ich träume. Es war kein glücklicher Traum, und doch fühlte ich eine seltsame Ruhe. Wie auch später immer, wenn ich mit ihm zusammen war. Ich kann dir das gar nicht erklären. Ich war in seiner Gesellschaft nie glücklich. Manchmal haßte ich ihn, er machte mich oft wütend. Aber es war mir auch nie langweilig mit ihm. Ich war weder unruhig noch ungeduldig. Es war ein Gefühl, wie wenn man beengende Kleider auszieht oder überhaupt alles, worauf man dressiert ist. Ich war einfach ruhig. Es folgten die wahnsinnigsten Wochen des Kriegs, und doch war ich nie so ruhig und zufrieden wie in jener Zeit.

Manchmal dachte ich sogar, wie schade, daß ich nicht seine Geliebte bin. Nicht daß ich mich danach gesehnt hätte, mit ihm ins Bett zu gehen. Er war schon alt, hatte gelbe Zähne und Tränensäcke unter den Augen. Ich dachte auch, er sei impotent, deshalb sehe er mich nicht an, wie man eine Frau ansehen sollte. Oder daß er nicht Frauen brauchte. Ich weiß nicht, ich kann nur sagen, daß er sich nicht um mich kümmerte.

Von den Oliven sagte er dann noch: »In Budapest hat es, auch zur friedlichsten Friedenszeit, immer nur die kleinen, verschrumpelten schwarzen Oliven zu kaufen gegeben. Ohne Füllung. Na gut, auch in Italien bekam man die gefüllten nicht überall.«

Er schob sich die Brille auf die Stirn und sagte mit erhobenem Zeigefinger: »Eigentlich seltsam. Die echten, duftenden Oliven mit der säuerlich und weich zerfallenden Paprikafüllung bekam man nur in Paris zu Ende der zwanziger Jahre, im Ternes-Viertel, an der Ecke der Rue Saint-Ferdinand, in einem italienischen Delikatessengeschäft.« Nachdem er alles gesagt hatte, was man in diesem Entwicklungsstadium der Menschheit über die gefüllten Oliven wissen konnte, verstummte er zufrieden und strich sich mit einer Hand über die Glatze.

Na, dem sind die Sicherungen durchgebrannt, so dachte ich. Ich sah ihn betroffen an. Saß hier auf dem Burghügel unter den Bomben, in der Gesellschaft eines Verrückten, der einmal der Freund meines Mannes gewesen war. Und fühlte mich gar nicht schlecht dabei.

Ich fragte ihn sachte, warum er meine, daß es für meine nähere oder fernere Zukunft von Vorteil sei, daß ich einst in Soho tatsächlich gefüllte Oliven gegessen hatte.

Er hörte sich die Frage mit seitwärts geneigtem Kopf an, dachte nach und sagte dann freundlich und geduldig: »Weil es aus ist mit der Kultur. Mit allem, was zur Kultur gehört hat. Die Oliven waren nur ein kleiner Beigeschmack. Doch die vielen kleinen Geschmäcker und Köstlichkeiten ergaben zusammen den Saft und die Kraft jenes wunderbaren Gerichts, das man Kultur nennt. Das alles geht jetzt zugrunde«, sagte er und hob die Arme wie ein Dirigent, der ein Fortissimo befiehlt. »Es geht zugrunde, selbst wenn die Bestandteile übrigbleiben. Es kann ja sein, daß auch in Zukunft irgendwo gefüllte Oliven verkauft werden. Aber die Art Mensch, die diese Kultur im Bewußtsein hatte, geht zugrunde. Man wird nur noch Kenntnisse haben, und das ist nicht das gleiche. Die Kultur ist ein Erlebnis. Ein konstantes Erlebnis wie der Sonnenschein. Kenntnisse sind bloß eine Zulage.« Er zuckte mit den Achseln. Und sagte dann höflich: »Deshalb freue ich mich, daß wenigstens Sie noch die Oliven gegessen haben.«

Und wie ein Punkt hinter seinem Satz erschütterte eine nahe Explosion das Haus. »Zahlen«, sagte er und stand auf, als hätte ihn der Riesenknall daran erinnert, daß es noch anderes zu tun gab als das Begraben der Kultur.

Er ließ mich höflich vorangehen, und wir stiegen vom menschenleeren Burghügel hinunter. Wir gingen direkt zu seiner Wohnung. Über die schöne Brücke, die ein paar Monate später gebrochen im Wasser lag. Schon da hingen an den Ketten der Brücke die Sprengstoffladungen, denn die Deutschen hatten sich gründlich vorbereitet.

Er betrachtete die Packungen mit gelassenem Expertenblick, als interessiere ihn nur ihre richtige Plazierung. »Auch das geht drauf«, sagte er mitten auf der Brücke und zeigte auf die riesigen Eisenbänder, die stumm und mit dem Schwung ihres Gewichts die mächtige Brücke trugen. »Geht komplett drauf. Warum, fragen Sie? Es ist doch so«, sagte er rasch, als antwortete er sich selbst, »daß alles eintritt, worauf man sich lange vorbereitet. Die Deutschen verstehen sich hervorragend auf Sprengungen«, sagte er anerkennend. »Niemand sprengt Brücken so perfekt wie sie. Also werden sie auch die Kettenbrücke sprengen und dann der Reihe nach alle anderen Brücken, so wie sie Warschau und Stalingrad in die Luft gesprengt haben.«

»Aber das ist ja furchtbar«, sagte ich unwillkürlich erschüttert. »Unsere schönen Brücken …«

Aber ich konnte den Satz nicht beenden.

»Furchtbar?« fragte er mit gedehnter Stimme und schaute mich von oben an. Er war groß, einen Kopf größer als ich. Möwen kreisten um die Bögen der Brücke, sonst war kein Lebewesen da, in dieser gefährlichen Dämmerstunde.

Er schien überrascht, daß ich erschüttert war.

»Warum?« fragte ich gereizt. »Tun Ihnen die Brücken nicht leid? Und die Menschen? Und alles, was zugrunde geht?«

»Mir?« fragte er wieder mit der gedehnten Stimme, als sei er von meiner Frage überrascht. »Aber wie denn«, sagte er, plötzlich in Schwung gekommen, »mir würden die Brücken, die Menschen nicht leid tun? Na so etwas. Ausgerechnet mir nicht!« sagte er und schüttelte mit einem seltsamen Lächeln den Kopf, als würde ihn eine derart absurde Annahme amüsieren. »Nie, verstehen Sie«, und er beugte sich nah zu meinem Gesicht und blickte mir in die Augen wie ein Hypnotiseur, »nie habe ich mich mit anderem beschäftigt als damit, daß mir die Brücken und die Menschen leid taten.«

So sagte er, schwer atmend, als wäre er verletzt und müßte die Tränen zurückhalten.

Ein Schauspieler, dachte ich plötzlich. Ein Komödiant, ein Clown. Doch dann sah ich in seine Augen und stellte erstaunt fest, daß sie tatsächlich feucht waren. Ich konnte es nicht glauben. Aber es gab keinen Zweifel, dieser Mensch weinte. Die Tränen liefen ihm herunter.

Und er schämte sich nicht dafür. Achtete gar nicht darauf. Als ob seine Augen separat weinten, unabhängig von seinem Willen.

»Arme Brücke«, murmelte er, als wäre ich gar nicht da. »Arme, schöne Brücke. Und arme Menschen. Arme, arme Menschheit!«

So redete er. Wir standen reglos. Dann trocknete er die Augen mit seinem Handrücken, rieb ihn an seinem Mantel ab und zog die Nase hoch. Er schaute wieder auf die Sprengstoffladungen, diesmal kopfschüttelnd, als wäre da eine Unordnung, als wäre die arme Menschheit eine

Bande von Lausejungen, die er, der Schriftsteller, weder mit guten Worten noch mit dem Rohrstock zu Zucht und Ordnung bringen konnte.

»Ja, das alles geht drauf«, sagte er seufzend, aber auch mit einer merkwürdigen Befriedigung in der Stimme, als liefe alles plangemäß ab. Als hätte er mit Papier und Bleistift schon vorausberechnet, daß gewisse menschliche Neigungen unweigerlich bestimmte Konsequenzen haben, so daß er jetzt, zwar schluchzend, im Grunde seines Herzens zufrieden war, daß seine Berechnungen stimmten.

»Na«, sagte er, »gehen wir nach Hause.«

So sagte er es, in der Mehrzahl. Als hätten wir das schon abgemacht. Und weißt du, was das Seltsamste war? Auch ich hatte das Gefühl, daß wir alles schon besprochen hatten, alles, was wesentlich war und uns beide betraf, als hätten wir uns nach einer langen Diskussion geeinigt. Worüber? Zum Beispiel darüber, daß ich seine Geliebte würde, oder vielleicht auch darüber, daß er mich als Dienstmädchen anstellte. Wir machten uns wortlos auf den Weg »nach Hause«, über die todgeweihte Brücke. Er ging rasch, und ich gab mir Mühe, mit ihm Schritt zu halten. Unterwegs würdigte er mich keines Blickes, als hätte er vergessen, daß ich da war. Ich hätte auch ein Hund sein können, der hinter ihm hertrabte. Oder eine Hausangestellte, die ihren Herrn bei einer Erledigung begleitet. Und ich preßte mir die Tasche, in der ich Lippenstift, Puder und Lebensmittelkarten hatte, auf die gleiche Art an den Körper wie viele Jahre zuvor, als ich nach Budapest aufgebrochen war, um eine Anstellung zu suchen.

Und wie wir so dahintrabten, wurde ich auf einmal ruhig. Weißt du, damals war ich für die Welt schon lange eine Dame. Sogar die Nase schneuzte ich mir so vornehm, als sei ich auf einer Gardenparty im Buckingham Palace. Manchmal kam mir in den Sinn, daß mein Vater nie ein Taschentuch benutzt hatte. Weil er keins besaß. Er schneuzte sich mit Hilfe von zwei Fingern, die er dann an seinem Hosenbein abwischte. Auch ich, als ich in die Stadt kam, schneuzte mich so. Doch jetzt, als ich an der Seite dieses Mannes ging, wurde es mir auf einmal leichter ums Herz, wie einem Menschen, der sich nach anstrengenden, überflüssigen Kunststücken endlich ausruhen darf. Denn ich war sicher: Wenn ich jetzt, vor der Statue Széchényis, niesen mußte, so würde ich mich bestimmt mit zwei Fingern schneuzen und sie dann am feinen Shantung meines Rocks abwischen, und dieser Mensch würde das nicht einmal beachten. Oder wenn er in dem Augenblick zufällig herschaute, so wäre er nicht empört und würde mich nicht verachten, sondern würde mich mit Interesse beobachten, wie ein damenhaft gekleidetes weibliches Wesen auf Bauernart die Nase schneuzte. Und darin war etwas Beruhigendes.

Wir gingen in seine Wohnung hinauf. Als er die Tür öffnete und mich in den dunklen, nach Kampfer riechenden Flur treten ließ, fühlte ich die gleiche Ruhe wie vor vielen Jahren, als ich von der Puszta nach Budapest gekommen war und bei den Eltern meines Exmannes eine Anstellung fand. Ich war ruhig, denn ich hatte in der wilden, gefährlichen Welt endlich ein Dach über dem Kopf gefunden.

Und dort blieb ich dann auch, blieb gleich über Nacht. Ich schlief sofort ein. Spät in der Nacht erwachte ich und hatte das Gefühl, ich müsse sterben.

Nein, es war kein Herzanfall, mein Schatz. Na ja, das war es auch, aber auch etwas anderes. Es tat mir nichts weh. Ich fühlte mich auch nicht beengt. Eine wohlige

Ruhe durchströmte meinen ganzen Körper, die Ruhe des Todes. Ich hatte das Gefühl, in meiner Brust habe der Apparat zu ticken aufgehört, die Feder sei gebrochen. Meinem Herzen war mit einemmal die Schufterei verleidet, es schlug nicht mehr.

Als ich die Augen aufmachte, sah ich, daß er neben dem Sofa stand, mein Handgelenk festhielt und nach meinem Puls tastete.

Aber das tat er anders als die Ärzte. Er tastete nach meinem Puls, wie ein Musiker die Saiten seines Instruments prüft oder ein Bildhauer eine Skulptur berührt. Er tastete mit allen fünf Fingern nach dem Puls. Ich hatte das Gefühl, jeder Finger rede separat mit meiner Haut, mit meinem Blut und durch alles hindurch mit meinem Herzen. Er tastete wie jemand, der im Dunkeln sieht. Wie die Blinden, die mit den Händen sehen.

Er war noch vollständig angezogen. Es war schon Mitternacht vorbei. Er fragte nichts. Sein verbliebenes Haar um die Glatze herum war zerzaust. Im Nebenzimmer brannte das Licht. Offensichtlich hatte er dort gesessen und gelesen, während ich schlief und dann auf einmal im Sterben lag. Jetzt begann er plötzlich hin und her zu laufen. Er holte eine Zitrone, preßte sie aus, mischte Puderzucker in den Saft und gab mir das süßsaure Gemisch zu trinken. Dann kochte er in einer kleinen Messingpfanne einen ganz starken türkischen Kaffee. Er ließ zwanzig Tropfen einer Medizin in ein Glas Wasser tropfen, und auch das mußte ich trinken.

Wieder heulten die Sirenen, aber wir achteten nicht darauf. Er ging nur in den Schutzraum, wenn ihn ein Bombenangriff auf der Straße überraschte und ein Polizist die Leute in die Keller hinuntertrieb. Sonst blieb er in der

Wohnung und las. Er las gern in solchen Momenten, denn er sagte, endlich sei es still in der Stadt. Still, tatsächlich, wie im Jenseits. Die Straßenbahnen und Autos fuhren nicht, man hörte nur die Geschütze der Fliegerabwehr und die Bomben. Aber das störte ihn nicht.

Er saß neben dem Sofa und griff hin und wieder nach meinem Handgelenk. Ich lag mit geschlossenen Augen. Es fielen viele Bomben, aber ich fühlte mich ruhig und geborgen wie noch nie. Warum? Vielleicht weil ich seinen menschlichen Beistand spürte. Das bekommt man sehr selten zu spüren. Auch bei den Ärzten selten. Dieser Mensch war kein Arzt, aber er wußte zu helfen. Wenn die Dinge schiefgehen, können offenbar nur die Künstler helfen. Vielleicht ausschließlich die Künstler... Ja, mein Schatz, du und alle Künstler. Er sagte einmal, früher habe es keinen Unterschied gegeben zwischen Künstler, Priester und Arzt. Das war dieselbe Person. Wer etwas konnte, war ein Künstler. Das spürte ich irgendwie, und deshalb war ich so ruhig.

Nach einer Weile fühlte ich, daß mein Herz wieder regelmäßig schlug. Der Apparat in meiner Brust hatte wieder zu funktionieren angefangen, so wie ich es als Kind im Panoptikum von Nyíregyháza gesehen hatte. Es gab dort eine Puppe zu sehen, die einen sterbenden Papst darstellte. Seine Brust wurde von einem Apparat bewegt. So fühlte ich mich.

Ich schaute zu ihm auf und wollte, daß er etwas sagte. Ich selbst hatte zum Sprechen noch nicht die Kraft. Aber er hatte schon gemerkt, daß die Gefahr vorbei war, und er fragte freundlich: »Hatten Sie Syphilis?«

Die Frage schockierte mich nicht. Alles, was er sagte, klang ganz natürlich. Ich schüttelte den Kopf, und ich wußte, daß es keinen Sinn gehabt hätte zu lügen, denn dieser Mensch hätte es gemerkt. Dann fragte er, wie viele Zigaretten ich täglich rauchte. Weißt du, früher hatte ich nicht geraucht, jedenfalls nicht so maßlos wie jetzt in Rom. Damit habe ich erst hier begonnen, mit den gebeizten amerikanischen Zigaretten. Doch damals zündete ich mir höchstens nach dem Essen eine an. Ich sagte ihm das, und dann fragte ich: »Was war das?«, und ich legte die Hand auf mein Herz. Ich fühlte mich sehr schwach. »Ich habe noch nie so etwas gespürt.«

Er betrachtete mich aufmerksam und sagte: »Der Körper erinnert sich.«

Aber er sagte nicht, woran. Eine Weile schaute er mich noch an, dann stand er auf und ging mit langsamen, schleppenden Schritten, fast ein wenig hinkend, ins Nebenzimmer und machte die Tür hinter sich zu. Ich blieb allein.


Auch später ließ er mich auf diese Art allein, morgens oder nachts, oder wann auch immer. Denn nach einer Zeit kam ich ohne Voranmeldung zu ihm. Er hatte mir einen Schlüssel gegeben, mit einer beiläufigen Geste, als wäre es das Selbstverständlichste der Welt. Wann immer ich bei ihm eintraf, bewirtete er mich mit Leckerbissen, die er aus einer unsichtbaren Speisekammer hervorgezaubert hatte. Zum Beispiel mit Krabbenfleisch aus der Dose. Als schon alle Bohnen aßen, verwöhnte er mich mit Ananaskonserven. Und er bot mir auch alten Pálinka an. Er selbst trank nie Pálinka, aber er hatte immer Wein in der Kammer. Er sammelte seltene Weine, französische, ungarische, deutsche. Das war seine Sammlung, so wie andere Briefmarken oder feines Porzellan sammeln. Und wenn er eine dieser seltenen Flaschen entkorkte, betrachtete und kostete er den Wein so ehrfürchtig wie ein heidnischer Priester, der sich auf ein rituelles Opfer vorbereitet. Auch mir schenkte er manchmal davon ein, aber ungern. Irgendwie war ich des Weins nicht würdig. Lieber gab er mir Pálinka zu trinken. Er sagte, Wein sei kein Frauengetränk.

Er hatte solche merkwürdigen Ansichten.

Mich überraschte die Ordnung, die in seiner Wohnung herrschte. Große Ordnung in den Schränken, Schubladen und Regalen, auf denen er seine Papiere und Bücher aufbewahrte. Keine Zugehfrau hielt hier Ordnung, sondern er persönlich. Er war da ganz akkurat. Zum Beispiel duldete er keine Asche und Zigarettenkippen in den Aschenbechern, sondern ließ sie dauernd in einem Bronzekesselchen verschwinden, das er dann eigenhändig leerte. Auf seinem Schreibtisch war eine Ordnung wie auf dem Zeichentisch eines Ingenieurs. Ich sah ihn zwar nie Möbel umherschieben, aber wann immer ich eintraf, sah die Wohnung aus, als wäre eben reinegemacht worden. In ihm selbst war die Ordnung, in seiner Person, in seinem Leben. Ich habe das erst später verstanden, wenn ich es überhaupt richtig verstanden habe. Weißt du, es war keine lebendige Ordnung mehr. Sondern eine künstliche, denn als in der Welt alles auseinanderzufallen begann, gab er sich besonders Mühe, seine persönliche Ordnung zu wahren und zu pflegen. Als wäre das die letzte Möglichkeit, sich vor dem allgemeinen Zerfall zu schützen. Ich sag's dir, ich verstehe es heute noch nicht. Ich erzähle es einfach.

Doch in jener Nacht beruhigte sich mein Herz. Er hatte recht gehabt, der Körper erinnert sich. Woran? Damals wußte ich es noch nicht, aber jetzt kann ich es ja sagen.

Mein Körper erinnerte sich an meinen Mann. Ich dachte in jener Zeit überhaupt nicht mehr an meinen Mann, ich hatte ihn seit Jahren nicht mehr gesehen und ihn auch nicht gesucht. Ich dachte, ich hätte ihn vergessen. Doch meine Haut, meine Nieren, mein Herz oder was immer, die hatten ihn nicht vergessen. Und als ich bei diesem Menschen, dem Freund meines Mannes, eingetreten war, da hatte sich mein Körper erinnert. Alles um diesen Menschen erinnerte mich an meinen Mann. Aber es verging eine Zeit, bis ich endlich begriff, was ich bei ihm suchte, woran ich mich erinnerte.

Es war eine traumartig unwirkliche Zeit. Menschen wurden eingefangen wie die Hunde von den Abdeckern. Die Häuser stürzten ein. In den Kirchen drängte sich das Volk, genauso wie an den Stränden. Die wenigsten wohnten noch zu Hause, und so fiel es nicht auf, daß ich in der fremden Wohnung ein und aus ging.

Ich wußte, daß ich keinen Fehler machen durfte, weil er mich sonst hinauswarf. Oder er selbst würde verschwinden und mir die Wohnung zurücklassen, im kritischsten Augenblick des Krieges. Ich wußte, wenn ich mich einschmeichelte, mich anbot, dann würde er mir die Tür weisen und: Adieu. Und ich wußte auch, daß ich ihm auf keine Art helfen konnte, ganz einfach, weil er nichts brauchte. Dieser Unglückliche war jemand, der alles ertrug, auch Demütigungen und Entbehrungen. Nur eins ertrug er nicht: Hilfe.

Ob er hochmütig war? Na klar war er das. Er wollte keine Hilfe, weil er hochmütig und einsam war. Doch später habe ich begriffen, daß unter diesem Hochmut noch etwas anderes war. Er hatte Angst um etwas. Nicht um seine Person. Sondern um seine Kultur. Grinse nicht.

Du denkst an die Oliven, deshalb grinst du, was? Wir Proleten, mein süßer Schatz, verstehen nicht, was Kultur ist. Wir denken, wenn jemand etwas auswendig weiß oder vornehm ist und nicht auf den Boden spuckt oder während des Essens nicht rülpst, das sei Kultur. Aber so ist es nicht. Das ist nicht Kultur, wenn man etwas büffelt und dann weiß. Oder wenn man sich anständig benimmt. Es ist etwas anderes. Und dieser Mensch hatte Angst um diese andersartige Kultur. Er wollte keine Hilfe, weil er nicht mehr an die Menschen glaubte.

Eine Zeitlang dachte ich, er habe in dieser gräßlichen Welt um seine Arbeit Angst. Doch als ich ihn besser kennenlernte, war ich ganz verblüfft, denn ich begriff, daß der Mann überhaupt nicht mehr arbeitete.

Was er dann tat, fragst du. Na, er las einfach oder ging spazieren. Du kannst das nicht verstehen, weil du der geborene Künstler bist, der Profischlagzeuger. Du kannst dir gar nicht vorstellen, nicht zu trommeln. Doch dieser Mensch war ein Schriftsteller, der nicht mehr schreiben mochte, weil er nicht mehr daran glaubte, daß das geschriebene Wort etwas an der menschlichen Natur zu ändern vermag. Er war kein Revolutionär, kein Weltverbesserer, er glaubte nicht, daß eine Revolution die Welt verbessern kann. Er sagte einmal, es habe keinen Sinn, die Systeme zu verändern, solange die Menschen gleich bleiben. Er wollte etwas anderes. Er wollte sich selbst verändern.

Du verstehst das nicht, klar, daß du das nicht verstehst. Ich habe es lange auch nicht verstanden und ihm auch nicht geglaubt. Ich ging einfach geräuschlos ein und aus. Damals waren viele Wohnungen voller Leute, vor allem voller Juden, die sich vor der Verfolgung versteckten. Gut,

gut, beruhige dich. Das glaube ich wohl, daß du nicht weißt, wie es damals in Budapest zuging. Daß die Menschen lautlos lebten wie die Insekten. Viele schliefen in Schränken, wie sommers die Motten in den Schubladen mit dem Naphthalin. Auf diese Art hatte ich mein Lager in seiner Wohnung aufgeschlagen. Ohne Geräusche, ohne Lebenszeichen.

Er beachtete mich nicht. Doch zuweilen schreckte er auf, schien mich plötzlich wahrzunehmen und machte dann lächelnd und höflich Konversation, als führten wir schon die ganze Zeit ein Gespräch.

Einmal kam ich abends um sieben in seine Wohnung. Die Luft roch nach Herbst, und es wurde früh dunkel. Ich trat ein, sah seinen kahlen Kopf, da er im dämmerigen Zimmer vor dem Fenster saß. Er las nicht, sondern saß mit verschränkten Armen da und schaute zum Fenster hinaus. Er hatte meine Schritte gehört, wandte sich aber nicht um. Sondern sagte über die Schulter hinweg: »Kennen Sie die chinesischen Zeichen für die Zahlen?«

Ich stutzte, aber ich hatte schon gelernt, wie man mit ihm umgehen mußte. Man mußte den Faden gleich aufnehmen, ohne unnötiges Vorgeplänkel. Am liebsten hatte er, wenn ich ihm ganz knapp antwortete, mit ja oder nein. Also sagte ich gehorsam, nein, keine Ahnung.

»Ich auch nicht«, sagte er ruhig. »Ich verstehe auch ihre Schrift nicht, denn sie beruht nicht auf Buchstaben, sondern auf Begriffen. Und wie sie die Zahlen schreiben, weiß ich schon gar nicht. Sicher ist nur, daß es keine arabischen Zeichen sind. Und es kann auch nicht sein, daß sie das griechische Zahlensystem verwenden, denn das ihre ist älter. Also ist anzunehmen«, das war ein Lieblingsausdruck von ihm, »also ist anzunehmen, daß sie Zahlenzeichen haben, die den anderen in Ost und West nicht gleichen. Und gerade deswegen«, sagte er feierlich, »haben sie keine Technik. Denn die Technik beginnt mit den arabischen Zahlen.«

Er blickte sorgenvoll in den dunkelnden, herb riechenden Abend hinaus. Er war augenscheinlich beunruhigt davon, daß das chinesische Zahlensystem anders ist als das arabische. Ich starrte ihn schweigend an, denn über die Chinesen wußte ich so ziemlich gar nichts.

Deshalb fragte ich schüchtern: »Die Technik beginnt mit den arabischen Zahlen?«

In diesem Augenblick donnerte nicht weit entfernt, unterhalb des Burghügels, ein Fliegerabwehrgeschütz.

Er blickte zum Burghügel hinüber und sagte nickend, wie jemand, der sich freut, daß man ihm in einer Diskussion mit gewichtigen Argumenten unter die Arme greift: »Ja. Haben Sie diesen Knall gehört? Das ist hochentwickelte Technik, weit entfernt vom Schwarzpulver der Chinesen. Dazu hat es die arabischen Zahlen gebraucht. Auch mit den griechischen und römischen Zahlen war es nicht leicht zu rechnen. Stellen Sie sich doch vor, wie lange es brauchte, bis jemand mit griechischen Ziffern zweihunderteinunddreißigtausenddreihundertzwölf niedergeschrieben hatte. Es geht nicht, meine Liebe, auf griechisch läßt sich das nicht schreiben.«

So redete er. Und er war offensichtlich sehr zufrieden. Bei all meinem Mangel an Wissen verstand ich jedes Wort, das er sagte. Bloß das Ganze verstand ich nicht, den ganzen Menschen. Die Art, wie er funktionierte. Wer war das eigentlich? Ein Komödiant? Nahm er mich auf den Arm? Es war irgendwie aufregend, wie wenn man vor einer neuen Maschine steht, einer raffinierten Schließvorrichtung oder einer ausgeklügelten Rechenmaschine. Ich wußte nicht, wie ich mich ihm nähern sollte. Sollte ich ihm einen Kuß geben? Oder ihm eine runterhauen? Vielleicht hätte er mich zurückgeküßt. Aber vielleicht hätte er den Kuß oder die Ohrfeige einfach über sich ergehen lassen und dann ruhig etwas gesagt. Zum Beispiel, daß Giraffen mit einem Schritt sechs Meter zurücklegen. Das hatte er nämlich auch einmal einfach so plötzlich verkündet. Er hatte gesagt, die Giraffen seien die Engel unter den wilden Tieren, sie hätten etwas Engelhaftes in ihrem Wesen. Auch ihr Name komme daher: Seraph, so wäre ihr richtiger Name.

Das war auf einem Waldweg, wo wir an einem Herbsttag gegen Ende des Kriegs spazierten. Er sprach laut von den Giraffen, seine Stimme hallte im Wald wider. Er hielt einen begeisterten Vortrag darüber, wieviel pflanzliches Protein eine Giraffe benötigt, damit ihr langer Hals und ihr kleiner Kopf und ihre riesigen grauen Hufe gediehen. Es war, als sagte er ein Gedicht auf, eine unverständliche Hymne. Und er schien sich an der Bedeutung der Wörter zu berauschen, schien ganz benebelt von der Tatsache, daß er in einer Welt lebte, in der es auch Giraffen gab. Das machte mir angst. Es beunruhigte mich, wenn er mit den Chinesen oder den Giraffen kam. Später hatte ich keine Angst mehr, sondern auch ich war irgendwie betrunken von dem, was er redete. Ich schloß die Augen und hörte seiner heiseren Stimme zu. Mich interessierte nicht der Inhalt seiner Rede, sondern der seltsame prüde und jubelnde Rausch, der da mitklang. Als ob die Welt ein großes Fest wäre und er der Derwisch, der die Bedeutung dieser Feier ins Land hinausschrie.

Weißt du, was in alldem war? Lust.

Aber keine gewöhnliche menschliche Lust. Vielleicht eher so, wie sie die Pflanzen, die großen Farne und duftenden Lianen oder die Giraffen um sich verbreiten. Vielleicht sind auch die Schriftsteller auf diese Art lüstern. Ich brauchte Zeit, bis ich merkte, daß er nicht verrückt war, sondern sehr lüstern. Lüstern auf die Welt, der Stoff der Welt erregte ihn, das Wort und das Fleisch, das Geräusch und der Stein, alles, was man fassen und doch nicht begreifen konnte. Wenn er so gesprochen hatte, schaute er drein wie jemand, der Liebe gemacht hat und jetzt befriedigt mit geschlossenen Augen daliegt. Ja, mein Schatz, genauso.

Hingegen konnte er nicht wirklich schweigen, nicht so, wie wenn man den Mund hält, weil einem nichts einfällt. Du zum Beispiel kannst wunderbar schweigen, wenn du an deinem Schlagzeug sitzt und mit deinem Götterkopf ernsthaft in der Bar umherblickst. Aber so erhebend dein Anblick im weißen Smoking auch ist, man sieht deinem Gesicht doch an, daß du einfach schweigst und an nichts denkst. Dieser Unglückliche hingegen schwieg so, als ob er etwas verschwiege. Und er konnte sehr stark schweigen. Es war so stark wie ein Geschrei.

Wenn er sprach, ermüdete es mich nie. Ich spürte eher einen angenehmen Schwindel, wie wenn man Musik hört. Sein Schweigen hingegen machte mich müde. Denn dann mußte man mit ihm still sein und auf das achtgeben, was er verschwieg.

Ich erriet nie, woran er in solchen Augenblicken dachte. Ich spürte nur, daß nach einem solchen Ausbruch, über die Chinesen oder die Giraffen, die wahre Bedeutung des Gesagten erst begann, wenn er verstummte. Und wenn er so schwieg, war er auch sehr weit von mir entfernt.

Es war wie im Märchen, wenn einer die Tarnkappe aufsetzt und unsichtbar wird. So verschwand er im Schweigen. Zuvor war er noch dagewesen, hatte heiser seinen Vortrag gehalten, und dann war er mit einemmal nicht mehr da. Er war gar nicht unhöflich, und ich war auch nie beleidigt, wenn er plötzlich nicht mehr mit mir sprach. Ich fühlte mich vielmehr geehrt, daß er in meiner Gesellschaft auch schweigen konnte.

Du fragst, worüber er denn so gut schwieg? So stark und konsequent? Ach, mein Schatz, da fragst du was ganz Schwieriges.

Ich stellte mir keinen Augenblick vor, ich könnte sein Schweigen belauschen.

Doch dann kam mir ein Verdacht, anhand kleiner Zeichen. In jener Zeit hatte dieser Mensch begonnen, in sich selbst den Schriftsteller abzuwürgen. Das machte er ganz umsichtig und systematisch. So wie der Mörder, der sich auf seine Tat vorbereitet. Oder vielleicht so wie ein Verschwörer, der lieber Gift nimmt, als das Geheimnis zu verraten.

Ich will versuchen, dir zu erzählen, wie ich allmählich dahinterkam.

Einmal sagte er: »Die Kunstsparte des Kleinbürgers ist das Verbrechen.«

Wie immer, wenn er so etwas sagte, strich er sich über den kahlen Kopf, als zauberte er auf diese Art die Wahrheiten hervor. Später erklärte er dann diese verdächtige Weisheit, nahm sie auseinander und setzte sie wieder zusammen. Er sagte, im Leben des Kleinbürgers sei das Verbrechen das gleiche wie im Leben des Künstlers die Inspiration und die Schöpfung. Doch der Künstler wolle mehr als der Plebejer. Er wolle eine geheime Botschaft formulieren und dann aussprechen oder malen oder in Noten setzen. Etwas, wodurch sich das Leben vervielfacht.

Er erzählte, auf welche Art die ungewöhnlichen, abweichenden Vorstellungen sich im Kopf des Verbrechers verfestigen. Auf welche Art der Mörder oder der Heerführer oder der Staatsmann mit den Möglichkeiten spielt, und wie er dann, genau wie der Künstler im Augenblick der Inspiration, blitzschnell und mit atemraubender Geschicklichkeit sein fürchterliches Kunstwerk, das Verbrechen, ausführt. Ein russischer Autor... runzle nicht deine Marmorstirn, mein Herz, sein Name ist unwichtig, ich habe ihn auch vergessen, aber ich sehe, daß es dich immer verdrießt, wenn man von Autoren spricht, denn du magst diese Gattung nicht. Du hast schon recht. Aber also, er hat gesagt, ein russischer Autor hätte ein Buch über den Mord geschrieben. Und er versicherte, es sei nicht ausgeschlossen, daß dieser Russe wirklich einmal einen Mord begehen wollte. Und dann habe er ihn doch nicht begangen, weil er kein Plebejer war, sondern ein Schriftsteller, der den Mord lieber schrieb.

Er hingegen wollte nichts mehr schreiben. Ich habe nie einen Stift in seiner Hand gesehen, und seine Handschrift kenne ich auch nicht. Einen Füllfederhalter besaß er, so viel ist gewiß. Er lag auf dem Schreibtisch, neben der kleinen Reiseschreibmaschine. Aber auch die machte er nie auf.

Lange Zeit verstand ich nicht, was mit ihm los war. Ich dachte, der ist ausgetrocknet, der hat keine Kraft mehr, weder für die Liebe noch für das Schreiben. Ich dachte, er spiele Komödie, den Gekränkten, der hochmütig schweigt, weil er das wundervolle, einzigartige Geschenk, wie nur er, der eitle alternde Meister, es zu geben vermag, der Welt nicht mehr gönnt. Wie ein Mann, der nicht mehr richtig kann und dann den Asketen spielt, als habe sowieso alles keinen Sinn. So vermutete ich. Doch eines Tages begriff ich, was er da spielte.

Dieser Mensch wollte nicht mehr schreiben, weil er befürchtete, daß jedes Wort, das er zu Papier brachte, in die Hände von Verrätern und Barbaren geraten könnte. Er hatte das Gefühl, jetzt komme eine Welt, in der alles verfälscht, verraten, beschmutzt wird, was ein Künstler denkt, schreibt, malt, komponiert. Starre mich nicht so ungläubig an. Ich sehe schon, du glaubst mir nicht. Du denkst, ich quatsche bloß, bilde mir Dinge ein. Ja, mein Schatz, das verstehe ich, daß du, der wahre Künstler, das nicht begreifst. Daß du dir nicht vorstellen kannst, die Schlegel eines Tages wegzuwerfen, so wie dieser Mensch seinen Füllfederhalter verstauben ließ. Auch ich kann mir das nicht vorstellen, denn du bist von der Art, die bis zum Lebensende Künstler bleibt. Du wirst noch auf dem Sterbebett trommeln wollen, mein Einziger. Dieser Unglückliche hingegen war eine andere Art von Künstler.

Er befürchtete, er würde zum Verräter und Komplizen, wenn er etwas schrieb, weil eine Zeit anbrach, in der alles verdreht würde. Anders ausgelegt. Er erschrak, wie ein Priester, der weiß, daß aus seinen Äußerungen auf einmal ein politischer Slogan wird, den man herumbrüllen kann. Und deshalb sagt er lieber nichts mehr.

Was meinst du? Was das schon sei, ein Schriftsteller? Ein Knallkopf? Ein Spengler oder ein Beamter sei mehr wert? Es wird schon so sein, wie du sagst, ein Schriftsteller ist bestimmt einfach ein Knallkopf. Und man braucht ihn nicht mehr, so wie man niemanden mehr braucht, der kein Geld und keine Macht hat. Aber schrei nicht so, beruhige dich. Du hast ja recht, er war ein Knallkopf. Trotzdem, du willst wissen, wie er aus der Nähe war? Also, Rang und Namen und Titel hatte er nicht. Und mit dem Geld war das so eine Sache. Ob du's glaubst oder nicht, dieser Mensch hatte etwas Geld. Er war ein Knallkopf, der heimlich an alles dachte, sogar ans Geld. Er war kein Einsiedler, der in der Wüste seine Heuschrecken frißt. Nein, er hatte ein bißchen Geld, aber das brachte er nicht auf die Bank, sondern er trug es in der Innentasche seiner Jacke. Er zog das Geldbündel hervor, wenn er etwas bezahlen mußte. Mit einer nachlässigen Geste, während doch anständige Leute die Geldscheine in ihrer Brieftasche haben. Auch du bewahrst unser Geld so auf, was? Trotzdem, wenn er so sein Geld hervorzog, war es klar, daß man ihn in keiner Weise übers Ohr hauen konnte, da er genau wußte, wieviel er besaß, bis auf den letzten Fillér.

Aber er besaß nicht nur zerfledderte einheimische Banknoten. Er hatte auch Dollars, dreißig Zehndollarscheine. Und französische Napoléons. Diese Goldmünzen bewahrte er in einer alten Blechschachtel auf, in der früher die ägyptischen Zigaretten lagen. Vierunddreißig goldene Napoléons, er zählte sie sorglich, vor meinen Augen. Die Brille war ihm auf die Nasenspitze gerutscht, während er die Goldstücke betrachtete und an ihnen schnüffelte. Zuweilen biß er auf eins oder ließ sie klingen. Er nahm jedes einzeln in die Hand und hielt es ans Licht, mit großer Sachkenntnis.

Aber ich sah nie Geld hereinkommen. Höchstens Rechnungen, die er besorgt und ernsthaft prüfte. Dann zahlte er und gab dem, der die Rechnung gebracht hatte, ein großes Trinkgeld. Aber insgeheim, glaube ich, war er geizig. Einmal, spät in der Nacht, als er seinen Wein schon getrunken hatte, sagte er, das Geld und besonders das Gold seien zu ehren, denn sie hätten etwas Magisches. Er erklärte es nicht weiter. Deshalb überraschte es mich, wenn er so fürstliche Trinkgelder verteilte. Er ging mit dem Geld anders um als die Reichen. Ich kenne ja die Reichen, aber keiner gab Trinkgelder wie dieser knallköpfige Schriftsteller.

Was ist ein Schriftsteller, hast du gefragt. Ja, was ist er, wer ist er? Ein großer Niemand. Ohne Rang und Macht. Ein beliebter Jazzmusiker hat mehr Geld, ein Polizeioffizier mehr Macht und ein Feuerwehrhauptmann einen höheren Rang. Das war ihm klar. Er sagte, die Gesellschaft wisse nicht einmal, wie sie einen Schriftsteller titulieren solle. So wenig zählt der Schriftsteller. Manchmal wird ihm ein Denkmal errichtet, oder man sperrt ihn ein. Aber in Tat und Wahrheit ist für die Gesellschaft ein Schriftsteller nichts und niemand, ein Federfuchser. Herr Redakteur oder Meister, so nennt man den Schriftsteller noch am ehesten. Aber er war ja kein Redakteur, und den Meister stellt man sich als Künstler mit langen Haaren vor, die Muse umarmend. Er hatte eine Glatze, und von der Muse war nichts zu sehen. Herr Schriftsteller, so könne man ihn auch nicht nennen, sagte er, denn diese Bezeichnung habe keinen Sinn. Man sei entweder Herr oder Schriftsteller, aber nicht beides zusammen.

Es war nie klar, ob er es ernst meinte, was er sagte. Mir schien, er hätte auch das Gegenteil sagen können, und es hätte genauso gestimmt. Und wenn er mir in die Augen blickte, war es, als spräche er gar nicht zu mir. Einmal zum Beispiel – das ist lange her, ich hatte es vergessen, aber jetzt erinnere ich mich wieder –, ich saß zwischen zwei Bombenangriffen in seinem Zimmer, mit dem Rükken zum Schreibtisch. Ich dachte, er beachte mich nicht, denn er las in einem Wörterbuch. Ich nahm die Puderdose aus meiner Tasche, prüfte im kleinen Spiegel meine Nase und puderte sie.

Auf einmal höre ich, wie er sagt: »Sie sollten sich in acht nehmen.«

Ich erschrak, drehte mich um und starrte ihn an. Er stand auf und stellte sich mit verschränkten Armen vor mich hin.

»Wieso soll ich mich in acht nehmen?« fragte ich.

Er betrachtete mich mit seitwärts geneigtem Kopf und pfiff leise.

»Sie sollten sich in acht nehmen, denn Sie sind schön«, sagte er anklagend, aber auch besorgt.

Ich mußte lachen: »Vor wem denn? Vor den Russkis?«

Er zuckte mit den Achseln: »Die wollen Sie bloß kurz hinlegen und dann weiterziehen. Aber es werden andere kommen, solche, die Ihnen die Haut über die Ohren ziehen wollen, weil Sie schön sind.«

Er beugte sich über mein Gesicht, um mich mit kurzsichtigen Augen zu betrachten. Als hätte er erst jetzt gemerkt, daß ich ein ganz hübsches Ding war. Vorher hatte er mich nie so angesehen. Jetzt tat er es endlich. Aber auf eine sachverständige Art, wie ein Jäger, der einen Rassehund betrachtet.

»Mir die Haut über die Ohren ziehen?« Ich lachte, aber mit trockener Kehle. »Was für welche denn? Lustmörder?«

Er sagte streng: »Es kommt eine Welt, in der alle verdächtig sein werden, die schön sind. Und alle, die begabt sind. Und alle, die Charakter haben.« Er sprach heiser. »Verstehen Sie nicht? Schönheit wird eine Beleidigung sein. Begabung eine Provokation. Charakter ein Attentat. Denn jetzt kommen sie, aus allen Richtungen kriechen sie hervor, Hunderttausende und noch mehr. Von überall her. Die Grobschlächtigen. Die Unbegabten. Die Charakterlumpen. Und sie werden das Schöne mit Vitriol übergießen. Und die Begabung mit Pech und Schwefel und übler Nachrede verfolgen. Und erdolchen, wer Charakter hat. Sie sind schon da. Und werden immer mehr. Passen Sie auf.«

Dann setzte er sich wieder an den Tisch und bedeckte mit beiden Händen das Gesicht. Lange saß er so. Plötzlich fragte er: »Soll ich einen Kaffee machen?«

So war er.

Und noch anders. Er wurde alt, aber manchmal war es, als lachte er sich ins Fäustchen, vor Schadenfreude über das Altern. Weißt du, es gibt Männer, die das Gefühl haben, das Alter sei die Zeit der Rache. Die Frauen drehen in dieser Zeit durch, schlucken Hormone, schminken sich meterdick, angeln sich junge Männer. Manche Männer hingegen lächeln, wenn sie alt werden. Und so ein lächelnd alternder Mann kann für die Frauen gefährlicher sein als ein junger Platzhirsch. Im ewig gleichen, aber auch ewig spannenden Geschlechterkampf ist in solchen Fällen der Mann der Stärkere, weil er nicht mehr vom Begehren gepeitscht wird. Nicht sein Körper verfügt über ihn, sondern er über seinen Körper. Und die Frauen spüren das wie Tiere den Jäger. Wir herrschen nur so lange, wie wir euch Männer leiden lassen können. Solange wir euch mit Zuckerbrot und Peitsche hinhalten und immer wieder auf Entzug setzen können und ihr dann brüllt und Briefe schreibt und droht, so lange spazieren wir beruhigt durch die Gegend, denn wir haben noch Macht. Aber wenn ein Mann altert, ist er der Stärkere. Na gut, nicht für lange Zeit. Das Altern und das Alter sind ja zweierlei. Am Ende kommt die andere Zeit, das Alter, wenn die Männer zu Kindern werden und uns Frauen wieder brauchen.

Na, lach doch ein bißchen. Ich erzähle dir einfach Geschichten, um dich zu unterhalten an diesem frühen Morgen. Ja, siehst du, jetzt bist du schön, wenn du so überheblich lächelst.

Dieser Mann alterte schlau und schadenfroh. Manchmal fiel ihm ein, daß er alterte, und er erheiterte sich, seine Augen blitzten, und er blickte mich befriedigt an. Es hätte nicht viel gefehlt, und er hätte sich die Hände gerieben vor verwegener Freude darüber, daß ich dort bei ihm saß und ihm keine Leiden mehr verursachen konnte. Bei solchen Gelegenheiten hätte ich ihn am liebsten geohrfeigt und ihm die Brille von der Nase gerissen und die Gläser am Boden zertrampelt. Warum? Einfach damit er aufjaulte. Damit er mich am Arm packte oder zurückschlug oder... Na ja. Es war nichts zu machen, er wurde alt. Und ich hatte Angst vor ihm.

Er war der einzige, vor dem ich je Angst hatte. Obwohl ich dachte, ich verstehe ein bißchen was von den Männern. Ich dachte, sie bestehen zu acht Zehnteln aus Eitelkeit und dann noch zu zwei Zehnteln aus etwas anderem. Fahr jetzt nicht gleich so beleidigt auf, du bist doch die Ausnahme. Ich dachte, ich kenne sie, ich verstehe ihre Sprache. Denn von zehn Männern glauben es neun, wenn man die Augen aufschlägt und tut, als bewunderte man sie, ihre Schönheit, ihre Intelligenz. Man muß lispelnd und lallend zu ihnen reden, sich an ihnen reiben wie eine Katze und ihre unheimliche Klugheit bewundern. Uns Frauen, nicht wahr, genügt es schon, wenn wir zu Füßen des großen Mannes kauern und ehrfürchtig seinen Äußerungen lauschen dürfen, während er berichtet, was er für ein toller Hecht ist im Büro oder wie er die türkischen Importeure übers Ohr gehauen hat, indem er ihnen unveredeltes Leder für veredeltes verkauft hat, oder wie er die richtigen Leute eingeseift hat, um den Nobelpreis oder den Barontitel zu bekommen. Denn darum geht es meistens. Ich sag's ja, du bist die Ausnahme. Du wenigstens trommelst einfach und hältst den Mund. Und wenn du den Mund hältst, dann bin ich ganz sicher, daß du gar nichts denkst. Das ist großartig.

Doch die anderen sind nicht so, mein Liebster. Die anderen sind eitel, im Bett und bei Tisch, beim Spazieren oder beim Scharwenzeln um die Mächtigen, oder wenn sie im Kaffeehaus mit volltönender Stimme den Kellner rufen, alle sind sie dermaßen eitel, daß mir die Eitelkeit vorkommt wie die unheilbare Krankheit der Menschen. Acht Zehntel Eitelkeit, habe ich gesagt? Vielleicht eher neun. So wie die Erdoberfläche zu einem großen Teil aus Wasser besteht, so, scheint mir, sind auch die Männer nichts weiter als Eitelkeit, die von ein paar angelernten Ideen zusammengehalten wird.

Aber dieser da war auf andere Art eitel. Er war stolz darauf, alles in sich abgetötet zu haben, worauf er hätte stolz sein können. Seinen Körper behandelte er wie einen Angestellten. Er aß wenig und mit gemessenen Bewegungen. Wenn er Wein trank, schloß er sich in sein Zimmer ein, wie jemand, der mit einer perversen Leidenschaft allein sein will. Als wollte er keine Frau um sich haben, wenn er Wein trank. Ich mußte ja Pálinka trinken.

Er trank schwere Weine, mit großem Ernst. Holte sie aus der Kammer wie der Pascha, der im Harem eine Odaliske auswählt. Wenn er sich das letzte Glas einschenkte, sagte er laut: »Für die Heimat.« Ich dachte, er mache einen Witz. Aber nein, er lachte nicht, es war kein Witz. Das letzte Glas trank er tatsächlich auf die Heimat.

Du fragst, ob er ein Patriot war? Ich weiß es nicht. Wenn Leute vom Patriotismus sprachen, schwieg er meistens mißtrauisch. Heimat war für ihn die ungarische Sprache. Es war kein Zufall, daß er in der letzten Zeit nur noch Wörterbücher las. Manchmal las er in einem spanisch-italienischen oder französisch-deutschen Wörterbuch, nachts beim Weintrinken oder vormittags und auch während der Luftangriffe, als hoffte er, im fürchterlichen Vernichtungslärm endlich ein Wort zu finden, das eine Antwort war. Aber meistens las er Wörterbücher, in denen die ungarischen Wörter auf ungarisch erklärt wurden, und er las mit einem so verklärten Gesichtsausdruck, als wäre er in Trance.

Hin und wieder sprach er ein Wort laut aus, blickte zur Decke und schien das Wort flattern zu lassen wie einen Schmetterling, ja, genau, einmal sprach er genau dieses Wort aus, Schmetterling, und blickte ihm dann nach, als ob es mit seinen feinen Flügeln tatsächlich im sonnenbeschienenen Zimmer umherflatterte, und von diesem Zaubertanz eines Wortes war er ergriffen, als wäre es das Schönste, was ihm das Leben noch bieten konnte. Offensichtlich hatte er in seiner Seele die Brücken und die Menschen schon aufgegeben. Er glaubte nur noch an die ungarische Sprache, seine Heimat. Einmal durfte ich nachts, als er seinen Wein trank, zu ihm hinein. Ich setzte mich auf das große Sofa, zündete eine Zigarette an und sah ihm zu. Er kümmerte sich nicht um mich, er war schon ziemlich angeheitert. Lief im Zimmer auf und ab und rief Wörter.

Zum Beispiel: »Kard*«.

Er blieb unsicher stehen, als wäre er über etwas gestolpert. Dann blickte er zu Boden und sagte zum Teppich: »Gyöngy*«.

Dann rief er, wobei er sich die Hände auf die Stirn drückte, als hätte er Schmerzen: »Hattyú*«.

Und er sah mich verwirrt an, als merkte er erst jetzt, daß ich im Zimmer war. Ich wagte ihn nicht anzuschauen. Es war mir peinlich. Als sähe ich etwas Unschickliches, weißt du, wie die Voyeure, die durch ein Guckloch sehen, wie einer mit einem Schuh Liebe macht. Er erkannte mich durch den Weinnebel hindurch und blinzelte. Und lächelte dann verlegen, als schämte er sich, ertappt zu sein. Er breitete die Arme aus, als wollte er sich entschuldigen: So ist es halt, ich kann nicht anders, es ist stärker als ich. Dann stotterte er: »Zsurló. Borbolya*«.

Er setzte sich neben mich aufs Sofa, nahm meine Hand, während er sich mit der anderen Hand die Augen bedeckte. So saßen wir lange und stumm.

Ich wagte nichts zu sagen. Aber da begriff ich, daß das, was ich sah, ein Sterben war. Dieser Mensch hatte sein Leben darauf gesetzt, daß in der Welt die Intelligenz herrschte. Und dann mußte er feststellen, daß die Intelligenz machtlos ist. Das verstehst du nicht, denn du bist ein Künstler, und mit der Intelligenz hast du nicht viel am Hut, zum Trommeln brauchst du die ja nicht. Na

---

* *Kard:* Schwert; *Gyöngy:* Perle; *Hattyú:* Schwan; *Zsurló. Borbolya:* Schachtelhalm. Berberitze (Anm. d. Übers.).

komm, werd nicht gleich böse, es ist ja viel mehr wert, was du machst. Na, siehst du. Doch dieser Mensch war ein Schriftsteller und hatte lange an die Intelligenz geglaubt. Er hatte geglaubt, die menschliche Intelligenz sei eine Kraft wie die Kräfte, die die Welt bewegen, wie das Licht und die Elektrizität und der Magnetismus. Und der Mensch herrsche mit dieser Kraft über die Welt, ohne sonstige Hilfsmittel, so wie der Held des langen griechischen Gedichts, du weißt doch, nach welchem man hier letzthin ein Reisebüro benannt hat, wie hieß er schon, ja, Ulysses. Irgendwie so hatte er es sich vorgestellt.

Und dann mußte er sehen, daß die Intelligenz überhaupt nichts wert war, weil die Instinkte stärker sind. Die Triebe gelten mehr als der Verstand. Und wenn die Triebe die Technik zur Verfügung haben, dann pfeifen sie auf die Intelligenz. Dann beginnen sie einen wilden Tanz miteinander, die Triebe und die Technik.

Deshalb erwartete er von den Wörtern nichts mehr. Er glaubte nicht mehr, daß die intelligent aneinandergereihten Wörter den Menschen und der Welt noch helfen konnten. Und wirklich, die Wörter sind heutzutage so komisch verdreht, weißt du, auch das einfache Wort, auch wenn zwei bloß miteinander sprechen, so wie wir jetzt. Die Wörter scheinen keinen Sinn mehr zu haben, überflüssig wie Denkmäler. In Wirklichkeit ist aus den menschlichen Wörtern eine Art Gebrüll geworden, etwas, das laut knatternd aus Lautsprechern kommt.

Er glaubte also nicht mehr an die Wörter und genoß sie doch, berauschte sich an einzelnen ungarischen Vokabeln, schlürfte sie, nachts, in der verdunkelten Stadt, so wie du gestern den Grand Napoléon, den dir der südamerikanische Drogenschieber angeboten hat. Ja, du hast die kostbare Flüssigkeit genauso mit geschlossenen Augen und Sachkenntnis und Andacht geschluckt wie jener Mensch, wenn er »gyöngy« oder »borbolya« sagte. Für ihn bestanden die Wörter aus einem eßbaren Material, aus Fleisch und Blut. Und wenn er die seltsamen Wörter dieser asiatischen Sprache rief und stöhnte, glich er einem Betrunkenen oder Verrückten. Das Ganze kam mir wie eine fernöstliche Lustbarkeit vor, als sähe ich in der dunklen Nacht auf einmal ein Volk, oder eher das, was von ihm übriggeblieben ist, einen Menschen und ein paar Wörter, die von fernher, von sehr weit weg, sich hierher verirrt hatten. Bis dahin hatte ich nie darüber nachgedacht, daß ich Ungarin war. Obwohl ich das wirklich bin, ich schwör's dir, alle meine Ahnen stammen aus der Kúnság. Ich habe ja auch dieses Mal am Rücken, von dem man sagt, es sei kein Muttermal, sondern ein Stammeszeichen. Du willst es sehen? Gut, nachher.

Mir kam in den Sinn, was mein Mann einmal von einem berühmten Ungarn erzählt hat, einem Grafen, der auch Ministerpräsident war, Tisza hieß er, glaube ich. Mein Mann kannte die Frau, in die der Graf verliebt war. Von dieser Frau hatte er gehört, daß der bärtige Graf zu seiner Zeit als Ministerpräsident manchmal mit einigen Freunden ins Séparée des Hotels Hungaria ging und den kleinen Berkes, den Zigeunerprimas, holen ließ, worauf sie die Tür zumachten und schweigend die Zigeunermusik hörten, ohne viel zu trinken. Und gegen Morgen stellte sich der ernste, strenge Graf, der meistens den Gehrock trug, mitten ins Zimmer und begann zu langsamer Musik zu tanzen. Die anderen sahen ihm ernsthaft zu. Niemand lachte, was merkwürdig ist, der Mann war doch Ministerpräsident, und jetzt tanzte er da im Morgengrauen mit langsamen Bewegungen zu Zigeunermusik. Das kam mir in den Sinn, als mein Freund da im Morgengrauen seine Wörter rief und herumfuchtelte, in dem Zimmer, wo nur ich und die Bücher waren.

Du, diese Bücher. Unvorstellbar viele. Ich habe sie nicht gezählt, er mochte es nicht, wenn ich mich mit seinen Büchern abgab. Ich habe sie nur so mit einem Auge schätzen können, all die Bücherregale, die an allen vier Wänden bis zur Decke reichten und unter der Last durchhingen wie der Bauch einer trächtigen Eselin. Klar, in der Stadtbibliothek gibt es noch viel mehr Bücher, hunderttausend oder eine Million. Ich weiß nicht, was die Leute mit all diesen vielen Büchern wollen. Mir hat mein ganzes Leben lang die Heilige Schrift genügt und der Heftroman mit dem schönen bunten Umschlag, auf dem ein Graf vor einer Gräfin kniet. Den hatte ich als junges Mädchen in Nyíregyháza vom Stuhlrichter bekommen, der ein Auge auf mich geworfen hatte und mich zu sich ins Büro rief. Diese beiden Bücher habe ich aufbewahrt. Andere habe ich einfach so zwischendurch gelesen. Denn zu meiner Zeit als Gnädige las ich auch Bücher, du schaust mich umsonst so schief an, ich sehe schon, du glaubst mir nicht. Doch, doch, damals mußte ich auch lesen, und baden, und mir die Zehennägel lackieren, und Dinge sagen wie: »Bartók hat die Seele der Volksmusik befreit.« Was mir sehr auf die Nerven ging. Denn vom Volk und seiner Musik wußte ich einiges, doch davon zu sprechen schickte sich nicht unter den Herrschaften.

All die Bücher in jener Wohnung. Nach der Belagerung schlich ich mich einmal hin. Da war der Schriftsteller schon nach Rom gereist. Ich fand nur ein Trümmerhaus und in einer Ecke eine Masse von zermatschten Büchern.

Die Nachbarn sagten, das Haus hätte viele Treffer abbekommen, und einer der Nachbarn, ein Zahnarzt, erzählte, der Schriftsteller hätte kein einziges seiner Bücher gerettet, er habe einfach vor dem Bücherberg gestanden, nachdem er aus dem Keller heraufgestiegen war, und habe ihn mit verschränkten Armen betrachtet. Die Nachbarn seien um ihn herumgestanden, mitleidig, aber auch in der Hoffnung, er würde zu klagen und zu jammern beginnen. Aber er habe eher zufrieden gewirkt. Verstehst du das? Der Zahnarzt schwor, er sei fast fröhlich gewesen und habe genickt, als sei alles völlig in Ordnung, als sei ein großer Betrug endlich aufgeflogen.

Er habe seine Glatze gestreichelt und zu der breiigen Büchermasse gesagt: »Na endlich.«

Der Zahnarzt erinnerte sich, daß mehrere, die das hörten, beleidigt waren. Aber das war dem Schriftsteller gleich. Er zuckte mit den Achseln und ging weg. Eine Weile lungerte er noch in der Stadt herum, so wie damals alle. Aber in der Gegend seiner ehemaligen Wohnung sah ihn niemand mehr. Offensichtlich hatte er mit seinem »Na endlich« einen Punkt hinter eine Geschichte gesetzt. Der Zahnarzt sagte noch, er habe gedacht, der Schriftsteller wolle nicht zeigen, daß ihn der Verlust schmerzte. Und andere hätten hinter dem erleichterten Seufzer etwas Politisches vermutet, gedacht, der Mann sei vielleicht Pfeilkreuzler oder Kommunist oder Anarchist, deshalb habe er »Na endlich« gesagt. Aber keiner habe etwas in Erfahrung bringen können. Die Bücher blieben also liegen, und niemand rührte an sie, nicht einmal die Bücher, die noch irgendwie heil waren, wurden gestohlen. Obwohl man damals alles mitgehen ließ, schartige Nachttöpfe und Perserteppiche und gebrauchte Gebisse, und was immer du willst.

Der Schriftsteller verschwand, kurz nachdem die Russen in der Stadt eingezogen waren. Jemand erzählte, er sei auf einem russischen Lastwagen nach Wien mitgefahren. Bestimmt hatte er dafür mit seinen gehorteten Napoléons oder den Dollars gezahlt. Man hat ihn gesehen, wie er auf einem Haufen geplünderter Ware auf dem Lastwagen saß, ohne Hut, mit der Brille auf der Nase, und in einem Buch las. Vielleicht in einem Wörterbuch. Was meinst du? Ich weiß es nicht. So ist er aus der Stadt verschwunden.

Doch das ist auch nicht sicher. Irgendwie paßt das Bild nicht zu meiner Erinnerung an ihn. Mir scheint eher, daß er im Schlafwagen verreist ist, im ersten Schlafwagen, der aus der Stadt abfuhr. Und daß er am Bahnhof Zeitungen kaufte und daß er Handschuhe anzog, als er in den Zug stieg, und nicht zum Fenster hinausblickte, als der Zug anfuhr, sondern mit der behandschuhten Hand die Vorhänge zuzog, um die Ruinenstadt nicht zu sehen. Da er doch die Unordnung nicht mochte.

So stelle ich es mir vor. Irgendwie ist es mir wohler dabei. Komisch, jetzt merke ich, daß nur eines sicher ist, nämlich daß er tot ist, alles andere weiß ich nicht mit Gewißheit.

Für mich war er auf jeden Fall der letzte Mensch aus jener Welt, der Welt meines Mannes, der Welt der Herrschaften. Obwohl der Schriftsteller nicht wirklich zu dieser Welt gehörte. Er war ja weder reich, noch hatte er Rang und Namen. Er gehörte auf eine andere Art zu jener Welt.

Weißt du, so wie die Reichen all ihr Zeug in den verschiedenen »Ablagen« aufbewahrten, so bewahrte auch er etwas auf. Die Kultur, das, was er für Kultur hielt. Das, was wir einfachen Leute nicht kennen. Und was uns die

Herren nie hergeben werden, nicht einmal jetzt, da alles anders ist, jetzt, da die Reichen den Armen all die Kinkerlitzchen aufdrängen, die gestern noch zu ihren Privilegien gehört haben. Aber etwas geben sie noch immer nicht her. Denn auch jetzt sind sie irgendwie noch verschworen, die Reichen und Auserwählten, wenn auch nicht auf die Art wie früher, als sie ihre Gemälde- und Kleider- und Aktiensammlungen hüteten. Auf das alles hat der Schriftsteller gepfiffen. Er sagte einmal, er könnte von Äpfeln, Wein, Kartoffeln, Speck, Brot, Kaffee und Zigaretten leben, mehr brauche er nicht. Und zwei Anzüge und etwas Wäsche zum Wechseln, dazu den abgetragenen Regenmantel, den er bei jedem Wetter anhatte. Und das war nicht einfach so dahergeredet, ich wußte, daß er die Wahrheit sagte. Denn am Ende hatte ich gelernt, ihm zuzuhören und zu verstehen.

Ja, ich schwieg und hörte ganz gut zu, glaube ich. Und begriff schließlich ziemlich viel von diesem Mann. Nicht mit dem Kopf, sondern mit dem Bauch, auf Frauenart. Ich spürte und wußte, daß diesem Mann auf der Welt tatsächlich nichts wichtig war, was die anderen für wichtig hielten. Der brauchte wirklich nicht mehr als ein bißchen Speck und Wein und Brot. Und ein paar Wörterbücher. Und am Ende genügten ihm von allen Wörtern der Welt ein paar ungarische Wörter, die im Mund zergingen und einen guten Geschmack hinterließen.

Und die Sonne, die hat er noch geliebt. Hat im herbstlichen Sonnenschein über seinen Wörterbüchern gesessen, während die Bevölkerung und die Soldaten in den Kellern hockten – seltsam, daß die Soldaten vor den Bomben immer mehr Angst haben als die Zivilisten –, und hat manchmal mit seinen schwarz umrandeten Augen aufgeblickt und sich zufrieden von der Sonne bescheinen lassen.

Er schien glücklich. Aber ich wußte, daß er nicht mehr lange leben würde.

Denn wenn er auch die Kultur nicht mehr ernst nahm, sich einkapselte, sich in seinen alten Regenmantel wickelte, so gehörte er doch zu einer Welt, die vor seinen Augen zerfiel und zu existieren aufhörte. Was für eine Welt? Die Welt meines Mannes, die der Reichen, Auserwählten? Nein, die Reichen waren nur noch die Parasiten von dem, was man früher Kultiviertheit nannte. Siehst du, ich werde ganz rot, wenn ich das Wort ausspreche, als wäre es etwas Unanständiges. Als wäre der Schriftsteller oder sein Geist da und hörte, was ich rede. Als säße er hier in Rom, auf dem Bettrand, und wenn ich das Wort »Kultiviertheit« sage, hebt er plötzlich den Kopf und schaut mich durchdringend an. Und fragt: »Was sagen Sie, gnädige Frau? Kultiviertheit? Großes Wort. Wissen denn gnädige Frau überhaupt, was Kultiviertheit ist? Gnädige Frau streichen sich, nicht wahr, die Zehennägel rot. Und pflegen nachmittags oder vor dem Einschlafen ein bißchen in einem schönen Buch zu lesen. Und manchmal beliebt es auch, dem Wohlklang von Musikstücken nachzuträumen, nicht wahr?« Es machte ihm manchmal Spaß, so altmodisch und spöttisch zu reden. »Nein, Gnädige, die Kultiviertheit ist etwas anderes. Die Kultiviertheit, meine Beste, ist ein Reflex.«

Ich sehe ihn, als säße er da. Stör mich nicht. Ich höre ihn, als spräche er zu mir. Einmal hat er gesagt... Weißt du, jetzt redet man so viel von Klassenkampf, davon, daß es aus ist mit den Herrschaften, daß wir jetzt dran sind und uns alles gehört, denn wir sind das Volk. Ich weiß nicht. Da ist das ungute Gefühl dabei, daß sich die Sache vielleicht doch nicht ganz so verhält. Denn diesen anderen bleibt am Ende doch etwas, das sie nicht hergeben. Was man ihnen nicht mit Gewalt wegnehmen kann. Und was man sich auch nicht an der Universität holen kann, mit staatlich unterstützter Nichtstuerei. Wie gesagt, ich weiß nicht recht. Aber ich vermute, daß da noch etwas ist. Ich bekomme fast Krämpfe, wenn ich daran denke, und einen sauren Geschmack im Mund. Der Glatzkopf hat gesagt, es sei ein Reflex. Weißt du, was das ist?

Laß meine Hand. Sie zittert nur aus Nervosität. Jetzt ist es schon vorbei.

Wenn er etwas sagte, verstand ich es nie auf Anhieb, aber irgendwie verstand ich ihn trotzdem.

Später habe ich einen Arzt gefragt, was das sei, Reflex. Er hat gesagt, Reflex sei dann, wenn dein Bein ausschlägt, wenn man mit einem Gummihammer auf dein Knie klopft. Aber der Schriftsteller dachte an ein anderes Ausschlagen.

Als er verschwunden war und ich ihn umsonst in der ganzen Stadt suchte, kam mir so eine Ahnung, daß er selbst der Reflex gewesen war. Er, der ganze Mensch, mit Haut und Haar, in seinem Regenmantel. Nicht das, was er schrieb. Das kann nicht so wichtig sein, es gibt ja auf der Welt genug Bücher, in den Bibliotheken und Buchhandlungen. Manchmal denke ich, es gibt so viele Bücher, so viele Wörter, daß die Gedanken gar keinen Platz mehr haben. Nein, was er geschrieben hatte, war bestimmt nicht mehr wichtig. Und ihn kümmerte es nicht, daß er einmal etwas geschrieben hatte, es war ihm eher peinlich. Er lächelte verschämt, als ich ihn einmal ganz vorsichtig nach seinen Büchern fragte. Als hätte ich einen Fehltritt aus seiner Jugend erwähnt. Da tat er mir leid. Es schien auch eine große Wut oder Zorn oder Traurigkeit in diesem

Menschen zu sein. Er verriet es manchmal mit dem Zukken seiner Lippen oder seiner Lider. Als wäre eine ätzende Säure auf seine Seele getropft.

Als ob die großen Statuen, die berühmten Bilder und weisen Bücher nicht separat existierten, sondern als wäre er selbst auch ein winziger Teil dessen, was jetzt unterging. Er selbst ging unter, zusammen mit dem Ganzen. Statuen und Bücher können offenbar noch eine Weile übrigbleiben, während die Kultiviertheit schon vergangen ist. Aber verstehe das, wer kann.

Als ich während der Belagerung bei diesem Menschen saß und ihn betrachtete, dachte ich, wie dumm ich gewesen war, da ich in meiner Kindheit, in der Grube, und dann später als Dienstmädchen im vornehmen Haus und noch später in London, wo mir der Grieche allerlei Kunststückchen beibrachte, daß ich da also gemeint hatte, die Reichen seien kultiviert. Jetzt weiß ich, daß sich der Reiche nur der Kultur bedient, sich damit vollstopft, doch man lernt das erst viel später und zu einem hohen Preis. Was? Na eben, daß Kultiviertheit daraus besteht, daß ein Mensch oder ein Volk zur Freude fähig ist. Es heißt, die alten Griechen seien kultiviert gewesen. Ich weiß es nicht. Mein Grieche in London war in diesem Sinn nicht kultiviert. Seine größte Sorge war das Geld und alles, was man damit kaufen konnte, Aktien, Gemälde, eine Frau, zum Beispiel mich. Doch es heißt, einst seien die Griechen kultiviert gewesen, denn das ganze Volk hätte sich zu freuen vermocht. Alle, die Töpfer, die kleine Figuren formten, die Ölhändler, die Soldaten, das Volk auf dem Markt, die weisen Männer, die darüber diskutierten, was das Schöne und das Gute sei. Stell dir vor, ein Volk, in dessen Leben die Freude Platz hat. Dann ist das Volk verschwunden, und es sind Leute übriggeblieben, die Griechisch sprechen, was nicht das gleiche ist.

Was meinst du, wenn wir ein Buch über die Griechen läsen? Angeblich gibt es hier eine Bibliothek, dort, wo der Papst wohnt. Schau nicht so beleidigt drein. Der Saxophonist hat gesagt, er gehe zum Lesen dorthin. Na klar, mein Süßer, der schneidet bloß auf. In Wirklichkeit liest er nur Krimis. Aber vielleicht gibt es ja hier trotzdem Bibliotheken, in denen sie Bücher haben, wo man nachlesen könnte, auf welche Art in Griechenland, und dann auch anderswo, die Kultur aufgehört hat. Denn weißt du, jetzt gibt es nur noch Fachleute. Und die vermögen offenbar die Freude nicht mehr zu vermitteln. Das interessiert dich nicht? Na gut, ich will dich nicht plagen. Das Allerwichtigste ist, daß du gut gelaunt und zufrieden bist. Ich will dir nicht mehr mit so verrückten Ideen kommen.

Was schielst du so? Ich seh's deiner Nasenspitze an, daß du mir nicht glaubst. Du hast den Verdacht, mich interessiere in Wirklichkeit gar nicht die griechische Kultur, sondern die Frage, warum jener Mensch gestorben ist.

Was bist du für ein Schlauer. Ja, ich gebe es zu, ich möchte in einem Buch lesen, wie das ist, wenn eines Tages die Kultiviertheit eines Menschen zu zerfallen beginnt. Wie seine Nerven verkümmern, in denen vieles, was frühere Menschen gedacht haben, weiterlebte, so daß er sich zuweilen daran erinnerte und das Gefühl hatte, noch auf andere Art lebendig zu sein als nur wie ein Säugetier. Wahrscheinlich stirbt ein solcher Mensch nicht separat. Sondern es stirbt vieles mit ihm. Du glaubst das nicht? Ich weiß nicht, ob es so ist, aber ich würde gern ein Buch darüber lesen.

Es heißt, auch hier in Rom habe es einmal die Kultur gegeben. Sogar die Leute seien kultiviert gewesen, die weder schreiben noch lesen konnten und bloß auf dem Markt saßen und Kürbiskerne knabberten. Sie waren schmutzig, doch dann gingen sie ins öffentliche Bad und redeten dort über höhere Dinge. Meinst du, es könnte sein, daß dieser verrückte Mensch deswegen hierherge-kommen ist? Daß er hier sterben wollte? Weil er wußte, daß alles, was je Kultur genannt werden konnte, vorbei war? Und da kam er hierher, wo alles schon mehr oder weniger ein Abfallhaufen ist. Wo aber doch noch etwas von der Kultur herausguckt. So wie auf dem Vérmező in Budapest die gelben Füße der Toten aus ihren eilig aufge-worfenen Gräbern. Ist er vielleicht deswegen gekommen? In diese Stadt, in dieses Hotel? Weil er wollte, daß im Augenblick seines Todes doch noch ein Hauch von Kultur um ihn sei?

Ja, er ist hier gestorben, in diesem Zimmer. Ich habe den Portier gefragt. Bist du jetzt zufrieden, daß du auch das noch weißt? Da bitte, auch das schenke ich dir. Jetzt habe ich nichts mehr. Den Schmuck hast du gut versteckt, nicht wahr? Du bist mein Wohltäter, mein Engel.

Du, bestimmt hat er, als er starb – in diesem Bett ist er gestorben, so hat es der Portier gesagt, ja, hier in diesem Bett, wo du jetzt liegst –, bestimmt hat er gedacht: »Na endlich.« Und gelächelt. Diese Andersartigen, Seltsamen, die lächeln am Ende immer.

Warte, ich will dich zudecken.

Schläfst du, mein Goldjunge?

*Posillipo, 1949 – Salerno, 1978*

## Sándor Márai

### Ein Hund mit Charakter

Roman. Aus dem Ungarischen von
Ernö Zeltner. 249 Seiten.
Serie Piper

Es wird weiße Weihnachten geben. Seufzend beschließt der Herr, das Fichtenbäumchen mit den schon etwas zerschlissenen Sternen zu schmücken. Aber schenken wollten sie sich dieses Jahr wirklich nichts ... Entgegen der Abmachung begibt sich der Herr dann doch noch mit seinen letzten hundert Pengö in die Stadt, geradewegs zum Zoo. Und am Hundezwinger springt ihm ein hinreißendes schwarzes Stück Fell auf vier Beinen entgegen, das fortan sein Leben und das der Dame von Grund auf verändern wird. Der charmante, hintersinnige Hunderoman des großen ungarischen Erzählers Sándor Márai.

»Heiter und humorvoll, grundiert mit einem Schuß Melancholie.«
Financial Times Deutschland

## Sándor Márai

### Die jungen Rebellen

Roman. Aus dem Ungarischen von
Ernö Zeltner. 278 Seiten.
Serie Piper

Das rebellische Aufbegehren einer Clique von vier Heranwachsenden, die sich dem Erwachsenwerden verweigern, verschränkt mit der melancholischen Stimmung einer Epoche des Umbruchs – das ist das Thema von Sándor Márais frühem, autobiographisch geprägtem Roman aus dem Jahr 1929. Während ihre Väter an der Front sind, ziehen sich die jungen Männer in ihre eigene Welt zurück, bis Mißtrauen, Eifersucht, Fatalismus und Resignation sie unwiederbringlich ins Leben hinaustreiben.

»Márai zeichnet dieses Porträt in einer wunderbaren Mischung aus grausigem Realismus der Kriegs- und Poesie der Traumbilder. Ineinander geschoben und durch Bilder von skurrilen Nebenfiguren ergänzt, treffen sie genau jene Gefühlswirren, denen sich die Rebellen über kurze Zeit hingeben.«
Neue Luzerner Zeitung

05/1607/01/L                    05/1549/01/R

## Sándor Márai
### Die Glut

*Roman. Aus dem Ungarischen und mit einem Nachwort von Christina Viragh. 224 Seiten. Serie Piper*

Darauf hat Henrik über vierzig Jahre gewartet: Sein Jugendfreund Konrád kündigt sich an. Nun kann die Frage beantwortet werden, die Henrik seit Jahrzehnten auf dem Herzen brennt: Welche Rolle spielte damals Krisztina, Henriks junge und schöne Frau? Warum verschwand Konrád nach jenem denkwürdigen Jagdausflug Hals über Kopf? Eine einzige Nacht haben die beiden Männer, um den Fragen nach Leidenschaft und Treue, Wahrheit und Lüge auf den Grund zu gehen.

»Sándor Márai hat einen grandiosen, einen quälenden Gespensterroman geschrieben, einen Totengesang der Überlebenden, denen die Wahrheit zum Fegefeuer geworden ist. Die Glut hat ihnen das Leben zur Asche ausgebrannt.«
Thomas Wirtz in der Frankfurter Allgemeinen Zeitung

## Sándor Márai
### Die Gräfin von Parma

*Roman. Aus dem Ungarischen von Renée von Stipsicz-Gariboldi, überarbeitet von Hanna Siehr. 241 Seiten. Serie Piper*

Den Verliesen Venedigs entflohen, bezieht der vornehme Fremde Quartier in Bozen. Als er erfährt, daß auch der Graf von Parma mit seiner bezaubernden Frau in der Nähe weilt, ist es um seine Ruhe geschehen. Denn Francesca ist die einzige Frau, die ihn je wirklich berührt hat. Einer der berühmtesten Romane Sándor Márais erzählt von der Liebe und deren Vergänglichkeit – und von der Utopie eines dauerhaften Lebensglücks.

»Noch einmal betrit der ungarische Starautor Sándor Márai die Literaturbühne, und bei sich hat er den ewigen Liebhaber Casanova. Eine beinahe unwiderstehliche Kombination!«
Cosmopolitan

05/1382/01/L        05/1658/01/R

## Siegfried Heinrichs
### *Spätsommertag*
Gedichte, 72 Seiten
ISBN 3-933314-55-0 / € 11,25

## Siegfried Heinrichs
### *Frauen*
Erzählungen, Gedichte , 100 Seiten
ISBN 3-933314-67-4 / € 17,00

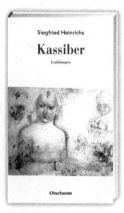

## Siegfried Heinrichs
### *Kassiber*
Erzählungen, 120 Seiten
ISBN 3-926409-36-3 / € 14,32

## Siegfried Heinrichs
### *Zeit ohne Gedächtnis*
Gedichte, Tagebuchnotizen,
131 Seiten
ISBN 3-926409-06-1 / € 20,35

*Erstveröffentlichung*

*Oberbaum*